Knaur.

Über den Autor:
Hans-Olaf Henkel, Jahrgang 1940, war Chef der IBM Deutschland, dann Präsident der Leibniz-Gemeinschaft. Seine Bücher wurden mehrfach ausgezeichnet, zuletzt mit dem Europäischen Buchpreis »Corine 2003«.

Hans-Olaf Henkel

Die Kraft des Neubeginns
Deutschland ist machbar

Knaur Taschenbuch Verlag

Besuchen Sie uns im Internet:
www.knaur.de

Erweiterte Taschenbuchausgabe November 2005
Knaur Taschenbuch.
Ein Unternehmen der Droemerschen Verlagsanstalt
Th. Knaur Nachf. GmbH & Co. KG, München
Copyright © 2004 bei Droemer Verlag.
Ein Unternehmen der Droemerschen Verlagsanstalt
Th. Knaur Nachf. GmbH & Co. KG, München
Umschlaggestaltung: ZERO Werbeagentur, München
Umschlagabbildung: Daniel Biskup
Druck und Bindung: Clausen & Bosse, Leck
Printed in Germany
ISBN-13: 978-3-426-77836-4
ISBN-10: 3-426-77836-X

2 4 5 3 1

INHALT

Vorwort zur Taschenbuchausgabe

Deutschlands Zukunft liegt in der Globalisierung. Und das nicht erst, seit es den Begriff »Globalisierung« gibt. Ein Beispiel: die Familie Steinweg aus Wolfshagen, die im 19. Jahrhundert nach New York auswanderte und die »Kraft des Neubeginns« entdeckte: Sie benannte sich in Steinway um und gründete die berühmteste Klavierfabrik der Welt. Bald darauf sorgte sie für den Re-Import ihres Markenartikels und etablierte 1880 eine Produktionsstätte in Hamburg, die noch heute floriert.

Als ich im April 2005 eingeladen wurde, zur 125-Jahr-Feier der Firma Steinway & Sons in Hamburg den Festvortrag zu halten, wusste ich nichts von alledem. Nur der Name hatte sich mir tief eingeprägt. Er erinnerte mich an die Hausmusik meiner Eltern in der Rothenbaumchaussee und, damit verbunden, an den goldenen »Steinway«-Schriftzug auf dem schwarzglänzenden Flügel, in dem sich Mutter bei ihrem Spiel spiegelte. Leider ist in der Bombennacht 1943 auch unser Flügel verbrannt, und selbst die Gussplatte im Inneren, die den Brand hätte überstehen müssen, blieb im Trümmerfeld unauffindbar.

Das mit der Gussplatte, die den gewaltigen Zug der gespannten Saiten aushalten muss, hat mir Direktor Thomas Kurrer bei der Führung durch sein Hamburger Werk berichtet. Wäre mir die in diese Platte eingravierte Nummer bekannt gewesen, hätte er mir genaue Auskunft über Alter und Bauart unseres Instruments geben können. Nebenbei erfuhr ich auch, dass diese Alt-Hamburger Fabrik mit ihrer klassischen deutschen Handwerkskunst, trotz aller Standortnachteile und trotz der Fünfunddreißigstundenwoche, Weltmarktführer ist. Mit Ausnahme der Vereinigten Staaten, die vom New Yorker Stammsitz beliefert werden, produziert Hamburg die legendären Steinways für den gesamten Weltmarkt.

Als nach meiner Festrede in der Hamburger Musikhalle der

chinesische Starpianist Lang Lang am Flügel Platz nahm, um eine Komposition aus seiner Heimat, »Schimmerndes Mondlicht auf dem See«, im legendären Steinway-Wohlklang ertönen zu lassen, ging mir eine weitere Facette der Globalisierung auf: Hatte ich in meinem Buch *Die Macht der Freiheit* (2000) von dem ideellen Dreieck aus Demokratie, Menschenrechten und Marktwirtschaft gesprochen, so sah ich sie nun um ein viertes Element ergänzt, das mit den dreien untrennbar zusammenhängt: Ich meine die Weltkultur, die sich nur dank des globalen Netzwerks bilden konnte und das Zusammengehörigkeitsgefühl der Menschen ausdrückt.

Insgeheim empfand ich Stolz über diese Firma, die das alte Wort vom »Made in Germany« hochhält und im modernen Wettbewerb besteht, ohne sich verbiegen zu müssen. Vielleicht, so sagte ich mir damals, können aus den »guten alten« Zeiten bald »gute neue« werden.

Als dieses Buch vor einem Jahr entstand, wagte ich gleich zu Beginn den Satz: »Heute stehen wir, davon bin ich überzeugt, an einem Wendepunkt unserer Geschichte.« Möglicherweise war ich damit ein wenig meiner Zeit voraus, auch meiner eigenen Phantasie: Dass sich die Dinge so schnell entwickeln würden, habe ich damals wohl gehofft, aber nicht geahnt. Andererseits war mir klar, dass unser Land mit der Wahl des neuen Bundespräsidenten Horst Köhler einen Weg eingeschlagen hatte, der sich nicht mehr umkehren ließ. Der Geist des Neubeginns war aus der Flasche, und die Kraft, die nötigen Veränderungen einzuleiten, begann sich unübersehbar zu regen. Wenn meine damalige Prognose sich nun wie eine »self fulfilling prophecy« liest – um so besser!

Als beispielhaft für den Neubeginn und die Kraft, die er entfaltet, stand mir damals der Wiederaufbau eines im Krieg zerstörten architektonischen Wunders vor Augen. Dass die von alliierten Bomben zerstörte Dresdener Frauenkirche, gegen jede Wahrscheinlichkeit, förmlich aus dem Nichts zu altem Glanz erstehen konnte, setzte drei konsequente Schritte voraus:

Zuerst musste man *die alten Trümmer wegräumen.*

Sodann galt es *jene Bauelemente zu sichern, die sich bewährt hatten* (ein IBM-Computerprogramm hat dafür gesorgt, dass alle wiederverwendbaren Steine dort wieder eingefügt wurden, wo sie sich ursprünglich befanden – für den Betrachter unschwer an der schwarzen Färbung der alten Steine zu erkennen).

Und drittens – und allem anderen voraus – musste man *eine Vision entwickeln:* die alte Frauenkirche wieder so erstehen zu lassen, wie sie uns auf Canalettos wunderbaren Veduten entgegenleuchtet.

Alle Beteiligten (mich eingeschlossen) haben jahrzehntelang an dieser Vision, an diesem Glauben an die Wiederherstellbarkeit des Schönen festgehalten. Das Resultat spricht für sich.

Für die Wiederherstellung eines fast bankrotten Staatswesens gilt dieselbe Logik. Wenn ich vor einem Jahr die »Kraft des Neubeginns« beschwor, so wollte ich zugleich zu jenen drei Schritten ermuntern, mit denen sich unser Land, der »kranke Mann Europas« (so die *New York Times* am 26. Juni 2005), politisch »heilen« lässt: Die Befreiung von lähmenden Schuldkomplexen; die Rückbesinnung auf die Prinzipien der einst so erfolgreichen »sozialen Marktwirtschaft« und schließlich die Entwicklung einer Vision, wie unsere Demokratie ihren Werten treu bleiben und zugleich den Wettbewerb in der globalisierten Welt bestehen kann.

Den Mut, diese Schritte zu gehen, sehe ich heute – wie vor einem Jahr – in unserem Bundespräsidenten verkörpert. Er schloss die »visionäre Lücke«, die sich seit dem Ende von Roman Herzogs Präsidentschaft aufgetan hatte, und drückte sich mit derselben Deutlichkeit aus, die Herzogs berühmte »Ruck-Rede« von 1997 ausgezeichnet hat. Demnächst, so hat Roman Herzog mir erzählt, wird er ein Buch mit dem optimistischen Titel *Der Ruck ist möglich* veröffentlichen. Er ist nicht nur möglich, möchte ich hinzufügen, er hat bereits eingesetzt. Die »Parteienlandschaft« ist in Bewegung geraten und die rot-grüne Macht, die Deutschland seit 1998 gelähmt hat, ist nachhaltig erschüttert.

Welche Ironie, dass der entscheidende Stoß gegen die Regierung Schröder von Kanzler Schröder selbst gekommen ist. Sein bonapartistischer Coup, das Kabinett zu stürzen, um das Kabinett zu retten, wirft ein bezeichnendes Licht nicht nur auf die beteiligten Charaktere, sondern auch auf unser politisches Entscheidungssystem. Als Franz Müntefering es für angebracht hielt, am Abend der verlorenen Nordrhein-Westfalen-Wahl im Mai 2005 eine außerplanmäßige Neuwahl des Bundestags anzukündigen, begründete er dies mit den bestehenden Machtverhältnissen im Bundesrat – obwohl sich diese durch die jüngste Landtagswahl ebensowenig verändert hatten, wie sie sich durch eine künftige Bundestagswahl verändern würden. Die Absurdität dieses vorgeschobenen Arguments sollte nur davon ablenken, dass Schröder nach siebenjähriger Amtszeit plötzlich erkannt hatte, dass die ganze Reise in die falsche Richtung gegangen war. Jetzt zog er die Notbremse, um sich – gewissermaßen erhobenen Hauptes – »vom Acker zu machen«. Was, rückblickend, das gesamte »Rot-Grüne Projekt« in ein fragwürdiges Licht rückt: Ein mit höchsten Erwartungen begonnenes, von den Preisgesängen der Medien jahrelang hochgehaltenes Unternehmen verabschiedet sich sozusagen durch den Hinterausgang. Angesichts der Dreistigkeit, mit der Müntefering sich am Wahlabend den Rang eines Verfassungsorgans anmaßte, scheint das jedoch kaum aufgefallen zu sein.

Der beschämende Höhepunkt dieser »Vollbremsung« vollzog sich von der Öffentlichkeit unbemerkt. Nach Münteferings Verkündigung ließ der Kanzler verbreiten, er hätte den (für Parlamentsauflösungen allein zuständigen) Bundespräsidenten noch am Wahlnachmittag über seinen Schritt in Kenntnis gesetzt. Offenbar nahm er an, dass Horst Köhler nicht wagen würde, ihm zu widersprechen. Zum Glück gehört der Bundespräsident nicht zu jener Elite von Entscheidungsträgern, die sich von spitzen Ellenbogen beeindrucken lassen. Erst Tage später und fast en passant ließ er wissen, dass er von Schröders Schritt aus dem Fernsehen erfahren hatte. Er ließ es dabei bewenden. Und Schröder spielte weiter den Ehrenmann. Einen Tony Blair oder George W. Bush, da bin ich mir ganz sicher, hätte eine solche Lüge das Amt gekostet.

Nicht, dass mich derlei Kanzleramtskapriolen wundern. Wer dieses Buch liest, wird genügend Beispiele für den abenteuerlichen Umgang der rot-grünen Regierung mit Ehrlichkeit und Anstand finden. Ohne diese beiden Grundpfeiler menschlicher Gemeinschaft aber ist ein Neubeginn schlechterdings undenkbar.

Als Horst Köhler im März 2005 im Berliner Haus der Wirtschaft über die Zukunft der Bundesrepublik sprach, appellierte er vor allem an den Wirklichkeitssinn der Regierenden; sie sollten sich nicht länger in die eigene Tasche lügen. »Deutschland ist sich selbst untreu geworden«, mahnte er. »Wir vernachlässigen schon lange das Erfolgsrezept (der Erhardschen sozialen Marktwirtschaft), das der Bundesrepublik nach dem Krieg Zuversicht und Wohlstand, Stabilität und Ansehen gebracht hat.« Gemäß dem Sprichwort, dass der getroffene Hund bellt, schäumten rot-grüne Politiker über diese angebliche »tagespolitische Parteinahme«, vor allem aber über Köhlers Forderung einer »Vorfahrt für Arbeit«.

Im Rückblick scheint mir diese Rede für die politische Neuorientierung, die wir im Augenblick erleben, mit verantwortlich. Denn auf die ungeschönte Lagebeschreibung des Präsidenten folgte eine ideologische Antwort, die weniger der Vernunft als einem marxistischen Lehrbuch zu entstammen schien. Überhaupt dürfte es in den letzten vierzig Jahren deutscher Innenpolitik kaum einen ähnlich abrupten Hakenschlag gegeben haben, wie Franz Müntefering ihn mit seinem Wort von den kapitalistischen »Heuschreckenschwärmen« vollführte. Während sich selbst wohlmeinende Beobachter die Augen rieben, in welches historisch-ideologische Umfeld sich der SPD-General da vergaloppiert hatte, nahmen andere diese Einladung zur Demagogie dankend auf und riefen zum Klassenkampf in einem neuen Linksbündnis, das sich nun allerdings tatsächlich wie

11

eine Heuschreckenplage über die rote Stammwählerschaft her-
machte. Worauf die SPD, in einem weiteren Hakenschlag, die
versprochene Unternehmenssteuerreform kassierte, Hartz IV
»nachbesserte« und eine »Reichensteuer« proklamierte, um
den linken Zug nicht zu verpassen.

Wie peinlich für sie, dass sich nun im Vorfeld der Bundestagswahl ein Korruptionsskandal abzeichnet, in dem einige ihrer
»Genossen« ganz heuschreckenmäßig über ihr eigenes Haus
hergefallen sind. Ich spreche vom VW-Konzern, wo nicht nur
ein Betriebsratschef Volkert, der sich angeblich mit dem Kanzler duzt, »auf verdecktem Wege als Kapitalanleger im eigenen
Unternehmen« *(FAZ)* einzusteigen suchte, sondern in dem der
Personalchef, SPD- und IG-Metall-Mitglied Hartz, von Vorgängen gewusst haben muss, bei denen SPD-Politiker jahrelang
Geld vom VW-Konzern erhalten und Gewerkschafter sich wie
in einem Selbstbedienungsladen aufgeführt haben. Dass dieser Peter Hartz, der mit seinem Rücktritt dem fälligen Raus-
wurf zuvorgekommen ist, praktisch zum Synonym für Gerhard
Schröders Arbeitsmarktreformen wurde, belegt beider Affini-
tät. Auch was Fragen des Anstands betrifft. Bekanntlich hat der
frühere Vorstandschef Ferdinand Piëch 1996 den damaligen
Ministerpräsidenten Gerhard Schröder und seine dritte Frau auf
VW-Kosten zum Opernball nach Wien eingeladen. Erst als
dieser Skandal publik wurde, beglich Schröder nachträglich die
Rechnung. Und wurde bald darauf Bundeskanzler.

Wenn das Jahr 2005 einmal als »Wendepunkt unserer Geschichte« bezeichnet werden sollte, dann auch dank der Cha-
rakterfestigkeit, mit der sich im März ein schleswig-holstei-
nischer SPD-Abgeordneter– trotz wilder Drohungen seiner Genossen – der Wahl der (eigentlich abgewählten) Heide Simonis
zur Ministerpräsidentin widersetzte. Wie in der sogenannten
Chaostheorie der Schlag eines Schmetterlingsflügels am Amazo-
nas einen Wirbelsturm in Texas auslösen kann, so beeinflusste
die Unbeirrbarkeit jenes »Verräters« an der Förde die Wahl-
entscheidung am Rhein, die wiederum Schröder unter Druck
setzte. Er reagierte wie ein Pokerspieler, der alles, was er hat, auf

eine Karte setzt. Und keiner merkt, dass er gar nichts in der Hand hat ...

Entsprechend erwies sich die »Vertrauensfrage«, mit der Schröder um Misstrauen bei all jenen warb, die sonst auf seine Vertrauenswürdigkeit bauten, als traurige Posse. Sollte die Volksvertretung wirklich der Spiegel sein, in dem sich der Souverän wiedererkennt, müsste sich Deutschland an jenem schwülen Sommertag 2005 wie ein Narrenhaus vorgekommen sein. Immerhin führte diese Farce jedermann vor Augen, wozu ein Parlament ohne konstitutionelles Selbstauflösungsrecht fähig ist.

Wenn wir die Kraft des Neubeginns finden wollen, das führe ich in diesem Buch aus, müssen wir uns eine neue Verfassung geben, durch die politische Entscheidungsprozesse beschleunigt werden, eine Verfassung, die auf die Probleme der Globalisierung Antworten findet und zugleich dem Souverän die (ihm bis heute vorenthaltene) Souveränität gibt. In einer Zeit schneller Prozesse und Entscheidungen muss ein Land schnell reagieren, muss ein Kanzler schnell regieren können. Wie der Bundestag ein Recht haben soll, sich selbst aufzulösen, so soll das Volk sich seinen obersten Repräsentanten, den Bundespräsidenten, selbst wählen und auch über die EU-Erweiterung selbst entscheiden können.

In diesem Sommer habe ich mit zahlreichen Oppositionspolitikern, darunter CDU-Generalsekretär Volker Kauder, Hessens Ministerpräsident Roland Koch und Kanzlerkandidatin Angela Merkel, über die Notwendigkeit einer Verfassungsreform gesprochen. Ein »Rat der Weisen«, wie er in dem von mir mitgegründeten »Konvent für Deutschland« vorgebildet ist, sollte beauftragt werden, dem deutschen Parlament entsprechende Vorschläge zu unterbreiten. Dabei müsste der Webfehler, der die Föderalismuskommission zum Scheitern verurteilt hat, vermieden werden: Die Mitglieder eines Gremiums, das über den Umgang mit Macht entscheidet, dürfen nicht selbst Mandatsträger sein. Sie sollen kompetent sein, aber keine Machtpositionen einnehmen.

Übrigens hat sich als erste die FDP bereit erklärt, die Einberufung eines solchen Konvents ins Parteiprogramm aufzunehmen – vielleicht weil es jenen am leichtesten fällt, auf Macht zu verzichten, die (noch) keine ausüben.

Bei meinen Gesprächen habe ich auch darauf hingewiesen, dass der erste Schritt einer neuen Regierung die Wiederherstellung des Arbeitsmarkts sein muss. Dieser alles entscheidende Schritt kostet nichts. Man muss nur das Tarifkartell, die Kungelrunde von Gewerkschaften und Arbeitgebern, aufheben und den einzelnen Betrieben das Selbstbestimmungsrecht geben. Mit einer »Schleifung der Tarifautonomie«, wie die Gewerkschaftsführer behaupten, hat das nichts zu tun. Nirgendwo im Grundgesetz steht, dass sie und die Arbeitgebervertreter die Treuhänder einer »Tarifautonomie« wären, mit der lediglich der Staat aus den Lohnverhandlungen herausgehalten werden soll. Nähme man diese vernünftige Regelung ernst, dann müssten die einzelnen Unternehmen nicht nur vor den Eingriffen der Regierung, sondern auch vor dem Diktat der Gewerkschaften und Wirtschaftsverbände geschützt werden. Dann müsste den Betrieben freigestellt werden, ihre Arbeitsbedingungen individuell zwischen Betriebsrat und Unternehmensvertretern auszuhandeln. Wie es auf der ganzen Welt üblich ist. Nach der Reaktionen meiner Gesprächspartner(innen) zu schließen, sind die Chancen dafür besser als je zuvor. Das »Rot-Grüne Projekt« verabschiedet sich aus der Geschichte. Wir stehen, davon bin ich überzeugter denn je, an einem Wendepunkt unserer Geschichte.

Hans-Olaf Henkel
Berlin, im Juli 2005

VORWORT

Und sie dreht sich doch, die Stimmung in unserem Land. Dass unser neuer Bundespräsident so ohne weiteres sagen kann, er liebe Deutschland und wünsche ihm Gottes Segen, war jahrzehntelang undenkbar. Heimatliebe war tabu. Hatte einst Bundespräsident Gustav Heinemann trocken bemerkt, er »liebe nur seine Frau«, so wollte sein Amtsnachfolger Johannes Rau schon deshalb auf Deutschland nicht stolz sein, weil man »nur auf eigene Leistungen stolz sein« könne.

Ich habe mich damals gewundert, dass man ihm das abgenommen hat. Denn die ganze Welt denkt in diesem Punkt anders. Liebe zum eigenen Land, auf das man stolz ist, wird überall als Selbstverständlichkeit angesehen. Und keinem fiele es ein, dies dem Nachbarn zu verwehren. Ob die Menschen nun »Vive la France« oder »God bless America« rufen, sie alle wissen, dass Patriotismus zu den Grundvoraussetzungen eines erfolgreichen Gemeinwesens gehört, und nicht nur des eigenen. Den Bann, der über Deutschland lastete, hat Horst Köhler gebrochen und mit dem Bekenntnis zur Heimat, das er bei seinem Amtsantritt ablegte, einen Paradigmenwechsel eingeleitet.

Heute stehen wir, davon bin ich überzeugt, an einem Wendepunkt unserer Geschichte. Seit Jahrzehnten hat sich Deutschland in eine Sackgasse manövriert, aus der es keinen Ausweg zu geben schien. Überall drohten Verbotsschilder und Tabus, zu denen auch jenes gehörte, das eigene Land nicht lieben zu dürfen. Jeder Versuch, sich aus eigener Kraft zu befreien, endete in einer der zahllosen Selbstblockaden aus ideologischen Dogmen und Paragraphen. Da aber die Welt weiterschreitet, bedeutete unser Stillstand ein ebenso langsames wie unaufhaltsames Absinken. Horst Köhler brachte am ersten Tag seiner Präsidentschaft den Mut zu der Frage auf, »ob es uns egal sein kann, dass unser Land nicht wächst und gedeiht, im globalen Wettbewerb zurückfällt und einer der Motoren Europas immer mehr ins Stottern gerät«.

Wie der Bundespräsident und unzählige Mitbürger will auch ich mich nicht damit abfinden. Seit vielen Jahren suche ich nach Auswegen aus dem deutschen Dilemma. Alle meine Bücher, Reden und Medienauftritte sind Befreiungsversuche, mit denen ich Mut zur Veränderung machen will: Mut dazu, den eigenen Spielraum zu nutzen und die »Macht der Freiheit« zu begreifen. Mut dazu, sich auf vergessene Tugenden zu besinnen und der Freiheit eine Ethik an die Seite zu stellen, die Rücksicht auf die Mitmenschen nimmt, ja sie auf den Weg des Erfolgs »mitnimmt«. Wenn ich in meinem letzten Buch von einer »Ethik des Erfolgs« sprach, so meinte ich damit nicht, wie Kritiker unterstellten, den geschäftlichen Erfolg für wenige, sondern den gesellschaftlichen Erfolg, an dem alle teilhaben.

Wie bloße Freiheit gefährlich werden kann, wenn sie nicht durch ethische Normen »gezähmt« wird, so bleibt die Suche nach einem Ausweg so lange sinnlos, als man darüber deren Zweck vergisst: dass man irgendwann anfangen muss mit der Befreiung. Viele glauben die Rezepte zu kennen, mit denen Deutschland sich aus seiner politischen, sozialen und wirtschaftlichen Lähmung lösen kann. Aber noch fehlt der Mut und vor allem der Glaube daran, dass unsere Gesellschaft auch die nötige Kraft dazu aufbringen könne.

Wie also steht es mit unserer »Kraft des Neubeginns«? Manche meinen, das Land sei reformunfähig, durch jahrzehntelange Selbstblockade unbeweglich geworden. Dieser Eindruck drängt sich auf, aber ich teile ihn nicht. Was uns fehlt, ist das Vertrauen in die Eigendynamik jedes Aufbruchs. Dynamik entsteht nicht von selbst, sondern setzt Bewegung voraus. Nur wer startet, kommt auch in Schwung. Nur wer den Neubeginn wagt, mobilisiert damit auch die nötigen Kräfte. Wer wagt, gewinnt, heißt es. Und wer seine Risikoscheu überwindet, für den hat, ehe er sich's versieht, der neue Weg schon begonnen.

Die Kraft, die ich meine, ist ein altvertrautes Phänomen. Kürzlich habe ich Heinrich Heines bittersüße Liebeserklärung an sein Vaterland wiedergelesen. In *Deutschland, ein Winter-märchen*, 1844 im Pariser Exil verfasst, sieht er sich mit klopfendem Herzen nach Hause zurückkehren. »Seit ich auf deutsche Erde trat«, schreibt er, »durchströmen mich Zaubersäfte – Der Riese hat wieder die Mutter berührt, und es wuchsen ihm neu die Kräfte.« Dass der deutschjüdische Dichter damit nicht den Hurrapatriotismus des »Deutschland über alles« meinte, versteht sich von selbst. Aber ebenso unbestreitbar scheint mir das, was er im Herzen fühlte: die Liebe zum Vaterland, die ihm neue Kräfte schenkte.

Interessant finde ich, dass Heine von Deutschland als der »Mutter« spricht. Man sagt ja auch »Muttersprache«. Steht der Begriff »Vaterland« für eine gewisse »väterliche« Strenge, die manchen zurückstoßen mag, so klingt »Mutterland« bergend und sanftmütig, »mütterlich« eben. Vielleicht könnte man sogar so weit gehen, der Trauer, die wir mit der Geschichte unseres Vaterlandes verbinden, ein Gefühl der Ermutigung und der wiederkehrenden Kraft zur Seite zu stellen, die wir unserem Mutterland verdanken.

Ich will in diesem Buch von meinen eigenen Erfahrungen berichten, von Deutschland als dem Land meines Vaters, der im Krieg gefallen ist, und dem Land meiner Mutter, die uns drei Geschwister durchgebracht hat. Oft habe ich mich gefragt, woher diese Frau, deren Existenz zertrümmert war, die Kraft genommen hat. In diesem Buch versuche ich, eine Antwort darauf zu geben. Auch auf die Frage, wie Deutschland den Neubeginn geschafft hat, nach Jahrzehnten der Diktatur, der Entbehrung und des unvorstellbaren Grauens.

Über Deutschland ist, so meine ich, genug und ausdauernd gerichtet worden. Ich erlaube mir, in diesem Buch ein wenig darüber zu philosophieren. Ich blicke auch zurück in eine Vergangenheit, die ich mir düsterer kaum vorstellen kann: die Zeit des Bombenkriegs, in der unser Leben ein beständiger Notstand war, gipfelnd in bitterem Schmerz. Ich begegne einer Familie, die erst ihr Haus, dann den Vater verlor. Ich erlebe, wie das geschlagene Land sich langsam wieder erhob, und wie ich selbst lernte, auf eigenen Füßen zu stehen. Ich stelle mich auch jener Epoche, die heute verdrängt ist, weil sie nicht ins politische Weltbild passt: den Jahren des Terrors der RAF und anderer Menschheitsbeglücker, in denen sich eine Blutspur durch unser freies Land zog. Was ich erlebte, haben Millionen erlebt. Ich schreibe es auch stellvertretend für sie. Und stellvertretend für die Kraft, der dieses Buch gewidmet ist, erzähle ich, wie ich die Wiedergeburt der Dresdner Frauenkirche von Anfang an miterleben durfte, dieses wahrhaftige Wunder unserer Zeit.

Ich wage auch einen Blick in eine Zukunft, die sich so viele Deutsche heute erträumen. Was wäre, wenn unser Land seine selbstgeschmiedeten Fesseln abwürfe? Wenn es sich selbst, seine Geschichte und die Werke, mit denen es die Menschheit bereicherte, wieder annehmen könnte? Wenn es endlich das alte Grundgesetz von 1949 den Bedingungen der Moderne anpassen und die schöpferischen Kräfte unseres Volkes freisetzen würde?

»Deutschland soll ein Land der Ideen werden«, sagte Horst Köhler nach seiner Wahl zum Bundespräsidenten. Wie es dies, so möchte ich hinzufügen, in seiner langen Geschichte fast immer gewesen ist. »Aus deutschem Boden«, so schrieb einst der deutschjüdische Schriftsteller Ludwig Börne, »sind alle jene großen Ideen hervorgegangen, die von geschickteren, unternehmenderen oder glücklicheren Völkern ins Werk gesetzt und benutzt worden sind.«

Es wäre schön, wenn man eines Tages über uns sagen könnte, wir Deutschen seien nicht nur ein geschicktes und unternehmendes, sondern auch ein glückliches Volk.

Hans-Olaf Henkel
Berlin, im August 2004

KAPITEL EINS

Die verbrannten Briefe

Ein Buch, so schrieb einmal ein Autor, ist wie ein langes Selbstgespräch. Manchmal begegnet man dabei einem Menschen, den man zu kennen glaubte und doch nicht kannte. Irgendwie wird man sich selbst fremd, als betrachte man sich von außen. Verdutzt schaut man in den Spiegel der Erinnerung: Warum war einem dieses oder jenes Detail nicht schon früher aufgefallen?

Oder man schreibt über einen Menschen, der schon sechzig Jahre tot ist und der plötzlich, inmitten der aufsteigenden Bilder, wie lebendig vor einem steht. Dann wird aus dem Selbstgespräch ein Dialog, und alte Fragen erhalten neue Antworten. Dann weitet sich das Buch, das vor meinen Augen auf dem Bildschirm wächst, Buchstabe für Buchstabe, Zeile um Zeile, zu einer Theaterbühne, auf der das Leben noch einmal sein vergessen geglaubtes Stück spielt. Als geschähe es zum ersten Mal.

Sobald das Buch dann erschienen ist, erweitert sich der einsame Monolog, den ich an meinem PC führte, zu einem Dialog mit meinen Lesern. Da mir an diesem Gespräch sehr viel gelegen ist, gebe ich in meinen Büchern immer meine E-Mail-Adresse an (henkel@wgl.de). Das Wort Dialog ist dabei noch eine gelinde Untertreibung. Es gleicht eher einer Welle aus vielen Hunderten von Zuschriften, die jeden erdenklichen Aspekt meines Buches kommentieren. Und die mich, meist auf sympathische Art, zum Zwiegespräch darüber einladen. Immer wieder bin ich überwältigt von der großen Zahl an Zuschriften, aber auch von der Ernsthaftigkeit, mit der die Leser auf meine Gedanken eingehen. So wird jedes meiner Bücher durch die Leser selbst fortgeschrieben, und dies wiederum zwingt mich, meine eigenen Ansätze weiterzudenken. Ich bin meinen Lesern dankbar für die vielen Fragen und Anregungen, und ich möchte dieses Buch auch als Antwort darauf verstanden wissen.

Für das Buch habe ich den Laptop immer dabei.

Viele der Zuschriften beziehen sich auf die Vergangenheit, vor allem auf jene tragischen Jahre, die ich als Kind miterlebt habe. Dann muss ich, sozusagen Hand in Hand mit meinen Lesern, auf die Bühne der Erinnerung zurückkehren und das Geschehene neu in Augenschein nehmen. Die meisten Briefe, ich sage dies in aller Bescheidenheit, drücken Lob aus, heben diese oder jene Erkenntnis positiv hervor. Viele versichern, mein Buch bereits mehrfach weitergeschenkt zu haben. Gelegentlich geht die Zustimmung so weit, dass man mir Heiratsanträge macht, einmal sogar versehen mit dem Zusatz: »Bitte nur lesen, wenn Sie Junggeselle sind.« Ich gebe zu, dass ich trotzdem gelesen und, wie bei allen Briefen, auch geantwortet habe. Allerdings anders, als sich die Dame, eine offenbar wohlhabende Engländerin, erhofft haben mochte.

Manches geht mir auch unter die Haut. Als ich in meiner

Autobiographie *Die Macht der Freiheit* von unserem ausgebombten Haus in Hamburg und der Suche nach dem Soldaten-
grab meines Vaters Hans berichtete, schrieben mir viele Leser
über ähnliche Ereignisse. Sie hatten die Tragödie der Luftangriffe oder der Vertreibung miterlebt, hatten ihren Vater oder
Bruder an der Front verloren. Irgendwie fühlten sie sich erleichtert, dass ich so offen über meine Trauer gesprochen hatte.
Manche meinten, ich hätte für sie mitgesprochen.

Ein Brief hat mich zutiefst schockiert und beunruhigt. Im
Vorabdruck, den der *Spiegel* von meiner Autobiographie brachte, war das letzte Bild meines Vaters zu sehen, mit Wehrmachts-
mütze und -uniform, wie ich annahm. Nun erfuhr ich, dass
es sich um eine Polizeiuniform handelte. Ich sah das Bild noch
einmal an. Nur einem Kenner fiel der Unterschied auf. Aber der
Absender wusste, was er sagte. Und da ich seine Andeutung verstand, musste ich erst einmal tief durchatmen. Ich legte mich
hin, schloss die Augen. Nein, dachte ich, das kann nicht sein.

Vor Jahren hatte ich ein Buch gelesen, das unter dem be-
klemmenden Titel *Ganz normale Männer* Unvorstellbares be-

Das letzte Bild meines Vaters zeigt ihn in Polizeiuniform.

richtete. Der Autor Christopher Browning zeichnete darin die Geschichte des Polizeibataillons 101 nach, das 1942 in Polen eingesetzt war und dort Massaker an Juden begangen hatte. Das Unvorstellbare bestand nicht allein in der Tatsache, dass die Angehörigen dieses Polizeibataillons unschuldige Männer, Frauen und Kinder erschossen hatten, sondern dass es sich bei den Tätern tatsächlich um »ganz normale Männer« handelte und nicht um Nazischergen oder brutalisierte Soldaten. Um Männer aus meiner Heimatstadt Hamburg.

Ich erinnerte mich an den Satz eines Kommandanten, der seine Truppe mit den Worten aufgemuntert hatte, sie sollten beim Töten daran denken, »dass zur gleichen Zeit deutsche Frauen und Kinder durch Bomben umkämen«. Wie empört war ich, dass die meisten dieser Polizisten nach dem Krieg unbehelligt davongekommen waren! Nun wusste ich, dass auch mein Vater eine solche Uniform getragen hatte. Aber ebenso sicher wusste ich, dass er nicht in Polen und Russland, sondern in Ungarn gewesen war. In Brownings Buch schlug ich die Einsatzorte des Bataillons nach und war erleichtert: Mein Vater hatte mit diesen entsetzlichen Vorgängen nichts zu tun.

1905 geboren und von Beruf Kaufmann, war Hans Henkel während des Krieges zum Polizeidienst in Hamburg eingezogen worden. Seinen grünen »Tschako«, den zylinderförmigen Gendarmenhelm mit dem Hoheitszeichen an der Stirnseite, entdeckte ich nach dem Krieg in unserem großen Wandschrank in der Hamburger St.-Benedict-Straße 48. Daneben lag ein blankes Seitengewehr, das wie ein langer Dolch auf den Karabiner aufgesteckt wurde. Als Erinnerung an den vermissten Vater übte der Fund große Faszination auf mich aus. Natürlich probierte ich den Helm vor dem Spiegel an. Das Ungetüm gefiel mir so gut, dass ich es einmal sogar als Faschingsverkleidung benutzte. Zu jener Zeit waren die schrecklichen Ereignisse, deren Zeuge ich als Kind geworden war, verblasst. Besser gesagt, sie waren verdrängt. Wie sonst hätten Mutti und wir drei Kleinen ein neues Leben beginnen können, ohne Haus und ohne Ernährer?

Nachdem ich den Brief noch einmal gelesen und den ersten Schock überwunden hatte, sah ich mir die alten 16-Millimeter-Filme an, auf denen mein Vater 1943 seine Einheit festgehalten hatte. Als begeisterter Hobbyfilmer war mein Vater von seinem Regiment damit beauftragt worden, ohne das versprochene Honorar je zu sehen. Man übte in der Lüneburger Heide, irgendwo zwischen Uelzen und Celle. Was mir sofort auffiel, war die weiße Kleidung, mit der man ins Manöver zog. Vater zeigte im Film, wie man einen Tornister packt, die Decke korrekt zusammenrollt, Maschinengewehre lädt. Und auch, wie man ein Seitengewehr »aufpflanzt«. Seine Einheit bestand hauptsächlich aus Familienvätern und älteren Männern, die man dabei sehen konnte, wie sie eine Ruine stürmten, Stielhandgranaten warfen oder mit der Zigarette im Mund posierten. Am Himmel huschten die Silhouetten von Kampfflugzeugen vorbei. Da mein Vater filmte, war er selbst auf diesem Streifen nicht zu sehen. Alles wirkte spielerisch, und weil es ein Stummfilm war, fast wie ein Traum.

Lüneburger Heide 1943: Mein Vater in weißer Übungsuniform filmt mit der 16-Millimeter-Kamera »kämpfende« Kameraden.

Noch war die Begegnung mit Panzern für meinen Vater ungefährlich.

Dass mein Vater kein Anhänger der Nazipartei war, hatte Mutti immer betont. Ihm sei der »braune Mob« zuwider gewesen. Da meine Eltern überzeugte Individualisten waren, leuchtete mir das ein. Um ganz sicherzugehen, suchte ich im Internet nach der ehemaligen Mitgliederkartei der NSDAP, von der ich wusste, dass die Amerikaner sie an die Bundesrepublik zurückgegeben hatten. Doch zu meiner Überraschung konnte mir keine Suchmaschine weiterhelfen. Eigentlich gibt es nichts, was es im Web nicht gibt. Aber die Liste der ehemaligen Parteigenossen, die doch von allgemeinem Interesse sein sollte, ließ sich nicht auffinden. Hielt man die Namen unter Verschluss?

Im November 2003 wurde ich wieder an mein Projekt erinnert. Als mir für mein letztes Buch, *Die Ethik des Erfolgs,* der Internationale Buchpreis »Corine« in München verliehen wurde, lernte ich das Ehepaar Walter und Inge Jens kennen. Sie wurden für ihre Katia-Mann-Biographie mit der Sachbuch-»Corine« ausgezeichnet. Bisher war mir der berühmte Literaturprofessor Walter Jens nur als Rhetoriker bekannt, der seine betont gesellschaftskritischen Positionen mit Eloquenz vortrug und seine Unterschrift unter jedes Manifest setzte. Als Gruppe-47-Mitglied, langjähriger PEN-Präsident und mahnender Festredner für jede Gelegenheit kam er mir immer wie der Grand-

seigneur der deutschen Linken vor. Beim Plaudern im München-
er Cuvilliés-Theater erwies er sich als ein sehr charmanter,
liebenswürdiger Herr, dessen Frau ihm an Geist mindestens
ebenbürtig war.

Kaum nach Berlin zurückgekehrt, stieß ich beim Zeitung-
lesen wieder auf seinen Namen. Der Mann, der fast ein halbes
Jahrhundert lang mit allem, was er für rechts oder nationali-
stisch hielt, besonders unnachsichtig umgegangen war, wurde
nun selbst als ehemaliger Rechter und Nationalist bloßgestellt.
Bei der Arbeit an einem Germanistenlexikon hatte man entdeckt, dass er in der Mitgliederkartei der NSDAP als Parteigenosse geführt wurde. Selbst ein Umzug im Frühjahr 1943 war
in der Kartei vermerkt worden. Welch seltsame Wendung,
dachte ich. Dieser Mann, der die rücksichtslose Aufklärung
der Nazivergangenheit forderte, hatte sich ein Leben lang
erfolgreich um die Aufklärung der eigenen Vergangenheit
gedrückt.

Walter Jens sah das anders. Zwar räumte er ein, dass er bei
der Hitlerjugend gewesen sei, anschließend Mitglied im Natio-
nalsozialistischen Studentenbund. Aber Parteigenosse, niemals.
In mehreren Interviews bestand er darauf, »nichts gewusst zu
haben«. War ihm klar, in welche Gesellschaft er sich mit dieser
Formulierung begab? Auch andere beschuldigte Germanisten
reklamierten das »Ich habe von nichts gewusst« für sich, ließen
sich ihre »Zwangsmitgliedschaft« von der Wissenschaft bestäti-
gen. Zu Unrecht, wie ein Gutachten des renommierten Münche-
ner Instituts für Zeitgeschichte befand: Für Kollektiveintritte in
die NSDAP, von denen die Betroffenen nichts gewusst hätten,
gab es keinerlei Beweise. Und wer überdies seinen Wohnort-
wechsel der Partei meldete, musste wissen, dass er in ihrer Kartei geführt wurde.

Ich will Walter Jens nicht vorwerfen, dass er als junger Mann,
wie über acht Millionen andere Deutsche, in Hitlers Partei eingetreten ist. Oder dass er, wie der Großteil der Jugend, an den
»Führer«, dessen vermeintliches Edelmenschentum und hehre
Versprechungen geglaubt hat. Ich wundere mich nur darüber,

dass er es nicht mehr wahrhaben will und sich, als einer der brillantesten Köpfe unseres Landes, zu dem Satz hinreißen ließ: »Es kann da etwas geben, was ich nicht mehr weiß.« So etwas muss man wissen.

Als ich so alt war wie Walter Jens zu der Zeit, die ihm entfallen zu sein scheint, bin ich in den »Club kochender Männer« in Hamburg eingetreten, um meine Selbstversorgung etwas abwechslungsreicher zu gestalten. Allerdings trat ich schleunigst wieder aus, als ich bemerkte, dass es weniger um schmackhafte Hausmannskost als um die Höhe der Kochmützen und schmucke Ehrennadeln ging. Diese völlig unbedeutende Episode meines Lebens ist mir im Gedächtnis haften geblieben. Ich wüsste nicht, warum dies bei Walter Jens in einem viel gravierenderen Fall anders sein sollte.

Die Debatte um die NS-Mitgliedschaften brachte mich auf eine Idee. Ich schrieb im Januar 2004 an das Bundesarchiv in Berlin, ob sich nicht über meinen Vater einige diesbezügliche Informationen auffinden ließen. Einige Wochen später erhielt ich die im klassischen Amtsdeutsch verfasste Antwort, dass »die nötigen Recherchen an den personenbezogenen Beständen und Sammlungen der NSDAP und deren Gliederungen aus der Überlieferung des bis 1994 amerikanisch verwalteten Berlin Document Centers« erst dann eingeleitet werden können, wenn der beiliegende Benutzungsantrag, eine Kopie des Personalausweises, die Kopie der Geburtsurkunde und anderes mehr eingereicht würden. Selbst der Kostenrahmen zwischen 15,34 Euro und 30,68 Euro war in wünschenswerter Korrektheit angegeben. Kopien zu 41 Cent würden extra berechnet.

Das Ergebnis ließ auf sich warten. Je länger es dauerte, um so mehr wuchs meine Ungeduld. Manchmal fragte ich mich, ob ich es nicht, wie Walter Jens, einfach vergessen sollte. Aber ich wollte nun einmal wissen, ob mein Vater sozusagen mit wehenden Fahnen nach Ungarn in den Tod gezogen war oder ob man ihn dazu gezwungen hatte. Ich wollte nicht, dass es da etwas gab, was ich nicht weiß.

Selbst wenn ich es hätte vergessen wollen, wurde ich fast

täglich daran erinnert. Nach Walter Jens wurden immer neue Parteimitglieder »geoutet«, die sich an nichts erinnern konnten. Man ging sogar so weit, längst Verstorbene zur Rechenschaft zu ziehen, darunter bekannte Publizisten wie Friedrich Sieburg. Eine besonders bizarre Blüte aus dem Enthüllungstreibhaus trug der Literaturkritiker Marcel Reich-Ranicki bei. Im Dezember 2003 verbreitete er in der *Welt* über den Schriftsteller Siegfried Lenz, dieser sei als Junge »in der Napola«, einer »Nazi-Anstalt«, gewesen und habe es vor ihm »verheimlicht«. Als der Autor der *Deutschstunde,* seit Jahrzehnten mit dem Kritiker befreundet, diesem entschieden widersprach, zog sein Ankläger die Verleumdung zurück. Allerdings hätte sich Lenz, so legte Reich-Ranicki nach, »für diese Elite vorzüglich geeignet. Er war ›reinrassig‹, blond und blauäugig.« Dass er kein Nazizögling war, beruhe auf »Zufall«. »Sprache kann hübsch garstig sein«, kommentierte die *Neue Zürcher Zeitung.*

Im Januar 2004 trug die *taz* einen nicht minder originellen Fall zum allgemeinen Enttarnungsfieber bei. Das Blatt breitete sich auf einer halben Seite genüsslich darüber aus, dass der Großvater von Friedrich Merz Mitglied der NSDAP gewesen war. Offenbar war der *taz* entgangen, dass diese Taktik, Menschen fertigzumachen, gerade im Nationalsozialismus sehr verbreitet war. Damals nannte man das Sippenhaft.

* * *

Während der Arbeit an meiner Autobiographie hatte ich von meiner Schwester Karin mehrere Fotokopien von Feldpostbriefen erhalten, die uns Vater aus Ungarn geschickt hatte. Zwar wusste ich, dass es einen dicken Leitz-Ordner mit dem Briefwechsel meiner Eltern gab. Aber ich hatte in den letzten Jahrzehnten kaum die Zeit, vielleicht auch nicht den Mut gefunden, mich wirklich intensiv damit zu beschäftigen. Auch schreckte mich ab, dass große Teile davon kaum leserlich waren. Vielen Karten und Briefen meines Vaters sah man an, dass er sie, wie er selbst sagte, mit einem Bleistiftstummel im Schützengraben oder

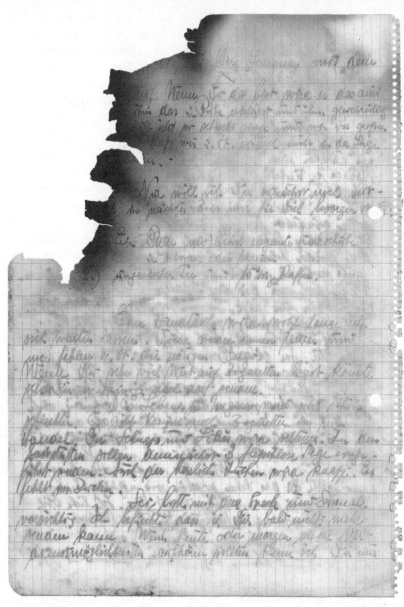

Die angebrannten Briefe meines Vaters an meine Mutter.

Im [...]

Mein bestes, liebes, süßes Mu[...]

Gestern nacht um 11 Uhr erh[...] Deinen lieben Brief v. 30. Dazu [...] den Film-Anzeigen die Aufnahmen [...] einen Brief von Herrn Langner.

Wie schade ist es doch n[...] [...]achten ausgerechnet die Marion hat, wo [...] nach Hamburg ziehen müßt. Hoffentl[...] kleine liebe Kerl bald wieder gesund. D[...] Hamburg ist dann vielleicht doch mal Gel[...] mit nach Rahlstedt zu bekommen. H[...] hatte mir versprechen mit den noch in seinem Apparat befindlichen So tut Filme mir Druck abzunehmen. Noch könnte er mir[...] [...] Filme Fotos von Dir und dem Kleinen machen. Stimmung, angegeben von dem Langner wegend in Menge rund um Dorf gerum Dorf umherschweigend. [...]

[...] Langner hätte gern Bilder im Format 6 × 9 aufnehmen können, dann hätte ich mehr Freude daran gehabt und für Herrn Langner wäre es dasselbe gewesen. Ich muß erst anhand der größeren Bilder sehen können wie das [...] aussieht. [...] [...] Erfahrungen sammeln. Vor allem Dingen sind auch die auf dem nackten Fußboden einer Baracke geschrieben hatte. Andere Briefe hatten unter einem Feuer gelitten, das 1945 in unserem Notquartier in der Lüneburger Heide ausgebrochen war. Viele waren verbrannt, andere wiesen Brandspuren auf, die den Text verstümmelten, teils war die Tinte vom Löschwasser bis zur Unkenntlichkeit verwischt. Das entsprach genau der verschwommenen Vorstellung, die ich mir von den letzten Monaten meines Vaters gebildet hatte.

Als ich jetzt den Ordner, den Karin aufbewahrt hatte, öffne, fühle ich mich unwohl. Es mag die Scham sein, in das intime Zwiegespräch zweier Menschen einzudringen. Beide sind lange tot, und doch haben sie Anspruch auf Diskretion. Aber mich treibt nicht Neugierde, sondern etwas Tieferes, das mit der Liebe zu meinen Eltern, wohl auch mit der Liebe zur Wahrheit zu tun hat. Vielleicht wollten sie sogar, dass ihre Kinder dies irgendwann lesen. Die Wahrheit erfahren. Ich lese mit einem seltsamen Gefühl, gemischt aus Wehmut und Befangenheit. In meinen Wissensdurst mischt sich die vage Angst, ich könnte etwas erfahren, das mich niederdrückt.

Ich habe mich beim Umfang der Briefsammlung verschätzt. Sie ist weit größer als angenommen, da viele der Briefe auf hauchdünnem Durchschlagpapier geschrieben sind. Mutti tippte die meisten Briefe in die Maschine, wobei sie immer eine Kohlekopie anfertigte. Es müssen insgesamt Hunderte sein, eng beschrieben, ohne Rand zu lassen. Meiner Mutter lag so viel auf dem Herzen. Vater schrieb umständehalber von Hand, oft beschrieb er nur kurz einen neuen Standort oder ein Kriegsereignis, dann wieder schilderte er ausführlich das Etappenleben. Die Sammlung, aus der beim Blättern kleine Aschepartikel fallen, beginnt und endet mit einem Schreiben von Mutti. Das erste, im August 1943, steht noch unter dem Eindruck des Bombenangriffs, dem unser Haus und Besitz zum Opfer fielen. Das letzte, im Februar 1945, versucht ein verzweifeltes Gespräch mit meinem Vater anzuknüpfen. Zwei Monate, nachdem er gefallen war.

Schnellenberg, den 22.Febr.1945.

Geliebtes susses Herz ! O, wo bist Du ?? Irgend etwas Schreckliches
muss ja geschehen sein ; denn sonst muesstest Du bis zum 25.Febr.
diesem Datum, das Dir doch in die Seele eingebrannt sein sollte, etwas
von Dir hoeren lassen. Das war die ganze Zeit meine einzige Hoffnung,
dass Du bis zu diesem Tage Dich irgendwie bemerkbar machen wuerdest.
Noch habe ich drei qualvolle Tage Hoffnung.O, wie kann man einen
Menschen nur so peinigen. Warum warum hast Du nicht damals, als ich
fuehlte ,Jetzt must Du dort raus, alles getan , herzukommen,
und Dich sofort ins scheinbar Unabaenderliche gefuegt ? Nun sind alle
Deine Kameraden, wie Eckert, Piep und Mell, die einzigen die ich ueber-
haupt kenne, in guter Sicherheit.Nur Du ..... ich koennte vor Erbitte-
rung verruockt werden. Mit allem stehe ich allein da, wie leicht waere
es, wenn Du jetzt hier waerest, gerade jetzt ist und waere Deine An-
wesenheit so ueberaus dringend erforderlich. Ich kaempfe bestaendig
und halte mich tapfer, aber einmal wird es mir denn doch zuviel.Ich
hoffe von ganzem Herzen, dass Du bei dem Ausbruch aus Budapest dabei
sein moechtest und ich in kurzester Zeit Nachricht von Dir erhalte.Wie
mag es Dir gehen ,mein Lieb, wo wirst Du sein ? Du bistdoch wohl
nicht gefangen ? Ich war in den letzten Tagen so zuversichtlich, da ich
allen Grund hatte zu glauben, dass Du dabei sein wuerdest bei dem Ausbruch . Wann werde ich das erfahren ?
Im Augenblick ist hier auch hoechste Gefahr. Die Bomberverbaende
brausen ueber uns hinweg und alles ist in die Keller gefluechtet. Fuer
den Augenblick laesst mich das kalt.Manchmal ist mir alles so egal.Es
ist sograusam zu denken,dass ich nun wieder , ich wage es kaum zu
schreiben, Wochen von Dir nichts hoeren soll - - -
Immer noch faellt es mir schwer , Dir etwas andere es zu schreiben als
meine staendige Besorgnis um Dich. Es ist auch so schwer zu schreiben,
da alles ohne Widerhall bleibt. Aber lass Dir versichern,mein Lieb, dass
es uns alles so weit gut geht. Natuerlich gibt es staendig Kampf und
immer wieder gilt es, sich aus neuen Schwierigkeiten herauszuschaelen.
Jetzt z.B. muessen saemtliche hollaender zurueck nach Holland. Erstens
ist die Not durch die Fluechtlinge aus Ostpreussen sehr gross geworden,
und dann sollen Hollaender Verrat geuebt haben, sodass sie alle zurueck
muessen. Dadurch ist die natuerlich Nelly und ihre Eltern los. Dabei
waren sie eine so phantastische Hilfe , wie ich sie kaum jemals wieder
bekommen werde. Das Zimmer von Herrn und Frau Sanders musste schon
abgegeben werden, ebenso das Zimmer von Nelly. Auch mein Esszimmer
steht wieder zum Kampf; aber ich werde schon durchkommen, sei deswegen
nicht in Sorge. Wenn wir wirklich hier noch haerter ein Raum hergeben muessen,
laesst sichs nicht aendern.Es gibt weitaus Schlimmeres, und den Preis
fuer meine Errettung aus groesster Nt - als solchen will ich ihn dann
auffassen , - will ich gern zahlen.Wenn wir Dich , Dich ! nur wie-
derhabe. So sieht es also im Augenblick aus, dass Nelly mit ihren
Eltern wegkommt, zunaechst nach Wesermuende.Sie hoffen, sich der Zu-
rueckschickung nach Holland noch entziehen zu koennen ; denn der Sohn
von Frau Sanders ist dort bei der Gestapo.Nun ist der ein Lebens-
abschnitt hinter mir. Wie geht doch alles rasch ! Eben dachte man noch,
es bis zum Kriegsende so aushalten zu koennen.
Heute schrieb mir nun Butz aus Bautzen, ob sie bei mir unterkommen
koenne.» Liebe Wilhelmine!» schreibt sie, » Koennten Peter und ich
evtl. bei Dir in der Heide mit unterkommen. Bunzlau ist gefallen und
wir sind nicht weit davon ab. Mit dem Zug ist es unmoeglich und ob wir
es mit dem Rad schaffen ist auch fraglich. 2 Koffer habe ich 1 Std.
von entfernt untergestellt,aber ich warte bis zuletzt,denn wo soll
man bleiben.Mein Hase liegt gerade im Bett,hoffentlich ist er bald
wiederhergestellt.Was man hier sieht ist grauenvoll. Unsere Stadt
wird zur Festung ausgebaut,die Barrikaden stehen schon.Vielleicht
gehen wir in die Waelder. Es gruesst Dich herzlich in Eile Deine Butz.»
Ich habe daraufhin sofort zurueckgeschrieben, dasssie kommen soll, um-
gehend; denn auch von Frau v.Medings Verwandten werden Fluechtlinge erwartet. Wer nun zuerst hier ist, entweder Frau v.Medings Verwandte oder
Butz, wird wahrscheinlich das Esszimmer bekommen. Fuer mich waere es
ich sehr schoen,wenn Butz herkaeme, da ich dann immer jemanden bei

»Irgend etwas Schreckliches muss ja geschehen sein.« Meine Mutter schreibt
im Februar 1945 an meinen Vater. Da war er schon tot.

Es fällt nicht leicht, sich in den Sommer 1943 zurückzuversetzen, eine Zeit, in der Leben und Würde des Menschen ihren Wert verloren zu haben schienen. Morde an der Zivilbevölkerung und Menschenrechtsverletzungen waren zur Alltäglichkeit geworden. Auf allen Kriegsschauplätzen wurden Menschen »verheizt«. Wer gestern noch »Täter« gewesen war, wurde heute »Opfer«. Wo gestern noch Heimat gewesen war, tauchte nun die Front auf.

Während das Jahrhundertverbrechen des Holocaust im Osten stattfand, richtete sich die Aufmerksamkeit der Deutschen auf die täglichen Bombenangriffe, die überall zusammenbrechenden Fronten, die Todesgefahr, in der die eigenen Angehörigen schwebten. Seit Stalingrad, wo eine ganze Armee aufgerieben wurde, von deren 284 000 Angehörigen 90 000 in Gefangenschaft gerieten und nur 6000 das Ende des Krieges erlebten, wusste jeder nüchtern Denkende, dass der Spuk des Hitlerreichs zu Ende ging. Keiner ahnte, welche entsetzlichen Dimensionen dieser Todesspuk noch annehmen würde.

In vielen Städten verlief die Front für die Deutschen längst durch ihre eigene Wohnung. In unendlicher Wiederholung folgten Luftalarm, Flakfeuer, Bombenabwürfe, Flächenbrände. Überleben wurde zur Glückssache. 1943 hatte Hamburg bereits hundertdreißig Luftangriffe überstanden, als die »Operation Gomorrha« begann. In fünf Tagen zerstörten tausende Bomber in immer neuen Angriffswellen die Großstadt. 35 000 wehrlose Menschen wurden von Splittern zerrissen, von einstürzenden Mauern erschlagen, erstickten im Kohlenoxid der Keller, verbrannten im Feuersturm, der durch die Straßen raste.

Unsere Familie hat überlebt. Meine Eltern und ich waren im Keller verschüttet worden, konnten uns aber aus eigener Kraft nach draußen arbeiten. Gerade als mein Vater mit dem Löschen beginnen wollte, hörten wir Klopfen von der Kellerwand des Nebenhauses. Ein alter Mann war in seinem brennenden Haus eingeschlossen und musste mit Hacke und Beil befreit werden. »Das Bittere dabei war«, so schrieb Mutti später, dass sich in der Zwischenzeit das Feuer so weit ausbreiten konnte, »dass wir nicht nur unser Haus, sondern das gesamte Hab und Gut verloren.«

Nach der Rettung des Nachbarn filmte Vater von der Rothenbaumchaussee aus unser lichterloh brennendes Haus. Am nächsten Morgen stand nur noch eine Fassade mit leeren Fensterhöhlen da. Unser Namensschild an der Türe war in der Mitte gespalten. Noch heute glaube ich mich an diese Details erinnern zu können, obwohl Wissenschaftler meinen, dass solche frühen Eindrücke, die man für persönliche Erinnerungen hält, durch Berichte oder, wie in meinem Fall, das Betrachten der väterlichen Filme hervorgerufen und vom Gedächtnis »rückdatiert« werden.

Einem Brief entnehme ich, dass Vater sich noch in dieser Nacht beim Katastrophendienst meldete. Von Klagen meiner Eltern über die Engländer und Amerikaner, die ihnen ihre Habe und um ein Haar auch ihr Leben genommen hatten, habe ich nie etwas gehört. Nach dem Krieg las ich, die täglichen Angriffe seien militärisch begründet gewesen. Folglich waren die 35 000 Toten der »Operation Gomorrha« und die fast 600 000 Bombenopfer des sechzig Monate dauernden Luftkrieges gegen Deutschland sozusagen als »Kollateralschaden« angefallen.

Seit ich das eindrucksvolle Buch *Der Brand* von Jörg Friedrich gelesen habe, bin ich mir da nicht mehr sicher. Das »Bomber Command« nahm die Massentötung nicht nur in Kauf, sondern kalkulierte sie ein. Der beschönigende Ausdruck lautete »moral bombing«, »moralisches Bombardement«. Jörg Friedrich beruft sich in seiner Darstellung auch auf Professor Freeman Dyson, einen Physiker im Forschungszentrum des englischen Bomberkommandos. Dieser schrieb später, er habe sich damals »krank gefühlt, von dem, was ich wusste. Ich saß bis zum Ende im Büro und kalkulierte, wie man auf die wirtschaftlichste Weise weitere 100 000 Leute ermordete«. Ich bezweifle nicht, dass dies zur Strategie gehörte, dem Hitlerspuk ein Ende zu bereiten. Aber es erscheint mir fraglich, ob es durch irgendein Recht gedeckt war. Von der Moral des »moral bombing« ganz zu schweigen.

Auch heute leben viele Menschen unter ständiger Bombendrohung. Der Terror des Sprengstoffs, der in seiner Unberechenbarkeit liegt, beherrscht unsere Bildschirme. Wenn in Israel ein Bus oder im Irak eine Polizeistation in die Luft gesprengt wird, ist das Fernsehen sofort zur Stelle. Die Bomben, die so verheerend wirken, wiegen zwischen einigen Kilogramm und mehreren Zentnern. Noch im Mai 2004 musste in Hamburg eine aus dem Zweiten Weltkrieg stammende Fliegerbombe entschärft werden, die 325 Kilo wog, also die vielfache Sprengkraft einer modernen Terrorbombe hatte. Bei Friedrich lese ich, dass während des Krieges über 1,3 Millionen Tonnen Bomben auf die deutsche Zivilbevölkerung abgeworfen wurden.

Eine dieser Bomben traf am 26. Juli 1943 unser Haus. »Du weißt doch ganz gut«, schreibt Mutti später an Vater in Ungarn, »dass es ein Wunder ist, dass wir überhaupt noch leben.« Jetzt, wo ich die ersten Briefe in die Hand nehme, deren Durchschlagpapier zwischen meinen Fingern knistert, ist es wie gestern. Oder besser, wie eine Woche später. Wir sind in das Dorf Holm-Seppensen bei Buchholz evakuiert worden, wohnen bei Herrn Thaddäus Smielowski. Meinen Vater hat man von uns getrennt. Er war mit dem 12. Polizei-Regiment ins Finanzamt am Gänsemarkt einquartiert worden, wo heute noch die Steuerverwaltung sitzt. Über dem Eingang des Backsteinhauses kann man das Hamburger Wappen und die Aufschrift »Finanzdeputation« sehen. »Es geht uns gut«, schreibt Mutti ihm aus unserer Notunterkunft, »nur fehlst Du uns furchtbar!«

Die Antwort liegt bei, mit Bleistift auf vier kaum handtellergroße Blättchen gekritzelt. Vermutlich weil die Zensur auf keinen Fall lesen durfte, was mein Vater, der Oberwachtmeister der Reserve, zuvor erlebt hatte. Eigentlich kaum zu glauben: Die Bitte, seiner ausgebombten Frau mit den drei kleinen Kindern beim Umzug aus dem ersten Notquartier helfen zu dürfen, wird »sehr unliebenswürdig« aufgenommen. Obwohl mein Vater in der zerstörten Stadt tagelang beim Katastrophendienst eingesetzt war, hat ihn der Oberst angeschrien und angeordnet, »ich soll heute vom Stab in die Kompanie versetzt werden«, zu

»verschärftem Kompaniedienst«. Da keiner der Offiziere, so schreibt mein Vater verbittert, durch die Luftangriffe betroffen sei, wüssten sie auch nicht, »wie einem zumute ist, der alles verloren hat und in größter Sorge um seine Familie ist«. Kurz, man behandelt ihn »wie einen Verbrecher«. Er wird nach Bremen strafversetzt.

Warum schikanieren die jungen Vorgesetzten meinen Vater, obwohl er mit seinen achtunddreißig Jahren unbescholtener Bürger der Freien Hansestadt ist, erfolgreicher Kaufmann, Musiker, vielseitig gebildet und von guten Umgangsformen? Ich denke, gerade deshalb. Die Oberleutnants, die ihn »höhnisch« angrinsen oder ihn zwingen, »nachts ohne Decken auf nacktem Fußboden zu schlafen«, lassen ihn spüren, dass nun sie die Macht übernommen haben. Nachts um drei Uhr wird er geweckt; Lastwagen fahren ihn und andere zum Konzentrationslager Neuengamme. Hier werden Häftlinge abgeholt, die »die

»Der Oberst schrie mich an …« In einem Brief an meine Mutter vom 9. April 1943 berichtet mein Vater, wie es ihm bei seinem Polizei-Regiment ergeht.

35

Luftschutzkeller öffnen und die schon halbverwesten Leichen herausholen« müssen. Hans Henkel und seine Kameraden müssen »die entsetzliche Arbeit bewachen«. Wer einen Häftling entkommen lässt, wird »sehr schwer bestraft. Man steht bei der Bewachung stets selbst mit einem Fuß im Zuchthaus oder KZ«.

Einmal kehrt Hans Henkel zur Ruine seines Hauses in der Rothenbaumchaussee 141 zurück. »Ich setzte mich auf einen Mauerbrocken an der Innenwand. Mir ward so traurig zumute. Es schnürte mir das Herz ab und ich musste – verzeihe mir – bitterlich weinen.« Während mein Vater in Bremen seinen verschärften Kompaniedienst ableistet, tagelang Kartoffeln schält und jede Nacht wegen Fliegeralarm in den Keller muss, kehrt Mutti nach Hamburg zurück. Um etwas Geld zu verdienen, übernimmt sie das väterliche Papiergeschäft, das von Bomben verschont geblieben ist.

Obwohl die Stadt großenteils in Trümmern liegt, herrscht eine unvorstellbar pingelige Bürokratie. Jede Tätigkeit, jede Besorgung, jeder Wunsch ist genehmigungspflichtig. Da Mutti einen neuen Haushalt zusammenstellen muss, gerät sie in die Mühlen der Behörden. Als wolle man den Menschen zeigen, dass sie Untertanen sind, muss sie für jede Kleinigkeit eine Vollmacht, einen Ausweis, ein Formular besorgen, auf dessen Abstempelung sie stundenlang wartet. Sogar für ein Nachthemd oder einen Teekessel braucht sie einen Bezugsschein. »Meine größte Sorge ist immer, in allem ja nicht zu spät zu kommen«, schreibt sie, »das ist eine Peitsche, die ständig hinter einem ist und vorwärtstreibt.«

Nachts, so klagt sie meinem Vater, »finde ich aus Angst vor Alarm und einem neuen entsetzlichen Angriff keinen Schlaf«. Oft muss sie die Schreibmaschine verlassen, denn wieder heulen die Sirenen. Den Brief setzt sie mit dem Bleistift fort. »Ich schreibe im Stehen im Luftschutzkeller. Zwei Stunden ist schon Alarm. Wir können es gar nicht mehr aushalten, ich bin so müde. Die Flugzeuge brummen beängstigend über uns hinweg. Mir zittern die Knie.« Sie beschreibt, wie »zermürbend« die

Angriffe auf sie wirken. Auch auf die Vorwarnung sei kein Verlass. Hieß es im »Luftlagebericht« des Volksempfängers, dass kein feindliches Flugzeug über dem Reichsgebiet sei, ertöne zehn Minuten später der Voralarm.

Die meisten Nächte verbringt Mutti deshalb in Bunkern. Ab elf Uhr nachts sind sie »proppenvoll. Die Angst, wenn man zu spät kommt und draußen steht mit einer Riesenmenge und das Schießen schon beginnt, ist scheußlich. Heute musste ich mit 20 000 Menschen (lies und glaube!) viereinhalb Stunden im Bunker Bornpark zubringen. Viereinhalb Stunden stehend, gequetscht, in stickiger Luft«. Am Morgen hört sie dann, der Angriff hätte dem Hafen gegolten. »Es ist wie auf einem Pulverfass.« Ein Bekannter in einem Dorf ist getötet worden, »nur durch den Luftdruck einer in der Nähe heruntergefallenen Bombe. Die Lunge ist geplatzt«.

Im März 1944 erfährt Vater, dass er an die Front muss. Um Mutti aufzumuntern, erinnert er sie an die »alten Zeiten, wo wir beide alleine ohne andere Menschen gemeinsame Erlebnisse hatten, vor allen Dingen an die Besuche in der Hamburger Kunsthalle. Wie seltsam, dass ich immer wieder daran denken muss«. Er spricht von seinen Lieblingsbildern, seiner Sehnsucht, sie wieder sehen zu können. »Wenn ich später weit fort sein werde«, fügt er hinzu, »dann sieh Dir doch die schönen Gemälde an. So haben wir etwas gemeinsames Schönes, das uns über die Entfernung verbinden wird.«

Am 14. März 1944, meinem vierten Geburtstag, stellt Vater sein Gepäck zusammen, als ginge er auf Geschäftsreise. Ob meine Eltern dabei über Politik gesprochen haben? Der Name Hitler ist in unserer Familie sehr selten gefallen. Wenn überhaupt, dann so beiläufig, dass ich als Kind glaubte, er hieße »Fitler«. »Adol Fitler«. Etwas Unheimliches haftete für mich diesem Namen an. Nach dem Krieg sprach Mutti ihn mit Bitterkeit aus. Er war für die Leiden verantwortlich, die über uns gekommen waren.

Tage später wird Vaters Kompanie in Marsch gesetzt. Man verlädt die Polizisten in Güterzüge, je vierzig pro Waggon. Sie sind zusammengepfercht wie Vieh. Abwechselnd sitzen und stehen sie. Die Außenwelt ist nur durch den Spalt der Waggontüre sichtbar. »Wenn nachts die Türe geschlossen wurde, glaubte man zu ersticken. Wurde die Türe geöffnet, so fror man entsetzlich.« Endgültig geöffnet werden die Güterwaggons erst in der Slowakei, wo die Männer in ein Durchgangslager kommen. Beim Gang durch eine verschneite Industriestadt spürt Vater die »Feindseligkeit« der Bevölkerung. Im Lager selbst gibt es wenig Nahrung. »Die Folge ist«, meldet er eine Woche später, »dass ich zusehends abnehme. Hier hat man ewig Hunger und keine Möglichkeit, sich etwas Vernünftiges zu essen zu kaufen.«

In dieser Nacht hat Vater einen Traum. Er kommt auf Urlaub nach Hause, doch niemand ist da. Verzweifelt hetzt er durch die Stadt, sucht Bekannte auf, irrt durch die Trümmerlandschaft. Seine Familie bleibt verschwunden. Ohne eine Spur von Frau und Kindern entdeckt zu haben, fährt er wieder ab. »Es war, als müsste ich laut schreien.« Dann ist Mutti plötzlich bei ihm. Sie steigen einen hohen Schneeberg empor, an dessen Fuß die Kinder warten. Plötzlich beginnt sich der Hang über ihnen zu bewegen. Als wäre eine Schleuse geöffnet, brechen gewaltige Wassermassen auf sie nieder, von denen die Kinder mitgerissen werden. Verzweifelt stürzt er ihnen nach. Und erwacht. Draußen heult ein Schneesturm.

Nach einer Woche steht Hans Henkel wieder »mit vollem Gepäck« im ruckelnden Güterwaggon. Er ist »überfüllt und schmutzig, draußen schneit es. Wenn der Ofen nicht wäre, dann könnte man es nicht aushalten. Bei jedem Halt stürzen die Männer förmlich aus den Waggons, um ihre Notdurft zu verrichten«. Als Verpflegung gibt es nur trockenes Brot, das sie auf einem kleinen Kanonenofen rösten. Auf der Fahrt kommen ihnen aus Russland die vollen Lazarettzüge entgegen. Vater sieht sich als Chronist. Wie er früher sein Leben mit der Kamera festgehalten hat, notiert er nun alles in den Briefen. Sie sind sein Tagebuch, die ständige Verbindung zum »normalen« Leben. Sie wird erst kurz vor seinem Tod abreißen.

Als Vaters Einheit endlich am Bestimmungsort in Ungarn angekommen ist, darf sie die Waggons einen Tag lang nicht verlassen. Dann geht es mit einem Kraftwagen durch die endlose Steppe, bis sie bei einer Bauernfamilie einquartiert werden. Man behandelt sie liebenswürdig, die Ungarn sind Verbündete. Man drängt ihnen Speck und Wein auf. Am Abend erlebt mein Vater zum ersten Mal Zigeunermusik, die ihn hellauf begeistert. Wie gern hat er mit Mutti musiziert, zu ihrer Klavierbegleitung Geige oder Laute gespielt. Vor allem klassische Musik. Jetzt sitzt er in einer Kneipe irgendwo im südlichen Ungarn und fühlt sich von der »schwermütigen Musik« verzaubert. »Dieser Tag wird mir bestimmt unvergesslich sein.« Die Front, an der die Russen stehen, ist hundert Kilometer entfernt.

Mutti hat lange keine Nachricht. Sie weiß nicht, wo Vater ist, wie es ihm geht. Am 5. April schreibt sie an seine Feldpostnummer, sie hätte von Luftangriffen auf Budapest gehört. »Ich komme um vor Angst um Dich. O wie ist es doch schrecklich, Dich ›draußen‹ zu wissen. Bitte, komme bald wieder! Dass Dir nur nichts geschieht, ich könnte es nicht ertragen, hörst Du? Ich könnte es nicht ertragen!«

Die Briefe adressierte meine Mutter von Hand.

Endlich Post. Wegen der Luftangriffe, schreibt Vater, werden schon um acht Uhr die Lichter gelöscht. »Gestern abend wurde unsere Gegend wieder einmal von Feindflugzeugen überflogen. Wir mussten Fliegerdeckung in einem Klostergewölbe nehmen. Nun wird schon in den Karpaten gekämpft.« Ein »Wehrmachtsbetreuungswagen« mit Lautsprechern trifft ein. »Ein eigenartiges Bild«, kommentiert mein Vater. Vor einer »prächtigen Barockkirche auf dem Schulhof eines geistlichen Gymnasiums steht der Wagen und spielt Schlagermusik, an Ostern, dem wichtigsten christlichen Feiertag«. Deutlicher drückt er sich nicht aus. Man weiß nie, wer mitliest.

Das Etappenleben scheint erträglich zu sein. Jetzt gibt es genug zu essen, das Regiment ist mit Exerzieren und Waffenreinigen beschäftigt. An einem Aprilmorgen ist Vater als Vorposten eingeteilt. Er liegt »einsam im Gras. Über mir jubilierten die Lerchen im blauen Himmel. Um mich duftete und blühte alles. Viele fremde Gräser und Blümchen um mich herum. Kleine, nie zuvor gesehene Käfer huschten durch das kurze Gras. Auch Ameisen, viel kleiner als in der Heimat, waren dabei. Die Luft war weich und warm. Unten am Fuße des Hügels, auf dem ich lag, lief eine weite Chaussee, mit sehr hohen Pappeln umsäumt. Auf der Straße konnte man einige der üblichen Ochsenfuhrwerke sehen. Die Ochsen tragen hier sehr lange, weit ausholende Hörner. Zu meiner linken Seite lag tief im Tal ein größeres Dorf mit einer Ruine am Rande eines großen Waldes. Rechts und links in der Ferne sah man hohe Berge. Das Land war mit Wald bestanden, Wald, Wald, bis an den Horizont. Dann und wann hörte man aus der Ferne ganz schwach Abschüsse schwerer Geschütze herüberdröhnen.« Es ist die Sowjetarmee, die aus der Ukraine zu den Karpaten vorgestoßen ist.

Sooft Vater Ausgang hat, lauscht er der Zigeunermusik. Er bewundert die Virtuosität der Künstler, lässt sich von den temperamentvollen Klängen mitreißen. Ein Sologeiger fällt ihm auf, »ein sehr schöner junger schwarzer Mann von vornehmer Haltung und sympathischen, traurigen Gesichtszügen«, der wundervoll spielt, bis am Ende alle Gäste die Melodien mitsingen. Ein freundlicher Mann stellt sich ihm als Ingenieur vor, lädt ihn zum Mittrinken ein. Nachdem sie sich eine Weile auf Deutsch unterhalten haben, bittet der Ingenieur den Zigeuner um die Geige, spielt und singt wundervoll dazu. Es sind »alte …sche Weisen«, erklärt mein Vater. Die Auslassungsstriche, wegen der Zensur eingefügt, können nur »jüdische« bedeuten. Darauf übernimmt mein Vater von ihm die Geige und antwortet mit »deutschen Liedern«. Als gäbe es um sie herum keinen Krieg und keine Deportationen, trinkt und musiziert mein Vater mit Zigeunern und Juden, spielt ihnen deutsche Melodien vor und lauscht begeistert ihren Weisen. Ich lese dies zwei-, dreimal. Ich kann gar nicht sagen, wie es mich bewegt.

Als begeisterter Schmalfilmamateur ließ Vater sich von Mutter laufend mit Rollen versorgen, die er ihr belichtet zurückschickte. Auf einem Filmstreifen, den er damals drehte, sieht man ein Zigeunerdorf mit kleinen Lehmhütten. Die halbnack-

»Vorsichtig mein Lieb!« Die Zensur war immer dabei.

ten oder in Lumpen gekleideten Kinder lachen ihn an, schlagen Purzelbäume, die Älteren rauchen. Mädchen tragen Babys auf dem Arm, kokettieren mit der Kamera. Lange verweilt das Bild auf den hübschen, lockenumrahmten Gesichtern. Dann spielen einige Männer Geige, man glaubt die Töne zu hören. Die Art, wie Vater dies filmte, zeigt mir, wie sehr er diese Menschen mochte.

Kurz darauf erhält Mutti eine bedrohliche Nachricht. »Die Front rückt immer näher«, schreibt Vater knapp. »Du brauchst Dir deswegen keine Sorgen zu machen. Ändern kannst Du an meinem Schicksal doch nichts.« Das gilt ebenso für den jüdischen Ingenieur. Seit März 1944 ist er Freiwild. Während Hitlers Truppen einmarschieren, um die Ungarn davon abzuhalten, zu den Russen überzulaufen, beginnt Adolf Eichmann, die »Deportation« der ungarischen Juden zu organisieren.

* * *

Allein während der Monate Juni bis September 1944, als die Russen von den Karpaten und Rumänien aus nach Ungarn eindringen, hat die Wehrmacht an allen Fronten über eine Million Gefallene, Gefangene oder Vermisste zu beklagen. Mit der großen Sommeroffensive der Sowjetarmee in der Südukraine beginnt das Netz deutscher Bündnisse auf dem Balkan zu zerfallen. Wie ich einem späteren Brief Vaters entnehme, kämpft er zwischendurch mit seiner Einheit an der rumänischen Front. Im August laufen die Rumänen zur russischen Seite über und versperren sechzehn deutschen Divisionen den Donauübergang. Innerhalb von zwei Wochen werden allein an diesem Frontabschnitt 380 000 deutsche Soldaten getötet oder gefangengenommen, was meist ebenfalls den Tod bedeutet. Wie jeder von ihnen stirbt, ob der Genfer Konvention gemäß oder nicht, wer wüsste das zu sagen? Insgesamt haben die Deutschen nach dem neuesten Forschungsbericht des Freiburger Historikers Rüdiger Overmans über »deutsche militärische Verluste im Zweiten Weltkrieg« 5,318 Millionen tote Soldaten zu beklagen. 1,5 Millionen davon fallen allein von Ende 1944 bis Mai 1945. Unter ihnen wird auch mein Vater sein.

Als wolle sie sich gegen das Schicksal aufbäumen, berichtet Mutti Anfang Mai von ihrem Plan, unser zerstörtes Haus wieder aufbauen zu lassen. Nach langem Bitten lässt sich ein Architekt herab, die Ruine zu inspizieren. Leider kann er ihr nur mitteilen, dass »Häuser, die so ausgebrannt sind wie unseres, nicht genehmigt würden zum Wiederaufbau«. Allerdings könne man Schutt und Trümmer wegräumen lassen, um wenigstens das Parterre wiederherzustellen. Dann noch ein Dach obendrauf. »Ein Lichtstrahl in weiter Ferne!« Da keine Arbeitskräfte zur Verfügung stünden, kämen für diese Tätigkeit nur Gefangene in Frage, die mit Brot und Zigaretten entlohnt würden.

Mutti fährt zum Lager, wo man ihr sagt, dass jeder Arbeiter pro Tag sechs Mark Lohn plus Verpflegung koste. Das erinnert mich daran, dass ich vor ein paar Jahren mit dem Einsammeln von Entschädigungsgeldern für ehemalige Zwangsarbeiter beschäftigt war. Die Industrie zahlte fünf Milliarden Mark, der Staat noch einmal die gleiche Summe. Damals erfuhr ich, dass der sogenannte Lohn, den die Gefangenen mit ihrer Zwangsarbeit verdienten, ihnen niemals ausgezahlt, sondern sogleich an die Staatskasse weitergegeben wurde. Noch nicht einmal diesen Hungerlohn haben sie erhalten!

Sobald Mutti sich Arbeiter besorgt hat, muss sie für diese auch einen beeidigten Aufpasser stellen. Die Beeidigung, so erfährt sie, findet montags und donnerstags zwischen zehn und zwölf Uhr bei Hauptmann Reese in der Kieferklinik in der Eckernförder Straße statt. Aber Mutti findet keinen Aufpasser zum Beeidigen und muss den Plan aufgeben. Im PS zum Brief lese ich: »Erhalte Dich mir, lass Dir nichts geschehen. Das ganze Leben liegt noch vor uns. Ich bin erst 29 Jahre. Wenn ich 31 bin, ist der Krieg sicher vorbei. Und dann beginnen wir beide zusammen ganz von vorn.« Ich lese »erst 29 Jahre« und denke unwillkürlich daran, dass ich in diesem Alter schon die IBM-Zentrale in Sri Lanka gegründet hatte und in München gerade dabei war, für die IBM-Deutschland ein weltweit operierendes

Beratungszentrum für die Fertigungsindustrie, das sogenannte
»Manufacturing Industry Center«, aufzubauen. Wie verschieden unsere Leben doch verlaufen sind.

Auf seinem Ungarn-Film taucht Vater immer wieder selbst
auf. Zwar trägt er Käppi und Uniform, aber er wirkt wie ein
Zivilist. Lässig posiert er Arm in Arm mit einer ungarischen
Familie, mit Zigeunermädchen oder einer Bäuerin. Ganz offensichtlich fühlte er sich bei den Einheimischen wohler als in der
Kaserne. Er lächelt, als wollte er sagen: Ich weiß, es ist Krieg.
Aber Krieg ist nicht alles.

Mutti schickt »25 Gedichte der Liebe, für meinen im Felde
stehenden lieben Mann«. Sie war immer sehr kreativ, entwickelte kunsthandwerkliches Geschick. Dass sie nach dem
Krieg dichtete, wusste ich. Dass sie schon Vater welche schickte,
ist mir neu. Offenbar hat sie aus Sehnsucht nach ihm damit
angefangen. Sie hat die Verse, die sie in einer heißen Julinacht
in die Maschine tippte, mit rosa Seidenband gebunden. Sie handeln vom »liebenden Himmel, der die Welt umspannt«, rufen
sehnsüchtig nach dem »Liebsten, der Du ferne bist«. Manche
klingen wie Todesahnungen, andere wie leise Mahnungen.

>»Und alles durchdenke, was Du getan hast,
Sag, bist Du auch immer dem Rufe gefolgt
Und hast Du auch Liebe dem Nächsten gegeben,
So wie Du's am Morgen Dir selber versprochen?«

In einem anderen träumt Mutti davon,

>»Ganz im Leeren zu ertrinken,
Vom Erheiternden, vom Bösen
Schlafend endlich sich zu lösen.
Urzustand! Du Tod im Leben!
Ewigkeit – zeitlose Zeit!
Soll ich wiederum erwachen
Zu der dunklen Wirklichkeit?«

Das lange Schreiben, in dem Vater ihr dankt, ist fast unleserlich. »Wie herrlich, dass Du diese schönen Verse nur für mich geschaffen hast«, kann ich entziffern. Der ganze Packen von eng beschriebenem, aus einem Spiralblock herausgerissenem Millimeterpapier ist fast vollständig verbrannt, der Rest durch Löschwasser verwischt. Eine verstümmelte, verstummte Botschaft. »Die Trennung von Dir ist ganz entsetzlich«, schreibt Vater. »Ich bin mit meinen Empfindungen ganz allein … Warum muss ich nur alles Leid und Not anderer Menschen mitempfinden?«

In Hamburg gehen die Luftangriffe weiter. Da Mutti meine Geschwister und mich auf dem Land geborgen weiß, kann sie sich um das Papiergeschäft »Hans Henkel« kümmern. Die Post aus Ungarn wird immer spärlicher. »Es ist nicht mehr zum Aushalten ohne eine Mitteilung von Dir«, schreibt sie Vater. »Ich bin wie betäubt und habe eine entsetzliche Angst vor der Zukunft. Das ist überhaupt gar kein Leben mehr. Was man tut, erscheint einem sinnlos, grenzenlos sinnlos. Am Sonnabend war wieder ein grässlicher Angriff auf Hamburg gewesen. Nur drei Minuten, und so viel Schaden ist angerichtet worden. Rund neunzig Tote und viele Verletzte gibt die Zeitung zu.« Offenbar wusste Mutti, dass man der Propaganda nicht trauen konnte, die die Verlustzahlen schönte.

Wieder einmal hatte sie Glück im Unglück. Die Bomben waren auch auf den Hochbunker am Heiligengeistfeld gefallen, in den sich Mutti in der Nacht flüchtete. »Zufällig war ich diesen Abend bei meiner Freundin. Wäre ich das nicht gewesen, dann lebte ich jetzt wohl nicht mehr. Alle, die sich auf der Straße in der Gegend des Bunkers befanden, sind umgekommen. Zwei Kinder sind totgetrampelt, die Männer sind über die Kinderwägen hinweggetreten, um nur in den Bunker zu kommen. Das Flakgeschütz vier soll ausgesetzt haben. Fünfzehn Mann sind tot.« Mit zitternden Knien sitzt sie in ihrer Notwohnung, in Erwartung des nächsten Alarms. Einen Monat lang hat sie nichts von Vater gehört. »Dieser verfluchte Krieg!« schreibt sie ihm. »Diese Geißel, die erbarmungslos über der Menschheit geschwungen wird! Wie soll das nur enden?«

Mit dem siegreichen Vorstoß der Sowjets erklären erst Rumänien, dann Bulgarien dem ehemaligen Verbündeten Deutschland den Krieg. Gemeinsam mit der Roten Armee marschieren sie in Richtung Budapest. Am 20. September endlich erhält Mutti wieder Post, auf handgroßen Zetteln, mit Bleistift geschrieben. »Welch ein Wunder«, beginnt der Brief, »dass ich Dir noch schreiben kann, dass ich überhaupt noch lebe! Seit zwei Wochen stehen wir in schweren Abwehrkämpfen gegen die Russen. Von dem ca. 450 Mann starken Batallion sind nur noch ca. hundert Mann vorhanden. Das Bataillon ist nahezu aufgerieben.«

In knappen Worten erzählt Vater, wie er Anfang September zu einem Spähtrupp gegen den anrückenden Feind abkommandiert war. Sie wurden von Russen eingekesselt, »die schwere Panzer mithatten«. Durch ihre »modernsten Maschinenwaffen«, schreibt er, seien die Russen den Deutschen weit überlegen. Bald darauf wurde seine Einheit bei einem feindlichen Infanterieangriff in einen Fluss gejagt. Viele Kameraden wurden im Wasser getroffen und ertranken. Als Vater das andere Ufer erreichte, glitt er immer wieder an einer Lehmböschung ab, »in grässlicher Todesangst, denn wir konnten wie die Hasen von drüben abgeknallt werden«. Er musste fast alles zurücklassen, Gewehr, Koppel, Munition, selbst seinen geliebten Fotoapparat samt Belichtungsmesser. »Sei bitte nicht böse«, so schließt er den Brief, »ich kann jetzt nur noch ganz selten schreiben.«

Ich halte kurz inne. Die Vergangenheit, so sagt Thomas Mann zu Anfang seines Josefs-Romans, sei wie ein tiefer Brunnen. Ein unergründlich tiefer Brunnen, in den das Senkblei unserer Erinnerung nie hinabreichen kann. In diesem Augenblick schwindelt mir vor seiner Tiefe. Mir ist fast, als würde ich hineinfallen. Ich sehe meine Eltern vor mir, wie ich sie zuvor nie gesehen habe. Meinen Vater, der in lehmverdreckter Uniform die rettende Böschung emporzuklimmen sucht und immer wieder ins Wasser zurückgleitet. Mutti, mit tausenden anderen zusammengepfercht in einem Bunker, in der Angst, langsam ersticken zu müssen. Ich sehe den Bunker am Heiligengeistfeld

List-Ungarn d. 17. Okt. 44

Mein Liebster, mein Bester auf dieser Welt!

Wie mag es Dir nur gehen? Liebst Du mich noch? Bist Du mir auch treu?

Was habe ich nur inzwischen alles durchmachen müssen. Vom Bataillon mit 460 Mann Kampfstärke sind jetzt nach Abzug aller Leichtverwundeten und Leichtkranken z. Zt. nur noch 60 Mann "übrig"! Also nur jeder 8. Mann hat die Kämpfe überstanden. Noch befinde ich mich unter den 60 gesunden Männern.

Jetzt geht es fast täglich zurück und die Russen immer hinterher. Es ist immer Bestreben aus dem bereits gebildeten Kessel in Mittel-Ungarn herauszukommen. Wir sind die 4. Gebirgsjäger-Division eingesetzt und bilden hier immer die Nachhut am Feind. Links und rechts sind die Russen bereits weit vorgestoßen. Trotzdem habe ich berechtigte Hoffnung, daß wir aus dem Kessel kommen. Jede Nacht ob bei strömendem Regen oder bitterer Kälte muss ich auf freiem Felde liegen und warten, denn stündlich können die Russen unsere Abholbewegungen überholen und

»Noch befinde ich mich unter den 60 gesunden Männern.« Brief meines Vaters vom 17. Oktober 1944.

vor mir, ein fensterloses Betonhochhaus in Tarnbemalung, mit vier Geschützplattformen an den Ecken des Flachdachs. So steht es heute noch da. Neben ihm dreht sich das neonleuchtende Riesenrad des »Doms«. Immer wenn ich daran vorbeifahre, schnürt es mir die Kehle zu.

Vier russische Armeen, die »Ukrainischen Fronten«, drängen die Wehrmacht mit überlegener Feuerkraft immer weiter zurück. Im Oktober stehen sie hundert Kilometer vor Budapest. »Was habe ich nun inzwischen alles durchmachen müssen«, schreibt Vater am 17. Oktober. »Jetzt geht es fast täglich zurück, und die Russen immer hinterher.« Aus den Resten der aufgeriebenen Verbände werden immer neue Kampfeinheiten zusammengestellt, die ebenso schnell zusammenschmelzen und wieder umformiert werden. Vater gehört jetzt zur 4. Gebirgsjäger-Division und bildet »leider immer die Nachhut am Feind«. Sie kämpfen sich aus dem Kessel in Mittelungarn frei, doch die Russen sind »links und rechts bereits vorgestoßen. Jede Nacht, ob bei strömendem Regen oder bitterer Kälte, muss ich auf freiem Feld liegen und wachen, denn stündlich können die Russen unsere Absetzbewegungen überholen, und aus ist der Traum, Euch Lieben wiederzusehen«.

Ein Brief, den Vater eine Woche später abgeschickt hat, ist zensiert worden. Mit blauem Tintenstift sind der Name seiner Einheit und die Gefallenenzahlen ausgelöscht. »Wieder empfinde ich es als ein großes Wunder, dass ich noch lebe oder wenigstens noch bei voller Gesundheit an Dich schreiben kann.« Die wenigen, die das letzte Gefecht überlebt haben, sind »in einem unbeschreiblichen Zustand. Die Uniform total zerrissen und verschmiert. Das Fußzeug an den Füßen teilweise in Fetzen. Die Gestalten abgemergelt, krank, fast alle mit langen verfilzten Bärten und Haaren voller Läuse. Ich habe an manchen Tagen zwanzig bis dreißig Stück aus der Wäsche gesammelt. Was habe ich nur durchmachen müssen. Einige Tage waren so fürchterlich, dass ich nahe daran war, die Nerven zu verlieren«. Vierundzwanzig Stunden lang hatte Vater bei Dauerregen in einem engen Lehmloch gelegen, im Feuer der »niederträchtigen Granatwerfer«. Das Loch lief voll Wasser, »bei bitterer Kälte bekam ich Schüttelfrost und Fieber. Mit aller Kraft nur an Dich denkend habe ich diese Folterkammer noch bis zum nächsten Abend überstanden. Allerdings bin ich dabei fast wahnsinnig geworden«.

Welch ungeheure Willenskraft muss mein Vater aufgebracht haben, um selbst in diesem Chaos noch regelmäßig an meine Mutter zu schreiben. Er schrieb in jeder Lage, er notierte alles, als könne er es sich damit vom Leib halten. Eigentlich müssten ihm die Hände zittern vor Angst und Kälte, denke ich. Aber er schreibt ruhig, als kühler Beobachter, dem kein Detail entgeht. Bot ihm der Gedanke Trost, dass seine Frau dies einmal lesen würde? Dass sie die Schrecken dieser Erlebnisse und der darauffolgenden Einsamkeit mit ihm teilen würde?

Nach den Tagen und Nächten in eisigen Schützenlöchern klagt Vater über Reißen in den Gliedern. Als er sich bei seinem Zugführer, einem jungen Polizeileutnant, mit starken Magenschmerzen krank meldet, bekommt der einen Wutanfall. Er ordnet an, »dass nur ich morgen wieder in vorderste Stellung gehen sollte, während meine vier Kameraden in Reserve bleiben. So geschah es auch. Und dann kam nachmittags ein Artillerie-Volltreffer von der eigenen Artillerie, die irrtümlich viel zu kurz schoss, in den Reservestand«. Zwei starben, zwei wurden verletzt. Dass er noch lebt, verdankt er, welche Ironie, dem sadistischen Zugführer.

Verwundete, schreibt Vater, werden von allen beneidet, weil man sie »nach hinten in Sicherheit« bringt. Wer fällt, kommt in Massengräber. »Kein Kreuz, kein Erinnerungszeichen, alles in höchster Eile. Zwei Stunden später stehen die Russen dort.« Als einige Tage später der Gepäckwagen von Panzern überrollt wird, verliert Vater einen weiteren Teil seiner Habseligkeiten. »So besitze ich nur noch Lumpen am Körper, keinen Rasierapparat, keine Seife, kein Handtuch, kein Messer … nichts als mein armseliges gequältes Leben.« Muttis Briefe, die er bei sich trägt, schickt er ihr nun zurück. Sie sollen nicht Fremden in die Hände fallen.

Vater schreibt unablässig, in Unterständen, in Schützenlöchern, nachts beim Schein eines Talglichts. Während die Welt um ihn herum zusammenbricht, arbeitet die Post fast wie in Friedenszeiten. Bis Ende Oktober hat Vater sich mit seiner Truppe nach Budapest durchgeschlagen. Wieder wird er einer neuen Einheit zugeteilt. In einem Vorort quartiert man ihn in ein Haus ein, von dem er über die Dächer der Stadt sehen kann. Er kommt langsam zur Besinnung, beginnt die »wahnwitzigen Erlebnisse« zu verarbeiten. Zwar ist er jetzt für einige Zeit vor den Russen sicher, aber auch hier, schreibt er, »ist alles trostlos. Kaum waren wir in der bescheidenen Unterkunft angelangt, so stand auch schon der Kasernenhofton in voller Blüte. Als wäre inzwischen nichts geschehen und wir neu eingezogene Rekruten«.

Gerade habe ich aufgeatmet, weil Vater eine kurze Ruhezeit findet. Nun fühle ich mich wieder bedrückt. Ich denke zurück an den Oberst in Hamburg, den Zugführer in Südungarn. Vater ist wieder den alten Schikanen ausgesetzt. Als ich einmal den Ausspruch las, »der Soldat fürchtet weniger den Feind als den Feldwebel«, hielt ich das für eine Übertreibung. Aber Vater bestätigt es mir. Offenbar stehen Soldaten immer zwischen zwei Fronten, dem Feind vor ihnen, dem Vorgesetzten hinter ihnen. Sie werden zwischen zwei Mühlsteinen zermahlen. Der eingängige Spruch »Soldaten sind Mörder« geht an der Wahrheit vorbei.

Opfer sind auch die Angehörigen. »Kein Hahn kräht mehr nach unseren armen Kameraden, die gefallen oder schwer verwundet sind«, schreibt Vater aus Budapest. »Die bedauernswerten Frauen und Kinder. Erst jetzt, nach zwei Monaten, gehen wieder die ersten Benachrichtigungen an die Familien heraus.« Am selben Tag schreibt Mutti, dass sie jetzt endgültig das ausgebombte, täglich angegriffene Hamburg verlassen und mit uns Kindern im Gut Schnellenberg bei Lüneburg »Unterschlupf« gefunden hat. Der Brief ist von den Seiten her symmetrisch angebrannt, sieht aus wie ein Rorschach-Test. »Mach mir die Freude und komm«, lese ich. »Kannst Du mir nicht auch sofort ein Telegramm schicken, dass ich kommen soll? Ich ertrage es einfach nicht mehr.«

Nach Budapest ist Ende Oktober der Spätsommer zurückgekehrt. Anscheinend hatte Vater dort seine geliebte 16-Millimeter-Filmkamera deponiert. Sein Film zeigt ruhiges, fast mondänes Stadtleben. Alles ist auf den Beinen, flaniert durch die Straßen. Elegant gekleidete Damen und Herren mit Sonnenbrillen gehen selbstbewusst an der Kamera vorbei. Der Straßenverkehr fließt dahin, stockt. Eine Prozession bewegt sich feierlich vorüber. Schaufenster ziehen Betrachter an. Die Soldaten verhalten sich diskret, als würden sie das Zivilleben genießen. Eine der Frauen, hochgewachsen mit auffallendem Lockenhaar, trägt auf der Brust den Judenstern, stolz, als gäbe es ihn nicht. Die nächste Einstellung zeigt Vaters Kompanie im Innenhof einer Kaserne. Man hat es sich auf Stühlen bequem gemacht. Kameraden bringen ihre Instrumente herbei, bald gibt es ein kleines Konzert. Der Sologeiger hat sich erhoben und bewegt sich im Rhythmus einer unhörbaren Melodie. Als Vater die Kamera nach oben richtet, lachen ihm aus den Kasernenfenstern Mädchen entgegen.

In Budapest wartet die Wehrmacht auf den Ansturm der Russen. Es gibt kaum Ausgang mehr. »Stets werde ich in den Unterkünften gefangengehalten«, berichtet Vater Ende Oktober, »und muss mich mit allen möglichen Reinigungsarbeiten beschäftigen.« Er erinnert sich an das gemeinsame Musizieren mit Mutti. »Wie unendlich lange kommt es mir vor, dass ich die Laute spielte und Du mit Deiner lieben Stimme mich begleitetest.« Vater philosophiert darüber, welchen Wandlungen auch die Liebe durch den Krieg unterworfen ist. Er findet es eigenartig, dass während der Kämpfe in Südungarn, als sein Leben am seidenen Faden hing, jedes »Gefühl für Erotik oder Sexualität« verschwunden war. »Wenn ich an Dich dachte, dann nur in tiefer Liebe, die fast überirdisch rein nur im Seelischen verankert war. Damals in den kritischen Tagen, als ich immer wieder innerlich mit meinem Leben abschließen musste, habe ich wieder so deutlich empfunden, wie sehr ich doch mit Dir eine Einheit bilde.«

Am 2. November, als die Russen sich bis auf vierzig Kilometer an die Stadt herangekämpft haben, besucht meine Mutter zum ersten Mal in Lüneburg einen Film. Die Hauptrolle spielt Heinz Rühmann, der Titel ist ihr nicht der Rede wert. »Über die komischen Stellen musste man manchmal lachen. Aber beim Lachen fühlte ich, wie entsetzlich wund ich im Grunde meiner Seele bin. Da erst, beim Lachen – wo es mir doch so selten geschieht, dass ich lache –, merke ich, wie bodenlos wund und weh mein Herz ist.«

Drei Wochen bleibt Mutti ohne Nachricht. Als sie am 4. November Post erhält, sind es Gedichte. Vater hat sie immer wieder vor sich hingesagt, als er tagelang im Lehmloch saß. Sein liebstes heißt: »Wo werde ich im Frühling sein?« Mutti erschrickt, es scheint ihr »von Anfang bis Ende mit Todesahnun-

```
                    Gut Schnellenberg d. 24.
                                     2. 45

    Liebe Oma!
Wir sind hier umstänlich angekommen,
Wie Alarm kam, da waren wir noch
im Zug, Mutti stellte die Polster
hoch, damit wenn Die Tommys den
Zug beschiessen, dass wir eine klein
Deckung haben! Sie brummten ganz
anständlich!! Manche Leute gingen
schon ins Freie, aber wir blieben
drinn. Wie wir in Lüneburg, waren,
kam schon wieder Alarm, vorher war
schon Voralarm, aber wir gingen trot
zdem nach Schnellenberg. Sonst ist
alles gut gegangen. Ist Opi schon
da? Wenn er da ist dann grüsse ihn
man von mir. Hast Du(Opi) Edith-
schon mal gesehen? Oder Mariannne?
Wie geht es Dir?Du kommst doch am
   14. März?

Mutti hat über meinem und ihren Bett
einen Himmel gemacht, es sieht sehr
hübsch aus.!!
Wie ich hier snkam, habe ich gleich
ordentlich Englisch geübt, ich bin
schon sehr weit.
```

»Wie Alarm kam, waren wir noch im Zug.« Berichtet von Karin, meiner Schwester.

gen durchtränkt«. Nach Hamburg wagt sie sich nicht mehr, denn »morgens, mittags und abends ist dort Alarm, fallen die Bomben wahllos irgendwohin«. Selbst in Schnellenberg fühlt sie sich nicht mehr sicher. »Die feindlichen Kampfverbände flogen in derartigen Massen über uns hinweg und zwar so ausdauernd und stundenlang, dass alle voller Angst und Schrecken in die Unterstände krochen. Bombeneinschläge, gar nicht weit weg, waren deutlich fühlbar.«

An Gut Schnellenberg, das mit Flüchtlingen voll belegt war, kann ich mich noch gut erinnern. Auch an die englischen Jagdflugzeuge, die über die Gegend flogen. Wenn wir spazierengingen und sich eines näherte, warfen wir uns in den Straßengraben, weil wir fürchteten, beschossen zu werden.

Besonders lebhaft ist mir jener Nachmittag in Erinnerung, als Mutti sich mit uns Kindern vor der heranrückenden Front im Wald versteckte. Karin zeichnete zum Zeitvertreib auf den nadelbedeckten Waldboden den Grundriss eines Hauses. Jeder von uns bekam von ihr ein Zimmer zugeteilt, und dort setzten wir uns auch hin und taten, als hätten wir wieder eine eigene Wohnung.

Auf dem Heimweg sahen wir schwarzen Rauch aufsteigen. Nähergekommen, mussten wir entdecken, dass gerade der Teil des Gutshofs brannte, in dem wir untergebracht waren. Englische Soldaten waren damit beschäftigt, die Zimmereinrichtung vor den Flammen zu retten. Ein Kriegsinvalide, so hörten wir später, hatte auf die anrückende Truppe geschossen und diese das Feuer mit Panzerkanonen erwidert. Nie werde ich den Geruch der geschmolzenen Butter vergessen. Mutti hatte sie erst tags zuvor bei Bauern eingetauscht.

Nachdem ich in meiner Autobiographie *Die Macht der Freiheit* über unser Notquartier in der Heide berichtet hatte, erhielt ich im Frühjahr 2004 eine Einladung, mich von Maximilian von Meding, dem Sohn des damaligen Gutsherrn, durch Schnellenberg führen zu lassen. Ich werde es mir nicht entgehen lassen.

* * *

Am 7. November 1944 zieht Hans Henkel in seine letzte Schlacht. Nachts um zwei Uhr wird angetreten. Der Rest des alten Bataillons ist aufgefüllt worden. »Ein Drittel sind sechzehn- bis zwanzigjährige Burschen, manche noch die reinsten Kinder, zwei Drittel sind vierzigjährige Volksdeutsche aus Ungarn. Ein großer Teil kaum ausgebildet. Mit diesem Haufen ging es zum Kampf um Budapest. Die Russen waren auf ca. dreißig Kilometer herangekommen.« Schwer beladen mit Waffen und Munition marschieren sie im Morgengrauen bei strömendem Regen dem Feind entgegen. Die ihnen zugewiesene Stellung war gerade von Panzergrenadieren geräumt worden. Kaum sind sie in den Wassergraben eingerückt, nehmen die Russen sie in die Zange. »Die Gefahr der Einkesselung war da.« So entwickelt sich ein Kampf um ein Dorf, den Vater detailliert beschreibt. »Der erbitterte Häuserkampf hat uns wieder hohe Verluste gekostet.« Von den 160 Mann, die ausgezogen sind, leben »nach einem Tag intensiven Kampfes nur noch ca. 75–80 Mann. Die Dorfstraße und die Gärten waren mit gefallenen Russen und Kameraden übersät«.

Muttis Briefe sind häufig doppelt im Ordner. Einmal ihr gut erhaltener Kohledurchschlag, dann das durch Feuchtigkeit fast unleserliche Original, das Vater ihr zur Aufbewahrung zurückgeschickt hat. Immer wieder fleht Mutti ihn an, Fronturlaub einzureichen, sich wegen seines Magenleidens krank zu melden, einfach heimzukommen, egal wie. Als wüsste sie nicht, dass dies unmöglich ist, denkt sie sich Vorwände für ihn aus, schreibt ohne sein Wissen an den Kompaniechef. Am 14. November bittet sie Vater, wenn schon nicht um ihretwillen, möge er wenigstens »Deines kleinen Schniedels wegen« zurückkehren. So lautet mein Kosename in der Familie. »Das Kerlchen weint jeden Tag um Dich. Immer spricht er von seinem süßen Papi, fragt, wo Du schläfst, was Du isst, ob Du auch warm angezogen bist. Und bewahrt sich von allem, was er geschenkt bekommt, sei es Schokolade, Zucker oder Kandis, etwas für Dich auf. ›Für meinen Papi‹, sagt er dann. ›Papi hat gar nichts.‹«

»Wann bringst Du mir ein Auto mit?« Hier hat mir Karin die Hand geführt.

Am selben Tag liegt mein Vater »zwei- bis dreihundert Meter
den Russen gegenüber. Sie greifen immer wieder an, werden
zurückgeschlagen. Heute zählten wir die ›Alten‹ der Kompanie.
Es sind nur noch elf Mann. Während ich hier im Kompanie-
gefechtsstand diesen Brief schreibe, heulen draußen wieder die
Granaten, und das ewige Gewehrgeknatter will auch in der
Nacht nicht verstummen.« Nachts wird es empfindlich kalt,
und es gibt keine Winterbekleidung. »Besonders unheimlich ist
die Front bei starkem Bodennebel, wenn wir nicht weiter als
fünfzehn Meter in Feindrichtung sehen können.«

Als er Muttis letzten Bittbrief erhält, schickt er ihr postwen-
dend die Warnung zu, sie solle »um Gottes willen nicht mehr
so unvorsichtige Briefe schreiben. Du verstehst mich: dass ich

kommen soll usw. Man könnte das bei einer Zensur falsch aus-
legen und Du wärest im tiefsten Unglück.« Vor Aufregung
scheint mein Vater vergessen zu haben, dass dies auch für seine
Antwort gilt. Tags darauf schreibt er ihr: »Für Dich gehe ich
ohne mit der Wimper zu zucken in den Tod.« Dem Brief legt er
eine braune Locke bei.

Anfang Dezember liegt mein Vater unter russischem Trom-
melfeuer. »Heute ist Freitag, das Datum weiß ich nicht. Es ist
ca. fünf Uhr nachmittags. Seit vier Uhr morgens, also dreizehn
Stunden lang, brüllen die Geschütze, und ein unvorstellbarer
Feuerhagel aus Artillerie, Granatwerfer und MG-Feuer geht auf
uns nieder. Schon seit Tagen hause ich in ganz engen Lehm-
löchern. Nachts darf man kaum noch schlafen. Jede Minute
kann der Feind angreifen. Heute um zehn Uhr griff er dann
endlich und in breiter Front mit starken Kräften an. Nach der
Sachlage habe ich nicht angenommen, dass ich um fünf Uhr
noch lebe.«

Nach dem Granatbeschuss stürmte russische und rumänische
Infanterie durch die Maisfelder vor. Mein Vater saß in einem
Loch neben einem MG-Schützen und lud Patronengürtel nach.
Der Schütze, von einer Kugel getroffen, flüchtete sich blutend in
ein Wäldchen. Während Vater dies mit dem Bleistiftstummel
schreibt, sitzt er »mutterseelenallein nur mit meinem einfachen
Gewehr ohne genügend Munition. Wenn der Feind jetzt an-
greift, bin ich verloren. Zwar habe ich Handgranaten, aber die
retten mich nicht«. Sollte er überrannt werden, wäre das sein
sicherer Tod. »Gefangennahme bei einem stürmenden Gegner
ist so gut wie ausgeschlossen.« Er fragt sich, ob er diesen Brief je
absenden wird. »Ich liebe Dich in alle Ewigkeit.«

Ungefähr zur gleichen Zeit gesteht ihm Mutti, dass sie ihm
kein Weihnachtspaket schicken kann, »denn wir haben ja selbst
nichts. Ich weiß nicht, was ich backen soll, da wir nicht ein
einziges Ei besitzen. Auf die Schokolade müssen die Kinder
schon verzichten«. In diesen Tagen entgeht mein Vater zweimal
dem Tod. Bei einem Angriff der Russen mit starkem Artillerie-
und Granatwerferbeschuss hatte er einen Abschnitt zu sichern,

Vor Budapest, d. 13. Dezember 44

Du mein süßes Liebel!

Wie sehr sehne ich mich nach Dir! Warum nur gibt es keine Möglichkeit zu Dir zu eilen!? Bald wäre es was geworden. Vor cca. 10 Tagen hatten wir in unserer vorigen Stellung einen Angriff des Feindes mit starkem Artillerie- und Granatwerfer-Beschuss. Ich hatte einen Horchposten zu beziehen, in dem ich keine Deckungsmöglichkeit hatte. Ein starker Granatsplitter durchschlug mir beide Hosenbeine (schon an den Knien vorbei) Ich hatte vier Löcher in der Hose und war unverletzt geblieben. Ein Tag später fällt mir ein Artillerie-Geschoss (von der eigenen Artillerie, die zu kurz schoss) als Blindgänger direkt vor die Füße und dreht sich einige Male um sich selbst. Ich habe das Ding welches 16 Pfund wiegt lange ganz entgeistert angestarrt und an Euch denken müssen. Wenn die Granate explodiert wäre! Was ist das nur alles für ein Wahnsinn und Zufall.

Wenn Euch diese Zeilen erreichen, dann ist es bald Weihnachten. Seid nicht traurig, daß ich an diesem Weihnachten

»Was ist das nur alles für ein Wahnsinn.« Vater berichtet über einen dramatischen Zwischenfall.

»in dem ich keine Deckungsmöglichkeit hatte. Ein starker Granatsplitter durchschlug mir beide Hosenbeine, eben an den Knien vorbei.« Tags darauf fällt ihm eine Granate »der eigenen Artillerie, die zu kurz schoss, als Blindgänger direkt vor die Füße und dreht sich einige Male um sich selbst. Ich habe das Ding lange ganz entgeistert angestarrt und an Euch denken müssen.«

Nachdem Vater schon Muttis Briefe nach Hause zurückgeschickt hat, damit sie nicht in fremde Hände fielen, lässt er Mitte Dezember den Koffer mit seinen Habseligkeiten folgen. Dabei sind seine Filmkamera und die restlichen Filme. Im Stellungskrieg vor Budapest irrt er von einem »kleinen Erdbunker« zum nächsten. »Seit Tagen regnet es hier, und die Nächte werden immer kälter.« Mutti schickt ihm ein Weihnachtsgedicht, das den Titel »Gebet« trägt. Sie schreibt es mit Tinte auf sein edel bedrucktes Briefpapier aus Friedenszeiten.

»Du liebes schönes Angesicht,
Dass ich Dich sehe!
Wie lockt mich Deiner Augen Licht
In Deine Nähe.
...
Du allergrößter guter Gott
Lass Dich's erbarmen
Und lindre meine Angst und Not
In seinen Armen.«

Natürlich fällt für Vater das Weihnachtsfest aus. Am 20. Dezember sitzt er zweihundert Meter vor den russischen Stellungen in einem kleinen Erdloch. Es liegt inmitten eines abgeernteten Maisfeldes, wie ein Grab. Vater zieht auf einem mehrmals gefalteten Bogen Karopapier Bilanz. »Das Furchtbare ist eben das Fehlen jeder vorbereiteten Stellung, der Mangel an Unterstützung von schweren Waffen, der Mangel an ausgebildeten Soldaten und vor allen Dingen der ununterbrochene Einsatz der Männer ohne die geringste Ablösung und Ruhe, monatelang ohne Körperpflege, verlaust, verkommen und ständig dem Beschuss des Feindes ausgesetzt. Die ständige Beanspruchung der Nerven führt dazu, dass man schließlich äußerst gleichgültig wird und sich immer wieder aus Rücksicht auf die Familie mit Gewalt zur Vorsicht zwingen muss.«

Vaters Brief, abgeschickt am letzten Heiligen Abend seines Lebens.

Während der Nacht, die ruhig geblieben ist, baut Vater mit einem Kameraden das Erdloch zu einem Bunker aus. Er ist jetzt 2,50 Meter lang, 2 Meter breit und 1,20 Meter tief. Der Boden ist mit Stroh bedeckt, ein kleiner Kanonenofen spendet Wärme, zwei Talglichter geben genug Helligkeit, um zu schreiben. Zum Weihnachtsfest, sagt Vater, »werde ich einen kleinen Tannenbaum an die Holzdecke zeichnen und das schönste Licht anstecken, den Ofen schön heizen und die Fotos mit Euch Lieben ausbreiten. Dann werde ich in Gedanken bei Euch sein und mir vorstellen, wie sich unsere beiden Buben und Karin freuen werden, wenn der Tannenbaum brennt.« Er wünscht gegeneinander gestellt. Das Loch war nur 50 cm tief. In der Nacht fror uns entsetzlich, dann fing es am nächsten Tag zu regnen an und wir machten Stunden der Entbehrung und Strapazen durch, die die Heimat nie wird ermessen können und für alle unvorstellbar sind, die sie nicht erlebten. Einige Kameraden von der SS und Wehrmacht, die den ganzen Russlandfeldzug mitgemacht hatten, beteuerten immer wieder, dass diese Monate, die härtesten Kämpfe in Ungarn weit schlimmer seien als die dunkelsten Stunden in Russland. Das Furchtbare ist eben das Fehlen jeder vorbereiteten Stellung, der Mangel an Unterstützung von schweren Waffen, der Mangel an ausgebildeten Soldaten und vor allem

»Weit schlimmer als die dunkelsten Stunden in Russland.«

...dingen der ununterbrochene Einsatz der
Männer ohne die geringste Ablösung und
Ruhe monatelang ohne Körperpflege, verlaust,
verkommen und ständig dem Beschuss des
Feindes ausgesetzt. Die ständige Beanspruchung der Nerven führt dazu, dass man
allmählich äußerst gleichgültig wird und
ich immer wieder aus Rücksicht auf
die Familie mit Gewalt zur Vorsicht zwingen
muss. Namentlich muss immer mit den
russ. Scharfschützen gerechnet werden. –

Nun haben wir in den Nachtstun-
den ununterbrochen gearbeitet und „organisiert"
und unser Erdloch zu einem Art kleinen Bunker
ausgebaut. Wir erweiterten das Loch auf 2½ mtr
Länge, 2 mtr Breite und 1,20 mtr Tiefe. Klauten
im rückw. Frontgebiet einige dicke Bretter

Brief meines Vaters vom 20. Dezember 1944.

sich einen Kuchen. Er liest ein Theaterstück von Henrik Ibsen, *Stützen der Gesellschaft*, und raucht »eine kleine Zigarette«.

Tage später sind die Deutschen eingekesselt. Wie ich einer Karte entnehme, liegt Vaters Einheit dem 18. Gardeschützenkorps der 2. Ukrainischen Front gegenüber. Mit dem Großangriff zur Jahreswende wächst sich die Schlacht um Budapest zu einem »Stalingrad an der Donau« aus. Historiker nennen sie »eine der blutigsten Belagerungsschlachten des Zweiten Weltkriegs«. Der erdrückenden Übermacht der Russen hat die Wehrmacht nichts mehr entgegenzusetzen. Bei einem verzweifelten Ausbruchsversuch am 11. Februar werden auf engem Raum innerhalb weniger Stunden 17 000 deutsche Soldaten getötet. Ein Historiker nennt es einen »Massenselbstmord«. Man könnte es auch Massenmord nennen. Von den über 30 000 Verteidigern werden nur einige hundert überleben.

Von Vater erreicht uns ein letzter Brief vom 30. Dezember, dann nichts mehr. Die Wochen vergehen. Mutti schreibt Brief auf Brief. Sie erhält keine Antwort. Wir weinen, unsere Verzweiflung ist unvorstellbar. Papi antwortet nicht. »Geliebtes, süßes Herz!« schreibt Mutti im Februar. »Wo bist Du nur? Warum höre ich nichts von Dir? Ich war vorgestern bei der Kartenleserin. Die sagte mir, Du würdest kommen, bald sogar.«

Am 22. Februar 1945, eineinhalb Wochen nach der Kapitulation Budapests, schreibt Mutti an Vaters Feldpostnummer: »Ich könnte mich totschreien: KOMM! KOMM! Es ist so entsetzlich. Ganz wahnsinnig und verrückt. Dein, DEIN!« Weitere quälende Monate vergehen, ohne Antwort, ohne Nachricht.

Am 8. Juli 1945, zwei Monate nach der Kapitulation Deutschlands, trifft uns der Blitzschlag. Ich sehe noch vor mir, wie zwei grüngekleidete Männer in unser Wohnzimmer treten und Mutti mit einem Aufschrei zusammenbricht. Das Dokument, das sie meiner Mutter brachten, liegt vor mir. Danach hat ein gewisser Rev. Obw. d. SchP. Sachse am 22. Juni 1945 den Tod meines Vaters in Budapest gemeldet. Als Datum ist der 5. Januar angegeben, als Art der Verwundung: »MG-Garbe.«

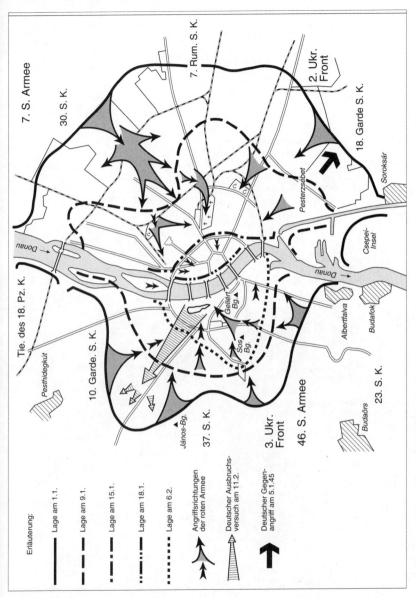

Der Budapester Kessel mit Eintragung des Frontverlaufs. Mein Vater starb am 5. Januar 1945 im Südosten, wo der deutsche Gegenangriff stattfand.

851   Gef. 14521

gem.RdErl.vom 15.7.1942 über .... Operationsgebiet gefallener, tödlich
verunglückter, an Krankheit .... verwundeter, an Entfernung erkrankter,
vermisster oder in Gefangenschaft .... Angehöriger der uniformierten
Ordnungspolizei und des staatl.Pol.Verwaltungsdienstes.   "4"

Meldende Dienststelle: .I./Pol.Reg. "Ungarn"

Ort- und Zeitangabe der Meldung: .... den 22. Juni 1945

Name, Vorname: .H e n k e l - Hans Adolf Max

Geburtstag: ....24.5.1905.... Geburtsort: .Hamburg...........

Letzter Wohnort im Inlande mit Strasse und Hausnummer: ....
...Hamburg, St.Benedsktstr. 48 ptr...........

Pol.-Dienstgrad (Anstellungsverhältnis): .RevObw.d.SchP.d.Res. - 15.315.-

Pol.-Verband im Operationsgebiet: ...I./Pol.Regt."Ungarn".........

Pol.-Dienststelle in der Heimat: .PV. Hamburg...........

Nummer der Erkennungsmarke: ../.

Gefallen, (//
//)

...... Ortsangabe: .3.1.1945 in Budapest...........

Art ....: ..MG. - Garbe...........

Gestorben .... an: ../.

Zeitangabe: ....

Beigesetzt ....

Verheiratet mit: .M. .... geborene: .Aushorn

Wohnort, Strasse, Hausnummer: ..... St. ...kstr. 48 ptr...........

Kinder: ...6. .... 5. und 3. Jahre...

Vor- und Familienname, Wohnort, bezw. letzter Wohnort ...ters oder der
Mutter: ../.

Heimatanschrift der Angehörigen unter Angabe des Verwandtschaftsverhältnisses:
.Ehefrau, wie oben.

Angabe, ob und bei welcher Stelle Vorschlag zur Verleihung des E.
Kreuzes (Verwunde........................ erreicht ist: ....

F.d.R.d.A.   gez. S a c h s e
Faik   RevObw.d.SchP.

Hbg., den 23.Juni

Urkunde über den Tod meines Vaters. Dass ihn eine »MG-Garbe« getötet
haben soll, hat meine Mutter nie geglaubt.

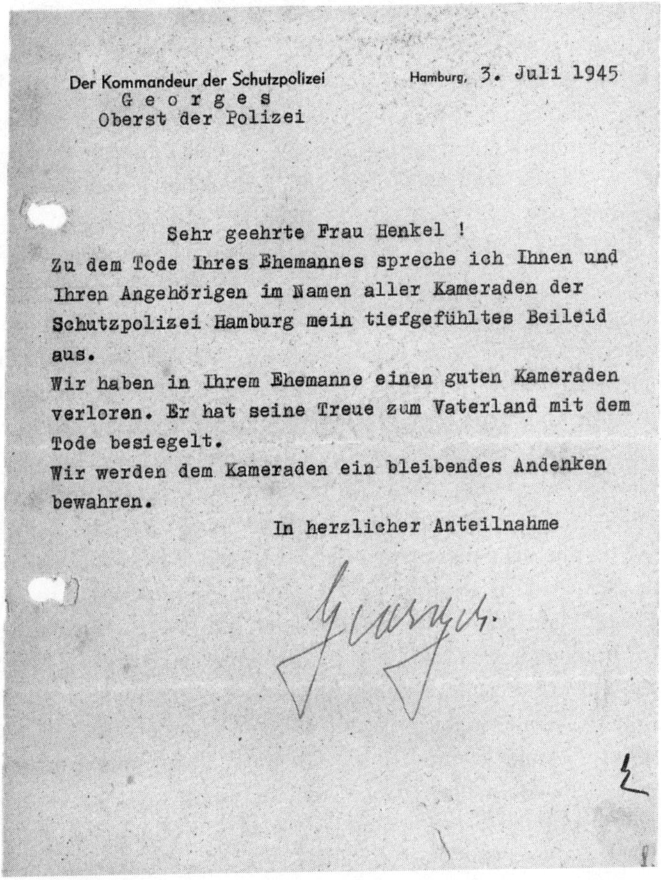

Der Kommandeur der Schutzpolizei   Hamburg, 3. Juli 1945
G e o r g e s
Oberst der Polizei

Sehr geehrte Frau Henkel !

Zu dem Tode Ihres Ehemannes spreche ich Ihnen und Ihren Angehörigen im Namen aller Kameraden der Schutzpolizei Hamburg mein tiefgefühltes Beileid aus.

Wir haben in Ihrem Ehemanne einen guten Kameraden verloren. Er hat seine Treue zum Vaterland mit dem Tode besiegelt.

Wir werden dem Kameraden ein bleibendes Andenken bewahren.

In herzlicher Anteilnahme

[Unterschrift] Georges

»Mein tiefgefühltes Beileid.« Im Juli 1945 erhielt Mutter dieses Schreiben des Kommandeurs der Schutzpolizei.

Noch am selben Tag schreibt Mutti in großer Aufregung (und deshalb unvollständig) an den Kommandeur der Schutzpolizei: »In der Anlage reiche ich Ihnen die mir heute über den angeblichen Tod meines Ehemannes Hans Adolf Max Henkel (Rev. Oberw. d. Sch. P. d. Res.) zurück, da ich der Meldung des Otto Sachse, aufgrund dessen mir heute die Nachricht übermittelt wird, keinen Glauben schenken kann ... Da ich nach allen Überlegungen trotz dieser schlimmsten Nachricht immer noch die Hoffnung habe, dass mein Mann zurückkommt, und zumal mein Mann mir noch am 30. Dezember 1944 schrieb: ›Was immer auch kommen mag, gib nie die Hoffnung auf, dass wir uns wiedersehen‹, muss ich jede Beileidsbezeugung zurückweisen.«

Jahrelang wartet sie auf die Heimkehr unseres Vaters. Sie weist sogar die Rente als Kriegerwitwe zurück. Zwanzig Jahre später besuche ich den Mann, der uns damals vom Tod meines Vaters berichtet hatte. Herr Eckert war als Verwundeter mit einem der letzten Ju-52-Flugzeuge aus dem Kessel von Budapest herausgekommen. Er war kein Augenzeuge, so sagt er mir, sondern hatte nur davon gehört, dass mein Vater gefallen war. Sein Gewährsmann wiederum hatte es von einem Kameraden gehört, der kurz darauf selbst gefallen war.

Vor mir liegt der letzte Brief, den mein Vater eine Woche vor seinem Tod geschrieben hat. Der Brief, an den sich meine Mutter klammerte. »Mein süßes Lieb«, beginnt er. »Wie mag es Dir nur gehen? Seit (unleserlich) November habe ich keine Post von Dir erhalten. Inzwischen hat sich bei uns so viel ereignet. Dauernd neue Stellungen und Kämpfe. Tag und Nacht am Feind. Gestern konnte ich wieder nur mit äußerster Anstrengung dem Tod oder der Gefangennahme entgehen. Der Gegner griff auf breiter Front den inneren Ring von Budapest konzentrisch an. Es gelang ihm ein Einbruch links von unseren Stellungen, während wir uns mit Erfolg tapfer verteidigten. Bald hatten wir aber durch den Einbruch den Feind auch im Rücken und mussten nach der rechten Seite ausweichen. Der Kompanie-Trupp mit unserem Kompaniechef, zusammen 5 Männer, wurde abgedrängt. Da wir unsere Munition verschossen hatten, konnten wir uns nicht mehr verteidigen und mussten über eine weite kahle Fläche auf eine Höhe zurück. Wir 5 wurden dabei von zwei schweren Maschinengewehren von links und von hinten beschossen, ferner liefen ca. 10 Russen hinter uns her. Es war ein Laufen um Leben oder Tod. Der Oberleutnant bekam zuerst einen schweren Armschuss, dann ein anderer Kamerad auch einen Armsteckschuss, danach Krüger schwere Beinschüsse und fiel wie tot hin. Da uns die Russen, die sehr schnell laufen konnten, immer noch verfolgten und zudem die MG-Geschosse uns wie die Bienen umsummten, konnten wir den armen Kerl beim besten Willen nicht mehr mitkriegen oder wir wären alle erledigt gewesen. Nur ein Sanitäter und ich kamen aus dieser Verfolgung heil heraus ... Dieser Brief soll durch einen Bekannten mit der ›Ju‹, dem Transportflugzeug, gehen, sonst könnte ich nicht schreiben. Ich liege hier auf dem Fußboden bei einer Kerze und bemühe mich, so gut es geht, zu kritzeln, um Dir recht viel zu berichten. Mein goldiges Herz, was auch immer kommen mag, gib nie die Hoffnung auf, dass wir uns wiedersehen. Ich lebe ja nur für Dich und die Kinder, sonst hätte ich die unglaublichsten Strapazen schon längst nicht mehr ertragen. Sei vernünftig, tapfer und denke an Deinen Dich unendlich liebenden Mann.«

»Dieser Brief soll mit der ›Josef Udo‹ gehen.« Der letzte Brief meines Vaters.

Vierzig Jahre später stehe ich auf dem Budapester Zentralfriedhof. Das Totenfeld der Deutschen dehnt sich wie ein Fußballplatz. Auf einer Bronzetafel finde ich meinen Vater wieder. Er ist am 5. Januar 1945 gefallen.

Im Juli 2004 erhalte ich endlich Nachricht vom Bundesarchiv. Die Recherche, ob mein Vater Parteimitlied gewesen ist, sei nun »abgeschlossen. Sowohl hier als auch im sog. NS-Archiv des MfS der ehem. DDR verlief die Recherche negativ«. Obwohl ich nie ernsthaft geglaubt habe, mein Vater könnte ein Nazi gewesen sein, bin ich doch unsagbar erleichtert. »Ich bedaure«, so beendet die Sachbearbeiterin das Anschreiben, »dass ich Ihnen bei Ihrer Familienforschung nicht behilflich sein konnte.« Sie ahnt gar nicht, *wie* behilflich sie mir gewesen ist.

* * *

Langsam schließe ich die Akte der knisternden Briefe mit den verkohlten Rändern. Aber der Vorhang über dem Theater der Geschichte will sich nicht schließen. Ich fühle Scham und weiß nicht, warum. Weil ich in das Zwiegespräch meiner Eltern eingedrungen bin? Oder weil die Trauer, die mich erfüllt, nicht nur meinem getöteten Vater und meiner verzweifelten Mutter gilt, sondern auch den anderen Deutschen, die litten oder starben wie sie? Ich sehe erhobene Zeigefinger: Vorsicht, Herr Henkel, Sie begeben sich auf abschüssiges Gelände.

Nun bin ich schon einmal so weit gegangen. Die Vergangenheit hat mich eingeholt. Wie oft gehe ich am Berliner Holocaust-Mahnmal vorbei. Ich kann Architekt Peter Eisenmann nur zustimmen, der im Mai 2004 der *Berliner Zeitung* gestand, »es wird dem Leben in der Stadt nicht zugute kommen«. Das riesige Labyrinth aus Betonklötzen signalisiert Ausweglosigkeit, Trostlosigkeit, steingewordene Verzweiflung, sechzig Jahre danach. Ihr dürft nicht vergessen! sagt es uns. Aber das Vergessen lässt sich nicht teilen. Ich erinnere mich, wie die anderen Opfergruppen der NS-Herrschaft ihren Anteil am Monument einforderten: Auch wir haben gelitten! riefen sie. Warum dürfen nicht auch wir im Herzen Berlins um unsere Toten trauern?

Von den deutschen Opfern redet man nicht so gern. Auch sie

haben gelitten. Aber wenn man heute von der Vertreibung nach 1945 spricht, zieht man sich die Entrüstung der Politiker zu. Zwar bestreitet niemand die Tatsache, dass fast 15 Millionen Deutsche aus ihrer Heimat in Ost- und Mitteleuropa vertrieben, rund 2 Millionen dabei getötet wurden. Aber man »hängt es niedrig«, weil man es sich nicht mit jenen verderben will, die dann unweigerlich als »Täter« dastünden. Nach modernem Sprachgebrauch müsste man eigentlich das, was damals im Namen der polnischen und tschechischen Regierung betrieben wurde, Massendeportation, ethnische Säuberung, Genozid nennen. Aber das klingt nicht gut in unseren Ohren.

Konrad Adenauer hatte damals gesagt, die gewaltsame Austreibung von Millionen Menschen aus ihrer Heimat, »die ihre Vorfahren zum Teil schon seit Hunderten von Jahren bewohnt hatten«, sei eine »Untat, die sich den von Nationalsozialisten verübten Untaten würdig an die Seite stellen« ließe. Heute dürfte er das nicht mehr sagen, ohne mit dem »Einzigartigkeitsdogma« in Konflikt zu kommen. Selbst Nobelpreisträger Bertrand Russell empörte sich 1945 in der Londoner *Times*, dass jene »Massendeportationen« die Absicht verfolgten, »viele Millionen Deutsche auszulöschen, nicht durch Gas, sondern dadurch, dass man ihnen ihr Zuhause und ihre Nahrung nimmt«.

Der Teil unserer Vergangenheit, an den sich unsere Nachbarn nicht gern erinnern lassen, ist deshalb auch uns abhanden gekommen. Wir kennen ihn nur aus der Perspektive der Ankläger. Die damaligen Deutschen, heißt es, waren alle irgendwie schuldig, also mussten sie alle irgendwie leiden. Wenn die Vertriebenen an ihr Schicksal erinnern, ruft man ihnen empört zu: Könnt ihr denn nie vergessen? Als sie für Berlin, die Hauptstadt des Holocaust-Gedenkens, ein »Zentrum gegen Vertreibung« fordern, tritt ihnen die deutsche Regierung entgegen. Außenminister Fischer warnt, das führe »zu einer völlig falschen Debatte, die da lautet: Die Deutschen waren auch Opfer. Damit relativiert man die historische Schuld«. Ich finde es gut, dass Peter Glotz, selbst Heimatvertriebener, ihm hier so entschieden widersprochen hat.

Im selben Interview erklärt Außenminister Fischer das Holocaust-Mahnmal zum »wichtigen Teil unserer Erinnerung«, während er den anderen Teil unserer Erinnerung ausblendet. Warum eigentlich? Traut er den Deutschen nicht zu, sich verantwortlich damit auseinanderzusetzen? Immerhin haben sie sich jahrzehntelang bemüht, das Unrecht, das anderen Völkern angetan wurde, zu beklagen, ihnen Gerechtigkeit widerfahren zu lassen. Sie haben die Toten der anderen Völker betrauert, als wären es ihre eigenen. Und sie haben dabei ihre eigenen vergessen.

Aber sie sollen sie ja vergessen. Sie sind Hitler gefolgt, heißt es, und haben unermessliches Leid über andere Völker gebracht.

Und was ist mit jenen, die ihm nicht gefolgt sind? Jenen, die sich von ihm täuschen ließen? Jenen, die ihm folgten, weil alle folgten, und die, als es zu spät war, nicht mehr zurückkonnten? Und was ist mit jenen, die nicht wussten, was sie taten? Was ist mit den Millionen, die an allen Fronten »verheizt« wurden?

Was ist mit den deutschen Soldaten, die 1944, zum Teil blutjung, bei der Landung der Alliierten und den Abwehrkämpfen in der Normandie gefallen sind? Warum hat Bundeskanzler Schröder bei den Gedenkfeiern zum 60. Jahrestag des D-Day um die letzte Ruhestätte von über 20 000 von ihnen einen Bogen gemacht, ihnen seine Trauer verweigert? Warum hat er sich in die Reihe der Sieger gestellt und die Verlierer im Schatten liegen lassen?

Als Bundeskanzler Helmut Schmidt nach Ungarn reiste, bestand er darauf, zwei Kränze niederzulegen: einen an der Gedenkstätte für die jüdischen Opfer, den anderen auf dem deutschen Soldatenfriedhof, auf dem auch mein Vater liegt. Aber dieser Besuch liegt fünfundzwanzig Jahre zurück.

Ich fürchte, eine Nation, die ihre eigenen Leiden vergisst, vergisst auch sich selbst.

KAPITEL ZWEI

Auf der Suche nach dem Vaterland

Ich bin kein Historiker. Ich maße mir kein Urteil über Details der Geschichtsforschung an. Aber ich habe auch kein Verständnis dafür, wenn Politiker und Historiker sich anmaßen, mir die alleinseligmachende Sicht der Geschichte zu diktieren. Schließlich wissen wir nicht nur von der Geschichte, wir leben in ihr, sind Teil von ihr. Und deshalb kann jeder zu den Facetten beitragen, aus denen sich das Gesamtbild zusammensetzt. Ich betone, es handelt sich hier um meine Sicht. Ob sie zur richtigen oder falschen Debatte gehört, möchte ich mir von unserem Außenminister nicht vorschreiben lassen.

Diese anmaßende Art, mit der Gedankenfreiheit anderer umzugehen, nannte man früher »Umerziehung«. Heute möchte man es gar nicht mehr soweit kommen lassen, dass man umerziehen muss. Am besten, man erobert gleich die »Lufthoheit über den Kinderbetten«, wie der frühere SPD-Generalsekretär Olaf Scholz einmal formulierte. So weit war die SED auch schon gewesen. Ich erinnere mich an die Nachkriegszeit, in der die Nation »entnazifiziert« wurde. Dabei hatten die Menschen selbst längst bemerkt, was die Nazi-Herrschaft ihnen gebracht hatte. Auch Hitler war eifrig mit Umerziehung beschäftigt gewesen. Vor 1933 war »Ariertum« ein Minderheitenthema gewesen, Antisemitismus kaum gesellschaftsfähig. Das änderte sich schnell, dank geballter Medienmacht und Lufthoheit über den Kinderbetten.

Man muss kein Historiker sein, um die Ursachen des Zweiten Weltkriegs, die furchtbare Zäsur des Hitlerreichs, in seiner Vorgeschichte aufzufinden. Auch *Spiegel*-Leser können dies seit der im Frühjahr 2004 erschienenen Serie über den »zweiten Dreißigjährigen Krieg 1914–1945«. Dieser Ausdruck, den der Historiker Hans-Ulrich Wehler geprägt hat, beschreibt eine überzeugende Neubewertung der Zeitgeschichte. Es gab, so der *Spiegel,* einen kausalen Zusammenhang zwischen beiden Weltkriegen, die bisher beide allein dem deutschen Schuldkonto angelastet wurden.

Der Erste Weltkrieg entstand, wie man lesen konnte, nicht durch eine finstere Verschwörung des deutschen Imperialismus, sondern durch eine Kettenreaktion, sozusagen einen politischen GAU. Eine deutsche »Alleinschuld«, so wies der renommierte Oxford-Historiker Hew Strachan nach, lag nicht vor. Statt dessen führte »wechselseitiger Argwohn zu wechselseitiger Paranoia«. Wobei die eigentliche Initialzündung, so der Brite, nicht vom Reich, sondern von Österreich-Ungarn kam. »Wien war entschlossen, den dritten Balkan-Krieg zu entfachen.« Der Versuch des deutschen Kanzlers Theobald von Bethmann Hollweg, »die Krise vor der Eskalation zu stoppen«, schlug fehl. Dann kam es, so die *FAZ,* »zu einem organisierten Massenmord auf Gegenseitigkeit«.

Der Zweite Weltkrieg wiederum muss mit dem Ersten zusammen gesehen werden, er war sozusagen dessen Fortsetzung mit gleichen Mitteln. Denn »der Friede von Versailles«, schreibt Hew Strachan, »trug bereits den Keim für den Aufstieg Adolf Hitlers und das nächste Kriegsinferno in sich«. Wer bis heute glaubte, der Zweite Weltkrieg hätte im September 1939 begonnen, übersah damit, dass der Erste noch gar nicht wirklich beendet war. Eigentlich gab es gar keinen Zweiten Weltkrieg. Es gab nur einen zweiten Dreißigjährigen Krieg zwischen 1914 und 1945. Das heißt nicht, dass Hitler die Polen nicht angegriffen und damit eine Kettenreaktion ausgelöst hätte. Aber es heißt wohl, dass diesem pseudoreligiösen Fanatiker mit den Versailler Verträgen eine Steilvorlage geboten wurde, um seine Wahnsinnspläne zu verwirklichen. Außerdem teilte Hitler sich zu Kriegsbeginn die Verantwortung mit seinem Verbündeten Stalin. Während die Wehrmacht von Westen nach Polen eindrang, kam die Sowjetarmee aus dem Osten. Als man in den Nürnberger Prozessen die Kriegsschuld zuwies, hatte man dies und manches andere vergessen.

Die »Schuld«, so einleuchtend sie im Juristischen ist, stellt im Historischen eine gefährliche Kategorie dar. Sie wirkt wie eine Keule. Mit gutem Gewissen eingesetzt, hinterlässt sie Wunden, die nicht verheilen. Von den Siegern des Ersten Weltkriegs gegen die Deutschen angewandt, trug sie Mitschuld daran, dass es zu einer Fortsetzung des Waffengangs kam. Denn der Friedensvertrag von Versailles zwang den Verlierer zum Eingeständnis seiner Alleinschuld. Damit musste Deutschland sich selbst als moralischen Verlierer, ja Verbrecher brandmarken. Die Sieger, die nur die Menschenrechtsverletzungen der Unterlegenen anprangerten, schienen zu übersehen, dass auch ein Volk so etwas wie eine Menschenwürde besitzt.

Auch ihre Souveränität wurde den Deutschen genommen: Sie verloren fast ein Zehntel ihres Territoriums, darunter den größten Teil des deutschen Industriegebiets in Schlesien. Drei Viertel der Eisenerzvorkommen, ein Drittel der Kohleförderung, 44 Prozent der Roheisen- und 38 Prozent der Stahlproduktion gingen an Nachbarn, die ihnen durchaus nicht gewogen waren. Deutschen Bevölkerungsgruppen wurde ihre Selbstbestimmung entzogen. Deutsches Eigentum in den Siegerstaaten, vor allem ihre wertvollen Patente und Warenzeichen, wurde enteignet, fast die gesamte Handelsflotte musste abgegeben werden. Reparationszahlungen von umgerechnet 300 Milliarden Euro sollten in Jahresraten abgestottert werden. Zusätzlich wurden 12 Prozent der deutschen Exporte besteuert.

Ende der neunziger Jahre wurde ich zufällig an die Versailler Verträge erinnert. Als stellvertretender Aufsichtsratsvorsitzender der IKB Deutsche Industriebank, die sich auf die Versorgung des Mittelstands mit langfristigen Finanzierungen konzentriert, hatte ich mich auch mit den Entschädigungen für die Zwangsarbeiter zu beschäftigen. Es ging um die Hälfte jener zehn Milliarden Mark, die bei der Industrie einzusammeln waren. Da auch die Industriebank zu diesem Akt geschichtlicher Wiedergutmachung beitragen sollte, fragte ich mich, welche Rolle sie überhaupt in der Geschichte gespielt haben mochte. Und dabei stieß ich auf einen eigenartigen Sachverhalt.

Die IKB war 1924 nicht als Privatbank, sondern aufgrund eines Regierungserlasses gegründet worden. Nachdem der amerikanische Finanzier Charles G. Dawes einen Plan für die deutschen Reparationsleistungen vorgelegt hatte, bestand ihre Aufgabe im Einsammeln dieser Steuer. Ähnlich wie bei den modernen Zwangsarbeiterzahlungen hatte die »Bank für deutsche Industrieobligationen«, wie sie damals hieß, bei der deutschen Industrie die geforderten Summen für die Siegernationen einzutreiben.

Der Dawes-Plan sah vor, dass das vom Krieg ausgeblutete Deutschland seine Entschädigungsleistungen auf unbestimmte Zeit zu zahlen hatte: Im ersten Jahr fiel eine Milliarde Goldmark an, die sich bis 1928 auf 2,5 Milliarden jährlich zu steigern hatte. Als Sicherheit wurden Reichsbahn und Reichsbank unter ausländische Kontrolle gestellt. Erst mit dem Young-Plan von 1929 wurde eine zeitliche Befristung der Strafzahlungen bis 1988 eingeführt. Beide Pläne führten nicht nur zu einer Beeinträchtigung der deutschen Wettbewerbsfähigkeit nach außen, sondern auch zu einer Verarmung der Volkswirtschaft nach innen, die zu den bekannten Zuspitzungen führte.

Wieder fühlte sich das Reich isoliert. »Mit der Ausschließung Deutschlands aus dem Völkerbund 1919«, schrieb der Historiker Hans Mommsen, »nahm dieser das Odium auf sich, Forum der Siegermächte zu sein.« Wirtschaftlich war Deutschland wegen der übergroßen Entschädigungsbelastung nicht mehr konkurrenzfähig. Die daraus folgende Massenarbeitslosigkeit, Verarmung und Inflation, dazu die Diskriminierung der Deutschen in Polen und im Sudetenland führten zum Aufstieg extremistischer Parteien. Anfang der zwanziger Jahre wurde es immer wahrscheinlicher, dass die Republik durch eine Diktatur ersetzt würde. Fragte sich nur, ob von rechts oder links.

Wie Hitler in München, planten deutsche Kommunisten in Moskau die deutsche Revolution. Neueste Forschungen zum »Deutschen Oktober 1923« belegen, dass im September 1923 die KPDler Ernst Thälmann und Clara Zetkin zusammen mit Stalin und Trotzki die »Auslösung eines Aufstandes in Deutschland« planten, mit der Option, nach erfolgreicher Machtübernahme das so entstehende Sowjetdeutschland der Sowjetunion einzugliedern. Man dachte auch an einen von Moskau dominierten »Bund der Sowjetrepubliken Europas«. Nach Beschluss des Politbüros der KPdSU sollte diese »deutsche Oktoberrevolution« am 9. November 1923 stattfinden, dem Jahrestag der Ausrufung der Republik 1918. Mangels revolutionärer Massen unterblieb der Aufstand. Statt dessen kam es am geplanten Tag zum Hitlerputsch. Damals schrieb Stalin in der *Roten Fahne,* die es übrigens heute noch gibt: »Die kommende Revolution in Deutschland ist das wichtigste Weltereignis unserer Tage.« Das traf zu, nur anders, als sich dieser Massenmörder dachte. Aus dem bürgerkriegsähnlichen Machtkampf ging 1933 einer als Sieger hervor, der sich erst später als Massenmörder erweisen sollte.

Aber wie konnte es überhaupt dazu kommen, dass eine führende Kulturnation innerhalb weniger Jahre in Barbarei versank? Wie konnte es dazu kommen, dass 1914 das Pulverfass explodierte und die Welt in eine dreißig Jahre dauernde Katastrophe stürzte? Ich muss ein wenig ausholen, und dabei wiederhole ich ausdrücklich, dass ich kein Fachhistoriker bin und schon gar nicht so etwas wie ein Nationalist. Im Gegenteil, ich bin leidenschaftlicher Befürworter der Europäischen Einigung und des Transatlantischen Bündnisses. Aber ich lege auch Wert auf die Wahrheit. Und diese ist, dank permanenter Umerziehung und Denkvorgaben, in Deutschland großenteils vergessen worden.

Die deutsche Geschichte begann nicht mit Bismarck, und den Militarismus und Imperialismus, mit dem sie heute gleichgestellt wird, hat sie, weiß Gott, nicht erfunden. Was Deutschland bis ins 19. Jahrhundert mehr als alles andere geprägt hat, war der Umstand, dass es Deutschland gar nicht gab. Es gab Reiche wie Portugal, Spanien, England, Frankreich, Russland, dann auch die Vereinigten Staaten von Amerika, die ihre Hauptaufgabe darin sahen, sich zu vergrößern, ihren Reichtum zu mehren, Nachbarn zu unterwerfen.

Deutschland war anfangs nur ein Fleckenteppich in adligem und kirchlichem Besitz. So gut wie nie kam es vor, dass man »an einem Strang zog«. Zwar thronte ein Kaiser darüber, aber der änderte nichts an dem Pluralismus der Interessen. Das Amt konnte jeder kaufen, der das Geld hatte. Oft war der Kaiser kein Deutscher, sprach nicht einmal die Sprache. Karl V. etwa, ein in Brüssel erzogener Spanier, ordnete das Reich seinem Imperium unter, nicht umgekehrt. Im 17. Jahrhundert bildete der Fleckenteppich das Aufmarschgebiet der Großmächte Habsburg, Frankreich und Schweden. Das Land wurde verwüstet, die Bevölkerung zur Hälfte ausgerottet. Ein einiges Deutschland kam auch nach dem Westfälischen Frieden nicht zustande, denn die konfessionelle Zerrissenheit wurde festgeschrieben.

Während sich das unendlich zerteilte Territorium mit sich selbst beschäftigte und sich dabei als geistig-kulturelle Macht etablieren konnte, bauten die Großterritorien ihre Reiche in der Wirklichkeit aus. Sie eroberten den Globus, teils mit Kanonen, teils mit Handelsflotten. Die Welt des 19. Jahrhunderts bestand aus Imperien und ihren Kolonien. Deutschland trieb Handel, entwickelte die Wissenschaften und stand ansonsten tatenlos daneben. Denn es gab dieses Land ja nicht. Was es gab, war Preußen, das sich von einem östlichen Kurfürstentum zu einem ebenso aufgeklärten wie aggressiven Reich entwickelte. Friedrich Wilhelm, der Große Kurfürst, und Friedrich II. lehrten die Nachbarn das Fürchten.

Ihre Erben lehrten auch die eigene Nation das Fürchten. Bismarck führte gegen das nichtpreußische Deutschland Krieg, erzwang die Einheit mit List und Gewalt. Schließlich marschierte er gegen Frankreich. Wie Napoleon zu Anfang des 19. Jahrhunderts Preußen gedemütigt und Europa erobert hatte, so zeigte jetzt der damalige Verlierer die Zähne. 1871 wurde der preußische König Wilhelm zum Kaiser des neuen Deutschen Reiches gekrönt, passenderweise im französischen Königsschloss Versailles. Auch dank der Frankreich aufgezwungenen Reparationszahlungen kam es zu einer Blüte des jungen Reichs. Die Wirtschaft boomte.

Deutschland, so lese ich in Arnulf Barings Buch *Die verspielte Freiheit*, gehörte »zu den führenden Industrienationen der Welt. Zwischen 1860 und 1913 verdreifachte sich der deutsche Anteil an der Weltindustrieproduktion«. Bereits 1880 hatte es im Welthandel die zweite Stelle hinter Großbritannien eingenommen. Angesichts des neuen Konkurrenten wurde Europas Großmächten zunehmend unbehaglich. »Mit der Einigung Deutschlands 1871«, so Hew Strachan, »war im Herzen Europas ein neuer Staat entstanden, und dem Kontinent war es schwergefallen, sich darauf einzustellen.« Man verglich, man rüstete. Frankreich war durchaus nicht bereit, die Konsequenzen der Niederlage auf Dauer hinzunehmen. Man träumte von der Revanche und schuf Koalitionen, die dem Reich vor Augen führten, dass es in einer verzwickten Lage war.

Im Frühjahr 2004 begingen Königin Elizabeth von England und Frankreichs Staatspräsident Chirac mit viel Pomp und wenig historischem Feingefühl die Hundertjahrfeier der »Entente Cordiale«, die gegen Wilhelms Reich gerichtet war und entsprechende Ängste ausgelöst hatte, zumal sie bald um Russland zur »Triple Entente« erweitert wurde. Bereits Bismarck hatte vom deutschen »Albtraum der Koalitionen« gesprochen. 1914 verlor Kaiser Wilhelm II. die Nerven, und die in Jahren aufgestaute Spannung entlud sich.

Der Rest ist schnell erzählt. Aus einem kalten Frieden wurde ein heißer Krieg, der zwischen 1914 und 1918 rund 15 Millionen Menschenleben forderte. Es war der Hamburger Historiker Fritz Fischer, der in den sechziger Jahren schlüssig nachzuweisen suchte, dass dieses Massensterben auf das alleinige Konto des deutschen Kaisers ging. Mehr noch, er sah im aggressiven Verhalten der Deutschen den Hauptgrund für diesen und den folgenden Krieg. Aggressiv waren sie geworden, weil sie den *Griff nach der Weltmacht* planten, so der Titel seines bekanntesten Buches. Ein anderes, ebenfalls vielgelesenes Buch von ihm hieß *Hitler war kein Betriebsunfall*. Die Kriege des 20. Jahrhunderts, so Fischer, waren wesentlich von den Deutschen vom Zaun gebrochen worden.

Fischer musste es wissen. Der Mann, der die angeblich nazistischen, militaristischen und antidemokratischen Traditionen des Reichs schonungslos aufdeckte, war selbst Nazi, Militarist und Demokratiefeind gewesen. Wie ich der *FAZ* entnehme, hatte er vier Jahre lang dem rechtsradikalen, durch den Hitlerputsch 1924 bekanntgewordenen »Bund Oberland« angehört und war 1933 als »politischer Referent« in die Straßenkampftruppe SA eingetreten. Nach dem Krieg zeigte er sich dann vollständig gewandelt. Er proklamierte die »Alleinschuld« der Deutschen und wurde zum vielgefeierten »radikalen Aufklärer«. Nur nicht über sich selbst. Seine verheimlichte Geschichte kam erst 2003 ans Licht. Da war er schon vier Jahre tot. Seine einseitige Schuldthese, die eine ganze Historikergeneration beeinflusste, gilt heute als widerlegt.

Fritz Fischer hat wesentlich dazu beigetragen, dass die Deutschen als »Tätervolk« ins öffentliche Bewusstsein eingingen, und zwar in das der Deutschen selbst. Unsere Nachbarn, auch die Amerikaner, urteilen da differenzierter. Aber das Gerichthalten, das freigebig der einen Seite Schuld, der anderen Freispruch zuteilt, hat sich bei uns seit Jahrzehnten durchgesetzt. Auch dank Daniel Goldhagen, der nicht in den USA, wohl aber in Deutschland zum Bestsellerautor wurde, etablierte sich eine Vorstellung von den Deutschen als »andersartigen« Menschen. Sie seien, schrieb Goldhagen in *Hitlers willige Vollstrecker,* »nicht einfach gewöhnliche Menschen wie alle anderen auch«. Der seltsame Begriff vom »Tätervolk« drängte sich auf. 2003 wurde er zum »Unwort des Jahres « gewählt.

Ich glaube, nur im modernen Deutschland kann es ein solches Wort und eine solche Auszeichnung geben. Vermutlich wollte man damit ein wenig Umerziehung betreiben, diesmal in die andere Richtung. Es sei nämlich verwerflich, so die Jury, wenn man »ein ganzes Volk für die Untaten kleinerer oder größerer Tätergruppen verantwortlich macht, also den Vorwurf der Kollektivschuld erhebt«. Auch wenn dies vielen Historikern nicht gefallen mochte, so leuchtete es doch vollkommen ein. »Kollektivschuld« ist nichts anderes als Sippenhaft im großen Stil.

Würde man wegen Stalins millionenfachem Morden die Russen oder wegen der Ausrottung von einer Million armenischer Christen die Türken als Tätervolk bezeichnen? So wenig es in Ankara ein Armenier-Mahnmal gibt, so wenig erinnert irgend etwas in Moskau an den Archipel Gulag.

Paradoxerweise hatte der Mann, der für das »Unwort des Jahres« sorgte, nichts anderes gemeint. Es ist ihm nur gründlich misslungen. Der CDU-Bundestagsabgeordnete Martin Hohmann, der das Wort »Tätervolk« in einer Rede thematisierte, wollte wohl zwei Fliegen mit einer Klappe schlagen. Er wollte zum einen zeigen, wie absurd es ist, ein ganzes Volk für die Untaten der es regierenden Verbrecher verantwortlich zu machen. »Wir alle kennen«, so sagte er, »die verheerenden und einzigartigen Untaten, die auf Hitlers Geheiß begangen wurden.« Hohmann räumte also die »Einzigartigkeit« des Holocaust ein, diesen Glaubensartikel des modernen Deutschland. Aber den Massenmord, so meinte er, müsse man den Tätern anlasten, statt ihn einem ganzen »Tätervolk« von 80 Millionen Menschen in die Schuhe zu schieben. Das war nachvollziehbar.

Dagegen ging die zweite Stoßrichtung so sehr daneben, dass sie die Überzeugungskraft der ersten aufhob. Hohmann stellte nämlich die Frage, ob nicht das »Opfervolk« des Holocaust ebenfalls als »Tätervolk« bezeichnet werden könnte. Dann nämlich, wenn man seine Verwicklung in die Russische Revolution und die Terrorherrschaft des Bolschewismus aufzeigte. Aber wozu diese Wendung, wenn Hohmann zuvor selbst die Absurdität des Begriffs »Tätervolk« nachgewiesen hatte? Was er als rhetorische Frage ausgab, wurde zu einer Aufzählung von Halbwahrheiten. Gewiss, viele Kommunisten waren Juden, aber viele waren auch Russen oder Deutsche, und wer heute Täter war, konnte morgen schon Opfer sein. Ganz zu schweigen von jenen Juden, die nur Opfer des Lenin- und Stalinterrors waren.

Ich glaube weder, dass Hohmann sich der Wirkung seines Schreckenskatalogs bewusst war, noch dass er antisemitische Propaganda betreiben wollte. In Wahrheit verfolgte er andere Ziele. Zum einen wollte er die Ähnlichkeit zwischen Sowjetrevolutionären und Nationalsozialisten hervorheben, deren »verbindendes Element die religionsfeindliche Ausrichtung und die Gottlosigkeit« war. Zum anderen wollte er an die Massenmorde erinnern, die jahrzehntelang auf die Machtübernahme der Kommunisten 1917 gefolgt und dem Naziterror zeitlich vorausgegangen waren. Dabei handelt es sich um Verbrechen, die im Namen jenes Karl Marx begangen wurden, der heute, laut TV-Umfrage, zu den »großen Deutschen« gezählt wird. Nach neuesten Berechnungen forderte die Einführung seiner klassenlosen Gesellschaft in Russland zwölf Millionen Tote, und achtzehn Millionen Menschen wurden zur Zwangsarbeit verdammt. Allein von ihnen, so entnehme ich dem Buch *Der Gulag* von Anne Applebaum, »kehrten zwischen 4 und 5 Millionen niemals zurück«. Der erste Versuch in der Geschichte, die marxistischen Theorien in die Wirklichkeit umzusetzen, ging in einem Meer von Blut unter.

Seit dem »Historikerstreit« von 1986, mit dem sich in der Bundesrepublik auch dank Habermas die linke Geschichtssicht durchsetzte, wurde der Blick auf die stalinistischen Verbrechen mit einem unausgesprochenen Tabu belegt. Wer seitdem von der »Unvergleichbarkeit des Holocaust« sprach, der meinte eigentlich: Du sollst nicht an die millionenfachen Morde des Marxisten Stalin erinnern und sie schon gar nicht mit jenen vergleichen, die Hitler befohlen hat. Noch im Juli 2004 empörte sich der Grüne Volker Beck darüber, dass in DDR-Gedenkstätten an beide Terrorepochen zugleich erinnert werden soll. Damit werde, so der Parlamentarische Geschäftsführer der Grünen, eine »platte Gleichsetzung von NS-Unrecht und Stalinismus« vollzogen.

Hohmanns Provinzrede, einfach gestrickt und unglücklich gewendet, schlug in Deutschland ein »wie eine Bombe«. Entsprechend scharfes Geschütz wurde aufgefahren. Man spürte nicht das Ungeschick, das sich hier ausdrückte, sondern glaubte, eine Einmannverschwörung aufgedeckt zu haben. Hohmann hätte, so warnte der Leiter des Berliner Instituts für Antisemitismusforschung, Wolfgang Benz, »eine geschlossene judenfeindliche Argumentation« vorgetragen, mit »abgefeimter Gesinnung« einen »klassischen antisemitischen Diskurs« samt fataler »Schlussapotheose« geführt.

Nicht nur der bekannte Historiker verlor jeden Sinn für Verhältnismäßigkeit, auch die Bundestagsparteien überschlugen sich in Rücktrittsforderungen und Abstrafungsappellen. Nach quälendem Hin und Her warf die CDU Hohmann aus der Fraktion und nach einem langen Ausschlussverfahren auch aus der Partei. Schon im Monat nach dem Eklat trat der Bundestag feierlich zusammen, um ein einstimmiges Bekenntnis gegen Hohmanns Denkrichtung abzulegen, das als »Antisemitismus-Erklärung des Deutschen Bundestages« veröffentlicht wurde. Ganz konkret auf ihn gemünzt war der Satz, »wer ›die Juden‹ sprachlich ausbürgert, indem er sie ›den Deutschen‹ gegenüberstellt, (und) wer die Ermordung der europäischen Juden relativiert, steht außerhalb der demokratischen Wertegemeinschaft«. Das hieß in Bundeskanzler Gerhard Schröders Wortschatz: »Er muss geächtet werden.« Mir wollte damals das Schicksal des FDP-Bundestagsabgeordneten Jürgen Möllemann nicht aus dem Kopf gehen, der unter politischem Druck Selbstmord begangen hatte. Zum Glück zog Hohmann nicht diese Konsequenz.

Diese Reaktion auf eine freie Meinungsäußerung, zumal die eines gewählten Parlamentariers, ist weit gefährlicher als das, was Hohmann geäußert hatte. Eigentlich scheint sie mir noch heute unbegreiflich. Blitzschnell richteten sich Medien und Volksvertreter, Wissenschaft und Kirche in eine Richtung aus. Als hielte man einen Magneten an Metallspäne. Alle nahmen eine feste Formation an, standen wie in Reih und Glied. Als wären die Fundamente unserer Republik in Gefahr, mahnte und drohte und schäumte man. Selbst die CDU hatte sich, wohl in der begründeten Furcht vor Stimmenverlusten, von der Hysterie anstecken lassen. Aus fast allen Stellungnahmen ging hervor, dass man sich nicht einmal die Mühe gemacht hatte, die Hohmann-Rede zu lesen. Man unterstellte ihm einfach das, was man glaubte, dass er gesagt haben müsste.

Und das hieß: »Hohmann bezeichnet die Juden als Täter-volk.« Das hatte er nun gerade nicht getan. Warum aber ver-steifte sich die Presse von Anfang an auf eine Aussage, die das Gegenteil dessen ausdrückt, was Hohmann meinte? Ich vermu-te, dies hängt damit zusammen, dass Teile der deutschen Presse die Juden tatsächlich als »Tätervolk« darstellen, und zwar die heutigen Israelis. Sie wollten es nur nicht zugeben, und deshalb verschoben sie die »Schuld« auf Hohmann.

Ich erinnere an das Beispiel des Palästinenserführers Abdel Asis Rantisi. Dieser radikale Hamas-Chef hatte Ende März 2004, nach der Tötung seines Vorgängers Scheich Jassin, furchtbare Mordanschläge gegen Israel vorhergesagt, die in Zu-kunft »kein Tabu« mehr respektieren würden. In bezug auf das Töten unschuldiger Zivilisten seien jetzt »die Tore offen«. Nach dieser Rede mussten Juden weltweit mit ihrem gewaltsamen Tod rechnen. Auf diese unerhörten Worte, die um die Welt gin-gen, erfolgte bei uns keine Reaktion. Kein Bundesaußenminister hatte protestiert, keine deutsche Zeitung sich über solche Bar-barei empört. Als gehöre es zu den unabdingbaren Rechten der Palästinenser, ihre jungen Leute, unter dem Versprechen eines goldenen Jenseits, als lebendige Bomben auf jüdische Zivilisten loszulassen. Dagegen wird den Israelis ihr Recht auf Notwehr nur widerwillig eingeräumt. Als Mordprediger Rantisi zwei Wochen später von israelischen Raketen getötet wurde, gab es nicht nur weltweite Empörung, sondern auch ein neues Wort, das durch die Presse ging: Israels »Staatsterrorismus«. Wer es benutzt, muss nicht befürchten, geächtet zu werden. Obwohl es von da zum »Tätervolk« nicht mehr weit ist.

Eine der wichtigsten Errungenschaften der Neuzeit ist für mich die Gedanken- und Redefreiheit, von den Amerikanern als »Freedom of Speech« begründet. Auf jeden, der die Freiheit des Individuums schätzt, der wie ich geradezu besessen ist von ihr, muss die kollektive Ächtung von Menschen, die abweichende Meinungen äußern, abstoßend wirken. Im Frühjahr 2004 hat auch der deutschjüdische Professor Michael Wolffsohn erleben können, wie bei uns Verstöße gegen die »political correctness«

geahndet werden. Er hatte im Fernsehen gesagt, dass Folter dann gerechtfertigt sei, wenn sie zur Rettung Unschuldiger gegen Terroristen angewandt werde. Es ging ihm also nicht um einen Freibrief für Gewaltanwendung, sondern um eine Güterabwägung in einer Frage von Leben und Tod.

Natürlich brach sofort ein Sturm der Entrüstung los, und Verteidigungsminister Struck lancierte, der Professor der Münchner Bundeswehrhochschule könne sich auf eine herbe Maßregelung gefasst machen. Daraufhin ruderte Wolffsohn, dem sozusagen die Folterinstrumente gezeigt worden waren, eilig zurück. Als Gegner von Folter und Todesstrafe wunderte es mich schon, dass man von Innenminister Schily nicht Gleiches verlangte, der potentiellen Terroristen ankündigte, »wer den Tod haben will, kann ihn bekommen«. Oder wäre der Tod weniger schlimm als Folter?

Noch ein weiterer Aspekt schien mir bemerkenswert: Normalerweise gilt es in Deutschland als politisch inkorrekt, einen prominenten Juden zu kritisieren. Findet sich allerdings ein »politisch korrekterer Grund«, der dieses Tabu aufhebt, wird davon besonders eifrig Gebrauch gemacht. Verbittert sprach Wolffsohn von einer »Hetzjagd«, bei der sogar »Angehörige der Bundesregierung einen ihrer Bürger zum Abschuss freigegeben« hätten, der sich zudem »mehrfach und öffentlich als deutschjüdischer Patriot bezeichnet hatte«.

* * *

Nach dem Kriegsende 1945 war der Neubeginn unseres Lebens überschattet von der quälenden, lähmenden Ungewissheit über das Schicksal unseres Vaters. Kein Tag verging, an dem wir nicht über ihn sprachen, auch um ihn weinten. Wenn die Türklingel läutete, erstarrten wir. Wenn der Postbote kam, blätterten wir hastig die Briefe durch. Jedes Geräusch in der Nacht erinnerte an ihn. Die Vergangenheit übte eine Macht aus, die uns lähmte. Der Stuhl, auf dem Vater gesessen hatte, blieb leer. Und diese Leere beherrschte unser Leben.

Irgendwann begriff Mutti, dass sie für Karin, Joachim und mich Vaters Stelle einnehmen musste. Und irgendwann muss sie beschlossen haben, das Buch der Vergangenheit zu schließen und nicht mehr dem wunderschönen Haus in der Rothenbaumchaussee nachzutrauern, nicht jeden Tag mit dem verzweifelten Gedenken an Vater zu beginnen und abzuschließen. Sie konzentrierte sich darauf, einen Neubeginn zu schaffen, und zwar aus den Trümmern des alten Lebens. Unterstützt von ihren Eltern gelang dies auch.

Die eigentliche Energie aber gewann sie, wie Millionen anderer Deutscher, aus dem schlichten Umstand, dass sie ganz auf sich selbst gestellt war. Es gab keinen Staat, der Vorschriften machte, so wenig, wie es die Aussicht auf Hilfsprogramme gab. Einen Anspruch darauf, dass die Ämter einen wieder auf die Beine brachten, konnte man nicht erheben. Man musste sprichwörtlich sein Schicksal in die eigene Hand nehmen. Und das funktionierte.

Weil es keinen funktionierenden Staat und kaum Behörden gab, die sich der Bemutterung und Kontrolle der Bürger widmeten, mobilisierten die Deutschen Energien, die sie zuvor kaum gekannt hatten. Sie erwachten sozusagen zu einer nie zuvor erfahrenen Selbständigkeit. Sie arbeiteten rund um die Uhr und kümmerten sich um tausenderlei Dinge. Sie räumten den Schutt beiseite und planten gleichzeitig den Neuaufbau. Was es in den Läden nicht gab, »organisierten« sie sich auf dem Schwarzmarkt. Damals musste jeder sein Leben selbst organisieren. Nichts lenkte einen von diesem Ziel ab, kein Fernsehen, keine hysterische Öffentlichkeit. Jeder war ganz nah bei sich selbst und brachte den Willen auf, für sich selbst einen Platz in der Welt zu finden. Weil alle mit dieser Suche beschäftigt waren, entstand bald wirklich eine neue Welt. Sie war nicht geschenkt, sondern selbst erbaut worden.

Für mich stellt dies die größte Revolution in der deutschen Geschichte dar. Die Überlebenden einer totalen Diktatur, in der der einzelne nach dem Motto »Du bist nichts, dein Volk ist alles« behandelt worden war, bejahten sich selbst. Diese zu

Untertanen erzogenen Menschen mit ihren nun zerstörten Städten, ihrem demolierten Selbstbewusstsein entwickelten schlagartig Eigeninitiative. Ohne Anleitung schufen sie sich eine neue Welt und übernahmen eine demokratische Verfassung, die heute noch gültig ist. Sie nahmen die Herausforderung der internationalen Marktwirtschaft an und gewannen mit ihren Produkten »Made in Germany« Kunden auf der ganzen Welt. Und sie waren stolz darauf. Jedenfalls so lange, bis die Vergangenheit ihre Schatten warf.

Damals konnte man lernen, dass eine Gesellschaft dann besonders reformbereit und -fähig ist, wenn sich keine Alternative bietet. Im Fall meiner Mutter hieß das, dass sie gar nicht die Möglichkeit hatte, sich bei einem Amt Geld abzuholen. Das musste sie sich schon selbst besorgen. Es gelang, weil sie Vaters Firma wieder aufbaute, indem sie Beziehungen zu Lieferanten knüpfte, einen neuen Kundenstamm fand und in ihrem »Borgward Hansa 1500« durch die Lande fuhr. Die Erinnerung an dieses Auto löst in mir regelmäßig nostalgische Gefühle aus. Seit Jahren suche ich vergeblich nach einem Modellauto dieses Typs. In natura habe ich das Schmuckstück zum letzten Mal 1978 in Uruguay gesehen. In traurigem Zustand knatterte es an meinem Taxi vorbei. Ich bat den Fahrer, »die Verfolgung aufzunehmen«, um den Borgward für ein paar hundert Dollar zu kaufen. Aber er wendete so ungeschickt, dass uns das Objekt der Sehnsucht entwischte.

Zu Borgward-Zeiten legte Mutter Wert darauf, dass auch ich ein wenig zur Bestreitung unseres Lebensunterhalts beitrug, teils im Geschäft, teils durch kleine Nebenverdienste. Man versuchte eben alles, um voranzukommen. Manchmal erforderte es etwas Einfallsreichtum. Eine komische Erinnerung dazu aus meinem fünfzehnten Lebensjahr: Ich besaß damals einen Dackel, der Axel von Oldenburg hieß. Eigentlich hatte Mutti ihn als Familienhund gekauft. Aber irgendwie hatte er sich mir angeschlossen, und so war es mein Hund, ein wahrer Vorzeigehund, der auf einer Ausstellung den ersten Preis gewann, ob für Rasse oder Schönheit, weiß ich nicht mehr. Da Axel auch ein lebhafter

Rüde war, suchte Mutti nach einer Möglichkeit, seine Männlichkeit gewinnbringend einzusetzen. Irgendwann war sie fündig geworden. Sie drückte mir einen Zettel mit einer Adresse in die Hand und murmelte, dass ich mir hinterher gleich das Geld geben lassen sollte. Das Ganze war mir furchtbar peinlich. Mit dem Bus fuhr ich in die Lüneburger Heide, klingelte an einer Haustüre. Eine Frau kam heraus, die eine zarte Dackeldame an die Brust gedrückt hielt. Vor Scham konnten wir uns nicht in die Augen sehen.

»Und was machen wir jetzt?« fragte sie, den Blick auf Axel gerichtet, der sich in meinen Armen wand. Ich mimte den erfahrenen Hundezüchter. »Lassen Sie mich nur machen«, sagte ich und bat, mit den Hunden alleine gelassen zu werden. Sie führte uns in einen Abstellraum und schloss die Türe. Schnell bemerkte ich, dass Axel sich nichts aus der Dame machte. Er demonstrierte sein Desinteresse, indem er beharrlich wegsah. Die Zeit verging, ich wollte irgendwann nach Hause. So packte ich Axel und führte ihn seiner neuen Freundin zu. Nichts half, beide waren Luft füreinander. Irgendwann verlor ich die Geduld und wandte mich zur Türe. Und da geschah es, sozusagen hinter meinem Rücken. Ich hörte wie Axel von Oldenburg sich mit Pfotengetrappel auf sie stürzte, und als ich hinsah, war es schon vorbei. Die verschämte Dame erschien wieder. Ohne mich anzusehen, drückte sie mir 50 Mark in die Hand. Soviel ich weiß, hat sie die Prämie nie zurückgefordert.

Deutschland war nach dem Krieg eine riesige Baustelle. Allerdings wurde uns beim Wiederaufbau auch geholfen. 1946 kamen die ersten amerikanischen Carepakete, ab 1948 bot der Marshallplan auch der Industrie eine Initialzündung. Selbst wenn es sich mit 1,5 Milliarden Dollar um eine vergleichsweise niedrige Summe handelte, bewirkte sie viel, nicht zuletzt durch ihre Symbolik: Man hatte uns nicht abgeschrieben. Jeder fühlte, dass er wieder dazugehörte. Auch die Carepakete zeitigten Nebenwirkungen. Schnell lernte man die fremden Waren kennen und schätzen. Die Amerikaner hatten unsere Städte zerstört, aber jetzt zeigten sie uns, dass es sich lohnte, alles wieder aufzubauen.

Das war der springende Punkt: Man zeigte uns etwas. Man belehrte nicht und erzwang nicht, sondern man führte den Deutschen etwas vor Augen, was sie schlagartig überzeugte. Amerika wurde Vorbild. Amerika, das stand für Modernität, Freiheit, Demokratie und vor allem grenzenlosen Konsum. Dort gab es »Supermärkte« mit unendlich vielen Produkten, und man konnte sie sich leisten. Das war die Vision, die sich wie eine Fata Morgana am deutschen Nachkriegshimmel bildete. Man hatte endlich ein Ziel, das sich mit friedlichen Mitteln verwirklichen ließ. Alles, was von dort kam, wurde begierig aufgenommen und nachgeahmt. Und so wirkte es wie selbstverständlich, dass ein Land, das fast immer unter Monarchie oder Diktatur gelebt hatte, begeistert für Demokratie und, seit Ludwig Erhard, für soziale Marktwirtschaft optierte.

Das Vorbild Amerika war allgegenwärtig. Ende der vierziger Jahre waren wir in eine Mietwohnung in der Hamburger St.-Benedict-Straße gezogen. In deren Keller hatte Mutti ein ganzes Zimmer mit Seiten aus amerikanischen Magazinen tapeziert. Diese glänzenden Drucke aus *Life* und *Look* zeigten eine Welt, die uns das graue Trümmerleben vergessen ließ. Ganze Nachmittage widmete ich mich dem Studium der Reklamebilder mit ihren riesenhaften Chevrolets, Cadillacs und Studebakers, die einen mit Weißwandreifen und blitzenden Kühlergrillen förmlich blendeten. Als ich ein Jahrzehnt später in Amerika arbeitete, waren die unförmigen Straßenkreuzer längst von den Straßen verschwunden. Erst auf Kuba sollte ich sie in den Neunzigern wiedersehen.

In Muttis buntem Keller hing auch eine Schar blonder, wohlgeformter Damen, die mir Zigarettenschachteln, Schokoriegel oder Zündkerzen entgegenhielten. Besonders faszinierte mich ein Mädchen, das Reklame für Unterwäsche machte. Vor den Augen eine Maske und ansonsten nur mit weißem Büstenhalter bekleidet, sagte sie per Sprechblase: »I dreamt I went to a masquerade in my Maidenform Bra.« Für mich stellte dies den Gipfel der erotischen Freizügigkeit dar. Damals beschloss ich, Amerika irgendwann einmal zu besuchen.

Viele der Wünsche, die in mir durch die Reklame im Untergeschoss geweckt wurden, fanden schnelle Erfüllung. Ich kaute Wrigley's Spearmint, schnupperte den Rauch der Lucky Strike und hortete unterm Bett Hershey's Schokolade. Leinwandhelden wie Humphrey Bogart oder Gregory Peck eroberten auch unsere Lichtspielhäuser. Meine Schwester, mit Pferdeschwanz und steifem Pettycoat, brachte Schellackplatten mit, auf denen amerikanische Musik zu hören war, Swing und Jazz, später auch Elvis Presley. Ich war auf der Stelle Feuer und Flamme. Ähnlich wie es meinem Vater mit der Zigeunermusik ergangen war, konnte ich gar nicht mehr leben ohne diesen »Groove«, der meinem Alltag seinen markanten Rhythmus aufprägte. Als ich den Plattenspieler laut drehte, musste ich allerdings bemerken, dass nicht alle sich von der sensationell neuen Zeit anstecken ließen. Meine Großeltern in Lehmsahl beklagten sich über die »Negermusik«.

Auch der Nationalstolz kehrte, auf unanstößigem Terrain, zurück. Die Fußballweltmeisterschaft 1954 in der Schweiz gehörte zu den emotionalen Höhepunkten der Nachkriegszeit. Wie bedeutend schon die Gruppenspiele für die junge Nation waren, kann man heute kaum mehr ermessen. Wir traten als Gleiche unter Gleichen auf, bald sollte sich sogar zeigen, dass wir besser waren. Und dann geschah das Unvorstellbare: Das vor neun Jahren schändlich untergegangene Land bestieg das Siegertreppchen. Jedes einzelne Tor wurde wie ein kollektives Erweckungserlebnis gefeiert.

Meiner Schwester, die damals als Au-pair-Mädchen in Paris arbeitete, schrieb ich als Vierzehnjähriger aus dem Erziehungsheim »Rauhes Haus«, wie ich am Radio das »Vorschlussspiel« Deutschland gegen Österreich erlebte:

»Es steht gerade 2:1 für unsere Mannen. Deutschland bekommt gerade einen Elfmeter. Fritz Walter schießt: Tor!!! 3:1 für Deutschland. Weißt Du schon, dass Deutschland mit Ungarn, Uruguay und Österreich unter den vier besten ist? Wenn Deutschland das Spiel ge-

winnt, spielt es (...) um die Weltmeisterschaft!!! Stell Dir
das vor!!!«

Hamburg den 30.6.54

Liebe Karin!

Ich habe eben Deinen Brief dankend erhalten. Vielen Dank noch einmal.
Komisch, daß Du erst zwei Briefe erhalten hast ich habe Dir mit diesem
Brief jetzt 4 Briefe geschrieben. Ich höre gerade das Vorschlußspiel
Deutschland-Österreich es steht gerade 2:1 für unsere Männer Deutschland
bekommt gerade einen Elfmeter Fritz Walter schießt Tor!!! 3:1 für Deutschland. Weißt Du schon, daß Deutschland mit Ungarn, Uruguay, Österreich
und Deutschland unter den vier Besten ist? Wenn Deutschland das Spiel
gewinnt spielt es gegen den Gewinner von Uruguay-Ungarn um die Weltmeisterschaft!!!! Stell Dir das vor!!! Deutschland stürmt im
Augenblick andauernd, oder immer vorbei und überweg gegen die Latte und
gehalten. Ich bin immer noch in Schule oben. Jetzt gerade Ecke für Deutschland Kopfball! Tor!!! 4:1 für Deutschland gegen Österreich wahrscheinlich.
Heute soll einer braunkommen, wir sind alle gespannt wer es ist. Elfmeter
für Deutschland. Fritz Walter schießt Tor!!! 5:1 für Deutschland
Fritz Walter enorm. Deutschland kommt bestimmt ins Endspiel um die
Weltmeisterschaft. Toll! Deutschland steht im Turnwettkampf
an 2. Stelle hinter Rußland. In der Schule geht es ganz gut. Wir waren
gestern in dem Shell-Haus und sahen Filme. Kann man auf den
Triumphbogen gehen? Das habe ich noch nie gewußt. Wenn die Verhältnisse
in Frankreich so sind, dann würde ich auch eines Tages hier radeln
Ich habe öfters Vrlaub. Am letzten Sonnabend war ich mit abel zu einer
Hundeschau gegangen. Bei Oma werde ich schlafen, wenn ich wieder Vrlaub

»Tor!!!« Der Bericht, den ich meiner Schwester über die Fußball-Weltmeister-
schaft nach Paris geschickt habe.

Deutschland hatte schließlich, wie ich im PS des Briefs nach-reichte, mit 6:1 gewonnen und stand im Endspiel. Welch ein Tag für Deutschland! Aber ich dachte schon über die Grenzen hinaus. »Kann man eigentlich«, fragte ich Karin beiläufig, »auf den Triumphbogen gehen? Wenn die Verhältnisse in Frankreich so sind, würde ich auch gerne dort erscheinen.«

Am Tag des Endspiels hatte ich vor lauter Aufregung meine Zeit bei den Großeltern in Lehmsahl vertrödelt. Wir kämpften gegen die Ungarn, diese Vorstellung beeindruckte mich tief. Als ich auf die Uhr sah, war es kurz vor Anpfiff, und außerdem war meine Freizeit abgelaufen. Mit dem Fahrrad sauste ich ins Erzie-hungsheim zurück. Als ich auf halber Strecke in Poppenbüttel ankam, bremste ich vor einem Lokal. Drinnen herrschte nieder-gedrückte Stimmung. Deutschland lag 0:2 zurück. Ich hatte es nicht anders erwartet. Als ich am nächsten Gasthaus hielt, hatten sich die Mienen aufgehellt, denn die Deutschen konnten zum 2:2 ausgleichen. Im Internat angekommen, hastete ich die Treppen zum Radiozimmer hoch. Der Raum war bis auf den letzten Platz mit andächtig lauschenden Schülern gefüllt, die jedes Wort des Kommentators mit Spannung verfolgten. Kaum war ich eingetreten, sprangen alle von den Stühlen hoch, schrien, umarmten einander. Rahn hatte das Siegtor zum 3:2 geschossen. Nationalfeiertag.

Ich kann mich nur noch an ein Datum erinnern, das von den Deutschen mit ähnlicher Begeisterung erlebt wurde und das sich ihrem Gedächtnis ähnlich tief eingegraben hat: der 9. Novem-ber 1989. Als nach der Grenzöffnung die ersten ostdeutschen Landsleute bei uns eintrafen, herrschte derselbe Freudentaumel wie 1954, als der Sonderzug der Nationalmannschaft aus Bern in München ankam. Wie die gewonnene Weltmeisterschaft Kräfte freisetzte und einen Neubeginn markierte, der Wohl-stand und internationale Anerkennung brachte, so hätte auch der Fall der Mauer zur Initialzündung werden können, ja wer-den müssen. Aber davon später.

Schon das Ende der vierziger Jahre hatte Deutschland eine spürbare Wende gebracht. Die Schrecken der Vergangenheit schienen in Vergessenheit zu sinken. Mit den Schutthalden schwand die Erinnerung an sie. Die »Westmächte« waren nun unsere Alliierten, ihr »Way of Life« wurde zum Ideal, das schon zum Greifen nahe schien. Während des Krieges hatte meine Mutter nie etwas Abfälliges über unsere Kriegsgegner gesagt. Auch ihre Briefe kamen ohne Schuldzuweisungen an die »Feinde« aus. Das blieb auch später so. Anhaltend verbittert war sie nur über Hitler.

Deutschland schien alles erlittene Unrecht als Bestrafung hinzunehmen, die Hitler mit seiner Gefolgschaft auf Deutschland herabbeschworen hatte. Nach dem Motto »Wer Wind sät, wird Sturm ernten« empfand man sogar die verschiedenen Strafformen, einschließlich der Nürnberger Schauprozesse, als legitim. In den damaligen Siegernationen sieht man das seit langem differenzierter. Was den jahrelangen Bombenkrieg angeht, überwiegt heute Skepsis. Wie konnten Länder, die sich als Demokratien verstanden, den Tod von Zivilisten nicht nur als »Kollateralschaden« in Kauf nehmen, sondern sie zu Primärzielen für massenhafte Bombenabwürfe erklären? Und wird eine Demokratie, die sich unmenschlicher Mittel bedient, nicht selbst zur Diktatur, über andere Völker nämlich? Vor allem: Lassen sich Menschenrechtsverletzungen durch neue Menschenrechtsverletzungen wiedergutmachen? Wenn sich die Spirale des Grauens erst bewegt, wird die Frage, wer zuerst daran gedreht hat, fast nebensächlich.

Ich erinnere mich, in England Filme über den Bombenterror gesehen zu haben, lange bevor sie in Deutschland gezeigt wurden. Die Engländer haben sich diesem traurigen Kapitel des Zweiten Weltkriegs früh gestellt. Unvergesslich ist mir ein Filmbericht der BBC, der die Zerstörung Dresdens dokumentierte. Deutschlands »Elbflorenz«, eine der schönsten Städte Europas, wurde im Februar 1945 vernichtet, zu einer Zeit, als der Krieg längst entschieden war. Ich dachte dabei an die verbrannten 35 000 Menschen, einige sagen, es seien noch viel mehr gewesen. Wer zählte schon jene, die auf den Straßen zu Asche verbrannten? Die Stadt war damals mit Flüchtlingen aus dem

Osten überfüllt, die ihre leicht entzündbare Habe auf Handkarren und Fuhrwerken mit sich führten. Ich sah durch das Auge der Bordkamera, wie Bomben und immer neue Bomben aus den Flugzeugschächten trudelten, um irgendwo in der Tiefe Menschen zu töten, die nicht einmal ahnten, dass ihr Leben in wenigen Sekunden zu Ende gehen sollte. Ich dachte an unser eigenes Haus, das in einem solchen blitzenden Flammenmeer in sich zusammengestürzt war.

* * *

1983 hatte mich die IBM zum Verantwortlichen für Europa, den Mittleren Osten und Afrika mit Ausnahme der »Großen« Großbritannien, Frankreich, Italien und Bundesrepublik berufen. Da ich auch den gesamten Ostblock betreute, gehörte die DDR zu meinem Gebiet. Hinter dem Eisernen Vorhang war man dringend auf unsere Computer angewiesen, und so unterhielten wir auch mit diesen Ländern ein Geschäft, das sich allerdings nur zäh entwickeln wollte. Für jeden einzelnen Rechner, den wir verkauften, brauchten wir eine Exportlizenz der US-Regierung. Und die war nur schwer zu erhalten, da man fürchtete, dass mit Hilfe dieser Computer irgendwann beispielsweise russische Gefechtsköpfe über den Ozean gesteuert werden könnten. Genehmigungen wurden nur erteilt, wenn man beweisen konnte, dass das zivile Einsatzgebiet klar definiert und die Hardware weit entfernt war vom neuesten Stand.

Also beschränkten wir uns auf rein zivile Anwendungen in Behörden. Dass die Rechner heillos veraltet waren, störte unsere Kunden nicht. Im Scherz sagten wir damals: Wenn der nächste Krieg kommt, muss man schnell in den Ostblock wechseln, denn dort passiert alles mit zwanzig Jahren Verspätung. Heute bin ich mir sicher, dass einer der Hauptgründe für den Zusammenbruch des Ostblocks in dieser Verspätung lag, genauer: in dem unaufholbaren Rückstand seiner Computertechnik.

Schon zu Anfang meiner neuen Aufgabe bin ich mit dem damaligen Leiter unseres Wiener Büros, Eugen Hahn, durch mehrere Ostblockländer gereist. Wir genossen VIP-Status, weil wir den Machthabern als Heilsbringer der Hochtechnologie erschienen. Ob in Belgrad, Warschau oder Sofia, überall waren wir hochwillkommen. Man hasste zwar den Kapitalismus, aber auf seine Produkte konnte man nicht verzichten. Auch wenn man sich bemühte, nur die Butterseite des Sozialismus zu zeigen, fühlte ich mich doch immer beklommen. Auf Schritt und Tritt bemerkte man, dass man sich in einer unfreien Welt bewegte. Zumal man nie ohne Begleiter war. Wenn ich bei der Rückfahrt mit der Limousine den letzten stacheldrahtbewehrten Kontrollpunkt hinter mir hatte oder der IBM-eigene Jet sein Fahrwerk einzog, fiel mir immer ein Stein vom Herzen.

Ich erinnere mich an das ärmliche Rumänien mit seinen Pferdefuhrwerken, zu dem der gigantomanische Ceausescu-Palast einen grotesken Kontrast bildete. Im Jugoslawien der Nach-Tito-Ära herrschte noch trügerischer Frieden. Die Unterschiede der Volksgruppen der Serben, Kroaten oder Mazedonier, die sich bald darauf erbittert bekriegen sollten, waren für mich nicht bemerkbar. Am wenigsten spürte man die harte Hand des Kommunismus in Ungarn. Budapest, die elegante Stadt mit dem k. u. k. Flair, war schon ganz dem Westen geöffnet. Mir schien es wie eine Rückkehr in die eigene Geschichte. An vielen Fassaden entdeckte ich noch Einschusslöcher aus der Kriegszeit. Von einem ortsansässigen Historiker ließ ich mir den wechselnden Frontverlauf der Kesselschlacht erklären. Wir versuchten zu rekonstruieren, an welcher Stelle des Verteidigungsrings mein Vater gefallen sein könnte. Allein betrat ich den Friedhof, wo ich meine Hand auf die kalte Bronzetafel mit seinem Namen legte.

Häufig hatte ich die DDR zu besuchen, meist mit ungutem Gefühl. Es kam mir immer vor, als starrten sie wie besessen auf unseren Vorsprung, während sie sich selbst überzeugen wollten, dass eigentlich sie die Überlegenen waren. Dadurch entstand eine prinzipielle Falschheit, die bis in Kleinigkeiten zu spüren war. Begleitet von einem Vizeminister besuchte ich 1983 die Computerfirma Robotron, die in der DDR die kühnsten Erwar-

Der Ausstellungskatalog von 1978 mit der Frauenkirche. Das Dresdner »Grüne Gewölbe« macht Furore in New York.

tungen geweckt und am Ende doch nicht gehalten hatte. Als ich den stolzen Funktionär in einem Ostberliner Valutahotel zum Mittagessen einlud, freute er sich wie ein Schneekönig. Das üppige Mahl gab es selbstverständlich nur für Westmark. Inzwischen ist das Hotel abgerissen worden. An derselben Stelle baute mein Bruder Joachim das Aquadom-Hotel, durch dessen riesiges Aquarium ein Fahrstuhl fährt. Leider fand er für das

94

The Splendor of Dresden

benötigte Glas in Deutschland keinen Lieferanten, da niemand den Mut hatte, ein Glas zu konstruieren, das den Druck der fünfzehn Meter hohen Wassersäule aushält. In Amerika ist er fündig geworden.

1983 fuhr ich noch am selben Tag mit Eugen Hahn nach Dresden weiter. Voller bedrückender Erinnerungen an das Schicksal der Stadt, das dem Hamburgs so ähnlich war, freute ich mich doch zugleich auf ein Wiedersehen mit den Sammlungen des Grünen Gewölbes, die ich 1979 in New York kennengelernt hatte. Die von IBM gesponserte Ausstellung »The Splendor of Dresden« (»Der Glanz Dresdens«), die 1978/79 einen Teil der dortigen Kunstsammlungen auch in Washington und San Francisco zeigte, gehörte bis dahin zu den erfolgreichsten Kunstausstellungen überhaupt. Ich erinnere mich an die Besuchermassen im Metropolitan Museum of Art in New York, wo mir zum ersten Mal klar wurde, über welche historischen Schätze die sonst so arme DDR noch verfügte. Gezeigt wurden die Kunstwerke aus dem Grünen Gewölbe, der alten Schatzkammer der sächsischen Kurfürsten. Zum ersten Mal sah ich die Prunkstücke der sächsischen Silber- und Goldschmiedekunst, dazu Meissener und chinesisches Porzellan, barocke Gemälde und Grafiken aus der Dürerzeit, darunter Cranach-Porträts von Martin Luther, auch die Waffensammlung Augusts des Starken.

Besonders fesselten mich die berühmten Stadtansichten aus dem 18. Jahrhundert, fotografisch genau gemalt von dem venezianischen Meister Bernardo Belotto, genannt Canaletto. Tatsächlich wirkten die Veduten bis ins kleinste Detail so lebensgetreu, als stünde man etwa auf dem rechten Elbufer und blickte hinüber auf die türmereiche Stadt, in der man jedes Fenster und jeden Kamin sehen konnte. Auf einem anderen Gemälde stand der Betrachter an derselben Stelle, nur hundert Jahre später. In einer Nachtszene, gemalt von dem Romantiker Johan Christian Clausen Dahl, glänzt die Elbe wie Silber, zwischen aufbrechendem Gewölk tritt der Vollmond hervor, und die Altstadt mit Schloss und Hofkirche ragt wie ein schwarzer Scherenschnitt in den Himmel auf. In der Mitte aber erhebt sich wie eine ungeheuer große, von Türmchen flankierte Glocke die Frauenkirche.

Dieses Herzstück des Dresdner Stadtbilds interessierte mich. Nach Armonk ins IBM-Hauptquartier zurückgekehrt, wo ich zum Zeitpunkt der New Yorker Ausstellung arbeitete, besorgte ich mir einen Führer über Kirchenbaukunst. Ich erfuhr, dass die Frauenkirche tatsächlich »steinerne Glocke« genannt wurde. Das eigenartige Gebäude, das sich nicht wie andere Kirchen in der Horizontalen, sondern über kleinem Grundriss in die Höhe erstreckte, war 1743 vollendet worden. Im katholischen Dresden erinnerte es an Luthers »Feste Burg« und galt als bedeutendster Sakralbau des Protestantismus. Die ganz aus Steinen errichtete Kuppel, ein Geniestreich des Architekten Georg Bähr, trotzte sogar dem preußischen Beschuss im Siebenjährigen Krieg.

Auch beim Luftangriff im Februar 1945 schien sie wie durch ein Wunder verschont geblieben zu sein. Während alles um sie herum einstürzte und abbrannte, stand sie unversehrt. Die Brandbomben schienen von der steinernen Kuppel abgeprallt zu sein, ohne Schaden anzurichten. Doch Funkenflug von den Nachbarhäusern drang in die Frauenkirche ein, die Bänke auf den fünf Emporen und die Holzverkleidungen fingen Feuer, so dass der Brand auch auf das Gebälk der Kuppel übergriff. Zwei Tage hielt das Bauwerk der enormen Hitzeentwicklung stand. Am 15. Februar 1945, vormittags um zehn Uhr fünfzehn, als in den Straßen noch die Leichenhaufen schwelten, stürzte die Kirche mit ohrenbetäubendem Getöse in sich zusammen. Es war der Schlussakkord einer unvorstellbaren Tragödie.

Nun also betrat ich zum erstenmal die Elbstadt, achtunddreißig Jahre nach Kriegsende, vier Jahre nach meinem Ausstellungsbesuch in New York, um in Augenschein zu nehmen, was den Bombenangriff überstanden hatte. Ich besuchte den Zwinger, der gerade restauriert worden war. Bei aller Bewunderung für die Leistung fiel mir doch auf, dass das Gebäude an vielen Stellen schon wieder Risse zeigte, in denen Birkensprösslinge wuchsen. Die geschwärzte Ruine des Stadtschlosses wirkte auf mich, als seien die Bomben erst kurz zuvor eingeschlagen. Auch hier wuchsen Birken auf den Mauern, armdicke Bäume, deren Wurzeln das ohnehin mürbe Gemäuer zerstörten.

Vom Schloss aus ging ich die Augustusstraße entlang, wo man zur rechten Seite den berühmten »Fürstenzug« mit seinen 25 000 Kacheln bewundern kann. Das mit 102 Metern Länge größte Porzellanbild der Welt, das die herrschenden Häupter der Wettiner darstellt, hat im Krieg kaum Schaden genommen.

»Unser Auftrag im Karl-Marx-Jahr.« Da der untere Teil dieses Ostberliner Hauses vom Westen aus nicht zu sehen war, wurde nur der zweite und dritte Stock restauriert.

Auf der linken Seite, an der Mauer eines grauen Amtsgebäudes, fiel mir ein Schild auf, das an ein anderes herrschendes Haupt der Vergangenheit erinnerte: SED-Generalsekretär Walter Ulbricht. Heute ist die Gedächtnistafel entfernt, aber sooft ich an der Stelle vorbeigehe, suche ich mit den Augen die vier inzwischen überputzten Löcher der Befestigung. Man kann sie gerade noch erkennen.

Am Ende der Augustusstraße angekommen, stand ich plötzlich vor einem Trümmerhaufen. Einem schwarzen Gebirge aus Stein. Als wäre eine Felslawine niedergegangen. Aus dem Schutt ragten zwei Ruinenteile wie turmhohe Riffe. Ich ging um die mit Gras und Büschen überwucherten 20 000 Kubikmeter Schutt herum, und dabei stellte ich mir Canalettos Gemälde der steinernen Glocke vor, rot angestrahlt in der Abendsonne. Nie hatte ich deutlicher gespürt, was »Zerstörung« bedeutet. Eine Bronzeplatte, die auf SED-Beschluss angebracht worden war, verkündete, dass die Kirche, »zerstört durch anglo-amerikanische Bomber, zum Kampf gegen imperialistische Barbarei« mahne.

Die Ruine der Frauenkirche. Hier stand ich 1983 zum ersten Mal und träumte von ihrem Wiederaufbau.

Lange hatte die SED-Führung nach dem Krieg geplant, die Ruine abzutragen, bis man 1966 auf die Idee kam, sie als Mahnmal zu erhalten. Die jährlichen Gedenkfeiern wurden zu einer Anklage gegen den US-Imperialismus umfunktioniert. Vor dem Trümmerberg der Frauenkirche protestierte man gegen Nato und Nachrüstung. »Dresden fiel den anglo-amerikanischen Vernichtungswaffen zum Opfer«, hieß es in einer Propagandaschrift, weil die USA-Imperialisten wussten, »dass die Stadt in die sowjetische Besatzungszone fallen würde.« Jahre später gingen die Kerzendemonstrationen vor dem Mahnmal in Friedensdemonstrationen über, die dann als massenhafte Freiheitsdemonstrationen das Ende der DDR mit herbeiführten. Schon im Dezember 1989 hielt Bundeskanzler Kohl vor dem Trümmerberg, der nun symbolisch für die untergegangene DDR stand, eine Aufbruchsrede.

Bei meinem Dresdenbesuch 1983 war dies noch unvorstellbar. Sehr wohl konnte ich mir aber vorstellen, dass man die einzigartige Kirche wieder aufbaute. Lange stand ich vor dem Trümmerberg, dann ging ich um ihn herum. Ich sah die Trümmer, die leeren Fensterbogen, die wuchernden Büsche. Und darüber erhob sich in meiner Phantasie das Bild, das ich auf den Gemälden in New York gesehen hatte. So entstand ein Traum in mir, der mich nie wieder losließ, obwohl ich kaum annehmen konnte, dass er sich je erfüllen würde. Inmitten der DDR, allein auf einem deprimierenden Trümmerplatz, träumte ich von einem Neubeginn, dem Wiederaufbau der Frauenkirche. Dass dies keine Utopie bleiben musste, hatten die Städtebauer der Bundesrepublik, hier BRD genannt, bewiesen, die so viele zerstörte Kunstdenkmäler und Stadtensembles wieder aufgebaut hatten. Aus Schutthalden waren Kirchen, Schlösser, ganze Viertel und Plätze neu entstanden. Ob das auch hier gelingen würde? Vorerst waren Zweifel angebracht.

Wenige Jahre später wechselte ich von Paris nach Stuttgart und wurde Chef der IBM Deutschland. Da es mein Job mit sich brachte, dass ich regelmäßig die Vorstandsvorsitzenden meiner wichtigsten Kundenfirmen besuchte, lernte ich 1987 auch Wolfgang Röller kennen, den Chef der Dresdner Bank. Der eindrucksvolle Mann, an dem ich einen leicht sächsischen Akzent zu bemerken glaubte, gab sich als Freund der Künste zu erkennen. Da mir Dresden und vor allem das Bild der Frauenkirche immer im Kopf geblieben waren, kam mir eine Idee. Warum, so dachte ich, sollte sich die Dresdner Bank nicht für die Stadt engagieren, deren Namen sie trug? Allerdings wollte ich behutsam vorgehen. Bei meinem nächsten Besuch in Frankfurt brachte ich Dr. Röller den Ausstellungskatalog von »Splendor of Dresden« mit. Es wäre doch schön, so regte ich an, wenn die Dresdner Bank diese Ausstellung auch in die Bundesrepublik holen würde.

Während er interessiert im Katalog blätterte, weihte ich ihn in meinen Traum von der Frauenkirche ein. Welche Herausforderung für unsere Wirtschaft, warb ich, und zudem ein Symbol, wenn nicht der deutschen Einheit, so doch der Einigkeit unter den beiden Staaten. Obwohl er selbst begeisterter Befürworter der Wiedervereinigung war, die er allerdings, ebenso wie ich, nie zu erleben glaubte, ernüchterte er mich mit der Bemerkung, dass ein solches Engagement für die Dresdner Bank unproduktiv wäre. Denn im Globalisierungswettbewerb stellte ihr Name eher eine Hypothek dar. Wie jeder wusste, war Dresden eine Stadt im Ostblock, und das verhieß nichts Gutes. Wer in Amerika oder Japan Geschäfte machen wollte, musste das Missverständnis vermeiden, man sei in Wahrheit eine DDR-Bank. Man hatte sogar im Vorstand darüber diskutiert, ob man den Namen nicht ändern sollte. Die Argumente leuchteten mir natürlich ein, leider. Aus der Traum von der wiedererbauten Frauenkirche, dachte ich.

Zwei Jahre später, im Juni 1989, stand ich wieder auf dem Trümmerplatz, diesmal umgeben von fast zweihundert IBM-Mitarbeitern. Unsere diesjährige »Motivationsreise« für Vertriebsleiter hatte uns nach Dresden geführt, wo wir im Hotel Bellevue einen Vortrag Manfred von Ardennes anhörten. Der achtzigjährige Elektronikpionier schwärmte von der Spitzentechnologie der DDR und vor allem ihres Computerkombinats Robotron, als glaubte er selbst daran. Während des Stadtrundgangs und eines Ausflugs in die Umgebung waren wir immer von netten Herrschaften begleitet, die sich um unser Wohl kümmerten. Und nicht nur darum. Auf Anfrage bei der Gauck-Behörde erfuhr ich 2001, dass zwar über mich persönlich nichts Einschlägiges vorlag, was meiner Eitelkeit ein wenig zusetzte, dass jedoch unsere Reisegruppe während der ganzen Zeit von der Stasi überwacht und geführt worden war.

Über unseren IBM-Ausflug lag ein Bericht von fast geschwätziger Ausführlichkeit vor. »Die Einsatzorganisation«, so lese ich im Bericht eines »Axel«, »erfolgte über IH Bellevue für die 6 Reiseleiter (für die 3 Tage) und weitere 6 Stadtführer (nur zum Stadtrundgang am 26.6.89) über Dresden-Information. Zu betreuen waren ganztägig … rund 170 Gäste aus IBM-Spitzenpositionen, Hauptperson war Hans-Olaf Henkel.« Es folgt das genaue Besuchsprogramm samt »Besuch Alte Meister und des Grünen Gewölbes«, eine Fahrt nach Meißen zur Porzellanmanufaktur und eine Fahrt in die Sächsische Schweiz. »Außerdem war von der Hoteldirektion ein Vortrag von Professor M. v. Ardenne am 2. Tag früh im Hotel organisiert.« Von den Gästen gab es für alles »begeisterungswürdige Einschätzung«.

Es folgte eine detaillierte Aufzählung der Gesprächsinhalte, die von den Stasi-Begleitern aufgeschnappt worden waren. Vor allem interessierte man sich für »die Aufnahme Gorbatschows in der BRD«, die »Hinfälligkeit der Grenzen auch DDR/BRD« und die Sorge, die DDR könnte »den Anschluss verpassen in Hinblick auf Wege wiss.-techn. Zusammenarbeit und Freizügigkeit für alle Bürger«. Die Einschätzung des Stasi-Beobachters dazu war unerwartet offen: »Meinung, jetzige Regierung wirke als Reformbremse unter den Ländern der sozialistischen Staatengemeinschaft.« Und ebenso deutlich: »Negative Äußerungen und Unverständnis zu überall anzutreffender Unsauberkeit, Verfall von Villengrundstücken … sowie zur (sichtbaren) Elbverschmutzung.« Geheimdienstmann »Axel« berichtete treu, und man spürt geheime Zustimmung. Seitdem bezweifle ich, dass die pauschale Verurteilung aller Stasi-Mitarbeiter angemessen ist.

Vier Monate später war die Wende da. Kaum einer weiß mehr, wie überraschend sie kam. Wer heute behauptet, er hätte es geahnt oder gar erwartet, der macht sich etwas vor. Ganz zu schweigen von all denen, die sie angeblich gewollt haben, während sie doch noch kurz zuvor dagegen waren. Allein schon der

Begriff »Wiedervereinigung« war tabu gewesen. Für Deutschland stellte diese revolutionäre Wende eine Herausforderung dar, mit der niemand gerechnet hatte. Weder logistisch noch organisatorisch war man vorbereitet. Man erlebte wie 1945 nach dem Krieg eine Stunde Null. Die DDR lag zwar nicht in Trümmern, aber wer genau hinsah, kam um die Erkenntnis nicht herum, dass ihre gesamte Industrie und Infrastruktur, deutlich gesagt, Schrott war. Stunde Null hieß deshalb auch: Man musste wieder bei Null anfangen, wie damals.

Heute muss man feststellen, dass die deutsche Gesellschaft versagt hat. Statt sich an die Erfahrung der Nachkriegszeit zu erinnern, wo man keine Kredite aufnahm, sondern selbständig zu organisieren und aufzubauen begann, hat man 1990 den Weg des Schuldenmachens gewählt. Während der Marshallplan lediglich eine Initialzündung bewirkt hatte, wurde der Geldtransfer jetzt zur Dauereinrichtung. Die Hilfsabhängigkeit wurde chronisch. Statt die wichtigste Ressource zu mobilisieren, die Eigeninitiative der einzelnen, entwickelte sich nach dem Motto »Vater Staat wird es schon richten« eine gewaltige Umschichtung von Mitteln. Die Bundesrepublik versprach großzügige Hilfe, blühende Landschaften. Und alle warteten ab, ob sie wohl recht behalten würde.

Sicher hatte es die Bonner Regierung gut gemeint. In Wahrheit aber verhinderte sie, dass die DDR-Bürger sich von der entscheidenden Hypothek lösten, an der sie seit Menschengedenken zu tragen hatten: der Abhängigkeit vom Staat. Individuelle Tatkraft war bedeutungslos gewesen, der Staat hatte alles reguliert. Nach vierzig Jahren Bevormundung durch das kommunistische Zwangsregime ließen sich die Bürger auf eine neue Bevormundung ein. Westdeutsche Sozialpolitiker, die gerne mit der Gießkanne hantierten, und Gewerkschafter, die ihre Muskeln am falschen Objekt erprobten, schlüpften in die Rolle, die vorher das Politbüro eingenommen hatte. Es wurde viel geredet und versprochen. Doch Aufbruchstimmung fand nur in den Medien statt. Das Feuerwerk, das alle anstaunten, verpuffte schnell. Den Anreiz von 1945, dass jeder »in die

Hände spuckte«, gab es nicht. Man sollte nur die Hände aufhalten.

Rückblickend meine ich, ein echter Neuanfang wäre möglich gewesen. Wir im Westen hätten unseren Lebensstil einschränken sollen und den Standard im Osten nicht so schnell anheben dürfen. Man hätte sich einander annähern und diese Annäherung selbst als eigentliches Ziel begreifen müssen. Statt dessen wurde die Gleichsetzung, auch der Währung, proklamiert, und alle verlegten sich aufs Abwarten: Würde Kohl recht behalten oder nicht? Statt von »blühenden Landschaften« zu fabulieren, hätte er lieber von den Schulden sprechen sollen, die er aufnehmen ließ, um die neuen Länder mit der harten Wahrheit verschonen zu können. Er hätte lieber, wie Churchill, von Schweiß und Tränen reden sollen, die es kosten würde, ein hoffnungslos zurückliegendes Land wiederaufzubauen. Wie sonst als durch verdoppelte Anstrengung sollte es Anschluss an die Gegenwart finden? Aber das hätte Wählerstimmen gekostet.

Kaum war die Mauer gefallen, lebte das Projekt »Frauenkirche« auf. Wie selten kommt es vor, dass man aus einem schönen Traum erwacht und ihn, gegen jede Lebenserfahrung, plötzlich in die Wirklichkeit umgesetzt sieht. Eben dies geschah, weil neben mir auch viele andere denselben Traum in sich getragen hatten. Wie ich nun erfuhr, hatte der aus dem Erzgebirge stammende Trompetenvirtuose Ludwig Güttler seit vielen Jahren auf diesen Moment gewartet, und auch die Dresdner Bank zeigte sich von dem Projekt begeistert. Es wurde, wie sich bald zeigen sollte, zum nationalen Projekt.

Schon Anfang 1993 war die alte Trümmerstätte eine quirlige Baustelle. Steinspezialisten, Ingenieure und Denkmalpfleger untersuchten jeden Brocken, um seine Maße in eine Computerdatei einzugeben. Anhand der architektonischen Aufrisse sollte jedes Fragment seinen angestammten Platz wiederfinden. Mit den Computerdaten ließ sich das Gebäude in virtuelle Realität übersetzen. Unser Labor im amerikanischen Yorktown Heights entwickelte ein Modell der Frauenkirche, das man am Bildschirm »begehen« konnte. Das Ergebnis übertraf alle Erwartungen. Wie ich es mir 1983 erträumt hatte, erhob sich nun der herrliche Kirchenbau vor dem Betrachter in dreidimensionaler Wirklichkeit. Man näherte sich der reich gegliederten Fassade, durchschritt das Portal und fand sich in einem der aufregendsten Innenräume wieder, der je von Menschenhand geschaffen wurde. Man wanderte zwischen den Bänken hindurch, ließ den Blick über Hauptaltar und Silbermann-Orgel zur bemalten Kuppel emporwandern, die von schräg einfallendem Sonnenlicht erhellt wurde. Nur die Klänge der Orgel fehlten noch.

Ich ließ mir die Gelegenheit nicht entgehen, die Computeranimation im März 1993 auf der CeBit in Hannover zu präsentieren. Wegen der Datenmasse hatten wir eine Festleitung von Hannover zu unserem Hochleistungsrechner in Südengland herstellen müssen, von wo die Bilder auf den Messebildschirm überspielt wurden. Heute bringt das jeder Laptop zustande. Die virtuelle Realität der Frauenkirche wurde für jeden Besucher zur Attraktion. Ob Kanzler Kohl oder Ministerpräsident Schröder, alle traten in den dreidimensionalen Raum ein und ließen sich von seiner Schönheit verzaubern. Nachdem man das Modell auch weltweit im Fernsehen vorgeführt hatte, war das Projekt Wiederaufbau schlagartig berühmt geworden.

Deutschland wäre nicht Deutschland, wenn sich nicht auch Widerstand geregt hätte. Ein zerstörtes Kunstwerk wiederaufzubauen verstieß für viele gegen den Anspruch auf Authentizität. Es war ja nicht »echt«, sondern nur eine »Kopie«. Schon 1988 gaben westdeutsche Denkmalpfleger zu bedenken, in der deprimierenden Trümmerhalde »äußere sich der wahre Zustand deutschen Schicksals nach zwei schuldhaft angezettelten Kriegen«. Deshalb wurde von ihnen, so berichtet Matthias Gretzschel in seinem Band *Die Dresdner Frauenkirche,* der »Wiederaufbau einhellig abgelehnt«.

Auch die Elite der deutschen Publizistik erhob mahnend den Finger. In den Feuilletons wurde über »stadtästhetischen Mummenschanz« gespottet, der nur »Ausdruck des restaurativen

Zeitgeistes« sei. Am entschiedensten verwarf die Hamburger *Zeit* den Plan. Für deren Architekturkritiker Manfred Sack war das Projekt ein »Phantom« und »Trugbild«, das dem durchsichtigen Zweck diente, die eigene Kriegsschuld zu »kaschieren«. Der Wiederaufbau sei lediglich eine »frivole Repetition eines historischen Ereignisses, mit der sein Schicksal korrigiert wird, seine Zerstörung im Zweiten Weltkrieg«. Nach dieser Logik hätte Deutschland 1945 vom Wiederaufbau überhaupt die Finger lassen sollen.

Ortstermin. Mit Baudirektor Eberhard Burger vor der Turmhaube.

Bei einem meiner vielen Besuche an der Baustelle mit Prof. Bettina Hannover und dem Trompetenvirtuosen Prof. Ludwig Güttler.

Zum Glück erwies sich der Medienprotest als Sturm im Wasserglas. Unter Führung der Dresdner Bank nahm der Bau Gestalt an. Noch heute kümmert sich der ehemalige Vorstandsvorsitzende Bernhard Walter ehrenamtlich um die Arbeit. Seitdem habe ich es mir zur Gewohnheit gemacht, Jahr für Jahr die langsame Wiederauferstehung eines Kunstwerks zu verfolgen, das innerhalb von Sekunden in sich zusammengestürzt war. Baudirektor Eberhard Burger führt mir die baulichen Fortschritte vor, und ab und zu treffe ich auch Professor Ludwig Güttler, den Barocktrompeter, der zum bekanntesten Sympathieträger des Unternehmens geworden ist.

Einmal schenkten mir die beiden ein verbeultes Stück Kupferblech, mit dem Anfang des letzten Jahrhunderts das Dach gedeckt worden war. Heute ziert es meinen kleinen Fischteich, den ich im japanischen Garten auf der Terrasse meiner Berliner Wohnung angelegt habe. Das Dresdner Erinnerungsstück, von den Steinmassen der zusammenstürzenden Frauenkirche in eine bizarre Form gepresst, wirkt auf mich wie ein Kunstwerk, das ein Bildhauer in Kupferblech getrieben hat.

Vorher ...: Inmitten der Trümmer liegt verbeultes Kupferblech des Kirchendachs.

Im Kuratorium der Frauenkirche, dem auch der Bischof von Coventry, Colin Bennetts, die Altbundespräsidenten Richard von Weizsäcker und Roman Herzog sowie Altkanzler Helmut Kohl angehören, haben wir gelegentlich über die Frage der »Au-

... und nachher: Das Kupferblech der Frauenkirche ziert heute den Fischteich der Terrasse meiner Berliner Wohnung.

thentizität« diskutiert. Eines der Prunkstücke der alten Kirche war die Silbermann-Orgel, die vollständig zerstört wurde. Sollte man sie originalgetreu nachbauen? Oder sollte man, wenn schon eine moderne Orgel verwendet wurde, ein sächsisches oder ein elsässisches Produkt nehmen? Nach langer Debatte entschied sich das Kuratorium für letzteres. Eine zeitgenössische Orgel wurde in Auftrag gegeben, in der, wie es der Kompromiss wollte, Silbermann-Technik verwandt werden soll.

Die von Kritikern gestellte und gelegentlich auch im Kuratorium angesprochene Frage, ob die Kirche nicht doch nur eine Kopie sei, möchte ich so beantworten: Sie ist es, aber nicht mehr, als jeder Mensch es ist. Im Lauf eines Lebens wird, mit wenigen Ausnahmen, jede Zelle rundum erneuert. Der Mensch, der ich vor zehn Jahren war, bin ich heute, rein zellenmäßig betrachtet, nicht mehr. Und doch würde keiner mich eine Kopie nennen. Auch bei der Frauenkirche werden neue Bausteine verwendet, aber im Zusammenwirken mit alten, die zum Glück auf der Halde und in Depots »überlebt« haben. Heute kann man jeden Originalstein an der Schwärze erkennen, die sich vom hellen Neubau abhebt. In einigen Jahrzehnten, so sagt man mir, wird der Bau wieder eine Einheitsfarbe haben.

Bei einem meiner ersten Besuche hatte man gerade das goldene Turmkreuz, völlig verbeult und verbogen, aus dem Schutt geborgen. Mir lief eine Gänsehaut über den Rücken. Baudirektor Eberhard Burger zeigte mir die Münzen, die man in der Kupferkapsel des Turmknaufs entdeckt hatte. Sie stammten aus vergangenen Jahrhunderten, teilweise waren sie zu Klumpen zusammengeschmolzen. Erstaunlicherweise fanden sich auch Münzen, die vom Anfang des 20. Jahrhunderts stammten. Offenbar waren sie damals bei Reparaturarbeiten oder bei der Installation der Blitzableiter hineingeschmuggelt worden.

Ich schaute Burger an. »Das möchte ich auch«, sagte ich. »Lassen Sie mich die Kollektion aktualisieren, bevor das Kreuz wieder auf die Kuppel kommt.« Er lachte, und ich drückte ihm aus meinem Portemonnaie eine Mark in die Hand. Als ich

Das alte Turmkreuz, wie es aus dem Schutt geborgen wurde.

110

Dresden am 15. Februar 2004 besuchte, um auf die Stunde genau neunundfünfzig Jahre nach dem Einsturz der Frauenkirche eine Rede zu halten, reichte ich ihm für den Knauf des neugeschaffenen Kreuzes eine Euromünze nach.

Neben der Wiedergeburt des Wunderbaus ist ein weiteres Wunder zu verzeichnen: Das Millionenprojekt entstand hauptsächlich durch persönlichen Einsatz und aus privaten Spenden. Große Firmen halfen ebenso wie unzählige namenlose Geber. Der Geldfluss war so reichlich, dass kein einziges Mal das Bautempo gedrosselt werden musste. Allerdings, ganz ohne Staat ging es auch hier nicht. Finanzminister Theo Waigel hatte seinerzeit mitgewirkt, als er zugunsten des Wiederaufbaus eine Zehnmarkmünze herausgab.

Die Präzision der Finanz- und Bauplanung ist beispielhaft, die Millimeterarbeit der Steinmetze geradezu künstlerisch. Die Frauenkirche gehört sicher zu den ehrgeizigsten Projekten, die in den letzten Jahrzehnten von der deutschen Bauindustrie durchgeführt wurden. Dennoch wurden die Gesamtkosten gegenüber dem Voranschlag, der über zehn Jahre zurückliegt, nur um 2 Prozent überzogen. Eine so minimale Überschreitung der Kosten dürfte bei öffentlichen Aufträgen kaum je vorgekommen sein. Bei jedem Besuch bemerke ich auch, warum alles so ungewohnt »klappt«: Die Beteiligten sind mit dem Herzen dabei.

Schon lange freue ich mich auf den 31. Oktober 2005, an dem die Kirche vollständig aus der virtuellen in die wirkliche Realität zurückkehrt. Ursprünglich hatten wir geplant, dass es im Jahr 2006 geschehen sollte. Jetzt sind wir sicher, es ein Jahr früher zu schaffen, und zwar ohne zusätzliche Kosten. Das herrliche Glockengeläut, das bereits am 13. Februar 2004 zur Erinnerung an den Bombenangriff ertönte, gibt schon jetzt einen Vorgeschmack auf die Einweihung. Am 22. Juni 2004 konnte ich zusammen mit 30 000 Dresdnern und Gästen aus aller Welt miterleben, wie ein Spezialkran die 28 Tonnen schwere Turmhaube und das Goldkreuz auf die 91 Meter hohe Kuppelspitze hob. Zwei Dinge bewegten mich dabei besonders: Dass das

Kreuz, finanziert von englischen Spenden, von einem Silberschmied angefertigt worden war, dessen Vater als Bomberpilot am Luftangriff auf Dresden teilgenommen hatte. Und dass meine beiden Münzen, im Inneren verborgen, mit in die Höhe schwebten.

Die Spitze der Turmhaube mit dem neuen Turmkreuz, in dessen Knauf sich ein Markstück und eine Euromünze von mir befinden.

Gehört es zur Lebensweisheit der Moderne, dass man sich auf das, was vorausgesagt wird, garantiert nicht verlassen kann, so zeigt das Dresdner Modell, dass es auch anders geht. Die Lehre, die man daraus ziehen kann, ist einfach: Ein Neubeginn gelingt nur dann, wenn man genau weiß, was man will. Wenn man eine »Vision« hat. Eigentlich konnte ich früher mit dem prätentiösen Wort nichts anfangen. Wenn mir Firmenchefs von ihren Visio-

Auf zum Neubeginn: Am 22. Juni 2004 wird die Turmhaube aufgesetzt.

nen erzählten, dachte ich immer, sie sollten sich lieber mit den Visionen ihrer Kunden befassen oder zum Arzt gehen. Aber heute sehe ich, dass man politische Verantwortung nur tragen kann, wenn man eine Vorstellung von dem hat, was werden soll. Man braucht ein klares Bild der Zukunft, das einem die Kraft gibt, Jahre um Jahre das Ziel nicht aus den Augen zu lassen. Und wer eine Vorstellung dessen hat, was einmal sein wird, der kann dann auch die Ressourcen abrufen, die zur Verwirklichung nötig sind.

Das lässt sich auch auf die deutsche Gesellschaft übertragen. In Deutschland herrschen Mutlosigkeit und teilweise sogar Chaos, weil wir nicht wissen, wohin wir wollen. Oder vielmehr: Jeder glaubt es zu wissen, und deshalb zieht dieser in diese Richtung, jener in die entgegengesetzte. Sobald hier etwas beginnt, wird es von dort konterkariert. Jeder will Reformen, aber keiner kann sagen, wofür. Meist sagt man »Reformen« und meint eigentlich die Notreparatur veralteter Systeme. Man glaubt zu reformieren, weil das ein schönes Wort ist, und statt dessen restauriert man das, was eigentlich abgeschafft werden müsste. Aber wer einen Neubeginn will, der muss sich zuerst ein Ziel setzen, als Gesellschaft, als Nation. Und da wir das nicht haben, da wir nicht einmal den Willen haben, uns ein solches Ziel zu setzen, kommen wir nicht weiter und behindern uns selbst.

Das Ziel unserer Gesellschaft kann nur ein wettbewerbsfähiges Deutschland sein. Ich sage ganz bewusst nicht Europa. Natürlich muss auch die EU wettbewerbsfähig sein. Aber meine Lebenserfahrung hat mir gezeigt, dass die besten Bedingungen für einen kreativen Wettbewerb nur zwischen kleinen Einheiten, in diesem Fall den Ländern Europas, gegeben sind. Durch beständigen Wettbewerb kleinerer Einheiten untereinander entsteht ein stärkeres Ganzes. Dasselbe wiederholt sich zwischen den Bundesländern, die um beste Ergebnisse konkurrieren müssen. Nur wenn die Bundesländer sich wieder mehr miteinander und aneinander messen, kommt am Ende ein international konkurrenzfähiges Deutschland heraus. Und dasselbe wiederholt sich innerhalb der Bundesländer zwischen den Kommunen. Das Ziel ist, ich wiederhole es, die wettbewerbsfähige Nation.

Als ich im Mai 2004 anlässlich des Hamburger Hafengeburtstags eine Rede vor dem Überseeclub halten sollte, erlebte ich bei der Vorbereitung ein Déjà-vu: Ich fand unter meinen Papieren eine Rede, die ich am selben Ort, zur selben Gelegenheit vor genau zehn Jahren gehalten hatte. In ihr war, wie ich zu meinem größten Erstaunen entdeckte, das Ziel einer »wettbewerbsfähigen Gesellschaft« entwickelt worden, und alles klang so aktuell, dass ich sogar mit dem Gedanken spielte, sie unverändert vor dem Hamburger Publikum zu halten. Ich bin sicher, dass keiner der Anwesenden es bemerkt hätte.

Und wodurch entsteht Wettbewerbsfähigkeit? Nimmt man die Frauenkirche als Vorbild, so muss an erster Stelle das Abräumen der Trümmerhalde stehen. Alles beiseite räumen, was sich aufgetürmt hat und jeden Neuanfang behindert. Für mich gehört dazu auch das Festhalten an der »Erbsünde«, die ewige Wiederholung einer Schuld, die den Menschen ihren Mut nimmt und ihnen nur ein schlechtes Gewissen einredet. Was wir aber brauchen, ist Mut. Die ständigen Schuldbeteuerungen unserer Politiker können nichts an der Vergangenheit wiedergutmachen. Aber sie lähmen unsere nachwachsenden Generationen und verbauen ihnen ihre Zukunft. Sie verhindern, dass die Deutschen sich endlich wieder selbst bejahen können.

Wenn wir uns nicht länger dafür schämen, was Deutschland in seiner über tausendjährigen Geschichte war, dann brauchen wir auch keine Angst vor dem zu haben, was Deutschland einmal sein wird und wie es im Konzert der befreundeten Länder und der globalen Welt mitspielt. Wir brauchen wie die Dresdner Frauenkirche eine Blaupause der Zukunft. Deutschland, das ist das dreidimensionale Puzzle, das wir zusammensetzen müssen. Es lohnt sich.

KAPITEL DREI

Die Opfer nicht vergessen

D ie Verantwortung für unsere Geschichte«, so erklärte unser Bundesaußenminister im Herbst 2003, »bestimmt die Grundlagen unserer Demokratie.« Und Joschka Fischer, so scheint es, bestimmt auch, was zu dieser Geschichte gehört. Hauptsächlich ist das wohl der »Prozess der deutschen Selbstzerstörung«, wie er bei gleicher Gelegenheit der *Zeit* sagte. Und der habe durchaus nicht erst mit dem Dritten Reich begonnen, sondern weit früher.

Wenn es eine solche »Selbstzerstörung« gegeben hat, so möchte ich hinzufügen, hat sie nicht mit dem Dritten Reich aufgehört, sondern weit darüber hinaus gereicht. Ich habe sogar den Verdacht, der »Prozess der deutschen Selbstzerstörung« dauert heute noch an. Aber darüber will keiner sprechen. Auch nicht über jenes verdrängte Kapitel deutscher Geschichte, dessen Opfer heute fast vergessen sind. Ich spreche nicht vom Holocaust, der zu Recht nicht vergessen ist und dem Deutschland ein bedrückendes Mahnmal erbaute, das weltweite »Unvergleichlichkeit« beanspruchen kann. Ich spreche auch nicht von den unschuldigen deutschen Zivilopfern des letzten Weltkriegs, deren Zahl viele Millionen erreicht, und die zwar nicht völlig vergessen sind, denen Bundesaußenminister Fischer aber auch kein Mahnmal in Form eines Zentrums über Vertreibung zugestehen will.

Die Epoche, die ich meine, liegt nicht lange zurück. Ich spreche von den Jahren, in denen unser Land durch hausgemachten Terror erschüttert wurde, in ständiger Angst vor »Hinrichtungen« mit Schusswaffen, vor Bombenattentaten, Flugzeugentführungen und sonstigen Gewaltakten. Zwischen den brennenden Kaufhäusern von 1968 und dem Mord an einem Polizeibeamten in Bad Kleinen 1993 erstreckte sich ein Vierteljahrhundert, in dem unsere parlamentarische, von der überwältigenden Mehrheit des Volkes bejahte Demokratie von einer Minderheit als »faschistisch« verleumdet, eingeschüchtert und erpresst, kurz: »terrorisiert« wurde.

Gegen das frei gewählte Bonner Parlament erstand eine »Außerparlamentarische Opposition« (APO), die sich erst antiautoritär und emanzipatorisch, dann gewalttätig und diktatorisch gerierte. Die Mordopfer ihres »militanten« Kerns zählen ein halbes Hundert, darunter viele Repräsentanten des Staates und der Volkswirtschaft, die gedemütigt, gequält, »erledigt« wurden. Eigenartig, dass sich zwar alljährlich ein Trauerzug von Tausenden Deutschen zum Grab der für den totalitären Kommunismus kämpfenden Rosa Luxemburg und Karl Liebknecht aufmacht, die 1919 auf schreckliche Weise ermordet wurden, während die frischen Gräber derer, die seit den siebziger Jahren für die Demokratie sterben mussten, vergessen scheinen.

Während meiner Auslandszeit als IBM-Manager habe ich das Entstehen und die fortschreitende Radikalisierung der APO in Deutschland aufmerksam verfolgt. Zu ihren Grundüberzeugungen gehörte von Anfang an die Feindschaft gegenüber der Wirtschaft, sowohl was die einzelnen Unternehmen als auch was das Prinzip der Marktwirtschaft selbst betraf, gleichviel ob mit der Hinzufügung »sozial« oder ohne sie. Der Zusammenhang zwischen dem funktionierenden Sozialstaat und einer funktionierenden Unternehmenskultur war ihnen unbekannt. Ab Mitte der siebziger Jahre ging man dazu über, die Wirtschaft nicht mehr nur ideologisch zu verteufeln, sondern ihre führenden Vertreter zur Hölle zu schicken.

Damals wurde europaweit Jagd auf Politiker und Wirtschaftsführer gemacht. Wie die RAF in Deutschland, operierten in Frankreich die Action Directe, in Italien die Brigate Rosse, alle unterstützt von arabischen Terrororganisationen und, wie sich nach der Wende herausstellte, teilweise auch von der Stasi. Ich erinnere mich an einen Besuch in Italien Mitte der siebziger Jahre, wo ich, aus dem IBM-Flugzeug steigend, am Fuß der Gangway einen gepanzerten Alfa Romeo mit Polizeilicht auf mich warten sah. Es war das erste Mal, dass ich in einer Panzerlimousine mit fünf Zentimeter dicken Fensterscheiben fuhr. Neben den »Roten Brigaden«, die 1978 den christdemokratischen Parteivorsitzenden Aldo Moro entführen und ermorden sollten, drohte damals auch von der Mafia Gefahr, die reiche Leute als Geiseln nahm, um Lösegeld zu erpressen.

Was mich besonders erstaunte, war die ideologische Begründung der deutschen Außerparlamentarier, ob sie nun gemäßigt oder terroristisch waren: Sie erklärten den Wohlstands- und Sozialstaat Bundesrepublik, der seit 1969 maßgeblich von Sozialdemokraten regiert wurde, für »faschistisch« und »repressiv«, während ihnen andere politische Modelle als Paradiese auf Erden erschienen. Die einen propagierten den leninistisch-stalinistischen Sowjetstaat und Albanien als Vorbild, andere gingen für das chinesische Modell Maos auf die Straße, für die Volksrepublik Vietnam des »Ho-Ho-Ho-Tschi-minh« und später für das Kambodscha Pol Pots. Auch Kuba gehörte zu den Favoriten der deutschen Linken. Je exotischer, desto besser.

An dieser Diktaturverherrlichung der antiautoritären Wohlstandskinder schien mir von Anfang an zweierlei fragwürdig: Erstens, wie ihnen entgehen konnte, dass sich diese Staaten, rein ökonomisch betrachtet, als Fehlgriffe erwiesen, die der weltwirtschaftlichen Entwicklung um Jahrzehnte hinterherhinkten. Wo immer ich arbeitete, gehörte das zum Allgemeinwissen. Nur die deutsche Linke hatte es nicht mitbekommen. Weit schwerer wog für mich aber der zweite Punkt: dass den deutschen Träumern die Menschenrechtsverbrechen, die in den angeblichen Arbeiterparadiesen begangen wurden, gleichgültig zu sein schienen. Stalins Schreckensherrschaft kostete Millionen Menschenleben, hielt weitere Millionen als Gulag-Sklaven, und terrorisierte neben der Sowjetunion auch ganz Osteuropa. Maos Kulturrevolution, die seit ihrem Ausbruch 1966 unsere Studentenherzen höher schlagen ließ, kostete ebenfalls Millionen Opfer und stürzte China jahrelang ins Chaos. Der kambodschanische Führer Pol Pot befahl gerade zu der Zeit millionenfachen Mord, als seine Genossen an den deutschen Universitäten für ihn Geld sammelten und die gewaltsame Einführung seiner Ideologie planten. Dass es einen Kommunismus »mit menschlichem Antlitz« geben könnte, gehörte zu den Illusionen der deutschen Weltverbesserer.

Wenn ich in den vergangenen Jahren kommunistische Länder wie China oder Kuba bereiste, gab ich mich immer auch als Vertreter von Amnesty International zu erkennen. Dabei legte ich den Machthabern nicht nur eine Liste mit Investitionswünschen, sondern auch eine Aufstellung mit Menschenrechtsverletzungen vor, die in ihrem Land begangen wurden. Als ich 1996 in Peking dem Mann gegenübersaß, der für das Massaker am Platz des Himmlischen Friedens mitverantwortlich gemacht wurde, zeigte dieser sich gut informiert. Noch bevor ich über gemeinsame Projekte referieren konnte, nahm Li Peng das vorweg, was ich eigentlich erst später ansprechen wollte: »Ich weiß ja«, sagte er, »dass Sie bei Amnesty International sind.« Ich war verblüfft, da dies nicht einmal dem BDI bekannt war. Nachdem Li Peng mir die Vorteile des »Drei-Schluchten-Projekts« dargestellt hatte, erklärte er, dass er nicht den »chaotischen« rus-

In Peking 1996. Zu meiner Überraschung wusste der chinesische Ministerpräsident, dass ich Mitglied bei Amnesty International bin.

sischen Weg gehen wolle, womit er die Liberalisierung durch Gorbatschow meinte, sondern einen eigenen chinesischen Weg. »Aber warum«, entgegnete ich ihm, »muss dieser mit so viel Blut begossen werden?«

Auch Fidel Castro, den ich seit 1998 dreimal auf Kuba besucht habe, konfrontierte ich mit Menschenrechtsfragen, denn nach wie vor regiert diese bärtige Ikone der deutschen Linken mit diktatorischer Härte, zu der auch die Todesstrafe gehört. Schon bei unserem ersten Gespräch erzählte ich ihm von meiner Mitgliedschaft bei Amnesty International. »Comandante«, sagte ich zu ihm, »überlegen Sie sich einmal, wenn Sie die Todesstrafe abschafften, welchen Vorsprung Sie dadurch in den Augen der Weltöffentlichkeit gegenüber Amerika gewännen.« Ausdrücklich bat ich ihn um Begnadigung von drei Drogenhändlern, die gerade zum Tode verurteilt worden waren, und überreichte eine Petition zugunsten eines inhaftierten Journalisten. Mehrmals habe ich versucht, auf Castro sozusagen mildernd einzuwirken, ihm auch meine Empörung mitgeteilt, als er 2003 drei Männer hinrichten ließ, die eine Fähre in Richtung

Immer wenn ich Castro traf, gab es Streit über die Menschenrechte.

121

USA entführt hatten. Mein letzter Versuch datiert vom Mai 2004, als ich dem kubanischen Botschafter eine Petition mit dreihundertfünfzig Unterschriften übergeben habe, in der die Freilassung von fünf Journalisten gefordert wird. Wie üblich, erhielt ich keine Antwort aus Havanna und kann nur hoffen, dass der Diktator Gnade walten lässt. Aber ehrlich gesagt, bezweifle ich es.

Gerade aufgrund solcher Erfahrungen mit dem Kommunismus frage ich mich, wie sich dies menschenverachtende Denken so lange in der deutschen Intelligenz halten konnte. Und ich frage mich, wie sich im Namen dieser offensichtlich inhumanen Ideologie terroristische Organisationen in Deutschland etablieren konnten, in einem Staat, der seinen Bürgern unendlich viel mehr an Freiheit, Selbstbestimmung und Grundrechten einräumt als jedes kommunistische Land. Wer lieferte den Terroristen die intellektuelle Rechtfertigung, das »gute Gewissen« beim Töten? Wer versorgte sie mit Geld, Sprengstoff und Schusswaffen? Wer bot ihnen Verstecke, aus denen heraus sie Geiseln nehmen und Menschen ermorden konnten? Jedes Unternehmen, auch ein wahnsinniges, braucht eine Logistik. Ohne solide »Basis« ist Terror nicht möglich.

Bei der Beschäftigung mit den Untaten des Nazismus sind die Historiker längst dazu übergegangen, neben den Hauptschuldigen Hitler und Konsorten auch die »Elite«, die sie tragende Infrastruktur in die Verantwortung zu nehmen. Ich frage mich, warum dies nicht auch für die Untaten des Terrorismus gelten soll? Auch er konnte nur existieren, weil er auf einer Grundlage operierte, die ihn tendenziell förderte. Man nannte diese Hilfswilligen damals »Sympathisanten«. Dieses Wort gefiel mir nie, denn es steckt zu viel von Sympathie darin, wo es doch nur um Hass ging. Weil man die Gesellschaft hasste, half man den Mördern. Unter anderem, indem man ihnen ein gutes Gewissen verschaffte und »klammheimliche Freude« signalisierte.

Heute scheint es bereits einen eigenen Kult um die Mörder von damals zu geben. Nicht anders lässt sich die Debatte um eine Ausstellung verstehen, die ab Ende 2004 den Deutschen in Berlin den »Mythos RAF« vor Augen führen soll. Unter Mythos versteht man eigentlich immer etwa Positives, wie man umgekehrt wohl kaum von einem »Mythos Hitler« sprechen würde, ohne in Naziverdacht zu kommen. Das Projekt sollte ursprünglich vom Hauptstadtkulturfonds mit 100 000 Euro gefördert werden, bis den Verantwortlichen vermutlich aufging, dass hier auf fragwürdige Weise Verbrechen glorifiziert werden sollen. Der Zuschuss wurde zurückgezogen, der »Mythos« wird dennoch vorgeführt.

Fast zur gleichen Zeit sah ich die berühmten RAF-Gemälde, die einer der bedeutendsten deutschen Gegenwartskünstler, Gerhard Richter, 1988 fertiggestellt und 1995 an das Museum of Modern Art (MoMA) in New York verkauft hatte. Richter gehört zu meinen Lieblingsmalern, der, wie seine gegenständlichen Bilder zeigen, im Gegensatz zu einigen seiner Berufskollegen auch im wahrsten Sinn des Wortes sein Handwerk beherrscht. In der großen Berliner Ausstellung des MoMA, auf die ich später noch zu sprechen komme, waren seine Erinnerungen an die Terrorzeit zu sehen, verwischte Momentaufnahmen aus dem Leben der »Rote Armee Fraktion«. Natürlich wirken diese Bilder wie Ikonen, rätselhaft und suggestiv zugleich, und ich wünschte mir, dass irgendein Künstler auch einmal ihren Opfern solchen Respekt erwiesen hätte.

Alte Wunden waren unversehens in mir aufgebrochen. Ich habe diese Zeit verdrängt und versucht, die Schrecken jener Jahre zu vergessen, in denen auch ich zum potentiellen Anschlagsziel geworden war. Zufällig entdeckte ich in einer Buchhandlung ein 2004 erschienenes Werk über die »Rote Armee Fraktion«, geschrieben von dem Stuttgarter Generalstaatsanwalt Klaus Pflieger, der als Bundesanwalt an mehreren RAF-Prozessen teilgenommen hatte. Die Lektüre versetzte mich lebhaft in jene Zeit zurück und bot mir zugleich eine neue Sichtweise, zu der die kompakte, zeitraffende Darstellung beitrug. Zum ersten Mal wurden Tatvorbereitung, Ausführung und juristische Aufarbeitung nüchtern nebeneinandergestellt. Gleich

Überraschung auf der Berliner
Ausstellung des Museum of
Modern Art: Gerhard Richter
zeigt drei Momentaufnahmen
des RAF-Mitglieds Gudrun
Ensslin.

eingangs wies der Autor darauf hin, dass »von den knapp 100 RAF-Mitgliedern, die im Laufe der Jahre festgenommen werden konnten, die meisten wieder auf freiem Fuß sind und sich auch von jenen, die zu lebenslanger Freiheitsstrafe verurteilt worden sind, nur noch wenige in Haft befinden«. Natürlich kann ich es verstehen, wenn Angehörige der Opfer darüber unglücklich sind. Andere sollten sich mit ihrer Kritik daran aber zurückhalten. Das Recht muss für alle gleich gelten.

Vom »Mythos RAF« bleibt nach der Lektüre nichts übrig. Die Behauptung des Vize-Fraktionschefs der Grünen, Hans-Christian Ströbele, wonach »die Mitglieder der RAF Menschen mit sehr starkem humanistischem Engagement« waren, erscheint mir schlichtweg pervers. Denn nicht Menschenliebe leitete die Operationen des Terrorbundes, sondern Lüge, Täuschung und Meuchelmord. Während ich Pfliegers Chronik las, begann ich zusätzlich im Internet zu recherchieren, denn die Frage, wie sich ein solches Mord- und Erpressungssystem so lange halten konnte, beantwortete auch er nicht.

Bereits der Einstieg in den Terror hätte zynischer nicht sein können: Die RAF ließ sich von einem Kaufhausbrand in Brüssel inspirieren, bei dem im Mai 1967 rund 300 Menschen ums Leben gekommen waren. Zwar kosteten die Brände, die daraufhin in deutschen Warenhäusern gelegt wurden, keine Menschenleben, doch waren die ersten Morde schon 1970 in Planung. Im Juni konnte man im *Spiegel* Ulrike Meinhofs unglaublichen Satz über Polizisten lesen: »Der Typ in Uniform ist ein Schwein, das ist kein Mensch … es ist falsch, überhaupt mit diesen Leuten zu reden, und natürlich kann geschossen werden!« Gelernt haben Ulrike Meinhof, Andreas Baader und Gudrun Ensslin ihr Handwerk 1970 in einem Lager von Jassir Arafats Fatah-Organisation.

Ab 1971 wird scharf geschossen, die ersten drei Opfer sind Polizisten, gefolgt von vier amerikanischen Soldaten. Man tötet mit Sprengstoff und lädt die Waffen am liebsten mit »Hohlspitzmunition, die beim Auftreffen auf den menschlichen Körper aufpilzt«. Ein solches Geschoss zerreißt Kriminalhauptkommissar Hans Eckhardt am 2. März 1972 den Unterleib. Schon im Mai desselben Jahres versucht man, Bundesrichter Buddenberg mit seinem Auto in die Luft zu sprengen. Seine Frau Gerda, die allein in den Wagen steigt, wird von Splittern erheblich verletzt.

Man zielt also auf Repräsentanten eines modernen Rechtsstaats, der von seinen Bürgern akzeptiert und in freien Wahlen bestätigt wird. Hat man sich je gefragt, wodurch dieses Vorgehen gerechtfertigt oder demokratisch legitimiert war? Später reichten viele Intellektuelle eine Art Rechtfertigung nach, indem sie der Bundesrepublik nachzuweisen suchten, dass sie gar kein Rechtsstaat war. Und viele glaubten es ihnen sogar, obwohl gerade die Offenheit dieser Debatte die Freiheitlichkeit unseres Staates bewies.

Als die Hauptakteure des Terrors im Sommer 1972 verhaftet werden, beginnt die eigentliche Propagandaschlacht. Da sie als gefährliche Gewalttäter in Einzelhaft kommen, klagen sie, unterstützt von manchen ihrer Anwälte, über »Isolationsfolter«. Als sich die Europäische Menschenrechtskommission damit befasst, kommt sie zu dem Ergebnis, dass die Beschwerden unbegründet sind. Um ihre Zusammenlegung zu erzwingen, beginnen die Häftlinge einen europaweit verfolgten Hungerstreik. Die dadurch notwendige Zwangsernährung wiederum löst Proteste gegen die »sadistische Folter« aus. Die linken Medien, die von den Anwälten munitioniert werden, überschlagen sich in Sympathiebekundungen. Selbst der Philosoph Jean-Paul Sartre eilt 1974 herbei, um Solidarität zu bekunden. Begleitet wird er von Joschka Fischers Freunden, dem Berufsrevolutionär Daniel Cohn-Bendit und dem späteren Opec-Attentäter Hans-Joachim Klein.

Noch effektiver als die Unterstützung von außen ist die Solidarität, die den RAF-Mördern innerhalb der Haftanstalt entgegengebracht wird. Andreas Baader erfindet ein System, mit dem sich die Kontaktsperre zwischen den Häftlingen überwinden lässt, und einige RAF-Verteidiger bieten sich als Helfer an. Die Täuschung besteht nicht nur darin, dass man Botschaften und

Radios, später sogar zwei Pistolen und sechs Stangen Sprengstoff in die Zellen schmuggelt. Weit gravierender scheint mir, dass Menschen, die dem freiheitlichen Rechtsstaat den Krieg erklärt haben, dessen Freiheiten heimtückisch ausnutzen. Verteidiger Hans-Christian Ströbele, der unter anderem Holger Meins und Brigitte Mohnhaupt versorgte, wurde deshalb 1980 zu zehn Monaten Gefängnis mit Bewährung verurteilt. Heute tritt er, als einziger direktgewählter Abgeordneter der Grünen, medienwirksam mit rotem Schal vor die Kameras und schulmeistert die Nation. Wie eigenartig, dass ein Mann, der von der Nachsicht des strafenden Staates profitiert hat, in Untersuchungsausschüssen besonders unnachsichtig nach der strafenden Gewalt des Staates ruft.

Eine Konsequenz des klandestinen Infosystems bestand darin, dass Andreas Baader Befehle nach draußen geben konnte, etwa den Überfall auf »Sprengstoffbunker in Steinbrüchen« oder die Geiselnahme von Parlamentsabgeordneten zu seiner eigenen Freipressung. Per Zellenpost befahl Baader 1974 seinen Mitstreitern: »Ich denke, wir werden den Hungerstreik diesmal nicht abbrechen. Das heißt, es werden Typen dabei kaputtgehen.« Am 9. November 1974 hat Holger Meins sich tatsächlich zu Tode gehungert.

Tags darauf wird der Präsident des Berliner Kammergerichts, Günter von Drenkmann, ermordet. Unter dem Vorwand, ihm Fleurop-Blumen zu bringen, verschafft man sich Zugang zu seiner Wohnung und feuert aus nächster Nähe zwei Hohlspitzgeschosse in seine Brust. Am nächsten Tag liest man als Begründung im »Bekennerschreiben«: »Gestern ist der Revolutionär Holger Meins dem Justizmord zum Opfer gefallen.«

Schon im März 1975 sind einige der RAF-Häftlinge, die Holger Meins nicht in den Hungertod folgen wollten, wieder in Freiheit. Peter Lorenz, CDU-Spitzenkandidat bei den Berliner Wahlen zum Abgeordnetenhaus, war von der »Bewegung 2. Juni« entführt, mit dem Tod bedroht und erst freigelassen worden, nachdem mehrere RAF-Leute wieder auf freiem Fuß waren. Ermutigt durch die erfolgreiche Erpressung, besetzt eine neue RAF-Gruppe im April 1975 die deutsche Botschaft in Stockholm, um weitere Gefangene freizupressen. Man nennt sich, wohl zur Rechtfertigung des eigenen Vorgehens, »Kommando Holger Meins«. Vorgegangen wird so, dass nach Ablauf eines Ultimatums ein RAF-Mann dem Militärattaché Andreas von Mirbach in den Kopf schießt und ihn dann schwer verletzt die Treppe hinabstößt, wo er eine Dreiviertelstunde lang unversorgt verblutet. Das nächste Opfer, Wirtschaftsreferent Heinz Hillegaart, wird demonstrativ an ein Fenster geschickt, wo man ihm ebenfalls in den Kopf schießt. Als eine von den Terroristen angebrachte Sprengladung, wohl versehentlich, hochgeht, werden zwei von ihnen, darunter Siegfried Hausner, tödlich verletzt.

Die Bewegung, und mit ihr eine breite Schicht von Sympathisanten, bekommt 1976 ihre erste Märtyrerin. Ulrike Meinhof erhängt sich. Zur Propaganda, die schon nach Holger Meins' Tod funktioniert hatte, gehört es, dass ihr zweifelsfreier Suizid als »Justizmord« dargestellt wird. Dank Klaus Pfliegers Buch lässt sich aus den Botschaften, die zwischen den Gefangenen gewechselt wurden, ein klares Bild ableiten: Ulrike Meinhof hatte sich innerlich von ihren Mitgefangenen Andreas Baader und Gudrun Ensslin entfernt, und beide warfen ihr »Verrat« vor. Ihr blieb nur die Alternative, so Ensslin, »raf oder tot«. Meinhof antwortete mit einer bei Schauprozessen üblichen »Selbstkritik«, bekannte sich als »elitäre Sau« und erhängte sich am Fenstergitter.

Zu den erfundenen »Märtyrern« Meins, Hausner und Meinhof kommt bald eine weitere Ikone. Als im Monat nach Meinhofs Selbstmord ein Airbus der Air France nach Entebbe entführt wird, gehören zum Terrorkommando zwei Deutsche, Wilfried Böse und Brigitte Kuhlmann. Kuhlmanns palästinensischer Kampfname lautet »Halimeh«. Man fordert die Freilassung palästinensischer Gefangener und nebenbei auch mehrerer Häftlinge der RAF und Bewegung 2. Juni. Als jüdische Passagiere von den anderen Reisenden separiert werden, um als Geiseln erschossen zu werden, stürmt israelisches Militär die Maschine. Alle

Terroristen werden getötet, darunter auch »Halimeh«. Seltsamerweise kommen die deutschen Flugzeugentführer in Joschka Fischers Buch *Von grüner Kraft und Herrlichkeit* vor, wo er sie noch 1984 als »Genossen aus der Frankfurter Szene« bezeichnet. Verstand er sich damit auch als ihr Genosse? Bei einem *Spiegel*-Gespräch 2001 tat er es nicht mehr. Da nannte er sie »deutsche Terroristen«, ihre Tat »einfach nur entsetzlich!«

Im Jahr darauf kam es zur Tragödie des »Deutschen Herbstes«. Eigentlich begann sie bereits im Frühjahr. Am 7. April 1977 wurde der Mann erschossen, der sich von staatlicher Seite mit den RAF-Morden zu beschäftigen hatte, Siegfried Buback. Auf Motorrädern lauern zwei Terroristen dem ungepanzerten Mercedes des Generalbundesanwalts auf. An einer Ampel eröffnen sie das Feuer auf Buback, seinen Fahrer und den Polizisten auf dem Rücksitz. Alle drei sterben, von fünfzehn Schüssen aus einem automatischen Gewehr Heckler & Koch 43 getroffen.

Ein »Bekennerschreiben« trifft ein. Die Mörder nennen sich »Kommando Ulrike Meinhof«. Ihre schreckliche Tat wird als »Hinrichtung« bezeichnet, die den Mann getroffen habe, der »für die Ermordung von Ulrike Meinhof, Siegfried Hausner und Holger Meins direkt verantwortlich« sei. Aber das stimmte ja nicht. Wussten auch in diesem Fall die an dem Dreifachmord Beteiligten nicht, dass alle Genannten ihren Tod selbst herbeigeführt hatten?

Später ergab sich, dass Christian Klar, Knut Folkerts und Brigitte Mohnhaupt für den Anschlag verantwortlich waren. Es ergab sich außerdem, dass Mohnhaupt vor ihrer regulären Haftentlassung von einer Liberalisierung der Gefängnisregeln profitiert hatte: Um den Verdacht der »Isolationsfolter« auszuräumen, ließ die Justiz die Gefangenen seit Juni 1976 täglich vier Stunden zusammenkommen. So wurde Brigitte Mohnhaupt, wie Klaus Pflieger berichtet, von den »Rädelsführern der RAF, nämlich Andreas Baader, Gudrun Ensslin und Jan-Carl Raspe ... systematisch auf ihre Aufgaben« draußen vorbereitet.

Der Mord an Buback war offenbar eine dieser Aufgaben. Er hatte ein makabres Nachspiel, das in die Geschichte unseres

Landes einging, ja bis in die Gegenwart nachwirkt. Zum ersten Mal bekannten sich Studenten und im Anschluss auch Universitätsprofessoren indirekt dazu, Sympathisanten zu sein. Das heißt, sie bekannten sich dazu, es nicht offen sein zu wollen. Ein Autor namens »Mescalero« bekundete am 25. April 1977 in einem Nachruf auf den Generalbundesanwalt seine »klammheimliche Freude« über dessen Ermordung.

Als Reaktion auf die Empörung über diesen »Mescalero«-Artikel taten achtundvierzig Universitätsprofessoren aus Berlin, Bremen, Hannover, Oldenburg, Braunschweig und Hamburg offen kund, dass sie gegen des Studenten klammheimliche Freude nichts einzuwenden hatten. Sie veröffentlichten ein zweites Mal den Text, den ursprünglich der Asta der Göttinger Universität herausgegeben hatte, und meinten hinzufügen zu müssen, dass aufgrund der »Gewaltverhältnisse« in Deutschland »jeder Ansatz sozialistischer Kritik und Praxis erstickt werden soll«. Deshalb »können sich faschistoide Tendenzen ungehindert breitmachen«. Es fehlte nur noch, dass die Ordinarien ankündigten, nun selbst zur Waffe zu greifen. Die *Zeit,* angesteckt von den grausamen Späßen des »Mescalero«, überschrieb ihren wohlwollenden Artikel mit »Fröhliche Gewalt«.

Ich habe den »Mescalero«-Text gelesen, der den Deutschen half, den Dreifachmord schnell zu vergessen. Scheinbar wirbt er dafür, den bewaffneten Kampf aufzugeben, denn »Lächerlichkeit kann auch töten«. Zugleich empfiehlt er aber, »eine Militanz zu entfalten, die den Segen der beteiligten Massen« hat. Der Tonfall entspricht der eisigen Arroganz, wie man sie bei ideologischen Fanatikern findet. »Meine unmittelbare Reaktion«, so beginnt der akademische Anonymus, »meine ›Betroffenheit‹ nach dem Abschuss von Buback ...« Ich stocke. Habe ich recht gelesen: »Abschuss«? Wie der Abschuss eines Hasen? Eigentlich genügt dieses Wort schon, um den Verfasser als üblen Zyniker zu entlarven.

Sein Triumph über die Mordtat drückt sich in einer ungehemmten Redefreudigkeit aus: »Ich konnte und wollte (und will) eine klammheimliche Freude nicht verbergen.« Wie paradox. Wenn man sie nicht verbergen konnte, wollte und will, dann verbirgt man sie ja auch nicht. Dann ist es gar nicht klammheimlich, sondern offen, dass man sich über den Mord an drei Menschen freut. Über das Leid ihrer Familien, das Entsetzen eines Landes, dessen Grundgesetz auch durch diesen Generalbundesanwalt verteidigt wurde. Als Schlusspointe erfährt der Leser, dass der Ermordete eine »Killervisage« gehabt habe. »Ein bisschen klobig, wie?« kokettiert der Autor. »Aber ehrlich gemeint.«

Zwei Reaktionen von Persönlichkeiten sind überliefert, die damals dem zynischen Possenreißer geistig nahegestanden haben mochten und heute Ministerämter bekleiden. Jürgen Trittin, Student in Göttingen und Fachschaftsvertreter, lobte den Artikel noch in den neunziger Jahren als »radikal pazifistischen Ansatz«. Über den »Abschuss«, die »Militanz« der Massen und die »Killervisage« hatte er wohl hinweggelesen. Als Michael Buback, der Sohn des Ermordeten, den heutigen Umweltminister fragte, ob er sich vom »Mescalero«-Nachruf auf seinen Vater distanziere, antwortete der: »Warum sollte ich?«

Auch der heutige Bundesaußenminister hat damals auf den Mord an Buback reagiert und dabei die folgenden RAF-Attentate in sein Resümee eingeschlossen. Mir erscheint sein Kommentar fast noch zynischer als der des »Mescalero«. Im Frankfurter Anarcho-Magazin *Pflasterstrand,* das Fischers Freund Daniel Cohn-Bendit herausgab, heute Spitzenkandidat der Grünen für das Europäische Parlament, schrieb Joschka Fischer 1978 über die ermordeten Siegfried Buback, Jürgen Ponto und Hanns-Martin Schleyer, deren barbarische »Hinrichtungen« ganz Deutschland mit Entsetzen erfüllt hatten. »Bei den drei hohen Herren«, so der dreißigjährige Fischer, »mag in mir keine rechte Trauer aufkommen, das sag ich ganz für mich.« Also klammheimlich, und eben doch in aller Öffentlichkeit.

Fischers böser Satz war im Jahr 2001 Thema einer Aktuellen Stunde des Bundestags, in der es um die Vergangenheit des Bundesaußenministers ging. Natürlich blieb die parlamentarische Aussprache ohne Konsequenzen für ihn, zumal er von seinen Parteifreunden vehement verteidigt wurde. Der Bundesrepublik, so stellten es die Grünen im Rückblick dar, sei durch die Militanz der Linken ein Dienst erwiesen worden. Helmut Schmidts Deutschland, so Claudia Roth, war damals durch »systematische Entrechtung, Berufsverbote, viel Hysterie« geprägt. Antje Vollmer ging noch weiter, indem sie der Opposition entgegenhielt:»Sie sollten froh sein, dass es uns gegeben hat. Die Republik sähe nämlich anders aus, wenn dieses Kapitel deutscher Geschichte ausgefallen wäre.«

Ich habe dieses Kapitel deutscher Geschichte 1977 in Paris zwar nur am Fernseher miterlebt, aber ich war damit von den Geschehnissen auch nicht weiter weg als die meisten meiner Landsleute. Und ich weiß nicht, was mir als die größere Tragödie erschien: die beispiellosen Verbrechen, die an Repräsentanten unserer Verfassung und damit an uns selbst begangen wurden. Oder die stillschweigende Billigung, ja Ermunterung durch die geistige Elite.

Am 30. Juli 1977 bekamen »Mescalero«, achtundvierzig deutsche Universitätsprofessoren und ihre Sympathisanten wieder Gelegenheit, klammheimliche Gefühle zu entwickeln. Der Vorstandssprecher der Dresdner Bank, Jürgen Ponto, soll zur Freipressung von RAF-Gefangenen entführt werden. Susanne Albrecht, eine Sympathisantin aus Hamburg, erweist den Terroristen Brigitte Mohnhaupt, Christian Klar und Peter-Jürgen Boock den Freundschaftsdienst, sie in das Haus ihres Nennonkels zu führen, wo sie zum Tee erwartet wird. Susanne überreicht »Onkel Jürgen« einen Rosenstrauß, ihre mitgebrachten Freunde nennt er im Scherz noch »ein großes Komitee«. Dann fallen sie über ihn her. Bei dem folgenden Handgemenge schießt Mohnhaupt mit ihrer Pistole mindestens fünfmal auf den Dreiundfünfzigjährigen. Auch Klar feuert mit. Ponto wird dreimal in den Kopf getroffen und stirbt. Die Rosenkavaliere flüchten.

Im Rechtfertigungsbrief findet sich die Behauptung, »Bundesanwaltschaft und Staatsschutz« hätten »zum Massaker an den Gefangenen ausgeholt«. Diese Lüge war wohl für die Sympathisantenszene bestimmt, die derlei begierig aufgriff, um sich die klammheimliche Freude oder die Krokodilstränen nicht verderben zu lassen. Das tatsächliche Massaker wird dann von der RAF angerichtet, in einer größeren Dimension als je vorstellbar. Bereits im Juli hatte nur der Zufall ein geplantes Massaker verhindert. Peter-Jürgen Boock hatte eine »Stalinorgel« mit zweiundvierzig Raketen gebaut, die auf Räume der Bundesstaatsanwaltschaft in Karlsruhe abgeschossen werden sollten. Hätte der Zündmechanismus funktioniert, wären mindestens fünf Staatsanwälte getötet worden. Im obligatorischen Schreiben hinterher versicherte man, »es ging nicht um irgendein Blutbad ...« Dass man es beabsichtigt hatte, wurde aber nicht bestritten.

Statt dessen bringt ein »Kommando Siegfried Hausner« am 5. September 1977 vier Männer um, die zur Begleitung des Arbeitgeberpräsidenten Hanns-Martin Schleyer gehörten. Man stoppte seine Panzerlimousine, indem man einen Kinderwagen auf die Straße schob. In dem Kinderwagen lagen zwei Schnellfeuergewehre. Aus diesen Gewehren, einer Repetierflinte und einer polnischen Maschinenpistole, werden auf das abrupt gebremste Auto insgesamt hundertneunzehn Schüsse abgegeben. Der Polizeihauptmeister Reinhold Brändle, die Polizeimeister Helmut Ulmer und Roland Pieler sowie der Fahrer Heinz Marcisz werden von Willy-Peter Stoll, Sieglinde Hofmann, Stefan Wisniewski und Peter-Jürgen Boock auf ihren Sitzen so präzise exekutiert, dass das eigentliche Opfer, Hanns-Martin Schleyer, unverletzt bleibt.

In Paris habe ich mit meinen französischen IBM-Kollegen über dieses entsetzliche Verbrechen diskutiert. Deutschland war schließlich keine Diktatur, sondern eine sozialliberal regierte Demokratie. Wozu mussten deren Amtsträger ermordet werden? Die Franzosen, mit denen ich sprach, hielten die Brutalität, mit der die Terroristen vorgingen, für »typisch teutonisch«. Nicht nur das Massaker an den Polizisten, sondern auch die quälende Länge, in der Hanns-Martin Schleyer auf seine Hinrichtung warten musste, erschütterten mich damals. Dass ich eines Tages als BDI-Präsident Nachfolger des Ermordeten werden sollte, konnte ich nicht ahnen.

Um dem Ziel der Schleyer-Entführer Nachdruck zu verleihen, die einsitzenden RAF-Genossen freizupressen, entführten vier Palästinenser die Lufthansa-Maschine »Landshut«. Sie nannten sich »Kommando Martyr Halimeh«, womit wieder einmal Joschka Fischers »Genossin aus der Frankfurter Szene« gemeint war. Ich sehe noch das Bild in der *FAZ* vor mir, das aus einer Videoaufnahme stammte, die ein Terrorist von dem gefangenen Hanns-Martin Schleyer gemacht hatte. Sein trauriger, schon resignierter Blick ist mir unvergesslich geblieben. An der Wand hinter ihm hing der fünfzackige RAF-Stern mit der Heckler & Koch-Maschinenpistole, dieser beliebten Mordwaffe, und den Zeilen »Siegfried Hausner Commando Martyr Halimeh«. Statt der bei Verbrecherfotos üblichen Registriernummer hielt Schleyer ein Schild mit dem Datum »13.10.77« vor der Brust.

Der todgeweihte Hanns-Martin Schleyer als Geisel der RAF.

Am 18. Oktober stürmte ein deutsches Polizeikommando der GSG 9 im somalischen Mogadischu die »Landshut«, deren Kapitän zwischenzeitlich ermordet worden war. In die Freude über die Befreiung aller Geiseln mischte sich die Angst um Hanns-Martin Schleyer, der nun wohl »hingerichtet« werden würde. Außerdem hatten sich noch in derselben Nacht drei RAF-Häftlinge in Stammheim das Leben genommen, als sie vom Ausgang der »Landshut«-Entführung erfuhren: Andreas Baader und Jan-Carl Raspe hatten sich mit von den Anwälten eingeschmuggelten Pistolen erschossen, Gudrun Ensslin hatte sich erhängt. Sogleich begann eine Medienkampagne, es habe sich um »Justizmorde« gehandelt. Heimlich seien die drei exekutiert worden, hieß es – eine Lüge, zu deren Verbreitung die Sympathisanten beitrugen. Bis heute gehört zum »Mythos RAF«, dass die tapferen Gefangenen den vermeintlichen Rechtsstaat BRD als Folter- und Mordstaat demaskiert hätten.

Am 19. Oktober taucht das »Bekennerschreiben« auf, in dem das »Kommando Siegfried Hausner« die Hinrichtung Schleyers bekanntgibt. Die Sprache übertrifft an eisigem Zynismus sogar jene des »Mescalero«-Nachrufs. »Wir haben«, so liest man, »nach 43 Tagen Hanns-Martin Schleyers klägliche und korrupte Existenz beendet.« Auch wenn in manchen angesichts der blutverschmierten Leiche im Kofferraum eines Audi 100 »keine rechte Trauer« aufkommen mochte – für mich bedeutete es eine Zäsur. Nichts würde mehr sein wie früher.

Da ich bald darauf für zwei Jahre ins IBM-Hauptquartier nach Armonk versetzt wurde, gewann ich Distanz zu dem fürchterlichen Geschehen. Die Beklemmung kehrte allerdings wieder, als ich 1985 aus Paris zur IBM-Deutschland zurückkehrte. Erst nach dem Fall der Mauer wurde bekannt, dass die RAF spätestens seit September 1980 Unterstützung durch die Stasi bekommen hatte. Zur Vorbereitung von Anschlägen auf den Oberkommandierenden der US-Streitkräfte in Europa, General Kroesen, und die Luftwaffenbasis Ramstein reiste eine ganze Delegation der Terrorgruppe, darunter Ponto-Mörder Christian Klar, in die DDR. Vor James Kroesen hatte man 1978 bereits dessen Vorgänger Alexander Haig in die Luft sprengen wollen. Beide Attentate misslangen.

Etwas später traf ich Alexander Haig in kleinerem Kreis. Er berichtete uns in seiner humorvollen amerikanischen Art über das Attentat: Er hätte noch am gleichen Tag einen Anruf vom US-Verteidigungsminister erhalten, mit dem er als Nato-Oberbefehlshaber zu der Zeit dauernd über Kreuz lag. Der Minister hätte ihm beteuert, dass nicht er hinter dem Anschlag gestanden habe. »Gut, dass du angerufen hast«, erwiderte Haig, »das war nämlich so amateurhaft gemacht, dass ich als Urheber sofort aufs Pentagon tippte.«

Im Frühjahr 1981 reist die Klar-Truppe erneut in die DDR. Dort wird sie vom Ministerium für Staatssicherheit im Umgang mit Panzerfäusten, Sprengstoff und Schusswaffen ausgebildet. Nach der Rückkehr von dieser kriegsmäßigen Schulung werden sofort die Ziele in Angriff genommen. Das Attentat auf General Kroesen wird mit einer Panzerfaust RPG 7 V ausgeführt, mit der die Armeen des Warschauer Pakts ausgerüstet sind. Erst im Mai 2004 wird bekannt, dass die Stasi neben der RAF auch Mitglieder der westdeutschen DKP paramilitärisch ausbilden ließ – zum »Vernichten reaktionärer Führungspersönlichkeiten« in der Bundesrepublik.

Die Kooperation von DDR und RAF bedeutete einen doppelten Verrat: von der DDR-Seite aus, die mit der Regierung Schmidt in fast freundschaftlichem Politaustausch stand und doch zugleich deren Meuchelmörder ausrüstete. Und von der RAF, die ihre klammheimlichen Anhänger kaum davon hätte überzeugen können, dass sie eine Waffenbrüderschaft mit dem repressiven Spitzelstaat hinter Stacheldraht eingegangen war. Einer Internetseite des Innenministeriums Nordrhein-Westfalen entnehme ich, dass sich zwischen »1980 und 1982 zehn Illegale aus der RAF-Führungsebene in die DDR abgesetzt und sich dort mit Zustimmung und Unterstützung höchster Stellen des Staatsapparates neue Identitäten innerhalb der DDR-Gesellschaft aufgebaut« hatten. Die Frage, ob sich der Honecker-Staat damit für geleistete Gefälligkeiten wie diverse Morde und

Sabotageakte revanchierte, wurde nicht gestellt. Oder hielt man die Terroristen dort für zukünftige Einsätze bereit?

1990 wurden die DDR-Neubürger enttarnt. Sie sind heute alle auf freiem Fuß, auch Susanne Albrecht, die nach der Hälfte ihrer Haftstrafe begnadigt wurde. Auch RAF-Terrorist Rolf Clemens Wagner ist Ende 2003 trotz Protesten der Witwe Schleyers von Bundespräsident Johannes Rau begnadigt worden. Er gilt für die Staatsanwaltschaft als der Mann, der Hanns-Martin Schleyer in einem Waldstück an der belgisch-französischen Grenze mit drei Schüssen in den Kopf getötet hat.

Zurück in die achtziger Jahre. Ausgerüstet mit Stasi-Know-how und Stasi-Waffen begannen sich die RAF-Terroristen auf Einrichtungen und Persönlichkeiten »einzuschießen«, in denen sie die wirtschaftliche Überlegenheit der Bundesrepublik gegenüber den kommunistischen Staaten verkörpert sahen. Bereits 1983 war von einer unbekannten Terrorgruppe ein Bombenanschlag auf ein Computerzentrum der IBM in Reutlingen verübt worden. Es folgten Attentate auf ein Dutzend weiterer Forschungszentren in Karlsruhe, Vaihingen, Dortmund. Man wusste genau, was man zerstören wollte oder sollte: die Rechenzentren forschungsintensiver Unternehmen und Institute. Verantwortlich für viele Anschläge waren auch die sogenannten »Revolutionären Zellen«, die, laut Innenministerium Nordrhein-Westfalen, insgesamt fast dreihundert Sprengstoff-, Brand- und sonstige Anschläge begingen. Übrigens erschossen sie auch den FDP-Politiker Heinz Herbert Karry in seinem Bett. Dass die Mordwaffe einmal von Hans-Joachim Klein in Joschka Fischers Auto transportiert worden war, ist aktenkundig.

1986 waren von sogenannten Kämpfenden Einheiten, die zum Unterstützerbereich der RAF gehörten, zwei Bombenanschläge gegen den Technologiestandort Deutschland ausgeführt worden: Im Juli wurden das Gebäude des Fraunhofer-Instituts in Aachen und die Firma Dornier in Friedrichshafen am Bodensee durch Sprengstoffexplosionen schwer beschädigt. Der Schaden ging in die Millionen.

Im November 1986 war ich als Vize-Chef der IBM-Deutschland unmittelbar betroffen. Ziel des Anschlags war unser hochmoderner Zentralcomputer in Heidelberg. Wir hatten dort ein Wissenschaftszentrum aufgebaut, in dem einer der weltweit stärksten Rechner, die IBM/370, installiert war. Das Supersystem wurde in einem gelungenen Beispiel gemeinsamer Zukunftsforschung von uns und den Wissenschaftlern der Universität Heidelberg benutzt.

An einem Sonntag alarmierte mich mein Sicherheitschef: »Herr Henkel, unser Computerzentrum ist zerstört worden.« Ich begriff erst nicht, bis er mir erklärte, dass tatsächlich auf unseren Großrechner ein Bombenanschlag verübt worden war. Zum Glück war kein Mensch zu Schaden gekommen, aber der Verlust für uns und die Universität war groß. Ich weiß noch, wie ich, den Telephonhörer in der Hand, in meinem Zimmer stand, benommen, ungläubig. Es war, als zöge man mir den Boden unter den Füßen weg. Nicht nur das Attentat als solches traf mich, sondern die vollkommene Sinnlosigkeit dieser Zerstörung.

Sofort fuhr ich mit meinem Fahrer nach Heidelberg, wobei mir der Angriff auf General Kroesen am Karlstor nicht aus dem Kopf ging. Die Panzerfaust war, wie man heute weiß, von Christian Klar abgefeuert worden, nachdem die Stasi ihn daran ausgebildet hatte. Auf der Fahrt beschlich mich ein mulmiges Gefühl. Als ich eintraf, gab es noch keine Hinweise auf die Täter. Mir war klar, dass es sich nur um die RAF oder eine ähnliche Gruppe handeln konnte. Sie hassten Amerika, und wir waren die Tochter einer US-Firma. In unserem Zentrum war, teilweise mit amerikanischen Geldern, Spitzenforschung betrieben worden; heute muss ich annehmen, dass das offenbar auch in der DDR Hassgefühle auslöste.

Es war ein echter Glücksfall, dass niemand verletzt worden war. Die Attentäter konnten nicht wissen, dass sich gerade kein Wissenschaftler oder Wachmann in der Anlage befand. Normalerweise war dort immer jemand anwesend. Gott sei Dank lag nur unser schöner Zentralrechner in Trümmern. Ich sah das sprichwörtliche »Bild der Verwüstung« vor mir, überall Glassplitter, verbogenes Blech und zerfetztes Papier, denn damals wurden alle Ergebnisse noch ausgedruckt. Ein Millionenschaden, von dem Verlust wissenschaftlicher Daten ganz zu schweigen. Es dauerte Monate, bis die Anlage wiederhergestellt war.

Einige Tage später fand sich in einem Briefkasten ein »Bekennerschreiben«. Das Wort gefiel mir nie, weil es suggeriert, jemand lege eine Art Glaubensbekenntnis ab, während es in Wahrheit allein darum ging, anonym mit einer begangenen Untat zu prahlen, sich gar dafür zu rechtfertigen. Entsprechend war die Sprache, ein Mischmasch aus Ideologie und Wahnwitz, verfasst von Menschen, die den Kontakt zur Wirklichkeit verloren hatten. Auffällig der blanke Zynismus, gepaart mit geschraubtem Herrenmenschenton. Manche unserer heutigen Politiker haben sich noch einen Rest dieses furcherregenden Idioms bewahrt.

Das Schreiben, quälende sieben oder acht Seiten lang, stammte von einer »kämpfenden Einheit Hind Alameh«, hinter welchem Namen sich eine der bei der »Landshut«-Erstürmung getöteten Palästinenserinnen verbarg. Der Zusammenhang mit RAF und Schleyer-Entführung war für Eingeweihte offensichtlich. Die technokratische Sprache ebenfalls. Im Text kamen ständig Abkürzungen vor. Einer der häufig auftauchenden Begriffe war »Militärisch-industrieller Komplex«, meist abgekürzt »MiK«. Der Text wimmelte von MiK, einem Schlüsselbegriff der RAF-Ideologie seit 1971. Ich war also Teil des MiKs.

Man hatte mir in diesem Schreiben nebenbei den Krieg erklärt. Auch deshalb, weil die IBM, wie der Brief hervorhob, in Südafrika tätig war und das Apartheidregime unterstützte. Ich traute meinen Augen nicht. Das Gegenteil war der Fall. Als Aufsichtsratsmitglied und Verantwortlicher für die IBM am Kap hatte ich immer gegen die Rassentrennung opponiert. Unsere Firma war geradezu ein Vorreiter der Emanzipation geworden, und nach Ende der Weißenherrschaft dankten uns Nelson Mandela wie sein Nachfolger Mbeki, dass wir ihnen in der schwierigen Zeit beigestanden hatten. Davon wussten unsere Attentäter natürlich nichts, es hätte auch nicht in ihr verzerrtes Weltbild gepasst.

Nach dem Anschlag änderte sich mein Leben. Sicherheitsleute eröffneten mir, dass auch ich nun, als Vertreter einer US-Firma, zum potentiellen Anschlagsziel und Mordopfer geworden war. »Wir müssen jetzt furchtbar auf Sie aufpassen, Herr Henkel«, sagten sie. Eine Zeitlang wurden regelmäßig die Nummernschilder meines Autos gewechselt, auch um einen Fehler zu vermeiden, den ein anderes Attentatsopfer begangen hatte. Im Februar 1985, drei Monate bevor ich Vizechef der IBM-Deutschland wurde, war Ernst Zimmermann, Vorsitzender der Motoren- und Turbinen-Union (MTU) und Präsident des Bundesverbands der deutschen Luft-, Raumfahrt- und Ausrüstungsindustrie, einem RAF-Anschlag zum Opfer gefallen. Man drang in seine Wohnung ein, setzte ihn auf einen Stuhl und schoss ihm in den Hinterkopf.

Auf Pressefotos fiel mir damals auf, dass das Münchner Nummernschild seines Autos »M – TU« war. Wie unvorsichtig, dachte ich, dass er sich damit seinen Mördern zu erkennen gab. Aber das Schreckliche war eben, dass er so wenig wie die anderen Opfer ahnen konnte, dass seine Mörder ihm bereits auflauerten. In der Folge wurden unsere Firmennummernschilder »neutralisiert«, auch in Hamburg bei Axel Springer, so erzählte mir mein Schwager Horst Ansin, wurde von den Geschäftswagen das übliche »HH – AS« entfernt, nachdem die Autos immer wieder demoliert worden waren.

Wir wechselten nicht nur die Nummernschilder, sondern änderten auch täglich die Fahrtroute zum Büro. Das wurde für viele deutsche Wirtschaftsführer zur Routine. Teilweise übertrieb man sogar, um, wie mir schien, die eigene Bedeutung zu unterstreichen. Die Panzerlimousinen wurden ein Riesengeschäft für Mercedes, BMW und Audi. Sie kosteten das Dreifache der normalen S-Klasse, wenn ich mich recht erinnere, über 400 000 Mark. Dicke Fenster, Stahlplatten überall. Die Reifen waren so dickwandig, dass sie nicht platzten, wenn eine Kugel sie traf.

Nachdem ich mein eigenes Panzerfahrzeug bekommen hatte, fühlte ich mich unsicherer als zuvor. Das Ding schien mir einfach zu schwerfällig. Es beschleunigte langsamer, wenn man einer Gefahr entrinnen wollte. Zeigte sich auf der Straße ein Hindernis, war der Bremsweg erheblich länger. Für die Bombenbauer der RAF stellten die Panzerlimousinen ohnehin kein Problem dar. Nach ein paar Wochen kam ich zur Überzeugung, dass dies alles sinnlos war. Der beste Schutz, so sagte ich mir, besteht in der Unauffälligkeit. Entsprechend verhielt ich mich, schaffte den Personenschutz ab, ließ den »Panzer« in der Garage und verdrängte die Gefahr.

Ich ahnte nicht, dass dies meiner Familie nicht so leicht gefallen ist. Als der Fernsehsender Arte 2003 ein Porträt über mich vorbereitete, fragte mich die Autorin, Evelyn Schels, ob sie auch meine Kinder interviewen durfte. Ich hatte keine Einwände, zumal ich ihnen schon früher nie vorschrieb, was sie sagen sollten. Auch mein 1979 geborener Sohn Hans kam an die Reihe. Er erinnerte sich noch gut an den Terror der späten achtziger Jahre. Zu meiner Verblüffung sagte er, dass er als Kind »furchtbare Angst« ausgestanden hätte, »dass mein Vater von der RAF ermordet wird«. Er hätte bemerkt, dass ich immer wieder das Auto wechselte, die Nummernschilder austauschte und, wie er es nannte, ein »Versteckspiel« betrieb. Oft hätten die Kinder sich gefragt: Ob der Papa heute wohl nach Hause kommt? Ich habe nie etwas davon erfahren. Und leider fehlte mir auch die Sensibilität, dies zu spüren und ihnen, soweit das möglich war, ihre Sorgen um mich zu nehmen.

* * *

1988 lernte ich Alfred Herrhausen kennen, den Vorstandssprecher der Deutschen Bank. Baden-Württembergs Ministerpräsident Lothar Späth lud damals regelmäßig ins Stuttgarter Neue Schloss zu Wirtschaftsgipfeln, und auch wir beide waren unter den Gästen. In diesem barocken Prunkgebäude, das von Herzog Carl Eugen als »zweites Versailles« geplant war, wurde 1920 Deutschlands späterer Bundespräsident Richard von Weizsäcker geboren. 1944 wurde das Schloss von alliierten Bomben teilweise zerstört. Seit den Wirtschaftswunderjahren ist es wiederhergestellt und gehört zu den architektonischen Juwelen des Landes.

Die Wirtschaftstreffen, zu denen Unternehmensführer aus ganz Europa anreisten, wurden von zwei Vorsitzenden geleitet. Den politischen Bereich repräsentierte Gastgeber Lothar Späth, die Wirtschaft vertrat Alfred Herrhausen. Alles, was in der Wirtschaft Rang und Namen hatte, nahm daran teil. Schon damals ging es um den »Standort Deutschland« und die Gefahren, die ihm durch die Globalisierung drohten. An die Gefahren, die den Beteiligten selbst drohten, wollte damals keiner denken. Es ging nicht um Einzel- oder Unternehmensinteressen, sondern um Deutschland.

Es stimmt mich traurig, wenn ich mir überlege, dass alles, worüber wir heute diskutieren, schon damals erkannt und richtig analysiert wurde. Wir sprachen über die wirtschaftlichen Rahmenbedingungen, die Lohnnebenkosten, den »schlanken Staat«, die Sicherung der Sozialsysteme, Reformstau und Innovationsdruck. Am Schluss musste alles, was man beredet und besprochen hatte, zusammengefasst werden. Bei IBM hatte ich gelernt, auch die kompliziertesten Zusammenhänge auf einem Blatt Papier zusammenzufassen. Tat man es nicht, wurden die »Executive Summaries« von den Unternehmensbossen gar nicht gelesen. Man fasste sich also kurz, und es ging. Damals hatte ich mir sogar angewöhnt, meine Vorträge mit der Einleitung zu beginnen: »Wenn Sie mich bäten, meine Ausführungen in einem einzigen Satz zusammenzufassen, dann würde er lauten …« Denn was sich sagen lässt, kann man auch kurz und prägnant sagen.

Ich hatte mich an jenem Stuttgarter Samstagnachmittag lebhaft an der Diskussion beteiligt und gleichzeitig Notizen darüber angefertigt. Zwar wollte ich mir nicht anmaßen, den Teilnehmern meine Sicht der Dinge anzudienen, aber es konnte ja eine Situation entstehen, in der sich meine Notizen vielleicht als nützlich erwiesen. Und sie kam. Ich erinnere mich noch genau, wie gegen Ende der Veranstaltung, kurz vor dem Abendessen, plötzlich Aufregung entstand. Das Menü wurde bereits im Marmorsaal mit seinen Gemälden und Kristallüstern ange-richtet. Herrhausen schaute auf die Uhr, dann blickte er in die Runde. Das Abschlussdokument war vergessen worden. Jeder hatte etwas gesagt, aber keiner hatte es festgehalten. Der Vor-schlag, die Presseerklärung gemeinsam zu verfassen, wurde ab-gelehnt. Nichts Schlimmeres als eine Pressemitteilung, an der alle herumbesserten.

Auch ich habe die Erfahrung gemacht, dass Teamarbeit nicht immer funktioniert. Zum Beispiel beim Verfassen von »Execu-tive Summaries« oder Presseerklärungen. Debattieren kann man nur im Team, die Ergebnisse zusammenfassen nur als einzelner. Der Mythos vom »Kollektiv« endet bereits dort, wo Schlüsse gezogen werden müssen. Zum Glück hatte ich die letzte Stunde unseres Wirtschaftsgipfels dazu benutzt, aufgrund meiner Notizen eine solche Erklärung auszuformulieren. Wort-los reichte ich Herrhausen den handgeschriebenen Text. Er überflog das Blatt, sagte leise zu mir, es sei »phantastisch«, und las es dann laut vor. Alle stimmten zu, die Pressemeldung war verabschiedet. Von diesem Augenblick an hatte Alfred Herr-hausen »einen Narren an mir gefressen«.

In Stuttgart war ich nicht nur mit Abstand der Jüngste gewe-sen, sondern als deutscher Statthalter eines amerikanischen Un-ternehmens wohl auch der Unwichtigste. Herrhausen dagegen war der mächtigste deutsche Unternehmenschef: Vorstandsvor-sitzender der Deutschen Bank und Aufsichtsratsvorsitzender von Daimler-Benz. Ich schaute zu dem zehn Jahre Älteren auf, er schien nicht auf mich herabzuschauen. Irgendwie mochte er mich, und mir ging es mit ihm nicht anders.

Seit dieser Begegnung begann Herrhausen, sich um mich zu »kümmern«. Ich hatte damals meine Segeljacht »Swan« im Ha-fen von Wallhausen bei Konstanz liegen, nicht weit von Edzard Reuters Schiff. Der Sozialdemokrat Reuter, dessen Vater Ernst als Berlins Regierender Bürgermeister 1948/49 der russischen Blockade getrotzt und die Berliner zum Durchhalten ermutigt hatte, war seit 1987 Vorstandsvorsitzender von Daimler-Benz. Wir hatten uns gelegentlich im Hafen getroffen, auch zum Essen mit unseren Frauen verabredet. Eines Abends wollte Reuter mit mir etwas unter vier Augen besprechen, wozu er mich in seinen Wagen bat, während unsere Frauen in meinem fuhren. Zwischen Konstanz und der Insel Mainau fragte er mich unvermittelt, ob ich nicht Interesse hätte, Vorstandsvorsitzender der DASA zu werden, die bald um die von Daimler erworbene MBB angereichert werden sollte. Die DASA war die Luft- und Raumfahrttochter des Konzerns, damals Deutsche Aerospace AG, heute DaimlerChrysler Aerospace AG. Auf meine Frage, wie er gerade auf mich käme, antwortete er, Herrhausen hätte ihn darauf gebracht.

Wie ich dazu stünde? fragte Reuter nach. Ehrlich gesagt, antwortete ich, würde mir die DASA nicht mehr bieten als IBM. Beide waren Töchter großer Konzerne, und meine Firma hatte sogar einen höheren Umsatz als die DASA. Ich ging noch einen Schritt weiter. Wenn ich überhaupt wechseln sollte, sagte ich, dann nur, um ein Unternehmen in Alleinverantwortung zu übernehmen. Der einzige Nachteil meiner jetzigen Position bestand nämlich darin, einen Boss in Paris zu haben. Würde ich bei der DASA in München anheuern, säße deren Boss in Stuttgart, und das war noch näher. Edzard Reuter lachte, denn er wäre dieser Boss gewesen, und akzeptierte meinen Korb. Ein paar Wochen später rief er mich an, er hätte sich für eine interne Lösung, nämlich Jürgen Schrempp, entschieden.

Alfred Herrhausen war Edzard Reuters Aufsichtsratsvorsitzender. Gemeinsam wollten sie, was später von vielen kritisiert werden sollte, Daimler-Benz zu einem weltweit operierenden Technologiekonzern umbauen. Dafür brauchten sie neue, zukunftsorientierte Leute, auch aus anderen Branchen als nur der Automobilindustrie. Der Kontakt zwischen Herrhausen und mir intensivierte sich trotz meiner Absage, und wir telefonierten regelmäßig. So wunderte es mich auch nicht, dass er mir eines Tages anbot, in den Mercedes-Aufsichtsrat zu kommen. Ich war begeistert. Allerdings, so sagte ich ihm, müsse ich erst meine Bosse fragen. Und das halte ich heute noch für richtig. Bevor deutsche Vorstände einen Sitz in anderen Aufsichtsräten annehmen, sollten sie grundsätzlich erst von ihren Aufsichtsräten die Genehmigung einholen.

Mit Alfred Herrhausen, der am 30. November 1989 von der RAF ermordet wurde.

Schon eine Stunde später rief ich Herrhausen zurück. Leider konnte ich sein Angebot nicht annehmen, weil mir eingefallen war, dass Helmut Werner, Vorstandsvorsitzender der Mercedes AG, einer Tochter von Daimler-Benz, schon im IBM-Aufsichtsrat saß. Diese Überkreuzverflechtung war zwar nicht gesetzwidrig, aber mir erschien sie höchst fragwürdig. Sie wurde allgemein vermieden. Nur noch Gewerkschaftsführer erlaubten sich damals, in Aufsichtsräten konkurrierender Unternehmen zu sitzen.

Mit einer ähnlichen Situation sah ich mich im Frühjahr 2004 als stellvertretender Aufsichtsratsvorsitzender der IKB Deutsche Industriebank konfrontiert. Als der Staat von der Allianz einen Anteil der IKB übernahm, stieg die KfW, die staatliche Kreditanstalt für Wiederaufbau, zum größten Aktionär der IKB auf. Als Folge trat der Chef der KfW, bisher schon im IKB-Aufsichtsrat, ins Präsidium der IKB ein. Allerdings saß der Chef der IKB schon seit längerem im Aufsichtsrat der KfW. Es lag also eine klassische Überkreuzverflechtung vor, wie sie in den angelsächsischen Ländern verboten und auch in deutschen Firmen längst tabuisiert ist.

Mir schien es selbstverständlich, sowohl den Aufsichtsrats- wie den Vorstandsvorsitzenden regelmäßig darauf hinzuweisen, dass aus diesem Grund einer der beiden sein Amt niederlegen musste. Es war ganz offensichtlich ein Unding, dass der Vorstandsvorsitzende der IKB den Vorstandsvorsitzenden der KfW beaufsichtigt, während gleichzeitig der Vorstandsvorsitzende der KfW den Vorstandsvorsitzenden der IKB beaufsichtigt. Welchen Sinn hatte es dann überhaupt noch, einen Firmenchef zu beaufsichtigen, wenn man diesem die Macht gab, zugleich seinen eigenen Kontrolleur zu beaufsichtigen. Ein Schildbürgerstreich also auf höchster Bankenebene.

Der Aufsichtsratsvorsitzende der IKB fühlte sich offenbar auf den Schlips getreten. Statt meine Warnung vor einem Skandal ernstzunehmen, schickte er mir ein juristisches Gutachten, dem zufolge sich formal nichts dagegen einwenden ließe: Zum einen sei die KfW kein börsennotiertes Unternehmen, und zweitens sei ihr Aufsichtsrat gar kein richtiger, da die eigentliche Verantwortung in den Händen des Finanzministeriums liege. Ich traute meinen Augen nicht. Welchen Sinn konnte denn ein Aufsichtsrat haben, wenn er gar nicht die Aufsicht führte? Und wie konnte der Aufsichtsratsvorsitzende der IKB übersehen, dass es sich hier um ein formalistisches Ausweichmanöver handelte, mit dem ein moralisch inakzeptabler Tatbestand bemäntelt wurde? Es gibt Dinge, die so klar auf der Hand liegen, dass man sie einfach sehen muss. Es sei denn, man will sie nicht sehen.

Meine Warnung führte zu einer erheblichen Verstimmung im Aufsichtsratspräsidium, vor allem zwischen dem betroffenen IKB-Chef, seinem Aufseher und mir. Es wunderte mich nicht, dass ich im März 2004 per Brief vom Aufsichtsratsvorsitzenden informiert wurde, dass man mich nicht länger im Gremium haben wollte. Für die »künftige Zusammensetzung des Aufsichtsrates«, schrieb er mir, wolle man »neue personelle Vorschläge machen«, würde aber weiterhin gern meine Dienste als Vorsitzender des Beraterkreises in Anspruch nehmen. Anscheinend dachten Aufsichtsratsvorsitzender und Vorstandschef, ich sei sozusagen käuflich. Es bereitete mir denn auch ein gewisses Vergnügen, sämtliche meiner Ämter, also als Aufsichtsrat, stellvertretender Vorsitzender des Aufsichtsrats und Vorsitzender des Beraterkreises, niederzulegen, und zwar mit sofortiger Wirkung. Mir erscheint es fatal, wenn wie in diesem Fall Spitzen unserer Wirtschaft durch ein Verhalten, das man selbstsüchtig und egoistisch nennen muss, das gesamte Wirtschaftssystem in Misskredit bringen und seinen Gegnern billige Munition liefern.

Bald darauf las ich in der *Neuen Zürcher Zeitung* einen philosophischen Aufsatz, in dem von Managern mehr moralisches Verantwortungsbewusstsein gefordert wurde. Der Tübinger Professor Otfried Höffe schlug darin sogar eine Art »Hippokratischen Eid« vor, mit dem Unternehmenschefs sich feierlich auf ethisches Verhalten verpflichten sollen, sowohl dem Unternehmen als auch der Gemeinschaft gegenüber. Solche Grundregeln des Anstands bei Managern hatte ich bereits in meinem Buch *Die Ethik des Erfolgs* angemahnt. Vielleicht sollten meine ehemaligen IKB-Kollegen das Buch oder den Artikel von Professor Höffe einmal lesen.

Zurück ins Jahr 1988. Ich teilte Alfred Herrhausen also mit, dass ich aus prinzipiellen Erwägungen den Aufsichtsratssitz nicht annehmen konnte. Es war meine freie Entscheidung, und er akzeptierte sie. Zwar zeigte er sich ein wenig enttäuscht, aber irgendwie beeindruckte es ihn wohl auch. Jedenfalls schien er entschlossen, mich an die Daimler-Benz-Gruppe heranzuführen. Kaum hatte ich meine Absage begründet, sagte er: »Dann kommen Sie einfach in den Aufsichtsrat der DASA.« Ich stimmte zu und sitze heute noch dort, als dienstältestes Mitglied.

Eines Tages eröffnete er mir, dass ich in den Aufsichtsrat der Continental kommen sollte. Er sagte dies als Aufsichtsratsvorsitzender des Reifenherstellers und Automobilzulieferers und bat mich, zugleich mit ins Präsidium der Conti einzuziehen. Damals hatte die Firma gerade die große amerikanische Reifenfirma General Tyre geschluckt, und diese erwies sich als schwer verdaulicher Brocken. Es gab also genügend Probleme, bei deren Lösung ich möglicherweise von Nutzen sein konnte. Ich sagte zu, halb geschmeichelt, halb ungewiss, was daraus werden sollte. Aber da der Vorschlag von Herrhausen gekommen war, habe ich ihn begeistert angenommen.

Schon von der Erscheinung her war Alfred Herrhausen ein höchst ungewöhnlicher, geradezu auffallender Mensch. Ich sehe ihn noch vor mir. Er war größer als ich. Mit seinen breiten Schultern, seiner schlanken Figur wirkte er sportlich und unternehmungslustig. Seine achtundfünfzig Jahre sah man ihm nicht an. Er kam immer direkt zur Sache, das Um-den-heißen-Brei-herum-Reden lag ihm nicht. Mit seiner Offenheit signalisierte er auch seinem Gegenüber, offen zu sein. Im Gespräch gab er sich nie herablassend. Nicht seine Position, sondern sein Anliegen stand im Vordergrund. Wäre das Wort nicht so abgegriffen, würde ich sagen, er sei »natürlich« gewesen. Während der typische deutsche Vorstand sich »eher von seiner Frau als von seinem Manuskript trennt« und einen spontanen Halbsatz für einen riskanten Ausflug in die Katastrophe hält, sprach Herrhausen meist frei. Nicht aus Leichtfertigkeit, sondern weil Freiheit zu seinem Stil gehörte. Das galt damals als Sensation.

Ich erinnere mich, dass ich mich anfangs ebenfalls von der sklavischen Textabhängigkeit vieler Spitzenmanager anstecken ließ. Vor jedem Auftritt arbeitete ich ein Konzept aus und las dann mein selbstgeschriebenes Redemanuskript ab. Das war der sichere Weg, alles andere galt als Vabanquespiel. Dass den Zuhörern dabei oft die Füße einschliefen, wurde in Kauf genommen. Ein steifer Vortragender sprach zu einem ebenso steifen Publikum. Während er seine Nase ins Manuskript steckte und nur gelegentlich seine Zuhörer ansah, ließen diese bald die Köpfe sinken und erwarteten sehnlich das Ende der Tortur.

Die Lösung bot der »Teleprompter«, eine an sich lächerlich einfache Erfindung, die dem Publikum suggerierte, der Redner spreche frei, während dieser sein Manuskript bequem vom Bildschirm ablesen konnte. Der Apparat wurde von vielen IBM-

Executives sogleich intensiv genutzt. Zwar waren sie durchaus fähig, im kleinen Kreis Klartext zu reden, Weisungen zu erteilen und zu diskutieren, doch vor einem Publikum ab zwanzig Personen hatten sie oft Lampenfieber. Dagegen half der Teleprompter, den auch ich eine Zeitlang bei IBM-Veranstaltungen benutzte.

Vor dem Lesepult wurde eine auf einem dünnen Stäbchen montierte Glasscheibe aufgestellt, die vom Publikum kaum wahrgenommen wurde. Dem Redner dagegen erschien sie wie der Bildschirm eines Schwarzweißfernsehers. Der Text, den er vorlesen musste, wurde von unten auf die Scheibe projiziert. Der Vorteil bestand darin, dass er das Publikum ansehen und den Eindruck erwecken konnte, er spreche frei. Als Nachteil erwies sich, dass er immer nur in eine Richtung blickte, also entweder zu den Sitzreihen rechts oder links vom Podium sprach.

Dieses Manko wurde durch den Teleprompter der zweiten Generation aufgehoben: Nun gab es zwei Glasscheiben auf zwei Stäbchen, rechts und links vom Pult, so dass der Vortrag gerecht über die Zuhörer verteilt wurde. Es blieb dennoch ein Risikofaktor, der beim Referenten leicht Panik auslösen konnte: Das Band lief in einer bestimmten Geschwindigkeit, die von einem Techniker hinter der Bühne geregelt wurde. Sobald dieser eilte oder zögerte, geriet der Redner in Not. Erlaubte der Referent sich auch nur ein kleines Extemporale, konnte sein Redetext über alle Berge sein, wenn die Person hinter der Bühne das Band nicht stoppte. Während man bei einem Blatt Papier den Finger auf die Stelle legen kann, von der man abschweift, war man beim Teleprompter dem Tempomacher ausgeliefert.

Der Apparat wurde bald auch bei Politikern wie Maggie Thatcher oder Ronald Reagan beliebt, der selbst bei seiner Rede im Deutschen Bundestag nicht darauf verzichten wollte. Und noch bei der Eröffnung der Cebit 2004 wurden die diversen Festredner, die vom Pult ablasen, durch den neuen Sony-Chef ausgestochen, der bei seinem englisch gehaltenen Vortrag, unbemerkt von den 3000 Zuhörern im Saal, auf den Teleprompter vertraute.

Alfred Herrhausen dagegen sprach grundsätzlich frei. Ich erinnere mich, wie meine Nachbarn im Publikum ihm anfangs gar nicht richtig folgten, weil sie die Frage beschäftigte, wie »der Mann das machte«. Immerhin sprach er ja nicht über das Wetter, sondern über Belange von einer gewissen Bedeutung. Das beeindruckte mich so sehr, dass ich bald auch auf den Geschmack gekommen bin. Und ich lernte: Wer überzeugt ist von dem, was er sagt, und es vorab strukturiert, der kann auch frei reden.

Als ich Herrhausen kennenlernte, befand er sich in einer Phase des persönlichen Aufschwungs. Er war zum ersten Einzelsprecher der Deutschen Bank berufen worden, die bis dahin immer Wert auf ein Sprecher-Tandem gelegt hatte. Ich habe nie begriffen, warum diese Position nicht, wie ansonsten allgemein üblich, Vorstandsvorsitzender genannt, sondern mit dem missverständlichen Wort »Vorstandssprecher« bezeichnet wird. Als Einzelsprecher war Herrhausen nicht nur mächtiger als seine Vorgänger, er verstand das Amt auch anders. Alle seine Wesenszüge passten nicht zum typischen Bild des Bankers, was wohl auch mit seiner Herkunft aus der Industrie zusammenhing. Heute habe ich zwar größten Respekt auch vor vielen Persönlichkeiten des Bankwesens, doch damals wäre es mir nie eingefallen, bei der Zusammensetzung eines IBM-Aufsichtsrats einen Banker zu berücksichtigen.

So hatte mit Herrhausen ein Branchenfremder die höchste deutsche Bankenposition erklommen. Und er dachte nicht daran, seine Tätigkeiten nur auf das damit abgesteckte Feld zu beschränken. Einmal rief er bei mir an, um mich zur Mitwirkung an einem Kongress zu gewinnen, den er in Hamburg organisieren wollte. Das Thema war eines, das man sich heute kaum mehr vorstellen kann: Deutschlands Süd-Nord-Gefälle. Da sich seit der Wiedervereinigung alles nur noch auf das West-Ost-Gefälle konzentriert, bei dem die neuen Bundesländer gegenüber den alten so deprimierend schlecht abschneiden, hat man das einstige Wohlstandsgefälle im Westen längst vergessen. Tatsächlich herrschte bis zum 9. November 1989 in der

Bundesrepublik eine ähnliche Zweiteilung wie jetzt, nur auf der anderen Himmelsachse. Als ich 1962 in meinem 2CV nach Baden-Württemberg fuhr, um das IBM-Trainingsprogramm zu beginnen, kam ich aus dem reichen Hamburg in eine, wie mir schien, unterentwickelte Gegend, die jedenfalls für einen verwöhnten Norddeutschen nicht viel zu bieten hatte. Man sprach damals von einem Nord-Süd-Gefälle. Das änderte sich schnell, in den folgenden Jahren kehrten sich die Verhältnisse geradezu um. Nun schien die warme Konjunktursonne im Süden, während hoch oben die kleinen Nordlichter flimmerten. Als Herrhausen seine Konferenz nach Hamburg einberief, waren die Arbeitslosenzahlen im Norden schon viel höher, war der Süden in Sachen Wohlstand davongeeilt.

Um dem strukturschwachen Norden durch Investitionen aufzuhelfen, lud Herrhausen Politiker und Wirtschaftsführer aus ganz Deutschland ein. Für die Veranstaltung wählte er den witzigen Titel »Viel mehr als Meer«. Bald darauf kam überraschend die Wiedervereinigung und mit ihr der genannte Paradigmenwechsel. Das Süd-Nord-Gefälle existierte zwar noch, war aber keine Schlagzeile mehr wert, da alle nur noch vom West-Ost-Gefälle sprachen. Bemerkenswert scheint mir dabei, dass sich auch innerhalb des West-Ost-Gefälles das Süd-Nord-Gefälle durchgesetzt hat. Die industriellen Zentren, neudeutsch »Cluster« genannt, sind eben in Dresden und Leipzig angesiedelt, nicht im nördlichen Schwerin oder Stralsund.

Als 1989 die Mauer fiel, gehörte Herrhausen zu den ersten, die in die Speichen griffen, um dem Osten zu helfen. In der kurzen Zeit, die ihm blieb, setzte er Zeichen und traf wichtige Entscheidungen. Er setzte die Welle »Tut was für den Osten« in Gang. Das war keine Frage von privatem, sondern von nationalem Interesse. Da Kanzler Kohl auf ihn hörte, hätte er gewiss viele Fehlentwicklungen verhindern können. Kohl hätte auch nicht, wie später geschehen, zu behaupten gewagt, dass »die deutsche Wirtschaft keine eigenen Konzepte für die Wiedervereinigung« hatte. Das stimmte nicht, denn als die Mauer fiel, konnten Herrhausen und Tyll Necker vom BDI schnell mit

Plänen dienen. Man hätte nur auf sie hören sollen, dann wären vielleicht sogar die »blühenden Landschaften« möglich gewesen.

Welcher Bankchef außer Herrhausen kümmerte sich damals um solche gesellschaftspolitischen Fragen? Er fühlte eine Verantwortung, die über seine Unternehmen hinausging, pathetisch ausgedrückt: eine Verantwortung für Deutschland. Ich bin immer der Meinung gewesen, dass dies zu den Aufgaben jedes Firmenchefs gehört. In Herrhausen sah ich diese Einsatzbereitschaft ideal verkörpert. Er wollte den Standort Deutschland und damit die Lebensbedingungen unserer Gesellschaft verbessern. Wenn ich mich seit damals über meine Funktion als IBM-Chef hinaus auf den verschiedensten gesellschaftspolitischen Feldern engagiert habe und später ehrenamtlicher Präsident des BDI, dann der Leibniz-Gemeinschaft geworden bin, geht dies auch auf Herrhausens Vorbild zurück.

Gut erinnere ich mich an unser letztes Gespräch in einem Stuttgarter Hotel. Wir saßen mit einigen anderen in der Bar, als er mir die Frage zuflüsterte, ob ich denn »auf ewig mit dem IBM-Konzern verheiratet« wäre. Ich lachte und sagte, ich sei mit IBM nicht nur verheiratet, es sei sogar eine ausgesprochene Liebesbeziehung. Im Scherz fügte ich hinzu, das hieße nicht, dass ich gegenüber einer schöneren und interessanteren Braut nicht aufgeschlossen wäre. Da er mich daraufhin ansah, als hätte er etwas in petto, fragte ich ihn direkt, woran er denn so dächte. Nach einem Augenblick des Zögerns sagte er: »Ich dachte an die zukünftige Entwicklung bei Daimler-Benz.« Offenbar hatte er mich dabei eingeplant.

Doch es kam nicht dazu. Der Augenblick, in dem ich am Mittag des 30. November 1989 vom Mord an Alfred Herrhausen erfuhr, ist mir ins Gedächtnis eingebrannt. Schlagartig wurde mir bewusst, dass Deutschland einen unersetzlichen Verlust erlitten hatte. In einem sinnlosen Akt der Zerstörung war ein Teil unserer wirtschaftlichen Zukunft ausgelöscht worden. Ich hatte einen Freund und Mentor verloren. Die Bombe hatte sein Auto wie ein Spielzeug zerrissen. Die getroffenen Sicherheitsmaßnahmen wie Panzerlimousine und Begleitschutz der Polizei erwiesen sich als nutzlos.

Dem Mord an Herrhausen waren in den Jahren zuvor mehrere Attentate auf Wirtschaftsführer vorausgegangen. Das Siemens-Vorstandsmitglied Professor Karl Heinz Beckurts und sein Fahrer Eckhard Groppler wurden 1986 mit einer 50-Kilo-Bombe in ihrem Fahrzeug in die Luft gesprengt. Aus dem »Bekennerschreiben« ging hervor, dass man in Beckurts auch den »Vorsitzenden des Arbeitskreises Kernenergie« treffen wollte. Ein weiterer Grund für diesen feigen Mord lag für die RAF in Beckurts' Vergangenheit: »Er war Chef des Kernforschungszentrums Jülich.«

Seit Ende der siebziger Jahre hatte sich die ideologische Ausrichtung vieler Linker, die zuvor gegen die »BRD« gekämpft hatten, nun auch auf die »AKW« konzentriert, auf die Atomkraftwerke also, was ihnen erheblichen Zulauf brachte. Im selben Jahr, in dem Beckurts ermordet wurde, erschossen die französischen Kampfgenossen der RAF den Direktor der staatlichen Autofirma Renault, George Besse. Ebenfalls sterben musste Gerold von Braunmühl, Ministerialdirektor im Auswärtigen Amt, dem mit der Pistole aus nächster Nähe in den Kopf geschossen wurde. Sein Vergehen: Er war »eine der zentralen Figuren in der Formierung westeuropäischer Politik im imperialistischen Gesamtsystem«. Auf Deutsch: Er half mit, die Europäische Union vorzubereiten.

Im Herbst 1988 versuchte die RAF den späteren Bundesbankpräsidenten und damaligen Staatssekretär im Bundesfinanzministerium Hans Tietmeyer zu erschießen, verfehlte ihn aber, weil die Maschinenpistole »sich verklemmt« hatte. Hinterher begründete man, er sei »verantwortlich für Völkermord und Massenelend in der Dritten Welt«. Als man Hans Neusel, den damaligen Staatssekretär im Bundesinnenministerium, vergeblich mit einer Bombe töten wollte, hieß es, er sei für den »Angriff der faschistischen Bestie Westeuropa« auf die »Gefangenen-Kollektive« verantwortlich.

Das letzte Opfer eines RAF-Meuchelmords war Treuhandchef Detlev Karsten Rohwedder. Ich hatte ihn bereits kennengelernt, als er noch den Hoesch-Konzern leitete. Da Hoesch zu unseren Computerkunden gehörte, besuchte ich auch den Vorstandsvorsitzenden, und er war mir auf den ersten Blick sympathisch. Ich bat ihn später, in den Aufsichtsrat der IBM-Deutschland einzutreten. Als Rohwedder auf Bitten Helmut Kohls für die neugegründete Treuhand einen Verwaltungsrat zusammenstellte, rief er auch bei mir an. Ich folgte der Aufforderung gerne, und wir machten uns engagiert ans Werk. Nie werde ich die stundenlangen Sitzungen im ersten Treuhandbüro am Berliner Alexanderplatz vergessen. Wir waren in Aufbruchstimmung, wollten den Neubeginn schaffen, und keiner von uns hätte sich im Traum vorstellen können, dass die Mörder bereits auf ihn warteten. Ihre absurde Tat wurde damit begründet, dass Rohwedder »die Rahmenbedingungen organisierte, die das BRD-Kapital für seine Profite brauchte«. In Richtung Anti-Kernkraft-Bewegung wurde er zudem für die »Phase der Durchsetzung des Atom-Programms« verantwortlich gemacht. Also

Begegnung mit Detlev Karsten Rohwedder auf der Hannover Industriemesse.
Ihn traf eine tödliche RAF-Kugel am 1. April 1991.

sprach die RAF, schoss ihm 1991 durch das Fenster seines Arbeitszimmers tödlich in den Rücken und verletzte auch seine Frau Dr. Hergard Rohwedder.

Ähnlich aufschlussreich für den Geisteszustand der Täter fiel die Begründung für den Mord an Alfred Herrhausen aus: Er stehe in der »Kontinuität« einer »Blutspur zweier Weltkriege und millionenfacher Ausbeutung«. Das Todesurteil wurde von einem »Kommando Wolfgang Beer« vollstreckt. Wer war Beer? Ein RAF-Mitglied, das bei der Vorbereitung des Attentats auf US-General Kroesen mit seinem VW Golf tödlich verunglückt war. Offenbar wurde ihm der Mord gewidmet. Diesmal vertraute man auf die Zerstörungskraft einer Bombe, die, auf dem Gepäckträger eines abgestellten Fahrrads plaziert, durch eine Lichtschranke ausgelöst wurde. Wie an jedem Morgen fuhr Alfred Herrhausen aus Bad Homburg zu seinem Arbeitsplatz in Frankfurt. In Höhe der Taunustherme passierte die Panzerlimousine die Lichtschranke. Während der Fahrer leicht verletzt überlebte, verblutete Alfred Herrhausen in dem Autowrack.

Herrhausens Tod bedeutete für Deutschland einen unersetzlichen Verlust. Er hatte nicht nur die beiden Flaggschiffe Deutsche Bank und Daimler-Benz gesteuert, er war auch ein politischer Visionär gewesen, der den Riss zwischen Industrienationen und Dritter Welt überwinden wollte. Damit stieß er bei seinen Kollegen auf wenig Gegenliebe. Konkret hatte Herrhausen nach einem Treffen mit dem mexikanischen Präsidenten Miguel de la Madrid Hurtado einen Schuldenerlass für die Länder der Dritten Welt vorgeschlagen. Er war als Banker über seinen Schatten gesprungen und hatte geopolitische Weitsicht bewiesen. Seine Kollegen dagegen zogen es vor, diese Schulden einzutreiben, schon aus der Erfahrung, dass ein Land, dem seine Schulden geschenkt wurden, in Zukunft immer auf solche Nachsicht spekulierte. Alfred Herrhausen hatte sich am Ende aus Überzeugung isoliert.

Er wusste das natürlich. Aber ihm schien wichtig, gerade jetzt den armen Ländern dabei zu helfen, sich selbst zu helfen. Ein Schuldenerlass war nur dann gerechtfertigt, so sagte er, wenn er mit einem Programm zur Selbsthilfe verbunden war. Man musste der Dritten Welt ihre Bürde abnehmen, damit sie auf eigenen Füßen stehen und gehen konnte. Das war nicht anders als bei einem Unternehmer, der sich plötzlich einem Berg von Schulden gegenübersah, die sich in seinem ganzen Leben voraussichtlich nicht mehr zurückzahlen lassen würden. Der Anreiz, der Gemeinschaft die Schulden dennoch sukzessive zurückzuzahlen, war dann gleich Null. Man musste ihm also eine Perspektive eröffnen, ihm die Hand reichen. Das war Herrhausens Credo. Eigentlich hätte ihm die deutsche Linke dafür Kränze winden sollen. Aber man zog es vor, ihn in die Luft zu sprengen.

Kränze. Ich sehe noch seinen Sarg, sein blumenbedecktes Grab vor mir. Seine junge Witwe, diese sympathische Frau, die sein Lebenswerk auf ihre Art fortsetzen sollte. In der Paulskirche wurde ein gigantischer Sicherheitsaufwand betrieben, weil man ein neues Attentat befürchtete. Ich hätte schreien können vor Wut über diesen sinnlosen Mord, der unserem Land mehr geschadet hat als zehn Elbhochwasser. Mit Herrhausen war uns ein Stück Zukunft gestohlen worden.

In seiner Trauerrede sagte Helmut Kohl: »Mord beginnt mit Rufmord.« Heute, wo Unternehmer von höchster Stelle wieder »geächtet« und als »Egoisten« gebrandmarkt werden, wo Bundestagspräsident Wolfgang Thierse ihnen »radikale und rücksichtslose Profitmacherei« vorwirft und sie, wie vor ihm SPD-Generalsekretär Klaus Uwe Benneter, als »vaterlandslose Gesellen« verleumdet, muss ich oft an diese Worte denken: »Mord beginnt mit Rufmord.«

* * *

Nachzutragen bliebe, dass ich für kurze Zeit die Nachfolge des ermordeten Freundes in einem seiner vielen Ämter angetreten habe. Als Conti-Präsidiumsmitglied für die Anteilseignerseite musste ich seine Stelle als Aufsichtsratsvorsitzender kommissarisch übernehmen, bis ein Nachfolger bestimmt war, den ich zu suchen hatte. Bald trat eine Situation ein, wie ich sie seither noch öfter in Wirtschaftsunternehmen beobachtet habe: Der Vorstandsvorsitzende beanspruchte, Herrhausens vakanten Posten nach seinem Gutdünken zu besetzen. Wie ich erfuhr, hatte er schon bald nach dem Attentat herumtelefoniert, um einen neuen Aufsichtsratschef anzuwerben. Das hieß, er wollte selbst bestimmen, wer ihn in Zukunft kontrollieren würde. Unter Beiseiteschiebung aller Vorurteile, die ich gegen Banker hegte, rief ich den dienstältesten Vorstand der Deutschen Bank, Horst Burgard, an. Ich fände es richtig, sagte ich, wenn die Deutsche Bank selbst, als Großaktionärin der Conti, den Nachfolger Alfred Herrhausens bestimmte. So geschah es. Die Conti erhielt mit Ulrich Weiss einen hervorragenden Aufsichtsratsvorsitzenden. Kurz darauf wurde der alte Vorstandsvorsitzende abgelöst.

All dies, ich gebe es zu, hatte ich jahrelang verdrängt. Wie man nach dem Krieg sagte: »Das Leben muss weitergehen«, so konzentrierte ich mich auf meine Aufgaben und vermied es, zurückzublicken. Die RAF-Jahre waren eine Art Krieg gewesen, der auf allen wie ein Fluch gelastet, der unser Land gelähmt hatte. Das treffende Wort dafür war Terror, ein Schrecken, der nie aufhören will und der uns heute von ganz anderer Seite bedroht. Für mich ist Terror die schlimmste Menschenrechtsverletzung. Fünfundzwanzig Jahre lang lag Deutschland unter der Terrordrohung der Linksextremen, und fast scheint es, als hätte man es vergessen.

Es gehört zu meiner Lebenserfahrung, dass sich auf Dauer nichts verdrängen lässt, weil sich das »Vergessene« von selbst wieder in Erinnerung ruft. Plötzlich ist es da, und man reibt sich die Augen. Während meiner BDI-Zeit, es muss ums Jahr 2000 herum gewesen sein, bat eine gewisse Bettina Röhl telefonisch um einen Termin. Zunächst konnte ich mit dem Namen nichts anfangen, bis sie mir erklärte, sie sei die Tochter von Ulrike Meinhof und Klaus Rainer Röhl. Der war mir als Herausgeber von *Konkret* schon deshalb ein Begriff, weil meine Schwägerin in jenen »wilden Jahren« einmal die Titelseite seiner Linkspostille geziert hatte. Zwischenzeitlich war Röhl, wie manche

On the magazine cover:

April 67 DM 1,50

konkret

unabhängige zeitschrift für kultur und politik nr. 4 postverlagsort hamburg / C 4289 E

EXKLUSIV

Das FDP-Papier

Die Pille unter der Schulbank

Sex und Liebe an deutschen Oberschulen

Uwe Herms:
Die neue Beatles-Platte

Enno Patalas Magazin

Klaus Rainer Röhls *Konkret:* Auf dem Titelbild der Aprilnummer 1967 Schwägerin Barbara.

seiner Gesinnungsgenossen, ins andere politische Extrem übergewechselt.

Was Frau Röhl von mir wollte, mochte sie mir nur in einem persönlichen Gespräch anvertrauen. Zum Termin in meinem

158

Kölner Büro erschien sie zu meiner Verwunderung in Begleitung eines Rechtsberaters. Im Gespräch machte sie einen glaubwürdigen Eindruck. Zugleich schien sie vollständig unter dem Bann der RAF-Jahre zu stehen. Offenbar hatte sie unglaublich unter dem gelitten, was ihre berühmten Eltern ihr als Kind zugefügt hatten. Sie sah sich, neben den vielen Ermordeten, als Opfer der RAF-Ideologie. Das ging mir tatsächlich nahe, auch wenn mir nicht klar war, warum sie gerade mich in ihre Tragödie einweihte.

Erst gegen Ende unseres Gesprächs rückte sie mit ihrem Anliegen heraus. Zu meiner Überraschung handelte es sich weder um ihre Eltern noch um den RAF-Terror, sondern um Bundesaußenminister Fischer. Sie erklärte, Dokumente an der Hand zu haben, die ein, wie sie es ausdrückte, »terroristisches Vorgehen von Joschka Fischer« bewiesen, und zwar unwiderleglich. Nicht ohne leise Enttäuschung ging mir auf, dass sie in mir, dem BDI-Präsidenten, offenbar den Mann zu finden glaubte, der solche Beweise als Munition verwenden konnte. Doch während sie von den Untaten Joschka Fischers sprach, schien sie eigentlich jene der RAF zu meinen. Das ging in ihrer Darstellung ineinander über, gehörte für sie untrennbar zusammen. Ihr Hass hatte sich auf das gesamte Umfeld übertragen. Für sie war der Außenminister ein ehemaliger Terrorist, den es zu entlarven galt. Und was, so fragte ich, erwartete sie von mir?

Zum ersten Mal ergriff ihr Begleiter das Wort. Aus ganz sicherer Quelle wisse man, so sagte er, dass Beweismaterial gegen Fischer existiere. Man könne es sogar kaufen. Frau Röhl erwähnte die lebensgefährliche Attacke auf einen Polizisten mit einem Molotowcocktail, in die Fischer verwickelt gewesen wäre und die sich sogar mit Fotos dokumentieren ließe. Nur bräuchte man dafür, so erklärte ihr Begleiter, eine Menge Geld. Ich unterbrach seinen Vortrag, um ihm die gleiche Antwort zu geben, die ich auch der Caritas oder Amnesty International geben musste: Selbst wenn ich es wollte, war mir laut BDI-Satzung verboten, Mitgliedsbeiträge für solche Zwecke auszugeben.

Bettina Röhl zeigte sich enttäuscht, da ich sozusagen ihre

»letzte Hoffnung« gewesen sei. Dass sie sich überall nur Absagen eingefangen habe, schien sie auf eine große Verschwörung in Medien und Politik zurückzuführen. Ich sagte dazu nichts, denn als leidenschaftlicher Gegner von Verschwörungstheorien befasse ich mich grundsätzlich nicht mit derlei Spekulationen, was allerdings den Nachteil mit sich bringt, dass ich Verschwörungen, die es tatsächlich gibt, dann auch nicht erkennen kann.

Einige Zeit später erschienen im *Stern* Fotos, die einen helmtragenden Fischer beim radikalen Umgang mit einem niedergeschlagenen Polizisten zeigten. Ob dies die Bilder waren, für die ich wohl einige hunderttausend Mark hätte lockermachen sollen? Dann wäre es eine Fehlinvestition gewesen. Immerhin sah Joschka Fischer sich als Minister bemüßigt, den betroffenen Polizisten persönlich aufzusuchen, worauf dieser, überwältigt von der Bedeutung des Augenblicks, Vergebung gewährte. Schwamm drüber. All dies, und auch dass der Polizist Rainer Marx hieß, entnahm ich eher beiläufig der Presse. Ich wollte mich nicht mehr auf diese Zeit einlassen, und nicht anders schien es der Öffentlichkeit zu gehen: Nach einigem Hin und Her über Joschka Fischers Karriere als »Straßenkämpfer« oder »Streetfighter«, wie er sich selbst nannte, schlief die Sache ein.

Für mich erwachte sie erst wieder bei der Recherche für dieses Kapitel. Plötzlich waren die APO-Jahre wieder ganz nah. Ich begegnete meiner eigenen Geschichte, die ich, vielleicht nur durch Glück, überlebt hatte. Ich lernte Zusammenhänge neu sehen, und zum ersten Mal glaubte ich sie zu begreifen. Der »Mythos RAF«, zu dem man die Mörder stilisiert hatte, entpuppte sich als Machwerk derer, die das sinnlose Blutvergießen intellektuell rechtfertigen wollten. Aber außer Lügen, Täuschung der Öffentlichkeit und Meuchelmorden, zu denen sich die Mörder nur unter den Pseudonymen von »Kommandos« bekannten und damit gerade nicht bekannten, war nichts geblieben. So wenig wie von der kommunistischen Herrlichkeit der Arbeiterparadiese.

Während ich im März 2004 über das ermordete Vorbild Alfred Herrhausen schreibe, läuft zufällig auf Arte eine Dokumentation über ihn. In dem Film *Black Box BRD* wird seine

Biographie dem Leben von Wolfgang Grams gegenübergestellt, obwohl es keine nachgewiesene Verbindung zwischen dem RAF-Terroristen und dem Herrhausen-Mord gibt. Grams wird die Erschießung von Detlev Karsten Rohwedder zur Last gelegt. Bekannt wurde Grams, als er 1993 in Bad Kleinen einen Polizisten erschoss, der ihn festnehmen wollte, und sich, so Klaus Pflieger, dann selbst tötete. Der Automatismus der RAF-Propaganda wollte es, dass auch dies als »Justizmord« ausgegeben und von willigen Medien weitergetragen wurde. Man sprach von seiner »Hinrichtung« durch die Polizei, weil es so ins Bild des »faschistischen Polizeistaats BRD« passte.

Die TV-Dokumentation beeindruckte mich durch ihr Bemühen um Objektivität. Was mir allerdings missfiel, war die unterschwellige Gleichsetzung von Täter und Opfer. Die aber schien die eigentliche Absicht des Regisseurs Andres Veiel gewesen zu sein, wie sich auch aus einer anderen Sequenz des Films ablesen lässt. Um die Radikalisierung des Terroristen zu motivieren, wurden Fernsehbilder von Polizisten gezeigt, die auf Demonstranten einschlugen. Sowenig akzeptabel dies ist, erschrak ich doch über die nächste Filmszene, die einen brutalen Überfall von fünf vermummten Helmträgern auf einen wehrlosen Polizisten zeigt.

In einem Interview mit dem Regisseur des Films, das ich im Internet lese, erklärt dieser, einer der Schläger sei Joschka Fischer gewesen. Im Film war das unerwähnt geblieben. Man konnte ja auch das Gesicht nicht erkennen. Der *Spiegel* hatte im Januar 2001 berichtet, dass die Gewaltszene im März 1973 stattfand, als ein besetztes Haus im Frankfurter Kettenhofweg 51 nach richterlicher Anordnung geräumt werden sollte. Joschka Fischers »Putztruppe« hatte sich auf die Polizeiaktion gut vorbereitet, im Wald trainiert, Nahkampftaktiken einstudiert. Der Kampf, so sagte ein ehemaliges Mitglied dem Magazin, sei durch ihn »ritualisiert und zum Selbstzweck« geworden. Nur so lässt sich die hohe Zahl von achtundvierzig Opfern erklären, die auf polizeilicher Seite »auf der Strecke blieben«. Die Prügelszene im Film war also nur einer von vielen kriminellen Übergriffen auf Polizisten. Es finden sich auch weitere Bilder vom Motorradhelmträger Fischer, unter anderem eines, bei dem er auf den Kopf eines Beamten einschlägt, den ein anderer für ihn im Schwitzkasten hält.

»Wir waren keine Lämmerschwänzchen.« Joschka Fischer auf einer Demonstration 1974.

Als 1976 bei der Gewaltdemonstration nach Ulrike Meinhofs Selbstmord ein Polizist, getroffen von einem Molotowcocktail, lebensgefährliche Verbrennungen davonträgt, setzt das Land

Hessen eine Belohnung von 50 000 Mark für die Ergreifung des Täters aus. Unter den Verdächtigen, nach denen ZDF-Fernsehfahnder Eduard Zimmermann in seiner Sendung sucht, ist auch der »28jährige Joseph Martin Fischer«. Bis heute blieb der Täter unbekannt. In einem späteren Interview gab der Außenminister allerdings zu, bei diesen Kampfeinsätzen »eine wichtige, vielleicht sogar zentrale Rolle gespielt« zu haben. »Ich habe damals für eine militante Politik gestanden.«

Die Filmszene vom Frankfurter Westend veranschaulicht, was er damit gemeint hat. Ich bin nicht sicher, ob jene Bundestagsabgeordneten, die ihren beliebten Kollegen bei der Aktuellen Stunde am 17. Januar 2001 mit Zähnen und Klauen verteidigten, diesen Film kannten. Seit ich ihn gesehen habe, klingen seine Erklärungsversuche anders. »Ich habe nie bestritten«, so sagte er, »dass ich fast zehn Jahre lang unter Einsatz von Gewalt die verfassungsmäßige Ordnung in der Bundesrepublik umstürzen wollte.« Die hat sich seitdem nicht geändert. Anders Joschka Fischer. Seine Karriere war nur möglich, weil er sich irgendwann aus der Prügelszene zurückzog, zum Grünen-Frontmann emporläuterte und seine politkriminelle Vergangenheit verharmloste. Wie sagte er so schön dem *Spiegel?* »Wir waren damals keine Lämmerschwänzchen.«

In seinem Buch *Von grüner Kraft und Herrlichkeit,* 1984 bei Rowohlt erschienen, lässt sich nachlesen, worin Joschka Fischer sein politisches Fernziel erblickte. Die neue Jugendkultur, so schrieb er, würde »ihre Rechte gegen die Mainzelmännchen selbst erkämpfen und durchsetzen«. Mit den »Mainzelmännchen« meinte er die deutschen Normalbürger, die ihn eine Dekade später zu ihrem Lieblingspolitiker wählen sollten. »Ganz sicher«, so schrieb Fischer weiter, »wird diese Entwicklung eine neue politische Kultur, eine andere Politik, veränderte Institutionen und einen anderen Staat mit sich bringen. Das Auftauchen der Grünen und Alternativen gibt davon eine erste Ahnung.« Im selben Buch findet sich ein Gespräch mit dem Grünen Milan Horacek, in dem dieser seinen Parteifreund Joschka auf dessen fragwürdiges Doppelspiel aufmerksam machte und bei ihm deshalb die »Offenheit des Gesprächs« anmahnte. Fischer entgegnete knapp: »Ich glaube, wir beide haben sehr viel zu verbergen.«

Dies gilt wohl für viele aus der Führungsriege der heutigen Grünen. Als in Göttingen der »Mescalero«-Aufruf auf kokettgrausame Weise den Mord an Generalbundesanwalt Buback begrüßte, war Jürgen Trittin ebendort Mitglied des Kommunistischen Bundes. Diese linksradikale Sekte berief sich auf Mao, wie übrigens auch die RAF, die schon 1971 verkündet hatte, »dass der bewaffnete Kampf als ›die höchste Form des Marxismus-Leninismus‹ (Mao) jetzt begonnen werden kann«.

Der Kommunistische Bund Westdeutschland, gegründet von einem gewissen Joscha Schmierer, war die größte der sogenannten K-Gruppen. Er war als strenge Kaderpartei organisiert und finanzierte sich teils durch Zwangsabgaben der Mitglieder, teils durch die *Kommunistische Volkszeitung,* die bevorzugt an Werkstoren verkauft wurde. Der KBW setzte auf die gewaltsame Einführung des chinesischen und albanischen Modells für Deutschland, also den bewaffneten Volksaufstand. Bei allen großen Krawalldemonstrationen sowie dem Sturm auf die Atomkraftwerke war der KBW führend beteiligt. Die mit stalinistischer Härte geführte Sekte bekannte sich auch zu Kambodschas Pol Pot, den Joscha Schmierer persönlich besuchte und für dessen Rote Khmer die Partei Geld sammelte. »Gelingt es dem Proletariat nicht«, so liest man in einem KBW-Parteiprogramm, »einem weiteren imperialistischen Krieg durch die Revolution zuvorzukommen, so wird es seine Aufgabe, den imperialistischen Krieg in den Bürgerkrieg gegen die eigene Bourgeoisie zu verwandeln.« Dies könnte auch im Programm der RAF gestanden haben.

Wie ich verschiedenen Quellen entnehme, war die heutige Bundesvorsitzende der Grünen, Angelika Beer, Mitglied des KBW, während ihr Kollege Reinhard Bütikofer der Kommunistischen Hochschulgruppe (KHG) angehörte. Die stellvertretende Fraktionsvorsitzende der Grünen im Bundestag Krista Sager war Mitglied der dem KBW nahestehenden Sozialistischen Studenten-Gruppe (SSG). Die SPD-Bundesgesundheitsministerin Ulla Schmidt wiederum soll 1976 in Aachen sogar KBW-Kandidatin bei der Bundestagswahl gewesen sein. Vielleicht wäre von den Betroffenen, von denen sich einige in ihrer offiziellen Biographie darüber ausschweigen, ein klärendes Wort hilfreich.

Bei der Wahl von 1976, die Helmut Schmidt im Amt bestätigte, erhielt die Mao-Sekte immerhin 20 000 Erst- und Zweitstimmen. Seit damals beteiligte sich der KBW auch an den großen »Schlachten« um die Atomkraftwerke Brokdorf, Grohnde, Kalkar und um die in Gorleben geplante Wiederaufbereitungsanlage. Da sämtliche von den K-Gruppen idealisierten Arbeiterparadiese auf Atomenergie setzten, soweit sie es sich leisten konnten, war dieser ideologische Sonderweg erstaunlich. Im Zusammenhang mit dem Kampf gegen den »Militärisch-industriellen Komplex« machte er dagegen Sinn. Die Bundesrepublik war weltweit führend in der Nukleartechnologie. Vermutlich waren die Anti-AKW-Demos, die damals mit brutaler Gewalt auf dem Rücken der Polizei ausgetragen wurden, weniger von der Liebe zur Natur inspiriert als vom Willen, die Wirtschaftsmacht der BRD zu brechen und die Attraktivität des lahmenden kommunistischen Modells zu erhöhen.

Es war die Geburtsstunde der Grünen. Ihr Programm hieß: »Raus aus der Nato« und »Weg mit dem Atomprogramm«, was genau den Zielen des damaligen Ostblocks entsprach. Eine rational nachvollziehbare Begründung für den doppelten »Ausstieg« blieb man damals ebenso schuldig wie man heute die Herkunft der Parteiführer schönt oder geradewegs verleugnet. Die spätere Grünen-Chefin Claudia Roth, kein Mitglied beim Kommunistischen Bund Westdeutschlands, war als Werbeagentin der linken Szeneband Ton Steine Scherben tätig. Die hatte einst für die RAF den Sympathiesong *Der Kampf geht weiter* geschrieben und die Devise verbreitet: »Macht kaputt, was euch kaputt macht.« In einem Song hieß es: »(Ich) hau den ersten Bullen, die da auftauchen, ihre Köppe ein.« In einem anderen empfahlen sie Arbeitern, nach Feierabend ihren Chef zu besuchen. »Gib ihm doch endlich seinen Lohn, mach dich auf die Socken, er wartet schon.« Zu RAF-Zeiten war dieser Wink eindeutig.

Einige der genannten Repräsentanten der Bundesregierung und der Grünen haben in ihren offiziellen Bundestagsbiographien die betreffenden Lebensabschnitte weggelassen. Ihre politische Laufbahn beginnt mit dem »Eintritt in die Partei der Grünen«. Überhaupt scheint ein Prinzip eines Teils der Grünen in der Verschleierung ihrer eigenen Ursprünge zu liegen, die nahtlos an die linksextreme Tradition anschließen. In erstaunlicher Offenheit gestand Fischer in seinem Bestseller *Mein langer Lauf zu mir selbst:* »Das wirkliche Geheimnis meines Erfolges war das Auswechseln und Neuschreiben meiner persönlichen Programmdiskette«, und das bezog er ausdrücklich nicht nur auf seine Essgewohnheiten, sondern auf »eine umfassende und zielgerichtete Veränderung meines gesamten Lebensstils«. Offenbar hat sich die ganze Führungsriege dieser Löschung und Umschreibung von Lebensdaten angeschlossen. Wie ihr Chefprogrammierer Fischer bediente sie sich einer Doppelstrategie: Sie verharmloste ihre eigene Geschichte, soweit sie vor dem Hintergrund des RAF-Terrors spielte, der die Bundesrepublik erschütterte. Und gleichzeitig entstellte sie die Geschichte der Bundesrepublik auf eine Weise, die RAF, Angriffe auf Polizisten und Mitgliedschaft im militanten KB/KBW rechtfertigen sollte.

Als ich mich im Mai 2004 vor einer Fernsehdiskussion im Sender *ntv* mit Sandra Maischberger und Krista Sager unterhielt, sprachen wir auch über die berufliche Erfahrung grüner Politiker. Frau Sager sagte uns ganz stolz, dass sie bei der Registrierung ihrer persönlichen Daten für den Deutschen Bundestag als Beruf »Politikerin« eintragen ließ. Was vorher war, geht offenbar niemanden etwas an.

Die Verharmlosung der eigenen Biographie ist wie die verzerrte Darstellung des eigenen Landes eine Lüge. Man lügt über die eigene Herkunft, man täuscht die Wähler über die Geschichte des Landes, als wäre die Bundesrepublik unter Willy Brandt und Helmut Schmidt ein Unrechtsstaat gewesen. Und schließlich verteidigt man, wie Hans-Christian Ströbele, die Meuchelmörder als die wahren Humanisten. Dies alles gehört zum »Mythos RAF«.

Die erstaunlichsten Karrieren aber machten zwei Führungspersönlichkeiten des KBW: Joscha Schmierer, Gründer und Chefpropagandist der Mao- und Pol-Pot-nahen Umsturzpartei, kam im Auswärtigen Amt der Bundesrepublik Deutschland unter. Seit 1999 gehörte er zum Planungsstab, der die Leitlinien der deutschen Außenpolitik bestimmt. Sein Vorgesetzter, der Chef des Planungsstabs des Außenministeriums, war Georg Clemens Dick, der als Redakteur bei Schmierers *Kommunistischer Volkszeitung* mit der Verbreitung maoistischer Gedanken in deutschen Betrieben beschäftigt war. Dick war von 1998 bis 2000 Planungschef des Auswärtigen Amts im Rang eines Ministerialdirektors und wurde dann für seine Arbeit mit der Botschafterstelle in Chile belohnt. Sein Nachfolger als Planungschef, Joachim Schmillen, durfte 2003 den lukrativen Botschafterposten von Dick übernehmen.

Berufen wurden sie alle von Bundesaußenminister Joschka Fischer. Eine Anfrage der FDP-Fraktion wegen der Ernennung Schmierers in dieses verantwortliche Bundesamt war von Regierungsseite mit dem Satz abgewiesen worden, es sei »nicht Sache der Bundesregierung, Äußerungen oder Meinungen von Bediensteten, die vor der Einstellung in den Bundesdienst liegen, zu recherchieren oder zu kommentieren«.

Offenbar endet die von Fischer immer wieder gern propagierte »Verantwortung für die Geschichte« dort, wo seine eigene Geschichte beginnt.

Gelegentlich muss er sich allerdings an sie erinnern lassen. Als der Historiker Michael Wolffsohn im Juni 2004 in der *FAZ* zu der »Hetzjagd« Stellung nahm, die unter anderem »Angehörige der Bundesregierung« wegen seiner Äußerung zum Thema Folter gegen ihn entfesselt hatten, nahm er sich auch den zum Friedensfreund geläuterten Joschka Fischer vor. Obwohl dieser sich, so Professor Wolffsohn, als Unterstützer Israels engagiert habe, »muss man auch darauf hinweisen, dass jemand, der vor rund dreißig Jahren auf einen am Boden liegenden Polizisten brutal einschlug, heute als Personifizierung von Recht, Moral und polizeistaatlicher Bekämpfung rechtsextremistischer und anderer Gewalttäter nicht sonderlich überzeugend ist«. Ähnliches gelte für sein Engagement für Israel. »Gerade als deutscher Jude«, so Wolffsohn, »darf man auch erwähnen und, wie ich, herausfinden, dass derselbe Joseph Fischer 1969 bei der PLO in Algier Jassir Arafats Vernichtungsaufruf gegen Israel bejubelt hatte und nun, gut und schön, Wiedergutmachung leistet.«

* * *

Berlin, 1. Mai 2004. In der Bundeshauptstadt sind 8000 Polizisten aus den umliegenden Bundesländern zusammengezogen worden. In Kreuzberg wird wieder Bürgerkrieg gespielt. Die Anwohner fühlen sich terrorisiert. Steine, Flaschen, Leuchtraketen fliegen auf menschliche Ziele. Ob auch Molotowcocktails dabei sind? Ob Joschka Fischer von nostalgischen Gefühlen angerührt wird, wenn er die vermummten Helmträger Steine auf Polizisten werfen sieht? Vielleicht ist er auch empört, weil er genau weiß, dass man mit Wurfgeschossen und Feuerbränden Menschen verletzen und töten kann? Wendet er sich jetzt gegen die linken Schläger, wie er es Tage zuvor auf der OECD-Konferenz gegen den Antisemitismus tat? Natürlich nicht. Polizeisprecher und Medien geben erleichtert bekannt, dass es weit weniger schlimm gekommen sei, als befürchtet. Nur 192 Polizisten sind verletzt worden. Wenn diese Polizisten die Bürger schützen sollen, fragt man sich, wer eigentlich die Polizisten schützt.

Dabei üben die vermummten Gewalttäter noch freiwillige Selbstkontrolle. Sie proben den Aufstand nur am 1. Mai. Das könnten sie jederzeit ändern. Seit Joschka Fischers Zeit benimmt man sich nicht wie ein Lämmerschwänzchen. Ich lerne, dass ihr Kampflied »Deutschland muss sterben« heißt. Das Lied ist frei erwerblich, eine beliebte CD der Band The Slime, die auch zur Einstimmung auf die Krawalle gespielt wird. »Deutschland muss sterben«, heißt es da in einem zigmal wiederholten Refrain, »damit wir leben können.« Denn »wo Faschisten und Multis das Land regieren ... wo Panzer und Raketen den Frieden sichern«, da hilft nur noch eins: »Deutschland verrecke, damit wir leben können!«

Dieses Einpeitschlied für Steinewerfer, das auch der RAF gefallen hätte, ist mit höchstrichterlichem Segen frei erhältlich. Nachdem ein Berliner Gericht darin eine »Verunglimpfung des Staates« gesehen und es unter Strafe gestellt hatte, wurde dieses Urteil im November 2000 vom Bundesverfassungsgericht in Karlsruhe wieder aufgehoben. »Deutschland muss sterben«, so hieß es in der Begründung, sei durch die »Kunstfreiheit« gedeckt. Zudem sei es von seinem »künstlerischen Anspruch« her dem »literarischen Vorbild« von Heinrich Heines »Die schlesischen Weber« verpflichtet.

Als leidenschaftlicher Verteidiger der »Freedom of Speech« habe ich daran auch nichts auszusetzen. Aber hatte man Heines Gedicht auch wirklich gelesen? Es handelt vom Zorn der hungernden, frierenden Weber, deren Verzweiflung sich in den Worten entlädt, »Altdeutschland, wir weben dein Leichentuch«. Abgesehen davon, dass die vermummten Schläger von heute weder hungern noch frieren, weist Heines trauriges Gedicht nur sehr entfernte Ähnlichkeit mit dem modernen Totschlaglied auf. Man muss Heine geradezu in Schutz nehmen gegen das brutale Lied und ein Bundesverfassungsgericht, das den Dichter in solche Gesellschaft bringt.

Komisch, dass den Verfassungsrichtern ein historisch und inhaltlich viel näher liegendes Vorbild entgehen konnte. Wer sich nur ein wenig in neuerer deutscher Geschichte auskennt, wird in der letzten Zeile ein einschlägiges Zitat entdecken. Nicht von Heine, sondern von Hitler. Mit dem Ruf »Juda verrecke« machte die SA Jagd auf ihre Mitbürger.

Fast könnte man fragen: Wenn die Verfassung das Volk und das Verfassungsgericht die Verfassung schützt – wer schützt uns eigentlich vor dem Verfassungsgericht?

KAPITEL VIER

Wider den falschen Patriotismus

Der Wahlkampf 1998, der Gerhard Schröder an die Macht brachte, war von ihm mit dem Versprechen geführt worden, eine neue politische Ära herbeizuführen, die Nach-Kohl-Ära. Das traf auf allgemeine Zustimmung. Nach sechzehn Jahren hatte man den »Alten« satt. Schröder hätte mit jedem Programm gewinnen können, vermutlich sogar ohne ein Programm. Dass er nicht Kohl war, schien allen wichtiger, als dass er Schröder war.

Der Wahlkampf 2002 fand unter anderen Vorzeichen statt. Bereits nach vier Jahren hatte Deutschland die rot-grüne Koalition satt. Die Umfragen gaben darüber klare Auskunft. Es hatte sich gezeigt, dass die vielbeschworene Wende hauptsächlich eine rhetorische Wende gewesen war. Die neue »Berliner Republik« erschöpfte sich in Ankündigungen. Was sich wirklich verändert hatte, daran erinnerte man sich kaum mehr. Dosenpfand und Atomausstieg fielen einem spontan ein, oder auch Homoehe. Nicht nur wegen dieses armseligen Ergebnisses, sondern auch wegen der Diskrepanz zwischen Schröders Versprechungen und der Wirklichkeit gab niemand mehr einen Pfifferling auf die Fortsetzung dieser Koalition.

Seit der Nominierung des Kanzlerkandidaten Edmund Stoiber galt es als ausgemacht, dass er ins Kanzleramt einziehen würde. Roland Berger und ich hatten damals ein Aufbauprogramm für die neuen Bundesländer entworfen, das ich dem Ministerpräsidenten im Mai 2002 in der Bayerischen Landesvertretung in Berlin vortrug. Denn gerade an diesem Punkt hatte die Regierung, wie wir fanden, versagt. Während Schröder vier Jahre zuvor die Wahl auch mit der Ankündigung gewonnen hatte, den Osten zur »Chefsache« zu erklären, schien ihm dies

Versprechen hinterher entfallen zu sein. Nicht anders als jenes über die Senkung der Arbeitslosigkeit auf 3,5 Millionen.

Vielleicht auch wegen dieses Versagens seines Konkurrenten im Osten zeigte sich Edmund Stoiber höchst interessiert. Ich war beeindruckt, wie vertraut er bereits mit der Materie war. Konzentriert folgte er meinem Vortrag, stellte Fragen, war selbstbewusst und zugleich entspannt. Vor mir saß, so schien es, der kommende Kanzler. Man fühlte, dass er die Verantwortung, die auf ihn zukommen würde, in Gedanken bereits übernommen hatte.

Kurz darauf traf ich Lothar Späth zu einem Mittagessen im Berliner Hotel Adlon. Er nahm in Edmund Stoibers Schattenkabinett die Stelle des Wirtschaftsministers ein. Nach seiner erfolgreichen Arbeit als Jenoptik-Chef sollte er sich besonders um die neuen Bundesländer kümmern. Auch er zeigte sich aufgeschlossen gegenüber unserem Ostprogramm, das etwa eine langfristige Forschungsförderung vorsah und, für einen Zeitraum von zehn Jahren, die Abschaffung des Tarifkartells. Er wollte sich auch dafür einsetzen, dass die europäische »Neutronenquelle«, eine Art Super-DESY, zwischen Sachsen und Sachsen-Anhalt angesiedelt würde. Statt wie üblich mittels Atomreaktoren wird hier durch eine Zersplitterung der Atomkerne, »Spallation« genannt, die Neutronenversorgung Europas gewährleistet. Bei der ersten Pressekonferenz der zukünftigen Regierung Stoiber/Späth gehörte diese »Spallationsquelle ESS« zu den vorgestellten Punkten.

In Edmund Stoibers sehr detailliertem und sachbezogenem Wahlprogramm war scheinbar nichts unberücksichtigt geblieben. Hatte SPD-Generalsekretär Müntefering behauptet, der bayerische Ministerpräsident setze auf »Polarisierung«, also ein klares Feindbild, so bewies Stoiber das Gegenteil. Er blieb sachlich und konzentrierte sich auf die anstehenden Aufgaben. Dabei übersah er, dass man Wahlkämpfe nicht nur mit Sachthemen bestreiten kann.

Da Schröder auf dem Feld der argumentativen Auseinandersetzung nichts mehr gewinnen konnte, wechselte er blitzschnell den Kampfplatz. Dem geübten Rhetoriker und Juristen fiel es leicht, eben jene Rolle zu übernehmen, die Müntefering dem Gegner unterstellt hatte: Gerhard Schröder, erfolgloser Bundeskanzler, trat nun als erfolgreicher Polarisierer auf. Er gab sich als Patriot und lieferte das nötige Feindbild gleich mit. Keine zwei Jahre später wiederholte Schröder, nun ohne Parteivorsitz, das Spiel. Auf dem Tiefpunkt seiner Popularität, mit dem er die Minuswerte sämtlicher Vorgänger im Kanzleramt unterbot, unterstellte er zusammen mit Nachfolger Müntefering der möglichen Kanzlerkandidatin Angela Merkel, sie wolle »die deutsche Gesellschaft spalten«.

Kurz vor der drohenden Wahlniederlage 2002 kam Schröder das Glück in Form der großen Elbüberschwemmung, der »Jahrhundertflut«, entgegen. Er, der mit seinem politischen Latein am Ende war, entdeckte eine neue Rolle als telegener Deichgraf. Er war nicht der erste. Als ich die Bilder im Fernsehen sah, erinnerte ich mich an die große Elbüberschwemmung in meiner Heimatstadt 1962, die ebenfalls als »Jahrhundertflut« bezeichnet worden war. Über vierhundert Tote waren zu beklagen. Für einen jedoch wurde die Katastrophe zum Sprungbrett für eine große Karriere: Helmut Schmidt, Innensenator der Hansestadt, bewies den Mut, sich zur Rettung von Menschenleben über den Amtsweg hinwegzusetzen. Das kam an und zu Recht. Manche meinten allerdings schon damals, der forsche Hanseat hätte dabei auch ein gesundes Gespür für Selbstdarstellung bewiesen.

Auch heute noch bewundere ich, wie konsequent Helmut Schmidt zur Erreichung seiner Ziele Verantwortung an sich zog. Da er sich darin immer treu blieb, ging er als »Krisenmanager« in die Geschichte der Bundesrepublik ein. 1962 sagte ich meiner Schwester voraus, dass dieser Mann es einmal zum Kanzler bringen würde. Zwölf Jahre später war er es, und ich halte ihn heute noch für einen der besten. Der Kanzler, der auf ihn folgte, schien sich ein Beispiel an ihm zu nehmen. Bei der großen Oderflut 1997 betrat Helmut Kohl die Deiche, um sich selbst ins rechte Licht zu rücken. Während die Bundeswehr unter den Augen von Minister Volker Rühe Sandsäcke schleppte, beschwor er die deutsch-deutsche Solidarität. Und machte darüber vergessen, dass das Land auch noch andere Probleme hatte.

In den Wochen und Monaten nach der Oderflut versäumte Kohl keine Gelegenheit, seine Zuhörer an die Solidarität zu erinnern, mit der die Deutschen »zusammengehalten« und »gemeinsam« den Wassern getrotzt hatten. Mit solchem Pathos ließ sich trefflich von den vergessenen Reformen im sozialen, wirtschaftlichen und finanzpolitischen Bereich ablenken. Wie oft wartete ich bei seinen Ansprachen, die gegen Ende seiner Amtszeit immer länger wurden, auf ein ermutigendes Zukunftssignal und wurde doch nur immer wieder mit den großen Taten der Vergangenheit abgespeist. Hatte er früher regelmäßig auf die Leistung der Trümmerfrauen hingewiesen, wurden sie nun vom Heldenepos der Oderflut weggeschwemmt. Meist mussten wir, die in der ersten Reihe saßen, unsere komisch verzweifelten Mienen hinter Programmheften verbergen. Kohls Rechnung ging trotzdem auf. Eine Zeitlang fragte keiner mehr nach Reformen.

Offenbar hatte Gerhard Schröder die Auftritte seiner Amtsvorgänger im Gedächtnis, als er in Gummistiefeln durch den Matsch watete und den Wassermassen bedrohliche Blicke zuwarf – nicht ohne vorher sichergestellt zu haben, dass die Fotografen dies auch festhielten. Er brachte das Kunststück fertig, sich das Leid der Menschen »betroffen« anzuhören und zugleich nach den Kameras zu schielen. Schlagartig war vergessen, dass er gerade jene Bundesländer politisch vernachlässigt hatte, die am meisten vom Hochwasser getroffen waren. Und keinem fiel mehr auf, dass er im Gegensatz zu seinem Konkurrenten über keinerlei Ostprogramm verfügte. Doch angesichts seiner Entschlossenheit, Trost zu spenden und alle Schäden aus der Staatskasse zu begleichen, vergab man ihm.

Als Schröder Ende August 2002 ankündigte, »nach der Flut soll niemand materiell schlechter gestellt sein als vor der Flut«, da hielt ich es für den traurigen Tiefpunkt seiner Wahlkampfrhetorik. Eine solche staatliche Rundumversicherung hatte es zuvor bei keiner Naturkatastrophe gegeben. In einem *Bild-*

Kommentar schrieb ich damals: »Hat sich der Bundeskanzler mal überlegt, was die Einlösung dieses Versprechens durch ›Vater Staat‹ für alle anderen Opfer unverschuldeter Notlagen im Lande bedeutet? Ist ihm eigentlich klar, wer das bezahlen soll?« Offenbar war ihm nur eines klar: Mit der Versprechung dieses neuen Geldsegens hatte er sein Ostprogramm. Die Meinungsumfragen drehten sich zu seinen Gunsten.

Im November desselben Jahres wurde die Nordwestküste Spaniens von einer Umweltkatastrophe betroffen, als der Riesentanker »Prestige« vor Kap Finisterre auseinanderbrach und die Strände mit 77 000 Tonnen Schweröl verschmutzte. Schröders Amtskollege José Maria Aznar bewies damals, dass man Krisenmanagement betreiben konnte, ohne gleichzeitig der Versuchung des Populismus zu erliegen. Ich habe den spanischen Ministerpräsidenten mehrmals im Moncloa-Palast in Madrid getroffen, um mit ihm etwa über die Einführung des Euro oder die Probleme der EU-Osterweiterung zu sprechen. Mit seiner nüchternen, uneitlen Art hat er mich immer sehr beeindruckt.

Welch ein Unterschied zu Gerhard Schröder! Aznar handelte lieber, als dass er redete. Aznar legte auch auf die öffentliche Meinung wenig Wert. Nachdem das Öl an den Stränden angekommen war, entschloss er sich, dies nicht für medienwirksame Auftritte auszunutzen. Er wollte keine Showveranstaltungen. Wo gearbeitet wurde, wollte er nicht stören. Als Folge stürzte er in den Umfragen ab. Das war voraussehbar. Aber er folgte lieber seinen Prinzipien.

Leider schien er in den letzten Tagen seiner Amtszeit davon abzurücken. Offenbar entnervt von dem furchtbaren Bombenanschlag in Madrid und der daraus folgenden Panik, die bevorstehende Wahl zu verlieren, zog er es vor, der eigenen Partei statt der Wahrheit zu dienen. Er streute den Verdacht gegen die baskische Terrororganisation Eta, obwohl alle Indizien bereits auf Al Qaida hinwiesen. Seine betonte Distanz zu den Medien schlug plötzlich um in einen Vergewaltigungsversuch. Schade, dass seine bemerkenswerten politischen Leistungen dadurch in Misskredit geraten sind.

Dennoch bleibe ich dabei, dass Aznar etwas erkannt hatte, was die medienverliebten Politiker unseres Landes nicht ohne weiteres einsehen: Politik ist ein ernstes Geschäft, das über das Schicksal von Millionen entscheidet. Die Folge dieser Einsicht ließ sich auf Aznars Gesicht ablesen. Er lächelte selten, lachte fast nie. Schröder dagegen muss häufig lachen. Sobald er ein Kameraobjektiv auf sich gerichtet sieht, verzieht sich sein Gesicht zu einem Strahlen, als wolle er allen Zuschauern der Abendnachrichten mit den Worten zutoasten: Freunde, das Leben ist lebenswert!

Auch dies konnte er schon bei Helmut Kohl lernen. Bevor in Bonn eine Kabinettssitzung begann, wurden die Fotografen hereingebeten. Fast jedesmal stimmten Kohl und Blüm ein herzhaftes Gelächter an, bogen sich förmlich vor Lachen, als hätte jemand einen unwiderstehlichen Witz erzählt. Der Witz bestand aber nur darin, dass sie dies für besonders öffentlichkeitswirksam hielten. Prustend signalisierte man dem deutschen Volk: Seht, wie blendend wir uns fühlen. Fühlt euch also genauso!

Schröder übertraf ihn darin noch. Je tiefer die Umfragewerte sanken, desto höher stiegen seine Mundwinkel. Bei Bedarf wurden sie wieder nach unten gezogen, um Entschlossenheit zu mimen. Während des Bundestagswahlkampfs 2002 war unbeirrbare Willenskraft angesagt. Auf den Elbdeichen schien Schröder unüberbietbar. Stoiber hatte damals einen medientechnischen Fehler gemacht, der charakterlich eher für ihn sprach. Wie Aznar wollte er sich nicht an einer Stelle produzieren, wo er nichts verloren hatte. Es konnte ja nicht die Aufgabe eines Ministerpräsidenten oder eines Bundeskanzlers sein, die Arbeiten des Technischen Hilfswerks zu überwachen. Schröder sah das umgekehrt: Die Bühne ist überall dort, wo man die Scheinwerfer aufstellt. Das hatte er Stoiber voraus. Und dieser Vorsprung sollte entscheidend sein.

Nach der Wende von 1989 hatte Helmut Kohl sich zu der berühmten Prophezeiung hinreißen lassen, wo einst DDR war, würden nun »blühende Landschaften« entstehen. Das war Wunschdenken, aber ich bezweifle nicht, dass der Kanzler das im Rausch der historischen Stunde auch glaubte. Es war dennoch ein Fehler, etwas als selbstverständlich auszugeben, was doch erst einmal hart erarbeitet werden musste. Eine Landschaft blühte nicht allein schon deshalb, weil das Finanzamt einen Solidaritätszuschlag erhob. Statt die Energien jedes einzelnen zu mobilisieren, griff Vater Staat in seine Subventionskasse. Wenn Gerhard Schröder im Jahr 2002, als die Ernüchterung längst eingetreten war, mit Geldzusagen auf Wählerfang ging, löste er bewusst dasselbe Missverständnis aus. Sein Versprechen klang, als wollte er wie Kohl sagen: »Keine Sorge, wir bezahlen das schon.« Er hätte es besser wissen müssen.

Dies war Schröders erster Etappensieg auf dem Weg zur zweiten Kanzlerschaft. Aber er genügte noch nicht, um die Wahlen zu gewinnen. Die Enttäuschung, ja Verärgerung über die rotgrüne Politik saß zu tief. Etwas anderes kam ihm zu Hilfe, das ebenfalls unter die Rubrik »Glück gehabt« fiel: die Irakkrise. Strenggenommen war es gar nicht seine Irakkrise, noch war es die der Deutschen. Schröder machte sie erst dazu. Dadurch schlüpfte er in die dankbare Rolle des Friedensengels, während er die Opposition, die loyal zu Amerika stand, zu Kriegstreibern stempelte.

Sein taktischer Einfall, mit dem er die Wähler doch noch auf seine Seite bringen wollte, hatte unabsehbare Folgen. Er führte zu einem Bruch mit einem außenpolitischen Grundprinzip, an das sich alle Kanzler der Bundesrepublik gehalten hatten: Schröder stellte die freundschaftliche Beziehung zu Amerika in Frage. Zu der offensichtlichen Abkühlung des transatlantischen Verhältnisses, das immer das Rückgrat der deutschen Außenpolitik gebildet hatte, kam noch eine ganze Reihe, geradezu ein Rattenschwanz von Nebenwirkungen, die nicht sogleich ins Auge fielen. Ein Richtungswechsel, der Gerhard Schröder in einer bestimmten Situation opportun erschienen war, hob eine jahrzehntelang bewährte Politik aus dem Gleis. Prompt verlor er die Kontrolle darüber, wohin sie sich in Zukunft bewegte.

Sein Einfall, der ihm vor laufenden Kameras über die Lippen kam, hatte in einem simplen Trick bestanden. Um die Besucher einer Wahlkampfveranstaltung in Fahrt zu bringen, hatte er einfach so getan, als forderten die USA für den zukünftigen Krieg gegen Saddam deutsche Soldaten an. Daraus ergab sich zwangsläufig, dass deutsche Soldaten auf fernen Schlachtfeldern fremdes Blut vergießen würden. Und dass deutsches Blut auf fremden Schlachtfeldern vergossen würde. Beides hätte, wie Schröder mit energischer Redekunst vortrug, einen Bruch mit den Überzeugungen des friedliebenden Deutschland bedeutet.

Dementsprechend blieb dem Bundeskanzler gar keine Wahl, als das zu tun, was er sonst als »Populismus« bezeichnete, nämlich im Namen des Vaterlands, des Friedens, der Völkerfreundschaft »Nein!« zu rufen. Dabei ging er in seinem pazifistischen Überschwang sogar über seinen Bundesgenossen Chirac hinaus: Schröder weigerte sich nicht nur, in den Krieg zu ziehen, sondern lehnte auch eine Beteiligung unter UNO-Mandat ab. Für diesen erstaunlichen Sonderweg, der ihn auch gegenüber der Völkergemeinschaft isolierte, dankte ihm sein Publikum mit Ovationen.

Der Widerhall war so gewaltig, dass niemandem auffiel, wie der wahlkämpfende Patriot getrickst hatte. Seine Suggestion war weit über die Wahrheit hinausgeschossen. Weder hatten die Amerikaner deutsche Soldaten angefordert, noch war ein solcher Kampfeinsatz überhaupt mit der Verfassung vereinbar. Als Schröder sein »Machtwort« in die Mikrophone sprach, stand nichts davon zu Debatte. Doch er wollte diese Debatte. Da innenpolitisch nichts mehr zu gewinnen war, lenkte er das allgemeine Interesse nach draußen, auf die Weltpolitik der Zukunft. Den bayerischen Ministerpräsidenten, der sich auf eine innenpolitische Auseinandersetzung vorbereitet hatte, erwischte er damit auf dem falschen Fuß. Zugleich drückte er ihn in die gegnerische Ecke, als trüge die Opposition den Marschbefehl für unsere Soldaten bereits in der Hosentasche.

Nachträglich zeigte sich, dass die Amerikaner ohne ein klares Konzept für die Zeit nach dem Krieg in den Irak gegangen sind. Sie gewannen den Krieg, und verlieren vielleicht trotzdem noch den Frieden. Gewonnen schien nur einer zu haben: Gerhard

Schröder. Vor der Europawahl 2004 stellte er sich als Mann dar, der die Deutschen aus dem Irakdebakel herausgehalten hat. An dieser Legende wurde seit langem gestrickt, und immer mehr schenkten ihr Glauben. So schrieb der Chefredakteur der *Bild am Sonntag,* Klaus Strunz, man solle sich bei Schröder dafür entschuldigen, dass man ihn wegen seiner Haltung zum Irakkrieg kritisiert hatte. Schließlich habe er den Deutschen damit viel erspart.

Aber wie konnte er ihnen etwas ersparen, was für sie niemals vorgesehen war? Es läuft auf eine dreiste Verfälschung der Geschichte hinaus, wenn man unterstellt, dass die Deutschen in der Kriegsplanung der Amerikaner eine Rolle gespielt hätten. Kein einziger deutscher Soldat war eingeplant, das stand niemals auch nur zur Debatte. Dennoch scheint es bereits als historische Wahrheit in unsere Geschichtsbücher einzugehen. Dabei hatte erst Schröder dies erfunden, um es als Wahlkampfthema hochziehen zu können.

Durch die künstlichen Aufreger Irakkrieg und Elbflut wurde die Wahl zum Deutschen Bundestag entschieden. Die Sachthemen, die Edmund Stoiber in sein Programmheft geschrieben hatte, blieben ohne entscheidende Wirkung. Statt dessen ließ Stoiber sich von Schröder regelmäßig auf Themen festnageln, die dem Kanzler genehm waren. Bei beiden Fernsehduellen, die ich damals für ARD und ZDF kommentierte, fiel mir diese einseitige »Wahl der Waffen« auf. Schon im ersten Duell warf Schröder dem Herausforderer vor, er wolle die Steuerfreiheit für Nachtzuschläge abschaffen. Das gehörte zwar weder zu den ersten Prioritäten der deutschen Politik, noch stand es im CDU/CSU-Programm. Aber es kam beim Publikum an und brachte Stoiber in eine aufgeregte Defensivposition. Was mich besonders ärgerte, war die Unverfrorenheit, mit der Schröder dieses absurde Steuerprivileg instrumentalisierte, das 1944 von Hitler eingeführt worden war, um die letzten Kräfte in den Waffenfabriken zu mobilisieren. Neben Schröders Virtuosität wirkte Stoibers Ernst wie ein Quotenkiller. Nach der zweiten Fernsehrunde beklagte sich denn auch ein junger Mann über den

CDU/CSU-Kandidaten, er spreche »immer nur über die Arbeitslosigkeit. Wie langweilig.«

Wie langweilig all das Gerede über Sozialreformen oder Lohnnebenkosten, über tarifrechtliche Öffnungsklauseln und den Standort Deutschland. Wie hinreißend dagegen die Vorstellung, der Not von Flutopfern abzuhelfen und einen Krieg zu verhindern, indem man dem imperialistischen Amerika in den Arm fiel. Schröder gewann die Wahl, hauchdünn zwar, aber unwiderruflich. Er gewann sie dank einer Mobilisierung von Emotionen, für die der technische Ausdruck »Demagogie« lautet. Im Brockhaus lese ich, ein Demagoge sei ein Politiker, der »durch Ausnutzung von Vorurteilen, Emotionen, Notsituationen und durch abschätzige Kritik seiner politischen Gegner Anhänger zu gewinnen sucht«.

Im Jubel über den rot-grünen Sieg schien es kaum der Rede wert, wo Schröder seine neuen Anhänger gewonnen hatte. In allen westlichen Bundesländern waren der SPD deutlich Stimmen verlorengegangen. Dafür hatte sie in allen östlichen Bundesländern ebenso deutlich Stimmen dazugewonnen. Es waren mehr oder weniger jene, die der PDS verlorengingen. Schröders Taktik hatte also bei den Wählern einer neomarxistischen Partei Früchte getragen. Und diese hatten den Ausschlag gegeben.

Die Besonderheit der kommunistischen Propaganda hatte immer in ihrer moralischen Ausrichtung bestanden. Statt die wirklichen Probleme anzusprechen, wurde über das Gute und das Böse geurteilt. Und da man selbstverständlich immer die Seite des Guten vertrat, konnte über die Missstände des Alltags großzügig hinweggesehen werden. Dem einstigen Jungsozialistenführer Schröder war diese Blickrichtung nicht fremd. Um die alten Genossen und neuen Sozialisten auf seine Seite zu ziehen, hatten zwei Schlüsselworte genügt, mit denen er Erinnerungen an kaum vergangene SED-Zeiten wachrief. Es waren Slogans, die mir erstmals in den fünfziger Jahren auf Transparenten in Ostberlin aufgefallen waren und die ich dann wieder 1983 auf der Bronzetafel vor der Frauenkirche gelesen hatte:

»Gegen den amerikanischen Imperialismus« und »Für Frieden und Völkerfreundschaft«.

Dem DDR-Regime dienten diese Parolen als Ablenkungsmanöver, um über die eigenen Schwächen hinwegzutäuschen. Es mag uns schlechtgehen, so wollte man damit sagen, aber immerhin sichern wir durch die Mauer den Frieden. Und dass es uns schlechtgeht, das verdanken wir den Amerikanern, die die ganze Welt ausbeuten und mit Krieg überziehen. Weil Schröder bei seinen Wahlkampfauftritten die beiden Schlagworte aus der Mottenkiste holte, fühlten sich die Anhänger der DDR-Ideologie angesprochen. Wozu brauchte man da noch eine PDS? Schröder hatte den richtigen Ton getroffen. Am Wahltag schaffte es die SED-Nachfolgepartei nicht einmal in den Bundestag.

* * *

Der Preis, den Deutschland für Schröders Richtungswechsel zu zahlen hatte, war hoch und an allen möglichen Kassen zu entrichten. Da er die USA als Verbündeten verloren hatte, galt es, schnell in der EU Ersatz zu finden. Jacques Chirac bot sich an, allerdings nicht ganz uneigennützig. Zur selben Zeit stand nämlich in der Gemeinschaft ein ernstes Problem zur Diskussion. Durch die bevorstehende Osterweiterung der Europäischen Union würde der größte Teilhaushalt der EU, der Agrarbereich, neu aufgeteilt werden müssen. Es handelte sich immerhin um 44 Milliarden Euro an Landwirtschaftshilfen.

Hatte Schröder zuvor die marktwirtschaftlich vernünftige Position vertreten, die bisherigen Subventionen zugunsten der Neumitglieder langsam abzusenken, so gab er seinen Einwand überraschend auf. Denn die Franzosen, die am meisten davon profitierten, mochten nicht gerne auf ihre Rekordbeihilfe verzichten. Sie beharrten auf Festschreibung der Summen. Dank Schröders Entscheidung müssen die Deutschen also weiterhin als größte Nettoeinzahler zum europäischen Agrarhaushalt beitragen. Chiracs Lächeln, das ihm in Schröders Gegenwart immer auf die Lippen tritt, mag auch ein kleines Dankeschön dafür sein, dass Deutschland jährlich 1 Milliarde Euro an die französischen Bauern überweist. Überspitzt gesagt, arbeitet der deutsche Steuerzahler immer für den französischen Bauern mit. Und daran wird sich dank Schröders neuer Bündnispolitik auf absehbare Zeit nichts ändern.

Für das Privileg, die Sympathie des bewunderten Chirac zu genießen, war Schröder kein Preis zu hoch. Sichtlich genoss er es, unter dem Regenschirm des großen Franzosen stehen zu dürfen. Dass er dabei nur die Rolle des Juniorpartners übernahm, schien ihm zu entgehen. Denn die Achse, die Schröder leichtfertig schmiedete, war durch völlig divergierende Interessen bestimmt. Dem Deutschen ging es darum, innenpolitisch Terrain gutzumachen, das durch den Bruch mit Amerika verloren war. Er wollte zu Hause zeigen, dass er über mächtige Freunde verfügte, und den Amerikanern, dass er auch ganz gut ohne sie auskam.

Konnte man Schröders Motivation mit persönlichem Machtbedürfnis erklären, so bewies Chirac patriotischen Instinkt. Frankreich war immer vom Gefühl der eigenen »Gloire« erfüllt, die mit der Erinnerung an die Revolution und Napoleon verbunden blieb. Dieser Glanz wurde durch den starken Nachbarn jenseits des Rheins beeinträchtigt. Trotz der Freundschaftsbündnisse von Adenauer und de Gaulle bis zu Kohl und Mitterrand war es nie gelungen, die Deutschen ganz auf die eigene Seite herüberzuziehen. Von Anfang an war es eine Grundregel der deutschen Außenpolitik gewesen, sich nie von Paris gegen Amerika in Stellung bringen zu lassen. Seit den ersten Tagen der Bundesrepublik hatte man sich die USA als ersten Bündnispartner ausgesucht, sehr zum Verdruss des westlichen Nachbarn.

Mit Schröder löste sich dieses Problem von selbst. Deutschland erwies sich als anlehnungsbedürftig. Der deutsche Kanzler war es, der die Hand suchend ausstreckte, und Chirac zögerte nicht, sie ihm als wohlwollender Patron entgegenzustrecken. Fortan entwickelte sich zwischen beiden, wie die *Neue Zürcher Zeitung* spottete, ein fast intimes »Begrüßungsritual«. Der Kleinbürger Schröder fühlte sich plötzlich von einem eleganten

Weltmann als Partner behandelt, ja umworben, und darauf schien Chirac es auch anzulegen. Wer zahlte, hatte Anspruch auf Vorzugsbehandlung. Und Schröder, sichtlich beeindruckt von der Prachtentfaltung des Pariser Hofzeremoniells, dankte es ihm.

Noch eine weitere Fliege konnte Chirac mit Schröders Klappe schlagen. Seit de Gaulles Zeiten hatte Frankreich sich erfolgreich dagegen gesträubt, von den Amerikanern vereinnahmt zu werden. Man sah sich als Großmacht eigenen Rechts und legte Wert auf Unabhängigkeit – gerade auch im Nahen Osten, wo Frankreich seit Kolonialzeiten engagiert war. Das blieb nicht ohne Folgen; im Nahen Osten war man einander empfindlich ins Gehege gekommen. Die französische Selbstbehauptung wurde in den USA meist als Arroganz aufgefasst, mit der man sich der gemeinsamen Sache zu entziehen suchte. Nicht zuletzt deshalb waren die Deutschen jahrzehntelang Amerikas bevorzugte Alliierte, während man den Franzosen mit Misstrauen begegnete.

Schröders Kehrtwendung löste in Washington Enttäuschung aus. Amerika hatte uns zur Initialzündung des Wiederaufbaus verholfen und anschließend jahrzehntelang gegen die Bedrohung durch die Sowjetunion geschützt. Auch wenn es heute vielleicht vergessen ist, verdankt die Bundesrepublik ihr Überleben nicht Paris, sondern Washington. Amerikanische Flugzeuge versorgten die von den Russen eingeschlossene Hauptstadt, amerikanische Truppen standen an der Sektorengrenze Auge in Auge mit russischen. Während deutsche Politiker irgendwann den Mauerbau für unumkehrbar erklärten und die Hoffnung auf Wiedervereinigung aufgaben, hielten die Amerikaner am einigen Deutschland fest. Wurde der Gedanke, es könnte zu einer Wiedervereinigung kommen, von immer mehr deutschen Politikern wie eine Gefährdung des Weltfriedens behandelt, ruhten die Präsidenten Reagan und George Bush senior nicht eher, als bis die Mauer gefallen war.

Dagegen zeigten sich unsere Freunde von jenseits des Rheins in Sachen deutsche Einheit sehr reserviert. Weder Paris noch

London waren allzu begeistert über die Vorstellung eines zweiten »Großdeutschland«. Sie befürchteten, eine neue europäische Wirtschaftsmacht könnte entstehen, die ihnen die Butter vom Brot nehmen würde. Die Amerikaner teilten dieses politische Kalkül nicht. Als Demokraten spürten sie, dass man einem Volk auf Dauer nicht seine Selbstbestimmung vorenthalten konnte. Und sie handelten danach. Gerhard Schröder dagegen ließ sich ausgerechnet mit antiamerikanischen Parolen von jenen als Kanzler wiederwählen, die den Amerikanern die Freiheit verdanken, überhaupt frei wählen zu dürfen.

Auch die Franzosen verdanken den Amerikanern ihre Freiheit. Zweimal im letzten Jahrhundert waren es GIs, die die deutschen Besatzer über den Rhein zurücktrieben. Trotzdem blicken viele Franzosen immer noch mit Herablassung auf die Amerikaner und lassen keine Gelegenheit aus, um ihnen zu demonstrieren, dass man sich in Europa als Nummer eins fühlt.

Im Gegensatz zu Paris hatte Berlin nicht den geringsten Grund, die Amerikaner vor den Kopf zu stoßen. Aber gemeinsam marschiert es sich am besten, und da man auch ein Feindbild hatte, gab es keine Hemmungen mehr. Die neue Achse Berlin–Paris machte weltweit Stimmung gegen die einstige Schutzmacht.

Schon Schröders Entschluss, Chirac die Agrar-Milliarden zu schenken, hatte bewiesen, wie ahnungslos er internationale Politik betreibt. Er hätte wissen müssen, dass Chirac seine Karriere als Landwirtschaftsminister begonnen hatte und seitdem nichts unversucht ließ, seine subventionsverwöhnte Klientel in der EU zu protegieren. In unzähligen Nachtsitzungen der Brüsseler Agrarbehörde war es immer nur um eines gegangen: die Zuschüsse für Frankreich. Um diese einseitige Privilegierung der französischen Bauern, um die sie ihre deutschen Berufskollegen nur beneiden können, war immer »hart gerungen« worden. Schröder schenkte sich die Mühe und seinem Freund Chirac die erwünschten Milliarden. Und die deutsche Presse übte sich in vornehmer Zurückhaltung.

Wenig bemerkt blieb auch eine weitere galante Geste Schröders, die in Paris für Aufsehen sorgte. Dort wurde es im Februar 2004 als »unerwartetes Geschenk« bezeichnet, dass der Deutsche seinen Widerstand gegen Ausnahmeregelungen bei der Mehrwertsteuer aufgegeben hatte. Überraschend gab Schröder sein Placet, wonach den Franzosen gestattet sein sollte, ab 2006 ihre Steuersätze in der Gastronomie von 19,6 auf 5,5 Prozent zu senken. Dieses Entgegenkommen, das Eichels innenpolitischem Kurs einer Reduzierung von Ausnahmetatbeständen strikt zuwiderläuft, wird, falls Chirac den Widerstand dreier kleiner EU-Staaten überwindet, spürbare Folgen nach sich ziehen. Andere Länder haben bereits vierzig weitere Ausnahmewünsche angemeldet, unter anderem für Motorradhelme und Gartengestaltung. Ich frage mich, warum das deutsche Handwerk noch nicht um eine Steuersenkung gebeten hat, um die Schwarzarbeit zurückzudrängen. Oder warum sollten wir nicht gleich die Mehrwertsteuer für alle halbieren?

Die Männerfreundschaft führte auch neue Sitten in die Gemeinschaft ein. Unmissverständlich erinnerten Schröder und Chirac die Kleineren daran, dass sie, als die Vertreter der mächtigsten Volkswirtschaften, auch entsprechenden Einfluss wünschten. Man sparte sich die Mühe, sensibel vorzugehen und diplomatische Tugenden zu pflegen, wie sie sonst in Europa üblich waren. Statt das partnerschaftliche Verhältnis zu den kleineren Ländern zu pflegen, interessierte nur noch, wie George W. Bush einmal sagte, wer den größten Hut aufhat. Schröder entwickelte eine eigene »Basta-Rhetorik«.

Man griff die Europäische Kommission an, nicht ohne den leisen Spott anzufügen, sie sei »nicht sakrosankt«. Man bestimmte, dass am Verfassungsentwurf Giscard d'Estaings nicht gerüttelt werden durfte. Vor allem gab man der Gemeinschaft zu verstehen, dass die Stabilitätskriterien des Euro für die Kleinen gelten mochten, nicht jedoch für Deutschland und Frankreich. Geradezu trotzig wehrte man Brüsseler Mahnungen ab, konterte sie gar mit der Drohung, statt der eigenen Wirtschaftspolitik lieber den Pakt zu verändern.

Gerade die altmodische, jede Liberalisierung abwehrende

Wirtschaftspolitik von Deutschland und Frankreich ist aber verantwortlich dafür, dass Europa selbst in eine Krise geraten ist. Ihr zur Schau gestellter Machtanspruch führte dazu, dass sich im Vorfeld des Irakkriegs eine Reihe europäischer Länder demonstrativ mit den USA verbrüderten. Als es um die Stimmengewichtung im künftigen Europaparlament ging, warfen sich Spanien und Polen nun ebenfalls in die Brust und stellten, dem Vorbild der Großen nacheifernd, anmaßende Forderungen. Dass es zu dieser Verschärfung der Tonlage kam, verdankt Europa der Achse Berlin–Paris.

Im Vollgefühl, Weltpolitik zu gestalten, erweiterte Schröder die Achse noch um einen weiteren Partner: Moskau. Putin, der eine nahöstliche Machtverschiebung zu seinen Ungunsten fürchtete, kam der Antiamerikakurs der beiden gerade gelegen, da er so die Europäer gegen Bush ausspielen konnte. Wie seltsam, dass der Kanzler und sein in Sachen Menschenrechte angeblich so sensibler Außenminister im Fall Wladimir Putin Nachsicht walten ließen. Nicht erst durch Amnesty International mussten sie wissen, dass ihr Freund längst auf dem vakanten russischen Zarenthron saß. Er hat die Presse an die Leine gelegt, seinen alten Genossen aus KGB-Zeiten die innere Sicherheit anvertraut, politische Konkurrenten wie den Ölmilliardär Michail Chodorkowskij unter Vorwänden eingesperrt und die deutsche Bundesregierung dazu gebracht, über die Menschenrechtsverletzungen in Tschetschenien hinwegzusehen. Auch Putin hat längst Gefallen gefunden an Machtworten. Die Demokratie scheint er vor allem deshalb zu schätzen, weil sie ihm die Möglichkeit bietet, unangefochten den großen Max zu spielen. Und das heißt auch, sich mit zaristischem Pomp selbst zu inszenieren, wie man dies nach seiner Wiederwahl im Fernsehen verfolgen konnte. Auffällig, dass Gerhard Schröder sich zu einem solchen Alleinherrscher persönlich hingezogen fühlt, während er gegenüber Präsident Bush und seiner Nation Abstand wahrt.

Als sich die autoritäre Wendung Putins nicht mehr übersehen ließ, stiftete Schröder noch eine Achse. Diesmal, im Februar 2004, lud er Jacques Chirac und Tony Blair nach Berlin ein, hauptsächlich um sich an der Verärgerung zu erfreuen, die er in Italien und anderen europäischen Ländern damit auslöste. Dort fürchtete man, dass die drei nun als lachendes Triumvirat über Europa herrschen wollten, und auf diesen Einschüchterungseffekt hatte Schröder es wohl auch abgesehen – neben dem Ziel der drei, von ihren innenpolitischen Schwierigkeiten abzulenken. Wie Schröder, der sein Amt als Parteichef wegen Unfähigkeit aufgeben musste, sorgten sich Chirac wegen seines verurteilten Kronprinzen Juppé und Blair wegen der Spätfolgen des Irakkriegs.

Am Ende forderten sie, wie man es von solchen Supermännern nicht anders erwarten kann, für Europa einen »Superkommissar«. Und gingen lachend wieder auseinander, als hätte einer gerade einen unwiderstehlichen Witz erzählt. Etwa den, dass das deutsche Pro-Kopf-Einkommen erstmals unter den Durchschnitt der Europäischen Union gefallen war und die Iren nicht nur Deutschland, sondern auch Frankreich und Großbritannien in dieser Disziplin überflügelt haben.

* * *

Der Begriff »Demagogie« scheint außer Mode gekommen zu sein. Ich vermute, weil das, was er bedeutet, in Mode gekommen ist. Oder besser, weil es an die Macht gekommen ist: Emotionen wecken, den Gegner verächtlich machen, ja ihn zu einem Feind stempeln, der keinen Respekt verdient. Sein Meisterstück in dieser Disziplin legte Gerhard Schröder im Dezember 2003 ab. Es dürfte das erste Mal seit 1945 sein, dass ein deutscher Regierungschef eine Gruppe unbescholtener Menschen aus der Gemeinschaft auszugrenzen suchte. Eine Minderheit, die sich an alle Gesetze hielt und dennoch unter seinen moralischen Bann fiel. Eine Gruppe, die von der europäischen Freizügigkeit Gebrauch macht, wie sie auch von ihm selbst vertreten wird. Zum Glück schien der Begriff »Ächtung« den wenigsten geläufig zu sein. Auch die Presse schwieg größtenteils betreten, als hätte man sich an Kanzlers Kraftsprüche schon gewöhnt.

Schröder hatte sich in einem Interview der *Bild am Sonntag* über jene Mitbürger aufgeregt, die ihren Wohnsitz ins Ausland verlegen, um weniger Steuern zu zahlen. Statt sich nüchtern zu fragen, wie andere Länder etwas schaffen, was ihm unmöglich ist, drehte er den Spieß um und attackierte jene, die es vorziehen, im Ausland weniger Steuern zu zahlen. Diese vollkommen legale und legitime Methode, mit seinem Geld ökonomisch umzugehen, wurde im Handumdrehen zum moralischen Delikt. »Solche Leute«, sagte Schröder, »sind unpatriotisch. Mit denen kann man keinen Staat machen.« Offenbar war ihm entfallen, dass der Umgang mit solchen Vokabeln in Deutschland eine lange Tradition hat.

Der Begriff »patriotisch« kommt bekanntlich vom lateinischen »patria«, »Vaterland«. Mir ist keine Gelegenheit im Gedächtnis geblieben, wo der Bundeskanzler diesen deutschen Ausdruck gebraucht hätte. Um Worte wie »Heimat« oder auch nur »die Deutschen« zu umgehen, sprach er meist von »diesem Land« und den »Menschen in diesem Land«. Da konnte man allerdings nichts falsch machen. Nun also wurde ein Vaterlandsbegriff ins Spiel gebracht, um eine Minderheit auszugrenzen, die nicht mehr dazugehören sollte. Wusste er nicht, dass man früher »solche unpatriotischen Leute« kurzerhand als »Vaterlandsverräter« bezeichnete?

Während zu Bismarcks und Kaiser Wilhelms Zeiten die SPD-Genossen als »vaterlandslose Gesellen« gebrandmarkt wurden, drückte der SPD-Kanzler nun den »Steuerflüchtlingen« denselben Stempel auf. »Wir sollten dieses Verhalten gesellschaftlich ächten«, sagte er. Zwar forderte der Jurist Schröder nicht zu einer Ächtung einer Minderheit auf, sondern einer Ächtung ihres Verhaltens. Aber das war nur ein Advokatenkniff. Denn von der »Ächtung« getroffen werden die Menschen, denen man ein bestimmtes Verhalten anlastet. Etwa jene, die ab 1933 als »undeutsch« und »egoistisch« ausgegrenzt wurden.

Um noch einmal das Lexikon zu zitieren: »Ächtung« bedeutet den »schon bei primitiven Gruppen vorkommenden Ausschluss aus der Gemeinschaft, besonders bei gemeingefährlichen Rechtsbrüchen. Im besonderen die mittelalterliche Form, bei der man aus dem Rechtsverband ausgestoßen, für vogelfrei, ehrlos und rechtlos erklärt wurde. Jeder durfte einen Geächteten töten.« Ich frage mich, wie Schröder reagiert hätte, wenn einer der von ihm Geächteten wirklich umgebracht worden wäre. Hätte er dem Mörder gesagt, er, Schröder, habe doch nicht den Menschen, sondern nur sein Verhalten ächten wollen? Vielleicht wäre die Antwort des Mörders gewesen, auch ihm sei es um nichts anderes gegangen.

Dabei ist es nicht allzulange her, dass der Kanzler noch vor jenen den Hut zog, die er jetzt der Ächtung empfahl. Ich kann mich gut erinnern, wie Gerhard Schröder im Jahr 2000 zum Großen Preis von Europa auf dem Nürburgring erschienen war. Da es sich um ein europäisches Ereignis handelt, hatte er den Kommissionspräsidenten Romano Prodi als Ehrengast eingeladen, und dies nicht zufällig. Zusammen mit der deutschen Industrie hatte Schröder sich gegen ein europaweites Verbot von Tabakwerbung ausgesprochen, und zwar mit dem nachvollziehbaren Argument, dass es hierbei um Gesundheitspolitik ginge, die nun einmal nationale Angelegenheit sei. Schröders Einladung an Prodi schien mir deshalb besonders schlau, weil von einem Verbot der Tabakwerbung besonders der Publikumsmagnet Formel 1 betroffen wäre. Ohne die Sponsorengelder der Tabakunternehmen gäbe es keine Rennen.

Erwartungsgemäß gewann Deutschlands Nationalheld Michael Schumacher das Rennen. Vor dem Siegerpodest hatten schon die Politiker zur Überreichung der Preise Aufstellung genommen. Da es sich um den Großen Preis von Europa und nicht von Deutschland handelte, hätte Romano Prodi die Ehre zukommen müssen, den Pokal zu überreichen. Doch Schröders populistischer Instinkt hielt sich nicht an die Dramaturgie. Inmitten des roten Fahnenmeers packte der Kanzler den Siegerpokal, drückte ihn Schumacher in die Hände und sonnte sich im Glanz des Weltmeisters. In allen deutschen Zeitungen sah man am nächsten Tag Schröder und Schumacher, die Sieger des Nürburgrings, als Doppelporträt deutscher Spitzenleistung.

Drei Jahre später hätte Schröder ihm, nach eigener Logik, nicht einmal mehr den kleinen Finger reichen dürfen. Denn der Formel-1-Star aus Kerpen lebt im schweizerischen Vufflens-le-Chateau, und sicher nicht, weil der Genfer See schöner ist als der Bodensee.

Dass immer mehr Deutsche nicht wegen der schönen Natur in die Nachbarländer ziehen, sollte Schröder eigentlich zu denken geben. Bei den Geächteten handelt es sich nicht nur um Reiche, sondern auch um Sportler, Künstler, Facharbeiter, Wissenschaftler oder Universitätsprofessoren, die im Ausland bessere Arbeits- und Lebensbedingungen finden. Aber statt die richtige Konsequenz zu ziehen und seine Steuerpolitik den erfolgreichen Modellen der anderen anzupassen, lenkt der Kanzler lieber von den eigenen Schwächen ab, indem er andere anschwärzt.

Sein demagogischer Schachzug, kein Erfolgsmodell der deutschen Geschichte, hinterließ bei seinem Koalitionspartner großen Eindruck. Die stellvertretende Fraktionsvorsitzende der Grünen, Krista Sager, legte noch eins drauf und forderte, alle im Ausland lebenden Deutschen sollten, damit unpatriotische Anwandlungen schon im Keim erstickt würden, in Deutschland ihre Steuern zahlen. Offenbar hatte sie nicht bedacht, dass dann logischerweise auch die 2,4 Millionen bei uns arbeitenden Türken ihre Steuern nach Ankara überweisen müssten. Neuerdings empfiehlt Oskar Lafontaine, »Steuerflüchtlingen« die Staatsbürgerschaft zu entziehen, wobei er offenbar an das DDR-Erfolgsmodell der »Ausbürgerung« anknüpfen möchte.

Statt Schröders Missgriff zu erkennen und rückgängig zu machen, fanden auch seine Minister am Ächten Gefallen. Jetzt wurde wöchentlich geächtet. Nachdem er die Auslandsdeutschen ausgegrenzt hatte, kamen die Schwarzarbeiter samt Putzfrauen und Babysitter an die Reihe. Ein neues »Unrechtsbewusstsein« sollte geschaffen werden. Am besten ein Bewusstsein von jenem Unrecht, das die anderen begingen. Nach dem Motto: »Ein Patriot tut das nicht«, wurde zur Bespitzelung ermuntert, mit zollamtlicher Verfolgung gedroht. Als die Befürworter der neuen Steuermoral geballt vor die Kamera traten und dem

Volk wie Fastenprediger ins Gewissen redeten, fürchtete ich fast schon, es könnte wieder vor »Volksschädlingen« gewarnt werden.

Nicht anders erging es der deutschen Wirtschaft. Als nicht genug Ausbildungsplätze zur Verfügung standen, lief die Regierungsrhetorik zur Hochform auf. Natürlich handelte es sich nicht um die unvermeidliche Konsequenz aus dem Verlust von 500 000 Arbeitsplätzen allein in den Jahren 2003 und 2004, sondern um eine moralische Verfehlung. In Interviews und Talkshows wetteiferten die Minister und SPD-Parteichef Müntefering darin, die Niedertracht der Industrie auszumalen. Hier die hoffnungsvollen Schulabgänger, die zum Wohl des Volkes beitragen wollen. Dort die hartherzigen Unternehmer, die der Jugend aus Profitgier ihre Chancen verbauen. In einer Talkrunde standen dem innenpolitischen Sprecher der SPD-Fraktion, Dieter Wiefelspütz, vor Empörung die Tränen in den Augen, als er die Jugend um ihre Zukunft beraubt sah und händeringend Gerechtigkeit einforderte. Zwischen den Zeilen wollte er damit nur das sagen, was seine Oberen als neueste Parole ausgegeben hatten: Unternehmer, die nicht spuren, sind zu ächten.

Als Handelskammerpräsident Ludwig Georg Braun davor warnte, angesichts der aussichtslosen Lage könnten auch deutsche Mittelständler Arbeitsplätze in die neuen EU-Mitgliedsländer verlagern, schimpfte Schröder ihn »unpatriotisch«, und sein neuer Generalsekretär Benneter legte mit einer Tirade über »vaterlandslose Gesellen« nach. Beiden scheint entgangen zu sein, dass diese Möglichkeit durch Europas Freizügigkeit ausdrücklich angeboten wird.

Wenn heute deutsche Arbeitsplätze in die EU-Beitrittsländer verlegt werden, geht es weniger um die niedrigen Löhne als um die uneingeschränkte Flexibilität der Arbeitskräfte. Bei vollen Auftragsbüchern können Produktionsanlagen dort 365 Tage rund um die Uhr laufen, während bei Wirtschaftsflaute Kurzarbeit selbstverständlich ist. Das schafft Planungssicherheit, die es in Deutschland nicht gibt. Aber darum ging es weder dem Kanzler noch seinem Nachfolger als Parteichef.

In Wahrheit verfolgten sie mit dieser Emotionalisierung zwei Ziele: Man wollte den enttäuschten Sozialdemokraten das Gefühl geben, ihre Regierung lasse sich von den »egoistischen Ausbeutern« nicht länger auf der Nase herumtanzen. Und man wollte dem breiten Volk, das sich laut Meinungsumfragen von der SPD abgewandt hatte, klare Orientierungsmarken geben. Denn »ein Feindbild erleichtert das Marschieren«. Auch vor der Hamburg-Wahl im Februar 2004 gefiel sich Schröder im Polarisieren. Nachdem Bürgermeister Ole von Beust, ein ruhiger und integrer Hanseat, eine Fernsehdiskussion mit dem SPD-Kandidaten abgesagt hatte, kritisierte ihn der Bundeskanzler scharf. Hinter der Absage entdecke er »partielle Feigheit«, außerdem »Schwäche und schlicht Angst«.

Als ein Element der Demagogie nennt der Brockhaus »abschätzige Kritik am Gegner«. So unterstellt Jürgen Trittin, Vorreiter in dieser Disziplin, der Opposition gern »niedrige Beweggründe«, was in den Medien schon gar nicht mehr kommentiert wird. Vorschläge der Gegenseite werden von ihm mit dem Schmuckwort »zynisch« versehen oder als »Quatsch« abgetan. Wer Demokratie aber als Wettbewerb auffasst, wie man Andersdenkende am tiefsten herabsetzen und demütigen kann, der hat sich in der Staatsform geirrt.

Zur neuen Vulgarität passt der Mangel an Diskretion. Gerhard Schröder, der in jeder Situation »Stärke« beweisen will, mischt sich immer und überall ein. Auch dort, wo er sich eigentlich herauszuhalten hätte. Da er sich unbegrenzt kompetent fühlt, erkennt er natürliche Grenzen nicht an. Wie er sich bei der Hamburg-Wahl mit Gehässigkeit eingemischt hat, so suchte er auch bei der Wahl des Bundespräsidenten seine Präferenzen durchzudrücken. Gerade weil er weiß, dass seine Koalition in der Bundesversammlung nicht über die nötige Mehrheit verfügt, drängte er sich so lange als Minderheit auf, bis man seinem Willen folgt. Forderte er zuerst, es müsse endlich einmal eine Frau Bundespräsidentin werden, weil er damit Angela Merkel als Kanzlerkandidatin ausschalten wollte, so hob er als nächstes den ehemaligen Umweltminister Töpfer auf den Schild, nur um zu bekräftigen, dass er nicht daran denkt, der Mehrheit ihr Entscheidungsrecht zu überlassen.

»Lasst mich den Löwen auch noch spielen«, ruft Schröder und macht sich bei nächster Gelegenheit mit patriotischer Geste für das deutsch-französische Unternehmen Aventis stark, das eine Übernahme durch einen französischen Konzern befürchtet. Schröder zeigt ein Herz für deutsche Arbeitsplätze, verteidigt deutsche Interessen, basta. Nach einem Meinungsaustausch mit Jacques Chirac scheint er allerdings doch an seine Grenze gestoßen zu sein. Er hält sich zukünftig bei Aventis zurück, rühmt sich sogar seiner »Neutralität« in Wirtschaftsfragen, als hätte er plötzlich und zum ersten Mal entdeckt, dass der Staat sich besser aus Unternehmensangelegenheiten heraushält. Gleichzeitig eröffnet er seinem bewunderten Gönner von der Seine die Möglichkeit, strikt nationale Interessen zu verfolgen und den ehemaligen deutschen Hoechst-Konzern, aus dem Aventis hervorging, in sein französisches Vorzeigeunternehmen Sanofi einzubauen, das zufällig von einem persönlichen Freund Chiracs, Jean-François Dehecq, geleitet wird.

Ich zweifle nicht, dass Schröders noble Zurückhaltung auf einen Ukas des Staatspräsidenten zurückzuführen ist. Denn als sich die beiden kurz nach der feindlichen Übernahme trafen, war von Verstimmung nichts zu spüren. Man umarmte sich gewohnt zärtlich, und Schröder strahlte, als hätte er den Deal gemacht. Offenbar hatte er die französische Presse nicht gelesen, in der sowohl Finanzminister Nicolas Sarkozy als auch Premier Jean-Pierre Raffarin die Übernahme als einen nationalen Prestigeerfolg feierten. Das hielt die SPD nicht davon ab, mitzufeiern. Man hatte nämlich etwas Positives entdeckt: Die Firmenübernahme ließ sich antiamerikanisch umdeuten. Es sei »allemal besser«, so der wirtschaftspolitische Sprecher der SPD-Fraktion, Rainer Wend, »dem US-Konkurrenten Pfizer einen starken europäischen Wettbewerber gegenüberzustellen«. Womit der Verlust deutscher Spitzentechnologie doch noch einen nationalen Sinn gefunden hätte.

Verblüfft waren die Genossen dann allerdings, als Chiracs

Regierung, statt sich an Schröders Generosität ein Beispiel zu nehmen, einer Beteiligung des deutschen Siemens-Unternehmens am französischen Technikkonzern Alstom einen Riegel vorschieben wollte. Wie man sieht, hat selbst die herzlichste Männerfreundschaft ihre Grenzen.

Leider hatte der Scheinpatriotismus auch in die Diskussion um das Zuwanderungsgesetz Einzug gehalten. Als Mitglied der von der Regierung einberufenen Süssmuth-Kommission kann ich mich gut erinnern, wie das alternative Konzept, das der saarländische CDU-Ministerpräsident Peter Müller vorlegte, dem unseren fast bis aufs Haar glich. Das heißt, es gab grundsätzliche Übereinstimmung zwischen Regierung und Opposition, die Zuwanderung für all jene Ausländer zu erleichtern, die einen Gewinn für unsere Gesellschaft darstellen. Trotzdem waren die Vertreter von CDU/CSU Schritt für Schritt von ihrer ursprünglichen Zustimmung und damit ihrer eigenen Vorstellung abgerückt. Die Wurst, nach der Innenminister Schily springen musste, um ein gemeinsames Gesetz zu bekommen, wurde immer höher gehängt. Unter dem Vorwand, den deutschen Arbeitsmarkt vor ausländischer Konkurrenz zu schützen, schützte man ihn in Wahrheit etwa vor dringend benötigten Forschern. Denn die Arbeitsplätze, auf die ausländische Wissenschaftler berufen werden, können von Deutschen schon deshalb nicht eingenommen werden, weil es dafür keine einheimischen Arbeitskräfte gibt. Es hätte katastrophale Folgen für den Wissenschaftsstandort Deutschland gehabt, wenn sich diese Linie durchgesetzt hätte. Zwar kam es im Juni 2004 zur Einigung, aber die jahrelange Blockade durch die Unionsländer bleibt mir unbegreiflich.

Glaubten sie etwa, man diene seinem Vaterland und seiner Gesellschaft, indem man sich abschottet oder Vorteile gegenüber anderen Ländern herauszuholen versucht? Seit dem 20. Jahrhundert hat sich die Globalisierung gegen jeden Versuch einzelner Länder, sich zu isolieren, erfolgreich durchgesetzt. Heute hängt alles miteinander zusammen, ob man es will oder nicht. Und deshalb kann wahrer Patriotismus nur darin bestehen, die Chancen des eigenen Landes im wirtschaftlichen und kulturellen Wettbewerb mit anderen zu sehen. Nur durch Vergleich mit anderen lernt man seine Fähigkeiten kennen. Nur indem man die eigenen Produkte auf anderen Märkten anbietet, erfährt man, wo man steht, und kann sich perfektionieren. Man dient sich selbst am besten, indem man auch anderen dient.

Der entscheidende Punkt besteht darin, dass der Erfolg, den ein Land durch gute Produkte und Leistungen erringt, nicht nur ihm selbst, sondern allen anderen ebenfalls zugute kommt. Am »Siegeszug«, den eine Innovation rund um die Welt antritt, nehmen alle teil. Was das Leben in Deutschland durch moderne Technologie verbessert, verbessert es automatisch in den anderen Ländern. Ein bedeutender Roman, in Island geschrieben, wird auf der ganzen Welt gelesen. Ein süffiges Bier, in Mexiko gebraut, wird überall mit Begeisterung getrunken. Und allein darauf kommt es beim Patriotismus an: Weder durch Arroganz noch durch Anbiederung gewinnt man den Respekt der Welt. Sondern nur durch Leistung, die allen zugute kommt.

KAPITEL FÜNF

Wem nutzt das Feindbild USA?

Am 14. Februar 2004 kehre ich in die Vergangenheit zurück, die ein Teil meiner Gegenwart geworden ist. Ich werde im Dresdner Schauspielhaus einen Vortrag halten, zufällig auf die Stunde genau neunundfünfzig Jahre nach dem Einsturz der Frauenkirche. Mein Honorar spende ich für ihren Wiederaufbau. Seit einem Vierteljahrhundert nimmt die Kirche in meinem Leben einen festen Platz ein. Den Stolz der Dresdner teile ich. Mit der »steinernen Glocke« hat sich die Stadt selbst erneuert, in einer Wiederauferstehung, wie man sie selten erlebt. Ich kann es kaum erwarten, vom Bülowschen Palais zur Baustelle hinüberzugehen, die immer weniger nach Baustelle, immer mehr nach einem festlichen Platz aussieht.

Der Eindruck ist überwältigend. Das Bauwerk ragt zu seiner ursprünglichen Höhe auf, viel gewaltiger, als ich es einst erwartet hatte. Nie hat eine Kirche auf mich ähnlich erhaben und zugleich kompakt gewirkt. Mit einem einzigen Blick übersieht man das Ganze, wie eine Skulptur, die den Himmel ausfüllt. Nur noch ein Kran und wenige Gerüste umstehen das Juwel. Der obere Teil der Kuppel ist unter einer Art Arbeitsplattform verborgen. Hier wird am 20. Juni das goldene Kreuz aufgerichtet. Dann sieht das Äußere der Kirche aus wie zu Canalettos Zeiten. Um die herrlich gewölbte Kuppel stehen die flankierenden Türmchen, werfen ihre Schatten wie vor hundert und zweihundert Jahren. Ich träume, wie schon 1983, als ich zum ersten Mal hier stand.

Die Wirklichkeit holt mich schnell zurück. Die Umgebung der Kirche ist heute von der Polizei abgeriegelt. Ein Dutzend grüne Einsatzfahrzeuge parken am Rand des Platzes. Ich erfahre, dass seit gestern, dem Jahrestag des Bombardements,

Demonstrationen stattfinden, die bereits in Prügeleien ausgeartet sind. Ich frage, ob ich recht gehört habe: Demonstrationen? Im Plural? Ja, gewiss, aus allen Teilen Deutschlands seien die Teilnehmer angereist. Dresden erlebte einen Großaufmarsch der Neonazis und, wie üblich, einen Gegenaufmarsch der kommunistischen Gruppen, die sich Antifaschisten nennen. Ich weiß, Extremisten treten immer paarweise auf, irgendwie scheinen sie zusammenzugehören. »Les extrèmes se touchent«, sagt der Franzose, die Extreme berühren sich.

Bei Freunden erkundige ich mich später, wofür oder wogegen demonstriert wird. Die Neonazis, so erfahre ich, nutzen wieder einmal den traurigen Jahrestag, um ihr ideologisches Anliegen lautstark vorzutragen. Als ließe sich aus dem Unrecht der Alliierten das Recht ableiten, nationalistische Positionen wie in den dreißiger Jahren einzunehmen. Als könne man dem Wohl der eigenen Gesellschaft dadurch dienen, dass man sich über andere zu erheben sucht. Welch lächerlicher Anachronismus! Ihre Anklage gegen den »angloamerikanischen Terrorangriff« erinnerte mich an die Tafel, die zu DDR-Zeiten vor der Frauenkirche postiert war.

Auch über die Gegendemonstration, die natürlich ebensolange vorausgeplant war, erfahre ich Erstaunliches. Sie steht unter dem Motto »No Tears for Krauts« (»Keine Tränen für Deutsche«), ein Zitat des britischen Bomberstrategen Arthur Harris, mit dem offenbar Charakterstärke demonstriert werden soll: 35 000 Tote bringen uns jedenfalls nicht zum Weinen! »Thank you, Mr. Harris«, heißt es auf einem Flugblatt. Welch lächerlicher Anachronismus auch dies und ein menschenverachtender obendrein! Auf einem Transparent steht »Deutsche Täter sind keine Opfer«. Heißt das auch, dass deutsche Opfer deshalb keine Opfer sind, weil es deutsche Täter gab?

Am Abend vor meiner Ankunft fand im Dresdner Kulturpalast eine »Antifaschistische Kundgebung« statt. Man blieb nicht unter sich. Was zusammengehörte, musste sich auch zusammenschlagen. »Auf dem Altmarkt kam es am Abend zu einer Schlägerei zwischen links- und rechtsorientierten Personen, die von der Polizei unterbunden wurde«, lese ich in den *Dresdner Neuesten Nachrichten,* als ginge es um eine Straßenschlacht in der Weimarer Republik. »Auf einer ›antifaschistischen‹ Kundgebung mit 450 Teilnehmern am Güntzplatz wurde eine Deutschlandfahne verbrannt.«

Vielleicht hätten die braunen Schwarzhemden, die eine Vorliebe für die »Reichskriegsflagge« hegen, auch gerne mitgezündelt. Die Bundesrepublik mögen sie ja beide nicht, würden gerne »kaputtmachen, was uns kaputtmacht«. Vielleicht sollten die beiden verfeindeten Brüder überhaupt die Seelengröße aufbringen, ihre Veranstaltungen künftig gemeinsam durchzuführen. Auch die Transparente gegen den »Luftterror der USA«, den »Imperialismus der US-Konzerne« und die »Amerikanische Kriegspolitik« könnten sie gemeinsam tragen und dabei CDs anhören, auf denen den »Bullen« der Krieg erklärt wird.

Ich habe im Februar 2004 in Dresden ein Theater miterlebt, für das mir nur das Beiwort »absurd« einfällt. So berechtigt der Gedanke ist, dass man die Vergangenheit nicht vergessen darf, so aberwitzig scheint es mir, vor lauter Vergangenheitsfixierung die Gegenwart zu vergessen. Tausende rechts- und linksextreme Jugendliche, die in Gedanken nicht über den Trümmerhaufen von 1945 hinausgekommen sind, stehen sich in blindem Hass gegenüber und müssen von 900 steuerfinanzierten Polizisten daran gehindert werden, übereinander herzufallen. Und sehen nicht, dass aus dem Grauen der Vergangenheit, von dem sie sich nicht lösen können, längst etwas Neues entstanden ist. Sie marschieren um dieses Neue herum und sehen es nicht. Über ihrem Gezänk und Gebrüll erhebt sich das architektonische Wunder, das mir wie ein Symbol dafür erscheint, dass Hass und Zerstörung nicht das letzte Wort haben müssen. Dass Vergangenheit wichtig ist, aber die lebendige Gegenwart unendlich wichtiger. Die große Kraft eines architektonischen Neuanfangs ist mit der Frauenkirche sichtbar, fassbar geworden.

Um dies begreifen zu können, muss man natürlich einen Sinn für die Wirklichkeit entwickeln. Den wie zum Bürgerkrieg aufmarschierenden Jugendlichen scheint dieser Sinn völlig zu fehlen. Sie rufen nach Frieden und ballen die Fäuste. Sie protestieren gegen die Globalisierung und tragen Nike-Turnschuhe. Sie leben in einer bizarren Traumwelt, die ihnen sozialstaatlich finanziert wird. Statt an der gegenwärtigen Welt mitzuarbeiten, mobilisieren sie ihre ganze Energie gegen ein Feindbild, das sie hassen, das sie vernichten möchten. Damit lässt es sich natürlich bequem leben. Hat man erst jemanden gefunden, der am großen Unrecht in der Welt wie an der ganz persönlichen Misere schuld ist, dann wird die komplexe Wirklichkeit plötzlich ganz einfach. Hass ist der große Vereinfacher. Du musst nur deinen Feind loswerden, so lehrt er, dann ergibt sich das irdische Paradies von selbst.

Wie eigenartig, dass sich nicht nur extreme Rechte und Linke in einem gemeinsamen Feindbild treffen. Auch ein wachsender Teil unserer Gesellschaft findet daran Gefallen. Für sie heißt es zwar nicht »Tod dem US-Imperialismus«, aber man will auch »keine amerikanischen Verhältnisse«. In diesem einen Punkt ist die Wiedervereinigung vollständig gelungen: Das Feindbild der DDR ist im Westen gesellschaftsfähig geworden. Antiamerikanismus gehört zum guten Ton.

Als der Medienforscher Roland Schatz 2003 unsere Berichterstattung über den Irakkrieg mit der anderer Nationen verglich, kam er zu dem Ergebnis, dass nirgendwo mit mehr Voreingenommenheit über die amerikanische Politik berichtet wurde. Ob Tschechen, Südafrikaner oder selbst der arabische Sender Al-Jazeera, sie alle waren weit vorsichtiger in ihrem Urteil als die deutsche Presse. Nur bei uns wurden die demokratisch gewählten Regierungschefs George Bush und Tony Blair auf eine Stufe mit dem Diktator Saddam Hussein gestellt, wurde der Krieg nicht als Angriff auf einen mörderischen Despoten, sondern auf die irakische Zivilbevölkerung dargestellt. »Noch lange, nachdem die Schlagzeilen vergessen sind«, so prophezeite das Magazin *Newsweek,* »könnten uns die Konsequenzen dieses Risses erhalten bleiben.«

Diesen Riss hat es nicht immer gegeben. Zur Erinnerung: Amerika hat uns im letzten Jahrhundert einen entscheidenden politischen Dienst erwiesen, der gar nicht hoch genug einge-schätzt werden kann. Es hat unsere geopolitische Einschnürung in eine transatlantische Einbindung umgewandelt. Jahrhunder-telang fand sich das Deutsche Reich in einer fatalen Mittellage, die es für jede Art Machtverschiebung in angrenzenden Ländern empfindlich machte. Jede Grenze verlangte eine eigene Politik. Immer drohte die Gefahr der Einkreisung, wenn sich die Nach-barn gegen einen verbündeten. Zweifellos hätte es ohne dieses Gefühl der Umzingelung durch die »Dreifache Allianz« von Frankreich, England und Russland keinen »zweiten Dreißigjäh-rigen Krieg« gegeben.

Auch nach 1945 blieb diese gefährliche Zentrallage erhalten. Noch heute hat unser Land neun Nachbarn, mehr als jeder andere europäische Staat. Dass dies keine Albträume mehr auslöst, liegt an der amerikanischen Bündnispolitik. In den Nachkriegsjahren bettete sie uns in die Verteidigungsallianz der Nato ein und beschützte uns damit vor einem stalinistischen Sowjetrussland, das seinen Einflussbereich gern bis zum Rhein erweitert hätte. Zugleich förderte Amerika den Zusammen-schluss der europäischen Staaten zur EWG und achtete darauf, dass die neue Bundesrepublik weltweit als gleichberechtigte Demokratie behandelt wurde. Das war nach dem Hitler-Reich durchaus keine Selbstverständlichkeit.

Der legendäre Aufstieg Deutschlands zu einer der führenden Wirtschaftsmächte wäre ohne amerikanische Starthilfe nicht möglich gewesen. Wir erhielten die ersten Kapitalspritzen, das Know-how, die richtigen Produkte und, ganz entscheidend, Zugang zu den internationalen Märkten. Der war uns vor den großen Kriegen teilweise verwehrt worden. Die Rolle der USA gegenüber Deutschland verglich der Historiker Arnulf Baring einmal mit einem »Adoptionsverhältnis«. Wir wurden gleich-sam wie der »verlorene Sohn« der Völkerfamilie behandelt, der in seine alten, seit Kaiserzeiten verspielten Rechte wieder ein-gesetzt wurde.

Dass Amerika uns trotz der geschichtlichen Erfahrungen so schnell »adoptierte«, hing sicher auch damit zusammen, dass man sich auf Anhieb verstand. Dies hat sich in meinem eigenen Berufsleben bestätigt. Deutsche »können« mit den Amerikanern. Ich habe bei IBM mit Menschen fast aller Nationen zusammengearbeitet, doch am unkompliziertesten war die Kooperation mit Amerikanern. Umgekehrt schien den US-Kollegen unsere Arbeitsweise besonders vertraut, als folgten wir gleichen kulturellen oder logischen Mustern. Unter IBM-Führungskräften galt es als ausgemacht, dass es bei der Zusammenarbeit von Deutschen und Amerikanern kaum Reibungsverluste gab. Schon mit den Italienern oder Franzosen tat man sich erheblich schwerer, von den Japanern zu schweigen. Und das lag nicht nur an der Sprache. Wie ich auch während meiner Zeit im Hauptquartier in Armonk erlebte, kommunizierte es sich einfach leichter zwischen uns. Wie gesagt, man »verstand einander«.

Manche meinen, das hinge mit den vielen Deutschen zusammen, die in den letzten Jahrhunderten nach Amerika ausgewandert sind und einen Teil ihrer Kultur mit dorthin gebracht haben. Ich glaube das weniger. Mir scheint die Hauptursache darin zu liegen, dass wir Deutschen uns 1945 nach einer anderen Identität umsahen. Und Amerika bot sich an. Nicht nur als Siegermacht, sondern auch vom Lebensstil her, der sich so wohltuend von dem des Autoritätsstaats abhob. Amerika bedeutete Freiheit, Luxus und Grenzenlosigkeit, und so zogen die Deutschen diese Identität an, wie sie in amerikanische Kleider und Lebensgewohnheiten schlüpften. Man hörte amerikanisch, rauchte amerikanisch. Schließlich dachte man amerikanisch. Und das alles, weiß Gott, nicht zu unserem Nachteil. Nie zuvor war in diesem Land ein solches Freiheitsgefühl ausgebrochen. Und damit diese neugewonnene Liberalität nicht schnell wieder von einer hochgerüsteten und expansiven Sowjetmacht geschluckt wurde, schützten uns amerikanische Panzer.

Der Unterschied zwischen uns und den westlichen Nachbarländern lag genau darin: Sie wollten sie selbst bleiben, während wir jemand anders werden wollten. Wir hatten, ganz konkret, unsere Väter verloren und suchten einen Stiefvater, der uns auf den Weg in die Zukunft führte. Dadurch entstand zwischen unseren Nationen eine Annäherung, wie sie nicht einmal zwischen den USA und Kanada existierte. Es gibt sie auch heute noch. In keinem anderen europäischen Land wird die Öffentlichkeit so stark von der englischen Sprache beherrscht, und zwar nicht in der britischen, sondern in der amerikanischen Variante. Fliege ich mit Lufthansa, werden mir »Miles and more«-Rabatte geboten. Fahre ich zur Tankstelle, offeriert man »Driver rewards«. Den öffentlichen Sängerwettstreit um die Grand-Prix-Teilnahme 2004 nannte das Deutsche Fernsehen »Germany Twelve Points«, Sieger Max aus Waldshut fuhr, wenn auch erfolglos, mit dem Lied »Can't wait until tonight« nach Istanbul. Cool, nicht?

Unser Alltag ist vom Idiom der Musik geprägt, die den deutschen Äther beherrscht. Und dies seit fast sechzig Jahren. Wie mein Schwager Horst Ansin in seinem Buch über den *Anglo-German Swing Club*, erschienen 2002 bei Dölling & Galitz, gezeigt hat, veränderte der Soldatensender British Forces Network die deutschen Hörgewohnheiten radikal. Der Geschmack an US-Musik hatte sich schon während des Krieges entwickelt, als man sich heimlich in Swing-Clubs traf und die Musik der verbotenen Feindsender hörte. Ab 1945 kultivierten dann BFN und AFN den Geschmack der Deutschen an Jazz, Swing und amerikanischer Popmusik. Bald betrat mit Elvis Presley der erste moderne Superstar die Bühne. Als ich 1964 zum ersten Mal in Amerika war, schrieb ich meiner Schwester und ihrem Mann begeistert über die »Dauerberieselung« mit guter Musik:

»Hier ist die Musik, die wir so gern mögen, aber leider mit Ausnahme des BFN und AFN nie in Deutschland zu hören kriegen, richtige Volksmusik. Das ist mir vorher nie richtig klargeworden. Alles ist hier darauf eingestellt. Deshalb hört man ja auch in den Läden, Warenhäusern und Fahrstühlen so gute Musik. Schon öfter bin ich in den 17. Stock unseres Hotels und zurück gefahren, weil gerade wieder so ein dolles Stück gespielt wurde.«

Auch Deutschland wurde von dieser Musik erobert, wenn sie auch nicht bis in unsere Fahrstühle vordrang. Seitdem ist Amerikanisch in der deutschen Unterhaltungssphäre die alles beherrschende Sprache. Und auch darin drückt sich, was keiner mehr ahnt, die heimliche Wahlverwandtschaft mit dem großen Land jenseits des Atlantik aus.

Bundestagspräsident Wolfgang Thierse möchte dies gerne ändern. Ende März 2004 protestierte er gegen das, was er in anmaßendem DDR-Deutsch die »Allmacht des amerikanischen Kulturimperialismus« nennt. In einer Anwandlung von »patriotischem« Dünkel plädierte er für mehr »heimische Kultur«, deren »kleine Pflänzchen«, wie er es ausdrückte, gegen die amerikanische Vorherrschaft »kaum eine Chance« hätten. Konkret würde er am liebsten nach französischem Vorbild Quoten im Radio einführen, die einen bestimmten Prozentsatz an Musik in deutscher Sprache gesetzlich vorschreiben. Da wäre es nur konsequent, wenn auch deutsche Popgruppen eine Quote für deutschsprachige Texte vorgegeben bekämen. Das dürfte sie allerdings in erhebliche Probleme stürzen.

Thierse, dem es einst schwergefallen ist, das Wort »Reichstag« in den Mund zu nehmen, knüpft hier an eine einschlägige historische Tradition an. Schon in den dreißiger Jahren hatte man sich in Deutschland erfolgreich gegen »Negermusik« und »entartete Kunst« gewehrt. Und zu DDR-Zeiten war – übrigens unter demselben Schlagwort »Kulturimperialismus« – der Empfang dekadenter Westsender mit ihrer »Halbstarkenmusik« unter Strafe gestellt.

Auch wenn Thierse und seine Partei es nicht wahrhaben wollen: Es hat in der deutschen Geschichte keine vergleichbar harmonische und dauerhafte Allianz mit einem anderen Land gegeben wie die mit Amerika. Ich selbst habe mein gesamtes Berufsleben in einer amerikanischen Firma zugebracht. Siebzehn Jahre davon war ich im Ausland beschäftigt, habe alle Kontinente bereist und dabei das Verhältnis jener Länder zu Amerika kennengelernt. Gut erinnere ich mich an die antiamerikanischen Demonstrationen der westbengalischen Kommunisten in den sechziger Jahren. Man protestierte gegen den Vietnamkrieg und klagte die USA zugleich an, verantwortlich für Indiens Unterversorgung zu sein. Natürlich wusste jeder, der sich mit Politik beschäftigte, dass exakt das Gegenteil richtig war: Mit den berühmten PL-480-Funds sorgte Amerika dafür, dass Jahr für Jahr Millionen Tonnen Mais, Reis und Weizen nach Indien geschickt wurden, um die Inder vor dem Verhungern zu retten.

Diese Schizophrenie schien mir typisch. Während die Bevölkerung der meisten Länder ein positives Verhältnis zu den Amerikanern hatte, die sich immer sehr großzügig und hilfsbereit erwiesen, schürten politische Gruppen das Ressentiment gegen die »Ausbeuternation«. So kam es zu Massendemonstrationen gegen eine scheinbar verhasste Kultur, deren Produkte man andererseits im Alltagsleben nicht mehr missen wollte. Begierig verfolgte man, was Amerikas Wirtschaft und Kultur zu offerieren hatten, trank deren Drinks, las deren Romane, ging in deren Filme und trug deren Jeans. Und fand nichts dabei, dasselbe Land als »dekadent« oder »kapitalistisch« zu verdammen.

Am stärksten ausgeprägt schien mir das antiamerikanische Ressentiment in Frankreich, wo ich elf Jahre lebte. Das kam auch hier nicht aus der breiten Masse, sondern von einer schmalen, einflussreichen Elite, die den »öffentlichen Diskurs« beherrschte. Durch marxistische Ideen geprägt, blickte sie mit großer Verachtung auf alles Amerikanische. Hauptsächlich warf man den USA vor, den Kapitalismus auszubreiten und die Welt mit Massenprodukten zuzuschütten. Man vergaß zu erwähnen, dass ein Produkt, das nicht massenhaft hergestellt wird, nur für einen exklusiven Kreis erschwinglich ist. Und dass der verhasste Kapitalismus im wesentlichen darin besteht, jedes gewünschte Produkt jedermann zum günstigsten Preis zugänglich zu machen.

In apartem Kontrast zu diesem sozialistischen Faible stand Frankreichs Anspruch auf Führerschaft in Europa. Schon General de Gaulle wachte eifersüchtig darüber, dass die gleichberechtigte Stellung der »Grande Nation« gegenüber den USA gewahrt blieb. Ursprünglich hatte die Nato ihren Sitz in Paris gehabt. Ich kann mich noch an das damalige Hauptquartier in Fontainebleau erinnern, das ich 1959 zusammen mit Kommilitonen der Hamburger Akademie für Wirtschaft und Politik besuchte. Der Nato-Chef trug den geheimnisvollen Titel »Saceur«, was, wie ich später herausfand, einfach »Supreme Allied Commander Europe« bedeutete, »Alliierter Oberkommandeur für Europa«. In Konkurrenz zu Amerika baute de Gaulle sein Atomwaffenprogramm auf und verließ den militärischen Zweig der Nato, um sich dem transatlantischen Oberkommando zu entziehen. Damals musste das Nato-Hauptquartier von Paris nach Brüssel umziehen, wo der »Saceur« heute noch residiert.

Um es dem großen Bruder zu zeigen, suchte Frankreich auch die Anlehnung an England. So entstand 1975, mit Spitze gegen Amerika, der Supervogel Concorde, der bis 2003 die einzige Überschallverbindung zwischen Amerika und Europa herstell-

Von wegen, ich hätte mich nicht verändert! Mit Beatles-Frisur 1960 in Hamburg.

te. Vergleichbares haben die Amerikaner nicht vorzuweisen. Fast alle Passagierflugzeuge waren in der Nachkriegsepoche amerikanischer Bauart gewesen. Ich erinnere mich an die Lockheed Superconstellation, die Boeing 707 oder die Douglas DC 8, die ihre Kondensstreifen über denselben Himmel zogen, wo Jahrzehnte zuvor die Bomberpulks der »Flying Fortress« oder »Liberator« geflogen waren. Für die Flüge aus Westdeutschland nach Berlin, die von den Russen für die Lufthansa gesperrt waren, setzte die British Airways das englische Turbo-Prop-Flugzeug Vickers Viscount ein. In einer solchen Maschine bin ich einmal zu meiner Berliner Freundin Rita geflogen. Es war mein erster Flug, ich war siebzehn Jahre alt, und er kostete mich ein Monatsgehalt.

Um die amerikanische Vormachtstellung im Flugzeugbau zu brechen, drängten die Franzosen auf die Entwicklung eines Düsenflugzeugs, das europäischen Bedürfnissen ideal angepasst war. Zusammen mit den Deutschen und Spaniern, später auch den Italienern wurde der Airbus produziert, der seit den siebziger Jahren zum ernsten Konkurrenten der Amerikaner weiterentwickelt wurde. Der Erfolg der Airbus-Industrie ließ vergessen, dass sie ursprünglich aus einem Aufbegehren gegen das amerikanische Flugzeugmonopol und damit auch gegen die Wirtschaftsmacht Amerika entstanden war.

Im Gegensatz zu den meisten Ländern, in denen die Sympathie für die Amerikaner mit ideologischen Vorbehalten durchmischt war, verstand sich das Deutschland des Wirtschaftsbooms als treuer Freund und Verbündeter Amerikas. Man kann sogar von einem Gefühl der Wahlverwandtschaft sprechen, das im Kennedy-Rausch seinen Höhepunkt fand. Wohl niemals wurde unsere Nation von einem Ereignis außerhalb unseres Landes so getroffen wie vom Attentat auf John F. Kennedy.

»Kennedys Ermordung ist mir sehr nahegegangen«, schrieb ich meiner Mutter im November 1963. »Ich glaube, dass dieser Mann legendär wird. Ich habe seinen Werdegang schon seit 1959 aufmerksam verfolgt. Ich habe mich damals gefreut, als er zum Kandidaten der Demokraten wurde, und noch mehr gefreut, als er den mir so unsympathischen Nixon in der Wahl geschlagen hat.«

Meine Mutter schrieb mir tags darauf: »Kenne einer sein Herz – seit Freitagabend, als ich durchs Fernsehen hörte, Kennedy ist tot, bin ich wie erschlagen. Wenn ich morgens aufwache und nachts einschlafe, denke ich, was ist das für ein Schmerz in der linken Brust? Ach, Kennedy ist tot. Wenn ich tagsüber dran denke, weine ich. Papsi und ich sprechen kaum ein Wort, weil wir tief betroffen und tieftraurig sind. Wie kann das bloß angehen, dass es uns genauso geht wie Millionen? Als hätte man einen Bruder verloren oder einen Vater.«

Den wesentlichen Grund für die Nähe der Deutschen zu dieser räumlich fernen Nation sehe ich in ihrer Dankbarkeit. Die galt weniger den Carepaketen oder dem Marshall-Plan als der schlichten Tatsache, dass sie uns adoptiert und damit verziehen hatten. Während England, Frankreich, die Benelux-Staaten oder Skandinavien, von den Ostblockländern ganz zu schweigen, die Erinnerung an den Krieg lange wachhielten und die Deutschen spüren ließen, dass sie ihn verloren hatten, bot das pragmatische Amerika seine Hand zu einem Neuanfang. Der starre, unversöhnliche Blick zurück, den noch heute die deutschen Intellektuellen pflegen, war nie die Sache der Amerikaner gewesen. Sie schauen nach vorne. Ohne diesen geistigen Ansporn hätte es nicht schon 1949 eine demokratische Bundesrepublik gegeben. Ohne diese Ermutigung, das Unerträgliche zu vergessen, wäre kein Neubeginn möglich gewesen.

Als ich in Frankreich arbeitete, fiel mir dieser Gegensatz sehr deutlich auf. Die Deutschen waren prinzipiell, geradezu leidenschaftlich proamerikanisch. Die Franzosen dagegen rümpften über die Amerikaner die Nase. Ich erinnere mich an viele Diskussionen, bei denen ich meine amerikanischen Freunde gegen Vorurteile in Schutz genommen habe. Besonders ungerecht erschien mir immer die Unterstellung, man habe es hier mit einem Volk von Kulturbanausen zu tun. Nach dem Motto »Was kann schon Gutes aus Amerika kommen« wurde stillschweigend vorausgesetzt, dass wahre Kultiviertheit nur an der Seine zu finden sei.

Dies mochte in Sachen Malerei und Literatur für das 19. Jahrhundert gegolten haben. Es gab nun einmal keinen amerikanischen Monet oder Balzac. Im 20. Jahrhundert haben sich die Zeichen jedoch umgekehrt. Amerika hat auf fast allen kulturellen Gebieten die Führerschaft von Europa übernommen. Hollywood wurde zum Synonym für Spielfilme. Die Kunst des Romans, einst Domäne der Alten Welt, wurde von Hemingway, Faulkner oder Steinbeck neu definiert, und sie wird von Amerikanern wie John Updike oder Saul Bellow, Philip Roth oder John Irving dominiert.

Auf musikalischem Feld haben der Jazz und die von ihm abgeleitete Popmusik das letzte Jahrhundert beherrscht. Für mich bedeutet der Jazz bis heute den Anbruch einer neuen Epoche der Weltoffenheit. Als meine Schwester Karin und ihr Mann Horst mich mit vierzehn zum ersten Mal in ein Jazzlokal, den New Orleans Club auf der Reeperbahn mitnahmen, war ich so begeistert, dass ich fortan nichts anderes mehr hören wollte. Ob Nat King Cole oder Earl Bostic, Ella Fitzgerald oder Dizzy Gillespie, ich wusste mein Taschengeld nicht besser anzulegen als zuerst in Schallplatten, die mit 78 Umdrehungen in der Minute kreisten und leider sehr zerbrechlich waren, was mich gelegentlich an den Rand des finanziellen Ruins führte. Die nächste Plattengeneration der 45er- und 33er-Scheiben war dann zum Glück fast unzerbrechlich. Die Leidenschaft, die mich damals packte, hat sich bis heute nicht gelegt. Auf die Frage, welche Person die Musik im letzten Jahrhundert am meisten beeinflusst hat, lautet meine Antwort eindeutig: Charlie Parker.

Ich frage mich oft, wie es überhaupt zu diesem Hass auf Amerika kam. Wie konnte das Bild, das die Deutschen von ihrem engsten Verbündeten hatten, in den letzten Jahren solchen Schaden leiden? Haben sie uns etwas angetan, das diese Aversion rechtfertigen würde? Ich erinnere mich, wie die deutsche Ministerin Herta Däubler-Gmelin, von Amts wegen für Recht und Gerechtigkeit zuständig, den amerikanischen Präsidenten George W. Bush mit Adolf Hitler in Zusammenhang brachte. Sie tat dies bei einer Wahlkampfveranstaltung 2002 hinter verschlossenen Türen. Doch die Botschaft wurde gehört, bei uns wie jenseits des Atlantik.

Am interessantesten erschien mir die Reaktion des Bundeskanzlers. Gerhard Schröder hatte noch im Jahr zuvor Deutsche wie Amerikaner durch seine spontane Solidarität beeindruckt. Er war nach dem Terrorangriff vom 11. September nach New York zur Trümmerstätte am Ground Zero und nach Washington zu George Bush gereist. Er wollte den Präsidenten nicht nur der deutschen Anteilnahme versichern, sondern ihm auch militärische Unterstützung anbieten. Ich kann mich deshalb so genau erinnern, weil ich damals einen Kommentar in der *Bild*-Zeitung geschrieben habe. »Es wäre schön«, so schloss ich am 11. Oktober 2001 mein Schröder-Lob, »wenn sich ab jetzt deutsche Politiker vorurteilsfreier mit Amerika befassen würden und beide bereit wären, mehr voneinander zu lernen.«

Leider kam es anders. Im Wahlkampf wurden von Schröder Ressentiments geschürt, viele SPD-Politiker sprachen über die USA nicht anders als ihre Konkurrenz von der PDS. Schröders Reaktion auf Herta Däubler-Gmelins Vergleich bestand in der lapidaren Aussage, dass eine Person, die so etwas sagt, »keinen Platz an meinem Kabinettstisch hat«. Dies schrieb er zur Beruhigung an Präsident Bush, ließ seiner Ankündigung aber keine Taten folgen, da er seine antiamerikanischen Wähler nicht verprellen wollte. Statt dieser Frau, die solchen Flurschaden zwischen zwei Völkern angerichtet hatte, sofort den Stuhl vor die Tür zu setzen, beließ er sie im Kabinett und wartete erst einmal die Wahl ab. Mit seiner Empörung war es ohnehin nicht so weit her.

In dieser Nonchalance lässt sich einer der Gründe für den Antiamerikanismus finden. Er wird wie eine Selbstverständlichkeit behandelt. Man beleidigt einen befreundeten Staatschef, aber bewahrt die Ruhe. Wozu die Aufregung? Man gewinnt Wählerstimmen, indem man die Politik eines Verbündeten anprangert, doch soll dies auf das Verhältnis ohne Auswirkung bleiben. Man setzt den anderen moralisch herab, als wäre es »business as usual«. Das kann nur bedeuten, dass die Politiker, die den Antiamerikanismus schüren, gar nicht selbst daran glauben und ihn nur als Instrument benutzen. Und dass umgekehrt die Öffentlichkeit, die nicht den geringsten Grund zur Abneigung gegen Amerika hat, diese doch zu empfinden glaubt, weil Politiker und Medien ihr dies nahelegen.

Wie zur Bestätigung dieses Doppelspiels stritt der Wahlkämpfer Gerhard Schröder vehement ab, antiamerikanisch zu sein. Er weckte nur die Ressentiments, die er selbst nicht teilte. Das erinnerte mich an meine französische Zeit, wo ich des öfteren den Satz hörte: »Ich bin nicht antisemitisch.« Meist wurde noch »Viele meiner Freunde sind Juden« angehängt, wodurch man sich offenbar das Recht erwarb, seine Vorurteile um so hemmungsloser zu propagieren. Ich empfand das damals als perfide, weil man unter dem Mäntelchen des Wohlwollens Gift verbreitete. Die Bush-Hitler-Debatte im September 2002 schien mir genauso beschämend, und ich schrieb einen entsprechenden Brief an den amerikanischen Botschafter Daniel Coats.

Einige Zeit später traf ich den Botschafter bei einem Essen, das der israelische Botschafter Shimon Stein zu seinen Ehren gab. Er hatte auch andere Deutsche eingeladen, die sich um eine Rettung des deutsch-amerikanischen Verhältnisses bemühten. Darunter waren Minister Schily, der sich hinter den Kulissen um eine Zusammenarbeit der Geheimdienste bemühte, und Hans-Ulrich Klose, der sich in der SPD gegen Schröders Kurs gestellt hatte. Klose, ehemals Bürgermeister meiner Heimatstadt, hatte es gewagt, vor den Konsequenzen der rot-grünen Antiamerikapolitik zu warnen. Dafür war er von Schröder öffentlich gemaßregelt worden, unter anderem mit den Worten, ohne seine, Schröders, Irakpolitik wäre Klose nicht in den Bundestag gewählt worden. Während Klose sich dem Opportunismus der anderen entgegenstellte und damit wahren Patriotismus bewies, bestand Schröders Politikmaßstab offenbar darin, wer wem den Einzug in den Bundestag verdankte. Auch die anderen Gäste von Botschafter Stein waren prominente »Proamerikaner«. Viele davon gab es damals nicht.

In einem Punkt musste ich meinen Brief an Botschafter Coats

revidieren. Mit meiner darin geäußerten Annahme, eine große Mehrheit der Deutschen stünde fest hinter Amerika, lag ich leider falsch. 1998 hatte der Wind gedreht und der neue Trend Einzug gehalten. Noch zu Ende der Kohl-Ära hatte die Hälfte der Bundesbürger angegeben, sie hielten Amerika für Deutschlands besten Freund. Seit der Machtübernahme von Rot-Grün war dieser Anteil in fünf Jahren auf 11 Prozent gesunken. 59 Prozent der Deutschen hatten im Frühjahr 2004 eine »etwas oder sehr negative Einstellung« zu den USA. Wie alle Moden und übrigens auch alle Vorurteile hatte dieser Stimmungsumschwung keiner sachlichen Begründung bedurft. Die Amerikaner waren an allem schuld, basta.

Die zeitgemäße Variante dieses alten Spruchs lautet bekanntlich: »Wir wollen keine amerikanischen Verhältnisse.« In fast jeder Diskussion, die ich in den letzten Jahren mit Politikern, Gewerkschaftsführern oder anderen Meinungsmachern geführt habe, kam irgendwann dieses Schlagwort an die Reihe. Durch die ständige Wiederholung war es so selbstverständlich geworden, dass es keiner Erklärung mehr bedurfte. Zur Anwendung kam diese Keule regelmäßig dann, wenn ich für Veränderungen plädierte: Liberalisierung der Marktwirtschaft, Wiedererweckung eines echten Föderalismus, Reduzierung der Allmacht der Parteien, Einführung plebiszitärer Elemente, mehr Eigenverantwortung, weniger Regulierung. Auf jeden dieser Reformvorschläge folgte wie ein Pawlowscher Reflex die empörte Beschwörung »amerikanischer Verhältnisse«, die man auf keinen Fall wolle.

Abgesehen vom Inhalt, den man darin zu sehen glaubt, scheint mir die Benutzung eines solchen Klischees an sich schon höchst fragwürdig. Denn bewusst wird hier ein ganzes Volk mit einer negativen Konnotation versehen. In meiner Jugend warnte man vor »polnischer Wirtschaft«, wenn man Misswirtschaft meinte, und wenn gestritten wurde, hieß es, es ginge zu wie im »polnischen Landtag«. Wenn man eilte, wurde von »jüdischer Hast« gesprochen, und Diebstahl hieß seltsamerweise »englisch einkaufen«. Mag dies auch folkloristisch reizvoll sein, so führt es doch unweigerlich zu Diskriminierung. Wer also vor Verhältnissen warnt, wie sie angeblich bei bestimmten Menschen herrschen, muss wissen, dass er implizit auch vor diesen Menschen warnt.

Was also will man ausdrücken, wenn man vor »amerikanischen Verhältnissen« warnt? Ohne Zweifel meint man die »Unterdrückung der Arbeitermassen«, das »Ausbeuten wehrloser Menschen durch das Kapital«, die »Zweidrittelgesellschaft«, in der es einem Drittel immer dreckig geht, und das Millionenheer der »Working Poor«, die für einen Hungerlohn Sklavenarbeit leisten. Wie jeder weiß, der die USA besucht hat, entspricht dies nicht der Wirklichkeit. Nur wenige Amerikaner würden sich in diesem Szenario wiedererkennen. Das abschreckende Bild entspringt auch nicht der Erfahrung oder gar wissenschaftlicher Forschung. Es ergibt sich schlicht als Konsequenz aus der marxistischen Weltanschauung.

Solange es den Ostblock gab, wurde hauptsächlich deshalb vor »amerikanischen Verhältnissen« gewarnt, weil das kommunistische System selbst unfähig war, die eigenen Menschen mit Arbeit und Wohlstand zu versorgen, von Freiheit ganz zu schweigen. Den Amerikanern dagegen, die ohne Ideologie auskommen, gelang dies leicht, und sie sind mit ihren »Verhältnissen« auch hochzufrieden. Das scheint sich herumgesprochen zu haben, sonst wären die USA kaum das Einwanderungsland Nummer eins, und zwar nicht nur für »Normalbürger«, sondern gerade für die Hoch- und Höchstqualifizierten, für Spitzenforscher und -technologen.

Schon immer habe ich mich über diesen offensichtlichen Widerspruch gewundert: Man schmäht ein Land, in das man zugleich gerne auswandern würde. Man belächelt ein Land, an dessen Kultur man begeistert partizipiert. Hunderttausende Deutsche haben allein im letzten Jahrhundert dort ihr Glück gesucht, viele haben es gefunden. Und doch pflegten jene, die zurückblieben, ein dumpfes Gefühl der Ablehnung, gemischt aus Dünkel und Häme. Oder war es nicht vielmehr Neid, vielleicht gar ein Minderwertigkeitskomplex gegenüber der erfolgreichen, glanzvollen Großmacht? Manchmal frage ich mich, ob sich hinter dem Minderwertigkeitskomplex unserer politischen und intellektuellen »Vorbilder« in Wahrheit das Eingeständnis verbirgt, bei einem Vergleich mit der verachteten Neuen Welt einfach alt auszusehen.

In der Sowjetunion wie bei ihren Trabanten war dies der Hauptgrund für den Amerikahass. Nun sollte man meinen, dass mit dem Untergang des Kommunismus auch dessen bitter beneidetes Feindbild verschwunden wäre. Dem ist aber nicht so. Als wäre nichts geschehen, klagt man über die amerikanische Bedrohung. Da aber die marxistische Deutung fortgefallen ist, bleibt eigentlich nur eine übrig: Es ist besser, nicht zu arbeiten, als unter den wechselnden Bedingungen des freien Marktes. Es ist besser, sich von der Gemeinschaft unterstützen zu lassen, als selbst die Gemeinschaft zu unterstützen. Und genau so habe ich es immer verstanden, wenn mir die geistige Elite Deutschlands die »amerikanischen Verhältnisse« um die Ohren gehauen hat. Nicht als Ausdruck für eine Wirklichkeit, sondern als Symbol für die Angstvorstellung, man müsse irgendwann auf eigenen Beinen stehen und etwas für die anderen tun. Das nämlich verstehe ich unter »amerikanischen Verhältnissen«.

Gut kann ich mich an eine Auseinandersetzung mit Gewerkschaftlern erinnern, die bekanntlich gern in die sozialistische Mottenkiste greifen. Amerika, so hörte ich einmal mehr, beute seine Arbeiter aus und leide zudem unter großer Arbeitslosigkeit, die man aber zu kaschieren verstehe. Als ich entgegnete, dass allein in den acht Jahren der Clinton-Regierung zehn Millionen großenteils hochwertige Arbeitsplätze geschaffen worden seien, stritt man das einfach ab. Als ich meine Quelle nannte, setzte man ein überlegenes Lächeln auf. Schon möglich, hieß es dann, dass sie die geschaffen haben. Aber gewiss waren es keine guten Arbeitsplätze. Wenn wir sie geschaffen hätten, dann wären sie auch gut gewesen. Das hieß, es war besser, keine Arbeitsplätze zu haben, als »amerikanische«.

Schon bei Helmut Kohls »Kanzlerrunde«, dem Vorläufer von Schröders »Bündnis für Arbeit«, wurde als selbstverständlich vorausgesetzt, dass man Sozial- und Wirtschaftspolitik nicht auf »amerikanische« Art treiben wollte. Ob Arbeitsminister Blüm oder Arbeitgeberpräsident Hundt, in diesem Punkt waren sich alle einig. Ich hielt das damals schon für ein Zeichen von Gedankenlosigkeit. Mittlerweile dürfte sich bei jedem vernünftigen Politiker die Erkenntnis eingestellt haben, dass eine Arbeitsmarkt- und Wirtschaftssituation, wie sie in den USA herrscht, für uns höchst wünschenswert wäre. Bei einem direkten Vergleich schneidet unser Land nämlich schlecht ab.

Im Jahr 1990 betrug das Pro-Kopf-Einkommen der Deutschen 80 Prozent von dem der Amerikaner. Zehn Jahre später waren es nur noch 70 Prozent, mit sinkender Tendenz. Bekanntlich fällt die Sockelarbeitslosigkeit in den USA seit den siebziger Jahren kontinuierlich und liegt nun bei etwas über 5 Prozent. Arbeitete 2003 jeder deutsche Beschäftigte 1361 Stunden im Jahr, so verbrachte sein amerikanischer Kollege 1800 Stunden am Arbeitsplatz. Während bei uns die Arbeitszeit dank Gewerkschaftsdruck zwischen 1970 und 2003 um 27 Prozent sank, stieg sie in den USA seit 1980 um 44 Prozent an. Und dies wurde nicht, wie es die linke Legende will, durch wachsende soziale Unruhe und Unterdrückung erkauft, sondern im Gegenteil, es sicherte das hohe Wohlstandsniveau der gesamten Gesellschaft.

Uns Deutschen ist dies leider nicht gelungen. Selbst in Europa sind wir unter Mittelmaß abgesunken. Würde man in Deutschland dagegen »amerikanische Verhältnisse« einführen, so rechnete Olaf Gersemann in seinem gleichnamigen Buch vor, ließe sich die Lage sehr schnell umkehren. Zwar stiege, so der Washington-Korrespondent der *Wirtschaftswoche,* das jährliche Entlassungsrisiko um 4 Prozent, doch zugleich betrüge die Wahrscheinlichkeit, innerhalb von drei Monaten wieder eingestellt zu werden, 74 Prozent. Heute liegt sie bei traurigen 17 Prozent.

Besondere Verdienste um die Abwertung der amerikanischen Nation hat sich unser ehemaliges Staatsoberhaupt Johannes Rau erworben. Während seiner Amtszeit wurde er nicht müde, den 80 Millionen Staatsbürgern dieses Landes das Bild eines moralisch bedenklichen Amerika zu zeichnen. Von der Kanzel herab, auf die er sich dank Oskar Lafontaine versetzt sah, predigte er dessen ethische Weltsicht von den guten Kleinen und den inhumanen Kapitalisten. Ich bezweifle, dass Rau selbst je erlebt hat, wovon er sprach. Hatten er oder auch Gerhard Schröder jemals genügend Zeit in den Vereinigten Staaten verbracht, um solche Urteile fällen zu können? Und wieviel wusste Parlamentspräsident Thierse, immerhin Inhaber des zweithöchsten Staatsamts, von den USA, als er bei einer Demonstration Unter den Linden wacker inmitten antiamerikanischer Transparente marschierte? Hatte er als ehemaliger DDR-Bürger vergessen, dass bereits unter dem SED-Regime solche Demonstrationen an der Tagesordnung waren? War diesen Politikern klar, dass sie mit ihren Stellungnahmen ein jahrzehntelang bewährtes Verhältnis vergifteten, und dies mit dem Gestus des Gutmenschentums?

Nicht ohne missionarischen Eifer hat Rau sich diesem geborgten Feindbild gewidmet. Als er 2003 noch auf eine zweite Amtszeit hoffte, brach er zu einer PR-Tour durch Deutschland auf. Vermutlich wollte er nicht nur die Medien, sondern auch Teile der Opposition davon überzeugen, dass er ein würdiger Präsident aller Deutschen sei. Seinen Werbefeldzug nannte er »Reden wir über Deutschland«. Nachdem er zuvor bestritten hatte, dass man so etwas wie Stolz auf sein Land empfinden dürfe, wollte er nun wieder patriotischen Boden gutmachen und wenigstens über das Land reden, das ihm sonst keiner Emotion wert schien.

Im *Morgenmagazin* sah ich, wie der Bundespräsident medienwirksam einen Bus bestieg, um das Land, dem er präsidierte, sozusagen vor Ort kennenzulernen. Auf die Frage des Reporters nach der nächsten Station antwortete Rau, er freue sich auf ein Treffen mit jungen Führungskräften der Deutschen Bank. Und was, so fragte der Journalist weiter, werden Sie denen erzählen? Raus Anwort: Mein Anliegen ist, den jungen Menschen zu sagen, dass ich gegen die Einführung amerikanischer Verhältnisse bin. Dem Mann mit dem Mikrophon schien dies einzuleuchten. Die Frage, was dies mit dem Motto der Tour »Reden wir über Deutschland« zu tun hatte, stellte sich ihm gar nicht. Offenbar gehörte beides im Denken bereits zusammen. Deutsch sein, das hieß eben, nicht amerikanisch zu sein.

Dabei ging Rau nicht einmal über das hinaus, was man täglich im Deutschen Bundestag zu hören bekommt. Die Abgeordneten von Rot-Grün haben sich längst an dieses Feindbild gewöhnt, das sie immer dann beschwören, wenn sie Deutschland vor den Fehlentwicklungen einer freien Marktwirtschaft warnen wollen. Offenbar ist ihnen nicht aufgefallen, welche Taktlosigkeit sie damit gegenüber einem engen Verbündeten begehen. Selbst wenn Amerika nicht zu unseren Freunden zählte, bliebe es eine Unfreundlichkeit ersten Ranges, das, was man für verwerflich hält, mit dem Namen einer anderen Nation zu versehen und diese damit zu brandmarken.

Was geschähe wohl, wenn der amerikanische Präsident im Repräsentantenhaus eine Rede über die »deutschen Verhältnisse« hielte. »Wir wollen keine deutschen Verhältnisse«, würde der Präsident unter dem beifälligen Nicken der amerikanischen Volksvertreter sagen. »Wir wollen keinen defizitären Sozialstaat, wir wollen kein wachsendes Heer von Arbeitslosen, wir wollen keine quälenden Tarifrituale, die die Nationalökonomie lähmen, wir wollen unsere Manager, Forscher und Leistungsträger nicht aus dem Land treiben. Vor allem wollen wir nicht sagen, wir seien nicht stolz auf unser Land.« Großer Applaus.

Man stelle sich die Reaktion unserer Medien vor. Man stelle sich die Regierung Schröder vor, wie sie diese »rhetorische Kriegserklärung« innenpolitisch ausschlachten würde. Doch dies wird nie geschehen, denn die vermeintlichen Cowboys sind in diesen Fragen weit taktvoller und diskreter als wir. Von »deutschen Verhältnissen« zu reden, um damit das Dahinsiechen des Verteilungsstaats zu charakterisieren, würde ihnen niemals einfallen. Warum soll man einen Verbündeten kränken? Die deutsche Frage dagegen scheint zu lauten, warum soll man einen Verbündeten nicht kränken? Als Gerhard Schröder im Februar 2004 wieder einmal ins Weiße Haus vorgelassen wurde, zeigte ihm Präsident Bush, dass er wohl wusste, wie gering der Deutsche von ihm dachte. Als er sagte, der Kanzler sei ein Mann, der ihn zum Lachen bringe, hätte dem das Lachen eigentlich vergehen müssen. Die deutsche Presse hielt es dagegen für ein Kompliment.

Auch in die Buchwelt hat der Antiamerikanismus Einzug gehalten. Seit Michael Moore seine Attacke auf Bushs Amerika 2003 in Deutschland auf den Markt brachte, hat das Ressentiment eine neue Dimension erreicht. Mittlerweile hat Moore die Bestsellerlisten mit drei Büchern gestürmt, in denen dem deutschen Leser das ungute Gefühl genommen wird, mit seinem Antiamerikanismus nur Vorurteile zu pflegen. Denn, so Michael Moore, was seine Heimat betrifft, ist kein Vorurteil krass genug, um an die Wahrheit heranzureichen. Und Deutschland gerät aus dem Häuschen, weil die Amerikaner von einem Amerikaner vorgeführt werden. Man darf also getrost schadenfroh und gehässig sein.

Dass Michael Moore seinen Präsidenten als Trottel und Alkoholiker, den »American Way of Life« als lächerliches Spießerparadies und die politischen Zustände als einer Bananenrepublik würdig darstellt, ist dabei nicht einmal das Problem. Denn Kritik, auch Satire muss möglich sein. Und George W. Bush und seine Regierung haben sich genügend Blößen gegeben. Auch bei uns kann Schröder-Imitator Elmar Brandt sich nach Herzenslust über den Kanzler lustig machen, keiner würde ihm den Mund verbieten. Das eigentlich Fragwürdige an Michael Moores Popularität liegt für mich darin, dass er von unserer Intelligenz weit mehr bejubelt wird als von der Bush-kritischen Öffentlichkeit Amerikas. Und darin liegt der entscheidende Unterschied.

Jeder muss Spott ertragen können, wenn er aus den eigenen Reihen kommt. Wird er dagegen von der Gegenseite geäußert, bei der man nicht unbedingt Wohlwollen unterstellen kann, wird Spott zu Hohn. Statt durch Witz zu belehren, wird durch Häme gekränkt. In Michael Moores deutschen Erfolgsbüchern können seine Landsleute nachlesen, dass sie eine dumme, primitive und gewalttätige Nation sind, die es darauf anlegt, die ganze Welt zu beherrschen. Kein Deutscher, der sich an dieser Amerikasicht berauscht, hat sich je vorgestellt, wie dies bei den Menschen jenes Volkes wirkt, auf deren Kosten er sich amüsiert. Menschlich ist das jedenfalls nicht.

Man stelle sich den umgekehrten Fall vor. Wie würde Deutschland reagieren, wenn die amerikanische Bestsellerliste von drei Büchern angeführt würde, in denen Gerhard Schröder der Lächerlichkeit preisgegeben und die Deutschen als nazistische Barbaren desavouiert würden? Oder wenn die Franzosen sich auf Bücher stürzten, in denen der unbestreitbare Niedergang der deutschen Wirtschaft auf die Dummheit und Faulheit unserer Bürger zurückgeführt würde? Aber andere Völker entwickeln im Umgang miteinander mehr Taktgefühl, als Gerhard Schröder oder Joschka Fischer sich träumen lassen. Wären die rot-grünen Politiker nicht auf die Rednertribünen gestiegen, um mit Fingern auf die Amerikaner zu zeigen, hätten auch Moores Karikaturen in Deutschland kein solches Millionenpublikum gefunden.

Auf der antiamerikanischen Tribüne fand sich neben den Politikern auch der Philosoph der Stunde ein, der sich von diesen so gern den Hof machen lässt. Jürgen Habermas, als dessen »Schüler« Joschka Fischer sich bezeichnet, verzichtete dabei sogar auf die sonst bei Denkern übliche Originalität. In seinem Buch *Der gespaltene Westen* wiederholte er nur in unbeholfener Philosophensprache, was seine politischen Weggenossen Schröder und Fischer bereits deutlicher gesagt hatten. »Machen wir uns nichts vor«, so appellierte der Philosoph an alle Menschen guten Willens, »die normative Autorität Amerikas liegt in Trümmern.«

Hatte er allen Ernstes angenommen, sein Publikum hätte jemals an dergleichen geglaubt und sozusagen der Desillusionierung durch Jürgen Habermas bedurft? Und wenn er im gleichen Atemzug dem kapitalistischen Westen vorwarf, dieser hätte »mit Menschenrechten nicht viel mehr als den Export von Marktfreiheiten im Sinn«, sprach er dann als Philosoph oder als *taz*-Leser oder als Stammtischbruder? Seine schablonenhafte Behauptung, die USA ließen »der neokonservativen Arbeitsteilung zwischen religiösem Fundamentalismus und entleerter Säkularisierung freien Lauf«, legte jedenfalls den Verdacht nahe, er selbst habe, im breiten Strom des Konsenses segelnd, seine kritische Vernunft über Bord geworfen und statt dessen den Formeln entleerten Politgequatsches freien Lauf gelassen. Man würde auch zu gerne wissen, was er auf Vortragsreisen im Iran und in China über deren Beziehung zu den Menschenrechten oder die ethische Dimension des religiösen Fundamentalismus zu sagen wusste oder was er seinem Verehrer Gerhard Schröder angesichts von dessen Freundschaftsbund mit Russlands neuem Zaren anvertraut hatte, womöglich mit der Eingangsfloskel: Lieber Gerd, machen wir uns nichts vor ...

Es geschieht nicht allzu häufig, dass kritische Philosophen im Gleichschritt mit den Herrschenden marschieren, und man muss sich nicht wundern, wenn sich ihnen viele Menschen im Glauben an deren »normative Autorität« anschließen. Dass der deutsche Antiamerikanismus ein Massenaberglaube ist, lässt sich wohl nicht mehr übersehen. Nun leben in Deutschland genügend Amerikaner, die als Geschäftsleute, Diplomaten oder Angehörige der Armee all dies mitbekommen. Sie müssten ja blind sein, wenn sie nicht sähen, wie ihr Land von der deutschen »Intelligentsia« als geistiger Fußabstreifer benutzt wird: Alles, was einem an der Welt missfällt, wird bei ihnen abgeladen. Natürlich merken sie es. Auch die amerikanische Presse, die überall ihre Korrespondenten und Nachrichtensender hat, bemerkt es. Muss man sich als Deutscher nicht fragen, wie das in New York oder in San Francisco ankommt? Und ob nicht irgendwann Gleiches mit Gleichem vergolten wird? Aber der befürchtete Boykott deutscher Exportgüter ist ausgeblieben.

Amerika reagiert nicht auf deutsche Schmähungen. Obwohl die Regierung sehr wohl weiß, was Bundespräsident Rau sagte und was Außenminister Fischer eigentlich meint, ignoriert man diese Kampagne. Liegt das daran, dass wir einfach zu unwichtig sind für sie? Oder ist es ein weiteres Zeichen für die Großzügigkeit der Amerikaner, dass sie über diese Verunglimpfung ihrer Nation hinwegsehen?

220

Ende April 2004 war ich von Botschafter Coats zu einem Abendessen in seiner Dahlemer Residenz eingeladen. Ehrengast des Abends war Dan Quayle, einst Vizepräsident unter George Bush senior. Natürlich musste ich sofort an das amerikanische Wort »potato« denken. Denn Quayle hatte sich beim Besuch einer Grundschule vor laufenden Kameras blamiert, als er bei einem Buchstabierspiel das Wort »potato« fälschlicherweise »potatoe« schrieb, als hinge es mit »toe«, der Zehe, zusammen. Der Fauxpas des Vizepräsidenten ging um die Welt, und nicht ohne Erheiterung sah ich dem Abend entgegen.

Zu Beginn des Empfangs konnte ich mich nicht enthalten, die etwas steife Atmosphäre durch einen Hinweis auf den Zwischenfall in der Grundschule aufzulockern. »Mr. Vice President«, sagte ich laut zu ihm, »I would have spelled potato like you did«, ich hätte »potato« genauso buchstabiert wie Sie. Er musste herzlich lachen. »Sie haben recht«, antwortete er in seiner Sprache, »durch dieses Wort habe ich mir Unsterblichkeit erworben. Aber nie zuvor bin ich so offen darauf angesprochen worden.«

Als ich mich später mit ihm unterhielt, war ich sehr überrascht, einen nicht nur angenehmen, sondern kultivierten und gebildeten Menschen kennenzulernen. Das Bild des Dummkopfs, das sich in den Medien damals breitmachte, entsprach nicht der Wirklichkeit, im Gegenteil. Man wird kaum einen deutschen Politiker finden, der so humorvoll und entwaffnend natürlich mit einem Fremden sprechen würde. Diese sympathische Art, jedem Gesprächspartner offen und aufgeschlossen zu begegnen, findet man sehr häufig in Amerika, bei uns dagegen selten.

Während des Abends drang aus dem Nebenzimmer Jazzmusik, ganz offensichtlich von einer Live-Combo. Als eingefleischter Fan musste ich hinübergehen und dem von Schlagzeug und Bass begleiteten Gitarristen lauschen, der im Stil von Wes Montgomery wunderbare Klänge aus den Saiten zauberte. Da ich wusste, dass sowohl Gastgeber wie Ehrengast aus dem Staat Indiana stammten, fragte ich die Musiker, ob ihnen der

Titel »Indiana« vertraut sei, den ich in einer Aufnahme mit dem Tenorsaxophonisten Lester Young besitze. Sie nickten und lächelten.

Das Gespräch bei Tisch nahm bald eine ernste Wendung. Natürlich ging es um den Irakkrieg, über dessen Verlauf niemand glücklich sein konnte. Auf der Taxifahrt nach Dahlem hatte ich die Europawahlplakate der SPD gesehen, die auf dieses Thema abhoben und pathetisch wie einst die SED »Frieden« forderten, als wollte die Gegenseite den Krieg. Einige Tage später verfolgte ich im Fernsehen eine Rede Schröders im thüringischen Landtagswahlkampf, in der er geradezu inbrünstig seine Friedensliebe beschwor, während ihm andächtig die Jugend lauschte, auf deren Transparenten zu lesen stand: »SPD Friedensmacht«, wie einst »SED Friedensmacht«. Man musste das Gefühl haben, Thüringen stehe unmittelbar vor dem Kriegsausbruch und nur Schröder, der Prophet der Völkerfreundschaft, könne es vor dem Verderben retten.

Beim Abendessen mit Dan Quayle nahm ich die Gelegenheit beim Schopf, um die anwesenden Politiker direkt zu fragen, ob ein deutscher Einsatz, welcher Art auch immer, in diesem Krieg geplant gewesen sei. Allgemeines Kopfschütteln. Daniel Coats versicherte mir, es sei keinem amerikanischen Entscheidungsträger je in den Sinn gekommen, die Deutschen militärisch zu involvieren, selbst dann nicht, wenn die Konservativen in Berlin regiert hätten.

Auch über den wachsenden Antiamerikanismus wurde gesprochen, der nicht länger nur in der extremen Linken und Rechten beheimatet sei, sondern weite Teile der Bevölkerung erfasst habe. Für die Amerikaner war dies ein schwer nachvollziehbares Phänomen. Sie baten offen um eine Erklärung, die auch mir schwerfiel. Besonders Dan Quayle zeigte sich enttäuscht, da er zu Zeiten der Maueröffnung die überschäumende Dankbarkeit der Deutschen miterlebt hatte und sich jetzt fragte, was sich seit damals eigentlich geändert hatte. Zudem, so versicherte er, seien die Bürger seines Landes gegenüber den Deutschen, anders als gegenüber den Franzosen, nach wie vor sehr positiv eingestellt. Nicht Deutschland, sondern Frankreich werde für die ablehnende Haltung der Europäer in der Irakfrage verantwortlich gemacht. Von der plötzlichen Antipathie der Deutschen hätten die meisten Amerikaner noch gar nichts bemerkt.

Als Botschafter Coats mit Hinweis auf den anstrengenden Flug, den der Ehrengast hinter sich hatte, die Party um Punkt zehn Uhr dreißig beendete, drangen aus dem Nebenzimmer die gedämpften Klänge von »Indiana«, und im Geist dachte ich mir Lester Youngs virtuoses Tenorsaxophon dazu.

Eines war mir an diesem Abend klar geworden: Die Amerikaner wissen sehr wohl, was ihnen die Bundesrepublik seit ihrer Entstehung verdankt. Dagegen erweist sich unser historisches Gedächtnis, in anderer Hinsicht von elefantenhafter Ausdauer, gerade hier als sehr kurz.

Was uns nicht in den Kram passt, vergessen wir einfach. Dankbarkeit zählt offenbar nicht zu unseren Nationaltugenden.

KAPITEL SECHS

»Made in Germany«
statt Schlamper-Republik

Sprechen wir von Tugenden. Das Wort hat Hautgout, ich weiß. Nur brave und angepasste Menschen, so will es die moderne Weisheit, leisten sich einen solchen Luxus. Wer seine Rechte kennt und seine Interessen durchsetzt, kommt ohne sie aus.

Das mag wohl sein. Doch kommt auch eine Gesellschaft ohne die Tugenden ihrer Mitglieder aus? Als Bundeskanzler Helmut Schmidt die Deutschen daran erinnerte, dass ihre Wohlstands-demokratie nicht durch Debatten und Demonstrationen, sondern durch Selbstdisziplin und Leistungsbereitschaft entstanden war, ließ ihn ein junger saarländischer SPD-Politiker auflaufen. »Helmut Schmidt spricht von Pflichtgefühl, Berechenbarkeit, Machbarkeit, Standhaftigkeit«, sagte der Saarbrücker Bürgermeister Oskar Lafontaine im Juli 1982. »Das sind Sekundär-tugenden. Ganz präzise gesagt: Damit kann man auch ein KZ betreiben.«

Mit solchen Sätzen kann man, ganz präzise gesagt, einen Menschen kaputtmachen. Mit einem Schlag hatte der Ex-Juso und junge SPD-Karrierist den angesehensten Repräsentanten seiner Partei gebrandmarkt. Leute wie Schmidt, die für Nato und Nachrüstung sind, so hatte Lafontaine impliziert, haben damals die KZs betrieben. Auch als Folge dieser Ächtung, die scheinbar nur Eigenschaften anprangerte, in Wahrheit aber auf den Menschen Helmut Schmidt zielte, wurde der Bundeskanzler noch im selben Jahr von seiner eigenen Partei gestürzt. Heute hat der Begriff »Tugend« einen fast peinlichen Klang angenommen, der die meisten lieber ein anderes, unverfängliches Wort wählen lässt.

Aus dem Abstand von zweiundzwanzig Jahren klingt Lafontaines Satz, der damals wie eine Keule wirkte, nur noch unverfroren. Selbstverständlich kann man ohne die geschmähten »Sekundärtugenden« weder ein Krankenhaus noch einen Bahnhof betreiben, lässt sich ohne sie kein Haus bauen und kein Staat machen, würde ohne sie die UNO und die SPD zusammenbrechen. Auch ein deutscher Finanzminister braucht ein Mindestmaß an Tugenden, um nicht bei erster Gelegenheit sein Amt hinzuwerfen und den Parteivorsitz gleich mit. Oskar Lafontaine hat dies 1999 fertiggebracht. Seine Partei hat ihm diesen skandalösen Mangel an Pflichtgefühl, einer der Sekundärtugenden, bisher nicht verziehen.

Wer jemals in einer Gemeinschaft gearbeitet hat, weiß um die Notwendigkeit von Tugenden. Jede von ihnen drückt nämlich im Kern dasselbe aus: Dass man sich mit dieser Gemeinschaft, sei es nun eine Familie oder ein Unternehmen, eine Partei oder eine Nation, identifiziert. Solange man sich »heraushält« aus allem, braucht man keine Sekundärtugenden. Identifiziert man sich aber, muss man auch Verantwortung übernehmen. Verantwortung, das ist für mich nur ein anderes Wort für »Sekundärtugenden«. Einen Menschen erkennt man am besten daran, ob er mit den Aufgaben, die ihm anvertraut sind, verantwortungsvoll umgeht oder nicht: Eltern mit ihren Kindern, Lehrer mit ihren Schülern, Handwerker mit ihrer Arbeit, Banker mit unserem Geld, Politiker mit dem Interesse unserer Nation.

Wo diese Verantwortung im kleinen wie im großen fehlt, herrscht Schlamperei. In Deutschland sind seit langem fragwürdige Gewohnheiten eingerissen. Wir sind zur »Schlamper-Republik« verkommen. Gewiss, wir sind die drittstärkste Volkswirtschaft der Welt. Kein Land verunziert seine einst schöne Landschaft mit so vielen Windrädern, um die Welt vor dem Treibhauseffekt zu retten. Niemand kann sich älterer Studenten, kaum ein Land kann sich jüngerer Rentner rühmen, schon gar nicht kürzerer Wochen- und Lebensarbeitszeit. Deutschland ist rekordverdächtig. Nur leider anders, als es glaubt.

Deutschland ist auch Urlaubsweltmeister. Und Vize-Exportweltmeister. Bei entsprechender Dollarschwäche haben wir es sogar geschafft, Exportweltmeister zu werden. Unser Handelsbilanzüberschuss belegt, dass wir immer noch mehr Arbeitsplätze importieren als exportieren. Doch die Zahlen gaukeln uns ein falsches Bild vor. In Wahrheit haben wir massiv an Marktanteilen in der Weltwirtschaft verloren. Und »verloren« heißt, dass wir sie preisgegeben haben. 1991 lag der deutsche Weltmarktanteil bei fast 11 Prozent, heute ist er auf 9 Prozent abgesunken. Für nationale Verantwortung spricht das nicht gerade. Zur Erklärung wird angeführt, dass durch die Globalisierung viele Schwellenländer in unsere Marktpositionen eingedrungen sind. Ich stelle mir vor, wie ich bei IBM auf meinen Vertriebschef reagiert hätte, wenn der das Verfehlen unserer Umsatzziele damit zu entschuldigen suchte, dass neue Konkurrenten aufgetreten seien.

Natürlich ist der Weltmarkt kein Nullsummenspiel. Er wächst beständig. Neue Wettbewerber schaffen auch neue Märkte. Das bedeutet nicht automatisch, dass die Anteile anderer schrumpfen müssen. Warum also sind die unseren zurückgegangen? Weil eine Trendwende stattgefunden hat. Wir haben auf die Herausforderung nicht richtig reagiert. Statt die globale Konkurrenz anzunehmen und unsere Wettbewerbsbedingungen zu optimieren, haben wir uns mit uns selbst beschäftigt und uns ideologische Träume aus Studententagen erfüllt. Die Ablehnung der »Leistungsgesellschaft«, ein Steckenpferd der 68er-Generation, hat uns heute einen eklatanten Mangel an Leistungsfähigkeit beschert. Auch dies eine der »Sekundärtugenden«, von denen wir uns, eifrig beschäftigt mit sozialer Umverteilung, vorschnell verabschiedet haben.

Als Folge können wir etwa bei Produkten, die einen hohen Forschungs- und Entwicklungsaufwand voraussetzen, nicht mehr mithalten. Im High-Tech-Bereich sind wir ins Hintertreffen geraten. Dass uns gerade Amerika und Japan in unseren einstigen Domänen überholt haben, zeigt außerdem, wie man starke Positionen verteidigen, ja weiter ausbauen kann. Bei uns ging es umgekehrt. Wir haben uns aus den Produktbereichen mit den größten Wachstums- und Profiterwartungen herausdrängen lassen. Computer made in Germany? Fehlanzeige. Gentechnik? Verboten. Atomtechnik? Verbannt. Nanotechnik? Unter Verdacht. Vergleicht man Deutschland mit einem Unternehmen, so verdient es sein Geld teilweise nur mit Auslaufmodellen.

Das Ganze funktioniert nur noch, weil wir mehr Waren exportieren als wir importieren. Man stelle sich vor, wir würden als solidarisches Mitglied der Weltgemeinschaft auf unseren Handelsbilanzüberschuss verzichten und fortan genausoviel exportieren wie importieren. Dies »gerechte« Gleichgewicht von Geben und Nehmen hätte zur Folge, dass unser Staat über Nacht zusammenbräche. Sämtliche Errungenschaften, auf die wir jahrzehntelang so stolz waren, wären ihrer Grundlage beraubt. Die Sorgen, die wir uns heute über die Finanzierung von Rente, Gesundheit, Pflege, Arbeitslosigkeit machen, würden schlagartig enden. Es gäbe diese Sicherungssysteme nämlich nicht mehr.

Deutschland ist, jeder weiß das, vom Export abhängig. Ein Drittel unserer Arbeitsplätze hängt an der Ausfuhr, also an ausländischen Kunden, die unsere Waren und Leistungen denen anderer Länder vorziehen. Warum tun sie dies überhaupt? Oder besser: Warum tun sie dies überhaupt noch? Offenbar weil deutsche Waren nach wie vor vom Qualitätsbegriff »Made in Germany« profitieren. Unser Land hat sich seit einem halben Jahrhundert ein Prestige erworben, auf das die Generationen, die daran mitgearbeitet haben, stolz sein können.

In den Jahren, die ich im Ausland verbrachte, habe ich überall das hohe Ansehen von »Made in Germany« erfahren können. Dieser Begriff ist bis heute ein Pfund, mit dem man wuchern kann. Für Deutschland wäre es ein schwerer Nachteil, wenn diese Bezeichnung aufgegeben werden müsste. Ebendies plant gegenwärtig die Europäische Kommission, die von einer Herkunftsbezeichnung »Made in Europe« träumt. Damit würden wir einen der letzten Standortvorteile aufgeben, die uns noch geblieben sind.

Ich habe auch persönlich von diesem nationalen Ansehen profitiert. Im Kreis der internationalen IBM-Chefs, die sich regelmäßig trafen, galt die Position der IBM-Deutschland immer als besonders solide. Man konnte sich auf uns verlassen. Die Qualität der einst fünf Fabriken, die wir in Deutschland unterhielten und die heute alle verschwunden sind, war im ganzen IBM-Verbund berühmt. Die Speichergeräte, die wir in Mainz produzierten, wiesen eine geringere Ausfallrate auf als jene aus New York. Der »Yield«, also das Ergebnis an brauchbaren 4-Megabyte-Chips, war in Sindelfingen höher als in East Fishkill in den USA. Die Software, die unser Labor in Schönaich produzierte, war weniger störanfällig als jene aus anderen Ländern.

Der Grund dafür, dass ein Rechner mit der Kennzeichnung »Made by IBM Germany« besonders hoch eingeschätzt wurde, lag an den »Sekundärtugenden« der Mitarbeiter, die ihn produzierten, und ihrer Führung, die fünfe niemals gerade sein ließ. Im Ausland spürte ich immer, welches Ansehen unser Land deshalb als Wirtschaftsmacht genoss. Man behandelte mich mit Hochachtung, und das lag nicht an mir persönlich. Natürlich wurde ich manchmal auch als Vertreter eines Volkes angesehen, von dem schreckliche Untaten begangen worden waren. Aber meistens fühlte ich den Respekt, den man unserer Nation und ihren tollen Produkten entgegenbrachte. »Made in Germany« war unser größtes Prestige. Aber Prestige ist wie ein Mythos, der auch dann noch weiterbesteht, wenn seine Grundlagen längst verschwunden sind.

Unser fahrlässiger Umgang mit Forschung und Technologie scheint mir beispielhaft dafür, wie man unser Prestige langsam aushöhlt. Beim Besuch eines Leibniz-Instituts für Lebensmittelforschung, das mit der Technischen Universität München zusammenarbeitet, wurden mir folgende Beispiele berichtet: Es gibt eine Krankheit, Zöliakie oder Mehlallergie, die durch Getreideprodukte ausgelöst wird. Die Betroffenen leiden unter schweren Verdauungsstörungen, da sich die Magenoberfläche bei Kontakt mit Getreide krankhaft verändert. Solche Menschen dürfen kein Bier trinken, kein Brot, keine Spaghetti essen.

Allein in Deutschland leiden 400 000 Menschen an Zöliakie. Unserem Forschungsinstitut ist es gelungen, eine Weizensorte herzustellen, bei der ein Teil der allergieauslösenden Stoffe, die sogenannten Gliadine, eliminiert sind. Um auch die verbliebenen Giftstoffe der Glutenine auszuschalten, müsste noch einige Jahre weitergeforscht werden. Dem Ministerium Frau Künasts erscheint das offenbar unnötig. Die Förderung dieses Projekts, das hunderttausenden Kranken Hilfe bringen könnte, wurde verweigert.

Ebenfalls mittels Gentechnik hat unser Institut unter dem Motto »Lachs aus Raps« eine Rapssorte gezüchtet, aus der sich nicht gewöhnliches Rapsöl, sondern, so unglaublich es klingt, Lachsöl gewinnen lässt. Dieses Öl hat dieselbe Zusammensetzung wie der vitaminreiche Lebertran, den ich als Kind einzunehmen hatte. Viele Kranke brauchen dieses Öl zur Unterstützung ihrer Nahrungsaufnahme. Auch dieses wichtige Projekt wird durch die grünen Eiferer behindert, was im Endeffekt bedeutet, dass die Rapssorte, nicht anders als der nichtallergene Weizen, im Ausland angebaut und auf den Markt gebracht werden wird. Möglicherweise von den deutschen Forschern, die deshalb unser Institut verlassen werden.

Zur selben Zeit lese ich, dass im Institut für Obstzüchtung in Dresden Apfelsorten angepflanzt werden sollten, die dank Erbgutveränderung resistent gegen die gefürchteten Krankheiten Brand, Schorf und Mehltau sind. Die Leiterin des Instituts, Viola Hanke, hatte die Technik an der amerikanischen Cornell-Universität gelernt und nach Deutschland mitgebracht. Nachdem der Staat das Projekt mit 1 Million Euro gefördert und auch die Zentrale Kommission für biologische Sicherheit am Robert-Koch-Institut dem Vorhaben zugestimmt hatte, kam das strikte Nein der Ministerin. »Gegen Apfelschorf und Mehltau«, ließ Renate Künast wissen, »sind zugelassene Pflanzenschutzmittel verfügbar.« Dabei lässt sich der von Viren erzeugte Feuerbrand durchaus nicht mit Pestiziden bekämpfen. Mit dem Ukas aus Berlin war das wichtige Dresdner Projekt gekippt. Der Direktor des Max-Planck-Instituts für Pflanzenphysiologie in

Potsdam, Professor Lothar Willmitzer, sprach resigniert von einem »wissenschaftsfeindlichen Klima«.

Am verheerendsten dürfte sich das Verbot der Gentechnologie für die Dritte Welt auswirken. Man hat nämlich auch Getreidesorten entwickelt, die ohne Pestizide auskommen, was für die Hungerregionen der Welt eine entscheidende Verbesserung darstellt. Denn größere Ernten bedeuten weniger Hunger. Man kann mittlerweile auch Pflanzen züchten, die mit geringen Mengen an Wasser auskommen, so dass sie in Dürreregionen angebaut werden können. Für die betroffenen Länder bietet das eine entscheidende Hebung des Existenzniveaus. All dies darf, laut grüner Regierungsideologie, nicht sein.

Seit Jahren kämpfen die Grünen gegen das sogenannte Gen-Food, obwohl sie genau wissen, dass der Verzehr so gefahrlos ist wie der einer gekreuzten Apfel- oder Kartoffelsorte. Es gibt keinen wissenschaftlichen Beweis für eine konkrete Gefahr, und doch verschweigt man die Wahrheit, um statt dessen die eigene Ideologie zu verkünden. Das Erfolgsprinzip der Grünen besteht nun einmal darin, den Menschen Angst einzujagen, indem man immer neue Gespenster an die Wand malt. Lieber soll die Dritte Welt hungern, als Nahrung zu essen, die von Wissenschaftlern den dortigen Lebensbedingungen angepasst wurde. Die radikale Kampagne der Grünen, an deren Wesen die Welt genesen soll, zeigt auch bei Radikalen Wirkung. Ein Versuchsfeld im sachsen-anhaltischen Bernburg, auf dem pilzresistenter Weizen gezüchtet wurde, ist laut Zeitungsmeldung vom 5. Mai 2004 »von Unbekannten so nachhaltig verwüstet worden, dass das Anbauprogramm gestoppt werden muss«. Für mich ist das Vernichten von Nahrungsmitteln ein Verbrechen. Über eine Reaktion der Ministerin wurde nichts bekannt.

Nicht lange vor diesem grünen Vandalismus wurde ich von Entwicklungsministerin Heidemarie Wieczorek-Zeul zu einem »Dialogforum« eingeladen, bei dem es um den Hunger in der Dritten Welt ging. Ich traf dort die Leiterin der Deutschen Welthungerhilfe, Ingeborg Schäuble, die Generalsekretärin von Amnesty International Deutschland, Barbara Lochbihler, die

Goethe-Instituts-Präsidentin Jutta Limbach, einen Verteter der »Non Governmental Organizations«, außerdem Leute aus Regierung und Wirtschaft. Ich brachte die Rede auf die großartige Möglichkeit, Nahrungsmittel gentechnisch zu optimieren und damit den Anbaubedingungen anzupassen. Zur Verdeutlichung referierte ich die oben genannten Beispiele, nicht ohne auf die Blockade der Grünen-Minister Künast und Trittin hinzuweisen, für die der Kampf gegen Gentechnik zum Glaubensartikel geworden ist.

Die Reaktion entsprach meinen Erwartungen. Der Vertreter des Umweltministeriums, der für Bärbel Höhn gekommen war, hielt mir prompt entgegen, die Gentechnik sei doch »kein Allheilmittel«. Man könne die Leute schließlich auch anders ernähren. Ihm sprang der Repräsentant der »Nicht-Regierungs-Organisationen« bei, der mich als Interessenvertreter des Großkapitals zu entlarven suchte. Statt Argumente vorzubringen, die ihm fehlten, unterstellte er mir, ich würde versuchen, den Standpunkt der Industrie durchzusetzen. Zum Glück wurde ich von den anderen verteidigt, und am Ende sprach sich sogar eine Mehrheit zugunsten dieser wahrhaft humanen Technologie aus, die in Deutschland tabuisiert ist. An der generellen Tendenz vermochte dieses Ergebnis des »Dialogforums« jedoch nichts zu ändern: Seit Juni 2004 sorgt ein rot-grünes Gesetz dafür, dass Bauern, die genverbesserte Pflanzen anbauen möchten, mit unabsehbaren Schadenersatzrisiken rechnen müssen.

Dieselbe Art absurder Wissenschaftsblockade droht im Bereich der Nanotechnologie, bei der es sich um eine neue Dimension der Miniaturisierung handelt. Die Devise des »immer kleiner« stand schon Pate bei der Computerentwicklung, die ich bei der IBM jahrzehntelang mitgestalten konnte. Dank Mikroelektronik findet ein Rechner, der früher ein Wohnzimmer füllte, heute in einer Handtasche Platz. Das Unglaubliche ist, dass es für diesen Trend keine Grenze zu geben scheint. Die neueste Technologie spielt sich, wie der Name sagt, in einem Bereich von einem Nanometer, also einem Milliardstel Meter ab. Das entspricht der Länge von sieben Goldatomen.

Bei einem Besuch des Leibniz-Instituts für Neue Materialien in Saarbrücken wurde mir eindrucksvoll demonstriert, was heute bereits möglich ist. Dank Nanotechnologie könnte etwa der Traum jedes Autobesitzers wahr werden. Professor Helmut K. Schmidt gab mir einen Stahlschwamm in die Hand, mit dem ich eine Autotür zerkratzen sollte. So sehr ich mich mühte, der Lack blieb makellos. Man stelle sich vor, derlei Errungenschaften der Nanotechnologie würden in öffentlichen Verkehrsmitteln Einzug halten!

In greifbare Nähe scheint auch die medizinische Wunschvorstellung gerückt, mittels winziger Roboter, die in der Blutbahn kreisen, Kalkablagerungen in den Adern zu entfernen. An der Universität von Cambridge werden bereits Seile entwickelt, die, aus Nanoröhren gesponnen, zehnmal zugfester sind als Stahlseile und damit den Bau gewaltiger Hängebrücken ermöglichen. Dank einer Nanowaage ist es erstmals möglich, Viren zu wiegen. Das Verfahren der Purdue-Universität in Indiana lässt sich beispielsweise für Detektoren verwenden, mit denen sich die Reinheit von Luft nanogenau messen lässt.

Als Präsident der Leibniz-Gemeinschaft lade ich regelmäßig Journalisten zu sogenannten Lunch Debates ein, um sie über aktuelle Fragen der Wissenschaft zu informieren. Im Frühjahr 2004 diskutierten wir über die Chancen der Nanotechnologie. Ich verstand »Chancen« nicht nur im Sinn des wissenschaftlich Möglichen, sondern, leider, auch des politisch Erwünschten. Seit längerem war mir aufgefallen, dass sich die Technikfeindlichkeit der Grünen auf dieses Zukunftsfeld zu konzentrieren begann. Nach der erfolgreichen Hexenjagd auf »AKWs« und »Gen-Food«, die beide zum Wachstum der weltweiten Wirtschaft, nicht aber unserer eigenen, beitragen, wird nun die Gefahr der Miniaturtechnologie an die Wand gemalt.

Bei dieser Diskussion stellten Vertreter unserer Institute für Materialforschung und Medizintechnik die weite Palette möglicher Anwendungen vor. Mir erschien dieser ganze Komplex wie ein neuer Horizont, der sich der Wissenschaft öffnet und ihr, wenn man so will, eine neue »Weltumsegelung« ermöglicht.

Erwartungsgemäß sahen einige unserer Gäste das ganz anders. Nicht die Hoffnung, Menschen zu helfen oder Produkte zu verbessern, zog ihre Aufmerksamkeit an, sondern die Befürchtung, es könnten heimliche Risiken damit verbunden sein.

Besteht nicht die Gefahr, so wurde etwa gefragt, dass man künstlich geschaffene Nanoprodukte einatmet und sich damit unwissentlich Schaden zufügt? Die Antwort der Wissenschaftler, dass diese nicht in Gasform verbreitet würden, schien die Frager für den Moment zu beruhigen. In Frageform wurden auch andere Phantasien entwickelt, die mich an die Kampagnen gegen Atomenergie und Biotechnologie erinnerten. Zwar haben beide verfemte Techniken bei uns niemandem geschadet oder auch nur ein einziges Menschenleben gefordert, aber um Fakten ging es dabei nicht. Es ging um das ideologische Urmisstrauen gegen alles, was von Wirtschaft und Technik entwickelt wird.

Es wunderte mich nicht, dass wenige Wochen später die Grünen im Bundestag eine Anhörung zur Nanotechnologie veranstalteten, um auf deren »Konfliktpotential« hinzuweisen. Von Umweltorganisationen wurde bereits vor schädlichen Nanopartikeln und »invasiven Nanorobotern« gewarnt, die vor allem von deutschen Spendern finanzierte Umweltorganisation Greenpeace forderte gar ein Forschungsmoratorium. Schon hatte man die Nanotechnologie dem großen Reservoir der Themen einverleibt, mit denen man der Bevölkerung Angst einjagen kann.

Ein Land, das sich derlei ideologische Spielchen leistet, muss langfristig den Anschluss an die Spitzentechnologie verlieren. Kurzfristig verliert es bereits seine Spitzentechnologen. Allein in die USA zieht es jährlich rund 15 Prozent des deutschen Wissenschaftsnachwuchses, von denen über ein Drittel dort bleibt. Sie arbeiten vor allem in Zukunftsbereichen wie Molekulargenetik, Biophysik, Bioengineering, Neurowissenschaften oder Medical Engineering. In Deutschland gibt es zu wenige dieser Forschungsrichtungen, auch weil sie weltanschaulich tabuisiert sind.

Ein Wissenschaftler etwa, der sich auf Nanotechnologie spezialisiert, wird sich bald ähnlich schnell von Deutschland abwenden, wie dies bereits unsere Atom- und Biowissenschaftler getan haben. Wer sich von Berufs wegen um objektive Erkenntnisse und Fortschritte bemüht, kann über die Vorurteile, nach denen bei uns Wissenschaftspolitik betrieben wird, nur den Kopf schütteln. Und auswandern. Tausende hochqualifizierter Forscher haben dies getan, noch mehr werden folgen.

Auch die deutschen Unternehmen, die fast 70 Prozent der nationalen Ausgaben für Forschung und Entwicklung tragen, reagieren bereits. Immer öfter verlegen sie ihre Forschungsprojekte in Länder, wo ihnen die Hände nicht durch absurde Auflagen gebunden sind. So bleibt der pharmazeutischen Industrie nichts anderes übrig, als gentechnische Forschungsprojekte auszulagern. Mit ihnen werden die Ressourcen und die hochwertigen Arbeitsplätze abgezogen, die unser Land so dringend braucht. Würden die deutschen Unternehmen das Geld, das sie im Ausland zu Forschungszwecken anlegen, in deutsche Institute investieren, könnte unsere Wissenschaftslandschaft auch künftig im internationalen Wettbewerb bestehen. Aber der Trend geht in die umgekehrte Richtung.

Man spricht nicht mehr nur vom deutschen »Kompetenzverlust«, sondern von einem regelrechten »Brain Drain«, einem Abfließen unserer geistigen Leistungskraft. Wie hilflos wirkt da der Versuch von Bundesbildungsministerin Edelgard Bulmahn, mit einem Wettbewerb an deutschen Spitzenhochschulen »Aufbruchstimmung zu erzeugen«. Schon der dafür gewählte Slogan »Brain up!« macht ratlos, da es im Englischen zwischen »brain« und »up« keinerlei logischen Zusammenhang gibt. Als jemand sich die Mühe machte, das Internet nach dieser absurden Wortverbindung abzusuchen, fand er nur den Satz: »She has no *brain up* there.«

* * *

Man wirft mir oft vor, Deutschland »schlechtzureden«. Warum sollte ich das tun? Ich bin stolz auf mein Land, ich gehöre gerne der Nation meiner Eltern an. Ich wünsche nur allen Deutschen von Herzen, dass ihre Politiker sie besser behandeln, als sie es tun. Ich wünsche ihnen vor allem, dass sie nicht länger an die Illusionen glauben, die ihnen aufgetischt werden, und dass sie den Mut zur Wahrheit finden. Mut braucht es deshalb, weil jedem, der heute die Wahrheit sagt, vorgeworfen wird, er rede unser Land schlecht.

Auch Franz Müntefering plädierte für die Wahrheit. In seiner »Bewerbungsrede« auf dem SPD-Sonderparteitag, wo er zu Gerhard Schröders Nachfolger als Parteivorsitzender gewählt wurde, forderte er seine Partei auf, sie müsse sich, wie er es nannte, »ehrlich machen«. Ganz abgesehen von der seltsamen Formulierung, die ja wohl einschloss, dass man vorher nicht ehrlich gewesen war, scheint ihm selbst dieser Schritt auch nicht leichtzufallen. Im Januar 2004 hatte ich einen Schlagabtausch mit Müntefering in der Sendung *Sabine Christiansen*. Er war mir mit der Behauptung entgegengetreten, der Anteil der deutschen Industrie an den nationalen Forschungsaufwendungen sei gesunken, der des Staates dagegen gestiegen. Ich hielt dagegen, und er akzeptierte die Wette. Es ging, wie sich Zuschauer der Sendung erinnern werden, um ein Kistchen Cohiba-Zigarren, das ich im Scherz »wegen des Mitgliederschwunds der SPD« auf eine Zigarre reduzierte.

Natürlich wusste ich, dass ich recht hatte, und selbst Jürgen Trittin, der sich vorher gegen mich aufgeplustert hatte, sagte mir beiläufig: »Ach, Herr Henkel, die Wette haben Sie gewonnen.« Ich fragte mich nur, warum er das nicht vorher gesagt hatte, als die Kameras liefen. Warum gilt die Wahrheit so wenig, dass man sie nicht öffentlich sagen will? Bald musste ich mich auch fragen, wie ehrlich Franz Müntefering es gemeint hatte. Erst desinformierte er das Publikum, ob aus Berechnung oder Unwissenheit, ich weiß es nicht. Dann schien er unsere Wette vergessen zu haben. Ich wies ihm in einem Brief vom 19. Januar 2004 nach, dass laut EU die Forschungsinvestitionen des deutschen Staates zwischen 1997 und 2002 um 0,5 Prozent, die der Wirtschaft dagegen um 5,9 Prozent gestiegen seien. Da ich nichts von ihm hörte, erinnerte ich ihn ein zweites Mal an unsere Wette. Wieder schwieg er. Vielleicht sollte Franz Müntefering, bevor er den Moralapostel spielt, sich selbst ein wenig »ehrlich machen«.

Seit meiner Zeit als deutscher IBM-Chef habe ich mich bemüht, den Deutschen reinen Wein über ihre Lage einzuschenken. Seit 1988 lag ich darüber mit dem *Spiegel* in einer politischen Auseinandersetzung. Während ich, wie der *Spiegel* damals schrieb, vor den »Gefahren für den Industriestandort Deutschland« warnte, und zu Recht, wie sich zeigte, hielt mir das Magazin Schwarzseherei vor. Alle Reformvorschläge, die ich seit nunmehr siebzehn Jahren unterbreite, wurden vom *Spiegel* bekämpft und unterlaufen. Die Wahrheit war: Der Standort Deutschland war nicht mehr konkurrenzfähig, der hochgelobte Sozialstaat nicht mehr finanzierbar. Doch aus ideologischen Gründen wollte man es nicht wahrhaben; Hans-Olaf Henkel wurde als »Lobbyist der Industrie« diskreditiert.

Seit einiger Zeit hat der *Spiegel* eine Kehrtwende vollzogen, sich sozusagen »ehrlich gemacht«. In groß aufgemachten Titelgeschichten kann man nun nachlesen, wie das einst linke Blatt zur Speerspitze der Aufklärung geworden ist. Schlag auf Schlag wird der Reformstau beklagt, die Selbstblockade des politischen Entscheidungssystems, der Wahnsinn des Dosenpfands, der Selbstbetrug mit den Windrädern, das Debakel des Aufbaus Ost. Das ließ sich alles längst in meinen Büchern nachlesen. Aber noch 2002, als ich in *Die Ethik des Erfolgs* eben diese Probleme thematisierte, konnte man sich in einem Artikel Hohn und Häme, die Sekundärtugenden des *Spiegel,* nicht verkneifen.

Etwas muss sich mit Deutschland geändert haben, wenn heute schon der *Spiegel* schreibt, was Hans-Olaf Henkel seit Jahren sagt. Unser Land, das erkennen immer mehr Bürger, wird nicht schlechtgeredet, sondern schlecht regiert. Um dies zu beweisen, möchte ich einige Zahlen anführen, die der *Spiegel* im März 2004 zusammengestellt hat. Betrachtet man die Statistiken in ihrer Gesamtheit, so scheint es mir fast, ich hätte Deutschland gelegentlich sogar »schöngeredet«. Denn die Zahlen sprechen eine unmissverständliche Sprache. Sie sagen, dass es seit Jahren mit uns bergab geht. Weil wir aber gebannt auf das Theater starren, das uns die Politiker aufführen, vergessen wir es einfach.

Beginnen wir mit dem durchschnittlichen jährlichen *Wirtschaftswachstum* in der EU: Zwischen 2001 und 2003 ist die Wirtschaft in Irland um 5 Prozent, in der Slowakei und Griechenland um 3,9 Prozent, in Ungarn um 3,3 Prozent, in Spanien um 2,4 Prozent und in England um 1,9 Prozent gewachsen. Das europaweit geringste Wachstum haben wir zu verzeichnen: 0,4 Prozent. Exkanzler Helmut Schmidt erklärte das in einem Interview auch damit, »dass die politischen Klassen dieser kleinen Länder in der Zusammenarbeit mit den Unternehmern und Gewerkschaftern einfach eine Nummer besser sind als die Deutschen«. Ich würde eher sagen: drei Nummern.

Nicht anders sieht es bei der Beschäftigung aus. Beim *Beschäftigungswachstum* steht Spanien mit 8,5 Prozent an der Spitze, gefolgt von Irland mit 5,3 Prozent, England verzeichnet 2,4 Prozent und Frankreich 1,8 Prozent. Im Minusbereich sind nur die Deutschen mit minus 1,7 Prozent und die Polen mit minus 6,1 Prozent.

Bei den *Forschungsausgaben* im Jahr 2001 liegen die Schweden vorn mit 4,3 Prozent ihres Bruttoinlandsprodukts, gefolgt von Japan mit 3,1 Prozent und Südkorea mit 2,9 Prozent. Deutschland bringt 2,5 Prozent auf, mit Ausnahme Baden-Württembergs, das mit 4,3 Prozent europäische Spitze erreicht. 2002 stellt Amerika für die Forschung eine Summe von 277 Milliarden Dollar bereit, Deutschland nur 55 Milliarden. Entsprechend dünn sind die *Forscher* in Deutschland gesät: Kommen in Japan auf tausend Beschäftigte 9,3 und in den USA 8,1, so widmen sich bei uns nur 6,1 pro tausend der Forschung, in den neuen Bundesländern ist es sogar nur einer von tausend. Auch deshalb sank die Kurve der *forschungsintensiven Waren*, die Deutschland exportierte, zwischen 1991 und 2000 von 5,2 Prozent auf 3,7 Prozent unseres Außenhandels. In der *Handelsbilanz mit technologischen Dienstleistungen,* also mit Patenten,

Hochtechnologie, Ingenieurwesen, wies Deutschland 1991 ein Minus von 1,4 Milliarden auf, 2001 ein Minus von 7,5 Milliarden.

Zwischen 1960 und 2003 stieg in Deutschland die *Arbeitslosenquote* von 1,3 Prozent auf 11,6 Prozent. Gleichzeitig erhöhten sich die *Sozialbeiträge* von 24,4 Prozent des Bruttolohns auf 42 Prozent, während etwa Dänemark im Jahr 2002 mit 11,2 Prozent, Großbritannien mit 16,7 Prozent und die USA mit 15,3 Prozent auskamen. In Deutschland stehen 27,5 Millionen *sozialversicherungspflichtigen Beschäftigten* knapp 46 Millionen Unbeschäftigte gegenüber. Die *Beschäftigungsquote* der Deutschen ist mit 66 Prozent die niedrigste. Dagegen gehen in den USA und Großbritannien 73 Prozent der Erwerbsfähigen zur Arbeit, in Dänemark sind es 80 Prozent. Alle 82,5 Millionen Deutschen ab dem zehnten Lebensjahr verwenden in ihrem *Zeitbudget* zusammen nur 13 Prozent für Arbeit und Ausbildung. Betrug das *jährliche Arbeitspensum* 1970 pro Kopf der Gesamtbevölkerung 859 Stunden, so ergaben sich 2002 nur noch 676 Stunden.

Da man den »Freizeitpark Deutschland« aber auch noch finanzieren muss, hat sich bei den Politikern das »Prinzip Pump« durchgesetzt. Zwischen 1960 und 2003 stieg in Deutschland die *Staatsverschuldung* von 17,4 Prozent des Bruttoinlandsprodukts auf 64,2 Prozent. In den dreißig Jahren seit 1971 hat sich dabei das *Verhältnis von erarbeitetem Bruttoinlandsprodukt und Staatsverschuldung* auf den Kopf gestellt. Stand zwischen 1971 und 1980 einem Leistungszuwachs von 281,7 Milliarden Euro eine Schuldenaufnahme von 171,3 Milliarden gegenüber, so sieht das Verhältnis zwischen 1992 und 2001 völlig anders aus: Den erwirtschafteten 275,4 Milliarden stehen gepumpte 496,2 Milliarden gegenüber. Das ergibt einen *Gesamtschuldenstand* unseres Landes, der jeden einzelnen Bürger bereits mit rund 16 500 Euro belastet. Die aktuelle Zahl, um die eintausenddreihundertfünfzig Milliarden Euro (1 350 000 000 000 Euro), lässt sich unter www.steuerzahler.de jederzeit abfragen.

Dem dramatischen Anstieg unserer Verschuldung entspricht

ein spürbares Schwinden unseres Wohlstands. Wie der Bundesverband der deutschen Banken errechnete, ist unsere *Pro-Kopf-Wertschöpfung* seit 1992 von Rang 3 in Europa auf Rang 11 zurückgefallen. Im März 2004 hat die Statistikbehörde der EU Eurostat bekanntgegeben, dass entsprechend auch Deutschlands *Pro-Kopf-Einkommen* deutlich gesunken ist. Zwischen 1992 und 2003 stürzten wir von Rang 5 in Europa auf Rang 11 ab.

Soviel zum Thema Schlechtreden.

Nicht weil die Zahlen so sind, wie sie sind, müssen wir uns heute als Schlamper-Republik betrachten. Sondern umgekehrt, weil wir keine Verantwortung für unseren Staat übernehmen, ist er zu einer Karikatur seiner selbst geworden: eine Gesellschaft, die unfähig ist, für ihre eigenen Kosten aufzukommen, ja dies nicht einmal ernsthaft anstrebt. Aus einer repräsentativen Gallup-Umfrage im Sommer 2003 über die *Arbeitsmoral der Deutschen* ging hervor, dass sich nicht nur die Politiker, sondern anscheinend auch die Arbeitnehmer aus der Verantwortung ziehen. Um ein letztes Mal die Statistik zu bemühen: 70 Prozent der deutschen Arbeitnehmer gaben an, sie machten nur »Dienst nach Vorschrift«. 18 Prozent haben bereits »innerlich gekündigt«. Ganze 12 Prozent versicherten, sie seien engagiert bei der Arbeit. Im Vorjahr hatte der Anteil derer, die sich mit ihrem Job identifizierten, noch bei 15 Prozent gelegen.

»Der Abwärtstrend«, so Gallup-Geschäftsführer Gerald Wood, »erklärt sich auch durch die allgemeine Wirtschaftslage.« Umgekehrt wird ein Schuh daraus: Ein Land, dessen Bürger sich mehrheitlich von der Mitarbeit an der Gesellschaft, dem »Gemeinwohl«, distanzieren und nicht mehr tun, als sie unbedingt müssen, kann nach außen gar kein anderes Bild präsentieren. Natürlich reden sie sich ein, ihre Arbeitsverweigerung ziele nicht auf die Gemeinschaft, sondern auf die Firma, den Chef, den Abteilungsleiter oder wen immer sie als ihren persönlichen »Ausbeuter« betrachten. Dabei übersehen sie, dass heute über die Hälfte dessen, was erwirtschaftet wird, an den Staat, also die Gesellschaft, abgeführt wird. Bevor irgend jemand von der geleisteten Arbeit profitieren kann, hat der Staat den Löwenanteil eingestrichen.

Als weiterer Grund für die mangelnde Arbeitsethik gibt Gallup an, dass »der Dialog zwischen Unternehmensführung und Arbeitskräften in Deutschland schlechter ist als etwa in den USA«, wo immerhin ein Drittel der Arbeitnehmer eine »hohe emotionale Bindung an ihren Job haben«. Eigentlich müsste dies unseren Arbeitspolitikern und Gewerkschaftlern zu denken geben. Denn die USA haben, im Gegensatz zu Deutschland, keine Mitbestimmung in den Betrieben. Es gibt also keinen institutionalisierten Dialog. Zudem verbringen die Amerikaner erheblich mehr Zeit an ihrem Arbeitsplatz, haben weniger Urlaub und auch weniger soziale Nebenleistungen. Die Deutschen dagegen, die daunenweich in ihre Arbeitnehmerrechte gebettet sind, verweigern ihre Solidarität und stellen sich stur.

Und nicht nur auf den unteren Ebenen. Seit langem vertrete ich die These, dass unsere hochgelobte Mitbestimmung dazu führt, dass die deutschen Führungskräfte eine ihrer wichtigsten Aufgaben vernachlässigen: die Kommunikation mit den Mitarbeitern. Darum kümmert sich dank der Mitbestimmung eine Extra-Hierarchie. In Amerika gibt es nur eine Hierarchie, nämlich die Führungskräfte. Wie ich seit meinen IBM-Tagen weiß, ist der amerikanische leitende Angestellte verantwortlich für alles: für den Bereich und das jeweilige Projekt, nicht minder aber für die Personalführung. Wenn in Amerika ein Mitarbeiter ein Problem hat, ob nun sein Urlaubsscheck nicht stimmt oder die Abteilung ihn mobbt, dann geht er zu seiner Führungskraft, dem Manager. Und dieser hat die Pflicht, das Problem zu lösen. Deshalb wird dort die Auswahl der leitenden Angestellten weniger nach der Selbstdarstellung oder der Ellenbogengröße getroffen als nach der Führungsfähigkeit.

In Deutschland, so wird jeder Unternehmenschef entgegnen, ist das genauso. Das stimmt aber nicht. Denn hier gibt es neben der Managementhierarchie eine zweite, die fast alle menschlichen Belange an sich zieht: die Betriebsräte. Und die haben alle Hände voll zu tun. Denn die gleichen Sorgen, die amerikanische

Mitarbeiter haben, bewegen auch die deutschen. Nur besteht der Unterschied darin, dass dort die Sorgen gleich bei demjenigen landen, der sie beheben kann, während sie von denen, die bei uns dafür zuständig sind, nur moderiert und weitergegeben werden können.

Das führt zu einer Aufspaltung der Verantwortung. Die eigentliche Führungskraft wird eingeengt auf Projektmanagement und das Funktionieren der Abteilung. Die Probleme der Mitarbeiter gehen den Manager nichts mehr an. Dafür gibt es den Betriebsrat. Der spielt natürlich den guten, verständnisvollen Partner, der alle Probleme löst, und wenn er Gewerkschaftler ist, wird er die Mitarbeiter auch ermutigen, selbst Probleme zu entdecken. Und wenn es keine zu entdecken gibt, wird er sie notfalls selbst schaffen. Etwa wenn es einem Mitarbeiter einfällt, zuviel Motivation zu zeigen und mehr zu leisten als der Durchschnitt.

Seit einiger Zeit ist ein neues Modewort im Schwange. Mit dem Begriff »Leistungsverdichtung« soll suggeriert werden, dass wir zwar mit 1361 Stunden im Jahr weltweit am wenigsten arbeiten, aber dafür intensiver als die anderen. Während es also so scheint, als würden wir weniger tun, bringen wir in Wahrheit in einer Stunde mehr Aktivität unter als andere. Mit scheint dies so absurd, als wollte man sagen, in einem deutschen Unternehmen dauere jede Stunde siebzig Minuten. Der Begriff »Leistungsverdichtung« erinnert mich an ein anderes Zauberwort der Linken, mit dem man Fleiß und Einsatz als »Selbstausbeutung« diskreditierte. Schlimm genug, dass man von den Kapitalisten ausgebeutet wird, so suggerierte das Gewerkschaftswort, also soll man sich nicht auch noch selbst ausbeuten. Daher immer mit der Ruhe, Genossen, und vor allem hütet euch vor »Leistungsverdichtung«!

Für den leitenden Angestellten bleibt in der künstlichen Zweiteilung der Firmenhierarchie nur die undankbare Rolle des Technokraten, dessen Personalkompetenz und menschliche Autorität ausgehöhlt ist. Er vertritt die »soziale Kälte«. Denn wer sich nicht um die Sorgen seiner Leute kümmert, wird kaum ihre Sympathie erwerben können. Am Ende führt diese Aufspaltung der Verantwortung zu einer Aufspaltung des Betriebs. Und wenn sich in einer Gemeinschaft, die nur als Einheit funktioniert, feindliche Lager bilden, folgen Schlamperei und »Dienst nach Vorschrift« zwangsläufig nach.

Die Teilverweigerung der 70 Prozent Arbeitnehmer dürfte nicht nur an diesem schizophrenen System der Verantwortungsteilung liegen. Sie hängt auch damit zusammen, dass mit dem Gewinn des Unternehmens auch der eigene Gewinn durch Steuern und Abgaben teilverstaatlicht ist. Und dies, wie oben gezeigt, in rasanter Steigerung. So führt die erzwungene Solidarität, die sich in Steuern und Abgaben ausdrückt, zu einem Mangel an freiwilliger Solidarität mit der Gemeinschaft. Das absurd komplizierte Steuersystem bewirkt, wie Paul Kirchhof überzeugend dargestellt hat, einen »sanften Verlust der Freiheit«. Man muss zahlen, ohne einzusehen warum. Seinen Protest gegen das Zwangssystem zeigt man durch »Dienst nach Vorschrift«. Prompt übersieht man, dass man so die eigene Lebensgrundlage ruiniert. Man gestattet sich Schlampereien und wundert sich, wenn im Land alles drunter und drüber geht. Das tut es nämlich, denn zu allem, was im kleinen schiefläuft, liefern die Politiker im großen die Vorlage.

Der Ausdruck dafür heißt heute: »Das passt schon.« Ich höre ihn immer häufiger, von meinen Kindern, von Handwerkern, von Organisatoren großer Veranstaltungen. »Das passt schon« will augenzwinkernd sagen, man könne fünfe gerade sein lassen. Diese Einstellung ist weit verbreitet. Kurz vor einer akademischen Festveranstaltung entdecke ich, dass das auf zwei Stunden angesetzte Programm zehn Redner vorsieht. Offenbar war den Planern nicht bewusst, dass zehn Menschen, die man ans Mikrophon lässt, ohne es schnell wieder abzustellen, weit mehr Zeit beanspruchen. Der Bürgermeister und mehrere andere Honoratioren waren mit Grußworten eingeplant, dann kam ein kurzes Begrüßungs-, danach das ausführliche Hauptreferat, und danach noch ein gediegenes Schlusswort. Ich erkundigte mich bei den Organisatoren. Die Antwort lautete: »Das passt schon.«

Natürlich passte es nicht. Es gibt kaum noch eine Veranstaltung in Deutschland, die pünktlich endet. Und das, weil nichts mehr »nach Plan« verläuft. Wie oft sehe ich dann die Teilnehmer genervt auf ihren Stühlen rutschen und auf die Uhr schauen. Aber noch keiner ist auf die Idee gekommen, den Mund aufzumachen. Man gewöhnt sich ja daran, dass nichts mehr so abläuft, wie man es sich vorgestellt hat. Vielleicht redet man es sich sogar schön, nennt die Unordnung »Spontaneität«, den Zufall »Kreativität«. Ich selbst, nach leidvollen Erfahrungen auf harten Stühlen und zugigen Bahnsteigen, kann in dem Satz »Das passt schon« nichts als einen Euphemismus dafür erkennen, dass etwas außer Kontrolle geraten ist.

Ich liebe meine Wahlheimat Berlin, glaube sogar, dass sie mich jung erhält. Gegenüber dem gesetzten Hamburg bietet sie ein anregendes, geradezu aufregendes Kulturprogramm. Dennoch missfällt mir, dass so vieles hier außer Kontrolle geraten ist. Die Hauswände sind mit Graffiti verschmiert, die Glasscheiben der neuen Telekom-Telefonzellen zerdeppert, die Fenster der S-Bahn zerkratzt, die Gehsteige sehen oft aus wie Neapel beim Müllmännerstreik. Auf meinen Spaziergängen durch die Stadt entdecke ich immer öfter an Laternenpfählen befestigte weiße Schildchen mit der Warnung »Gehwegschäden«. Geld für die Schildchen hat man noch, für die Reparaturen nicht mehr. Immer öfter sieht man Bettler, und wenn sie nicht sitzen, dann hauen sie einen mit einem »Guten Tag« um Kleingeld an. Ich frage mich dann immer, wozu wir die höchsten Sozialabgaben der Welt haben. Was geschieht mit unseren Kommunalsteuern? Oder gehört Berlin zur Dritten Welt? Aber ich weiß ja: »Das passt schon.«

Kürzlich erfuhr ich, dass sich die Leitung des Internats, auf das mein Sohn Oliver geht, für die Einführung von Schuluniformen ausgesprochen hat. Man wollte die jungen Leute damit an einen Standard gewöhnen, wie dies in Ländern wie England, Frankreich oder Amerika selbstverständlich ist. Nebenbei kann man damit die Standesunterschiede aufheben, damit die Reichen die anderen nicht mit ihren teuren Klamottenlabels ausstechen. Alle sollen sich gegenüber ihrer Aufgabe als gleich empfinden. Die Initiative fand Zustimmung bei Schülern und Eltern. Gescheitert ist sie an den Lehrern. Nicht etwa, weil sie etwas gegen einheitlich gekleidete Klassen hätten. Sondern weil sie dann selbst auf die liebgewordene Hemdsärmeligkeit und die pflegeleichten Rauschebärte hätten verzichten, am Ende sogar Krawatten hätten umbinden müssen. Nicht wegen der Freiheit des Geistes, sondern wegen der Freiheit, sich selbst gehen zu lassen, stellten sich einige Lehrer quer.

* * *

Man hat sich an »Das passt schon« längst gewöhnt. Wozu ordentlich, wenn es auch schlampig geht? Wozu die unangenehme Wahrheit, wenn man auch lügen kann? Seit langem ist es in der Bundesregierung üblich geworden, mit unkorrekten Zahlen zu operieren. Sooft uns etwas vorgerechnet wird, können wir sicher sein, dass es einer Nachrechnung nicht standhält. Wenn in den Gesetzgebungsverfahren etwas schiefläuft, und das ist heute die Regel, zieht man sich zur Entschuldigung auf den Satz zurück: »Das ist nur ein handwerklicher Fehler«, mit Betonung auf dem »nur«. Man sagt es fast beiläufig, als wüsste man nicht, dass sich darin eine Beleidigung des Handwerks ausdrückt. Handwerkspräsident Dieter Philipp sagte mir kürzlich im Scherz, wenn man sich künftig bei einem Handwerker über Schlamperei beklage, könne der entsprechend entgegnen: »Das ist nur ein politischer Fehler.«

Die allgemeine Unordnung stellt keine flotte Alternative zur Ordnung dar, wie es etwa die 68er glaubten. Sie macht es allen, die von ihr betroffen sind, unglaublich schwer, ihren Lebensaufgaben nachzukommen. An sich stellen zerkratzte S-Bahn-Scheiben oder verschmutzte Bürgersteige ebensowenig ein Problem dar wie die geschönten Zahlen des Finanzministers. »Das passt schon«, könnte man sagen. An sich geht alles irgendwie. Aber es hat keinen Bestand. Und die Arbeit, die man sich durch Schlamperei erspart, muss hinterher doppelt und dreifach nachgeleistet werden. Darin liegt der Haken des »Das passt schon«. Nein, es passt eben nicht. Damit es irgendwann dann doch noch passt, müssen andere Leute hart und teuer nacharbeiten, die Fenster austauschen, neue Telefonzellen errichten, Warnschildchen aufhängen und korrigierte Steuerschätzungen aufstellen.

Der Mangel an »Sekundärtugenden« wie Disziplin, Fleiß oder Zuverlässigkeit führt zwar am Anfang zu einer enormen Erleichterung und Zeitersparnis. Am Ende aber zieht die Notwendigkeit der Korrektur und Nachbesserung einen vielfachen Kosten- und Zeitaufwand nach sich. Das sieht man natürlich nur, wenn man Verantwortung trägt oder sich für die Gemeinschaft verantwortlich fühlt. Jeder Handwerker weiß, was den meisten Gesellschaftspolitikern unbekannt scheint: Ökonomisch sinnvoll ist nur die Investition in Qualität. Das beginnt beim einfachen Handwerkszeug, und das endet bei den wirtschaftspolitischen Weichenstellungen. Genauigkeit kostet nichts. Schlamperei dagegen ist extrem teuer.

»Wenn du etwas Billiges kaufst, das deinen Erwartungen nicht entspricht«, pflegte meine Mutter zu sagen, »dann war es teuer. Wenn du dagegen viel Geld für etwas ausgibst, das deinen Erwartungen entspricht, dann war es billig.« Diese Lektion, wonach billige Qualität auf Dauer teuer zu stehen kommt, ist in weiten Teilen unserer Gesellschaft vergessen worden. Wenn man sagt »Das passt schon« und sich besonders großzügig dabei fühlt, meint man eigentlich: »Es kommt nicht darauf an.« Ob die Hose im Bund etwas zu eng, der Wasserhahn nicht ganz dicht oder die Berechnung der Rente ungenau ist, »macht nichts«. Glaubt man. Nach einiger Zeit geht einem dann ein Licht auf. Es kommt eben doch darauf an, ob einer eine sichere Zukunft hat oder nicht, ob einer die Wahrheit sagt oder nicht, ob einer seine Pflicht erfüllt oder nicht. Nur darauf kommt es an. Alles andere ist Schönrednerei und Schaufensterdekoration.

Wer verantwortlich mit den Dingen umgeht, weiß auch, dass es auf jede Kleinigkeit ankommt. Zu Recht sagt die Erfahrung, dass der Teufel im Detail steckt, denn wenn nur ein einziges Schräubchen oder Rädchen in einer Maschine streikt, steht das ganze System still. Andersherum gilt: Wenn das Ganze in Unordnung geraten ist, kann auch das beste Einzelteil nicht mehr funktionieren. Der Teufel steckt nicht nur im Detail, sondern wenn etwas schiefgeht, dann scheint das Ganze »wie verhext«. Mir fällt immer der drastische Vergleich mit dem Jauchefass ein: Gießt man ein Glas köstlichen Weins in ein Jauchefass, dann bleibt es Jauche. Kippt man ein Glas Jauche in ein Weinfass, gibt es auch Jauche. Die Moral? Wenn man Gutes mit Schlechtem vermischt, kommt immer Schlechtes dabei heraus. Wenn man in Kleinigkeiten schlampig baut, stürzt das ganze Haus ein.

In unserem Land wird heute, um im Bild zu bleiben, immer mehr Jauche produziert. Und als Wein deklariert. Ich erinnere mich, dass Deutschland einmal weltweit führend in der Konstruktion von Neigezügen war, das sind Züge, die automatisch in Schräglage gehen, um in Kurven das Tempo nicht drosseln zu müssen. Kaum waren die zwanzig Luxuszüge Diesel-ICE Baureihe 605 an die Bahn ausgeliefert, setzten die Pannen ein. Das, was sie sollten, konnten sie nämlich nicht. Daraufhin brach der gesamte Fahrplan der Bahn, der von der unverminderten Geschwindigkeit der Neigezüge ausgegangen war, zusammen, denn schon wenn ein paar Züge zu langsam fahren, wirkt sich das auf das gesamte Netz aus, da Anschlusszüge warten müssen, auf die wiederum gewartet wird. Je komplexer ein System ausgelegt ist, um so wichtiger ist das präzise Zusammenwirken aller Einzelelemente. Eine Fehlfunktion bringt alles zum Kollaps.

Schon Ende 2003 ging es mit den hochgerühmten Neigezügen zur Neige. Sie wurden aus dem Verkehr gezogen. Nun will die Bahn sie verscherbeln, Interessenten verzweifelt gesucht. Auch ein anderes Prestigeobjekt deutscher Ingenieurskunst bescherte der Bahn eine »spektakuläre Pannenserie«, was den Verdacht nahelegt, nicht nur einer habe dabei geschlampt. Unter anderem litt der hochgepriesene ICE 3 unter anfälligen Bremsen, mangelhaften Fahrmotoren und Schwierigkeiten mit der Stromversorgung. Die neue Reihe Elektrotriebzüge Typ ET 425, von der rund hundertfünfzig Stück zum Einzelpreis von

4,8 Millionen Euro angeschafft wurden, macht ebenfalls Ärger mit den Bremsen, weshalb bei glatten Schienen in Herbst und Winter nur mir halber Geschwindigkeit gefahren werden darf. Alle reden vom Wetter, die Bahn auch.

Wenn ich, was öfter vorkommt, den Zug von Berlin nach Hamburg nehme, um meine Schwester zu besuchen, bleibt der ICE jedesmal für rund zehn Minuten stehen, offenbar um einem entgegenkommenden Zug den Vortritt zu lassen. Traurig eigentlich, dass schon 1936 der »Fliegende Hamburger« für diese Strecke genauso lange brauchte. Zwar wird bis Ende 2004 eine Hochgeschwindigkeitsstrecke ausgebaut. Aber dass es seit vielen Jahren zwischen den beiden Metropolen so gemächlich zugeht, liegt eben auch an daran, dass man bei uns ideologische Entscheidungen über die Interessen der Bürger stellt. Jeder erinnert sich an den eleganten Transrapid, der für diese Strecke vorgesehen war. Man hat ihn aus politischen Motiven abgesägt. Heute pendelt er mit Hochgeschwindigkeit in Shanghai, während ich irgendwo bei Stendal im wartenden Zug sitze und die Minuten zähle.

Wo sich keiner verantwortlich fühlt, kleben alle an ihren Stühlen. Wo keine gesamtwirtschaftliche Perspektive gesehen wird, verliert auch das Interesse der Gesellschaft an Priorität. Dann kommen die Ideologen mit ihren eigenen Prioritäten. Durch die Tücken des Wahlrechts an die Hebel der Macht gelangt, setzen sie Veränderungen durch, über die nur ihre eigene Klientel erfreut ist. Die Bürger dagegen erleben staunend, wie ihnen gewisse Dinge abgewöhnt, andere angewöhnt werden und wie jedesmal kräftig in ihren Geldbeutel gegriffen wird. So sind nun einmal die Spielregeln.

Was seit Jahrzehnten mit der deutschen Energieversorgung angestellt wird, kann ich tatsächlich nur als ein Spiel bezeichnen, ein schlimmes Spiel. Dass wir weltweit führend in der Reaktortechnologie waren und unsere Atomkraftwerke die sichersten der Welt, dürfte auch den Deutschen bekannt sein. Dass wir fast die einzigen sind, die diese umweltfreundlichen Energiequellen abschaffen, weiß auch jeder. Dass sogar unser bewundertes Partnerland Frankreich vermehrt auf Kernenergie setzt, scheint uns kalt zu lassen. Wir sind nun einmal die Fortschrittlichsten, wenn es um technologische Selbstdemontage geht.

Unsere europäischen Nachbarn lassen sich von diesem Wahn zum Glück nicht anstecken. Während Deutschland 2002 bereits 12 000 Megawatt durch teuren Windstrom aufbrachte, waren es in Frankreich oder Belgien nur 147 beziehungsweise 46 Megawatt. Offenbar ist man dort klüger als hier und weiß, dass die mittlerweile über 15 000 Windräder, die wie Riesenspielzeuge die deutsche Landschaft verunzieren, wirklich nur Spielzeuge sind. Seit Februar 2004 ist es auch in Deutschland amtlich, dass sie praktisch »ökologisch nutzlos« sind. Der wissenschaftliche Beirat von Wirtschaftsminister Clement erklärte die Förderung des bundesweiten Rotorenfelds »zum ökologisch nutzlosen, aber volkswirtschaftlich teuren Instrument«, das »konsequenterweise abgeschafft werden« müsste.

In Schröders Kabinett herrscht eine merkwürdige Arbeitsteilung. Mit Wolfgang Clement haben wir einen Minister, der von morgens bis abends nach Möglichkeiten sucht, der deutschen Wirtschaft neue Arbeitsplätze zu verschaffen. Zur selben Zeit sind Herr Trittin und Frau Künast mit der gleichen Energie bemüht, Arbeitsplätze zu vernichten. Zweifellos haben in diesem Wettlauf die Grünen die Nase vorn.

Mit den Windrädern ist unserer Regierung das Kunststück gelungen, die Energieversorgung, die uns vom Wetter unabhängig machen soll, vom Wetter abhängig zu machen. Denn gerade in der kalten Jahreszeit, wo man besonders viel Licht und Wärme braucht, steht die Trittinsche Spargelarmee starr und regt keinen Arm. Oft wundere ich mich bei Fahrten über Land, wie wenig sich diese staatlich geförderten Stromlieferanten für ihre Aufgabe eignen. Ungefähr ein Viertel, so scheint mir, steht immer still, weil sie mit dem Wind, den die Gegend anzubieten hat, nichts anfangen kann oder defekt oder vom Blitz zerstört ist. Seit dem Jahr 2000, so lese ich, hatte der deutsche Windpark unter »drei ungewöhnlich windschwachen Jahren« zu leiden.

Deshalb muss zu jeder Anlage ein Energieäquivalent aufgebaut werden, das dann mit jenen fossilen Brennstoffen einspringen muss, die der Spargel gerade einsparen wollte. Damit sich Trittins Rädchen lustig drehen können, werden gewaltige Mengen Kohlendioxid in die Umwelt gepustet. Schon heute wird jede einzelne durch Windkraft vermiedene Tonne Kohlendioxid mit dem Ausstoß von rund 200 Kilo Kohlendioxid erkauft, die aus gewöhnlichen Schornsteinen steigen. Die Täuschung der Windanlagen besteht also darin, dass sie zwar als Werbeträger für die grüne Ideologie, nicht aber als saubere Energieerzeuger für unser Land taugen.

Zudem halten viele Trittins Vorstellung, er könne »das Weltklima stabilisieren«, für Größenwahn. Noch weiß man über die Entwicklung des Klimas viel zu wenig, und selbst wenn alle grünen Hypothesen zuträfen, wäre es doch sehr die Frage, ob sich das globale Klima von der heroischen Bemühung eines einzelnen Landes beeindrucken ließe. Genau dafür aber lässt Trittin die Deutschen zahlen. In Kyoto, wo sich Staaten wie Amerika, Russland oder China aus Kostengründen verweigerten, legte sich Musterland Deutschland auf 21 Prozent Emissionsminderung fest. Der EU hatten 8 Prozent gereicht.

Zumindest einen Nutzen brachte der gigantische Windradschwindel: Er hat Hersteller und Betreiber reich gemacht. Allerdings nicht auf marktwirtschaftlichem Weg, sondern über Subventionen, für die der Stromkunde geradestehen muss. Jeder der 40 000 Arbeitsplätze in der Windindustrie wird heute mit 21 750 Euro subventioniert. Zudem wird die kleine und unzuverlässige Energieleistung der großen Spargelfelder zwangsweise ins Leitungsnetz eingespeist, die Kosten für das Abschreibungsmodell werden auf den Strompreis aufgeschlagen. So erhalten die Windradbetreiber 2004 für jede Kilowattstunde 8,8 Cent, während auf dem konventionellen Strommarkt dieselbe Menge Strom für 3,5 Cent zu haben ist. Klaglos wird alles vom Bürger mit derselben Schafsgeduld hingenommen, mit der er, abgesehen von wenigen Bürgerinitiativen, auch die Verhunzung seiner Landschaft mit den oft kilometerlangen Windradspalieren akzeptiert zu haben scheint.

Über die Pfingstfeiertage 2004 besuchten wir zum ersten Mal die Ostseeinsel Hiddensee. Mit ihr verband ich die Vorstellung einer unberührten Dünenlandschaft, aber auch die klangvollen Namen von Gret Palucca, der großen Dame des Balletts, und des Dramatikers Gerhart Hauptmann, die beide dort gelebt hatten. Je näher wir im Auto aus Richtung Berlin der Küste kamen, um so öfter wurde uns der Blick auf die wechselnden Horizonte durch ganze Armeen von Windmühlen versperrt. In Stralsund gingen wir an Bord einer Fähre nach Kloster und konnten uns eine Zeitlang am unverstellten Anblick der Insel erfreuen, bis uns im Hotel Enddorn wieder der Albtraum einholte: von Rügen grüßten aus nordöstlicher Richtung die ruhelosen Mühlen herüber.

Die Erfinder dieser Monstren müssen Reißbretttechnokraten gewesen sein, blind für die Reize der Landschaft. Dass der Reichtum einer Nation auch in der Schönheit ihrer Natur liegen kann, ist den Windmühlenfanatikern wohl unbegreiflich. Sicher hat es seit der Einführung der Strommasten keine ähnlich fatale Verschandelung unserer Umwelt gegeben, und das mit Vorliebe gerade dort, wo sich früher das Land von seiner schönsten Seite zeigte. Vielleicht wird man diese Generation später einmal fragen: »Und dazu habt ihr ja gesagt?« Und vielleicht wird sie einmal mehr antworten: »Wir haben daran geglaubt!«

Auch an das Dosenpfand. Hier liegt der Schaden auf der Hand oder besser gesagt auf der Straße. Ich fahre gerne mit dem Fahrrad durch Berlin, was mir seit Einführung des Dosenpfands allerdings verleidet wird. Denn dort, wo früher vereinzelt Bierdosen lagen, die für niemanden eine Gefahr darstellten, sind heute überall Scherben und Splitter verstreut. Im Gegensatz zu Dosen lassen die sich schwer aufsammeln. Wenn ich nicht aufpasse, schlitzen sie meine Reifen auf. Immer häufiger, so berichtete mein Arzt, kommen gestürzte Radfahrer und auch Fußgänger mit Schnittwunden in seine Praxis. Wie gefährdet vor allem

Kinder sind, brauche ich nicht eigens zu betonen. Während des Kölner Karnevals, so lese ich, musste man genau schauen, wo man hintrat. Es habe »stellenweise zentimeterhohe Scherben zerschlagener Bierflaschen« gegeben. Der Grund liegt bei Trittin und seinem Mehrwegpfand. Da das Pfand für Einwegdosen 25 Cent teuer ist, werden lieber Mehrwegbierflaschen weggeworfen, deren Pfand nur 8 Cent beträgt.

Ich erinnere mich, dass das Dosenpfand ursprünglich konzipiert war, um etwas »für die Umwelt zu tun«. Umwelt war das große Schlagwort, bei dem alle Herzen und kommunalen Geldbeutel aufgingen. Bei der Dose dachte man vor allem an die Herstellungskosten, den Anfall von Kohlendioxid, die Aluminiumverschwendung. Inzwischen sind die Dosenbleche dermaßen dünn geworden, dass die erhofften Energie- und Rohstoffersparnisse kaum mehr ins Gewicht fallen. Prompt änderte Trittin das Schlachtfeld. Plötzlich stand nicht mehr die Kohlendioxidreduzierung im Mittelpunkt, sondern die »Vermüllung der Landschaft«. Angesichts seiner 15 000 Riesenspargel ein starkes Stück.

Ich kenne Herrn Trittin. Ich halte ihn für einen Zyniker. Vielleicht ist er durch seine politische Herkunft als Kommunist dazu geworden. Vielleicht hat er die Taktik, sich immer zu verstellen, allzusehr verinnerlicht. Wahrscheinlich gilt das auch für jene Taktik, den politischen Gegner wie einen Feind zu behandeln. Ich erinnere mich, dass er dem CDU-Generalsekretär Laurenz Meyer »Mentalität und Aussehen eines Skinhead« nachsagte und Wolfgang Schäuble auf dem »Weg in eine rechtsrassistische Ecke« sah. Es wunderte mich auch nicht, als der Grüne im Fernsehen behauptete: »Wenn man die Gesetze bricht, kann das auch ein Ausdruck von Humanität sein.« Oskar Lafontaine hatte dasselbe andersherum ausgedrückt: Wer die Gesetze befolgt, kann auch KZs betreiben.

Zielstrebig arbeitet Trittin an der Durchsetzung seines Programms der De-Industrialisierung, völlig unbekümmert um den Schaden, den er in der Gesellschaft anrichtet. Widerspricht man ihm bei Diskussionen, legt er die coole Maske ab und zeigt seinen Machtinstinkt. Dann plustert er sich förmlich auf, um den anderen niederzumachen. Wahrheit wird dabei zur Nebensache. Dialogunfähig wie alle Ideologen, interessiert ihn die Wirklichkeit nur insoweit, als er sie nach eigenen Vorstellungen verändern kann. Sein Mittel ist die Brechstange.

In unserem Land hat Jürgen Trittin eine Spur der Vernichtung hinterlassen von Branchen, von Unternehmen, von Existenzen. Kein anderer Politiker Europas hat eine ähnlich ruinöse Bilanz aufzuweisen. Die Abschaffung der kostengünstigen und umweltschonenden Kernenergie hat massenhaft Arbeitsplätze gekostet, ebenso jetzt das Dosenpfand. Die Windenergie ist eine Luftnummer, die unser Land Milliarden kostet. Jedes Gesetz, das er mit Rückendeckung der SPD durchsetzt, schadet der Wirtschaft. Deutschlands sinkender Wohlstand hat einen Namen: Jürgen Trittin.

Auch bei einem scheinbar marginalen Thema wie dem Dosenpfand setzte er seinen Willen mit der gewohnten Hartnäckigkeit durch. Mit der Erfindung einer »zugemüllten Landschaft« mobilisierte er das Gewissen der Menschen. Man stelle sich vor: Die unschuldige Natur mit ihren Sträuchern und Vogelnestern erstickt unter einem Meer von Bierdosen! Allerdings traf es gar nicht zu, dass »überall« Dosen herumlagen. Vor Einführung des Dosenpfands sind über 90 Prozent aller Dosen über den Grünen Punkt zurück in die Aluminiumfabriken gewandert. Im Dualen System kostete die Entsorgung einer Dose 2 Cent, dank Trittins Pfandzwang 5 Cent. Zwar sehe ich noch die Halden vor mir, die von der Love Parade oder vom Christopher Street Day übrigblieben. Doch am nächsten Tag kamen die Reinigungskolonnen und haben sie weggeschafft. Dafür bleiben jetzt die Scherben zertrümmerter Flaschen liegen. Trittin blieb den Beweis für seine mediengestützte Kampagne schuldig, aber dank seines Landschaftsmythos bekam er sein Gesetz.

Ab Anfang 2003 vergaß Deutschland für lange Zeit alle Sorgen, weil es sich auf eine einzige konzentrieren musste: Welche leere Dose mit welchem Pfandschein in welchen Laden gehörte. Denn die Dosen des einen Anbieters waren bei den anderen wertlos. Nahm das eine Geschäft die Dosen pur, verlangte das andere zusätzliche Coupons. Gab die eine Kette kettengemäße Pfandscheine aus, bestanden andere Kettengeschäfte auf kettenunabhängigen Individualscheinen. Kostete Apfelschorle Pfand, kam Apfelsaft ohne aus. Dosen-Cola kostete, Whisky-Cola in Dosen kostete nicht.

Bevor man den Bestimmungsort der geleerten »zwangsbepfandeten Einweggebinde« ausgemacht hatte, musste man ihnen in der eigenen Wohnung, neben den Trennmüllcontainern, neue Areale zuweisen. Diese Zwischenlager mussten je nach den unterschiedlichen »Pfand-Insellösungen« unterteilt werden. Da viele Bürger bald die Faxen dicke hatten, entsorgten sie die Pfandgebinde einfach in den gewohnten gelben Säcken oder Restmülltonnen und schenkten dem Einzelhandel annähernd eine halbe Milliarde Euro.

Wenn ich heute durch Österreich, die Schweiz oder Holland reise, müsste ich überall leere Dosen herumliegen sehen. Doch obwohl diese Länder nicht im Traum daran denken, unser verrücktes Pfandmodell einzuführen, kann ich Trittins Müllhalden nirgendwo entdecken. Weggeworfene Dosen stellen für unsere Nachbarn so wenig ein Problem dar, wie sie es in Deutschland waren. Soviel ich weiß, hat kein anderes Land ein vergleichbares Zwangssystem. Zwar haben Schweden und einige US-Bundesstaaten auch ein Einwegpfand, aber dafür gibt es dort nichts, was sich mit unseren beiden Rücknahmesystemen, dem Mehrwegsystem und dem Grünen Punkt, vergleichen ließe.

Beide Systeme haben bestens funktioniert, da die Deutschen sich diszipliniert beteiligten. Durch den Ausfall der Dosen im Dualen System ist dieses nun selbst in Schwierigkeiten geraten. Allein im letzten Jahr machte es wegen des Dosenpfands 300 Millionen Euro Verlust. Damit steht unser europaweit vorbildliches Rücknahmesystem dank Trittins Zwangsmaßnahme kurz vor der Pleite. Auch hier ist die Gefahr groß, Tausende Arbeitsplätze und damit Tausende Existenzen zu vernichten. Und das für eine wahnwitzige Idee, über die unsere Nachbarn nur mitleidig lächeln können.

Man stelle sich vor, Klaus Töpfer wäre, wie von Gerhard Schröder empfohlen, Bundespräsident geworden. Keine Entscheidung hätte die Prioritäten unserer Gesellschaft besser demonstrieren können: der Erfinder des Dosenpfands, ausgezeichnet mit dem höchsten Staatsamt.

* * *

Welche Ironie, dass sich gerade unsere Schlamper-Republik von einem weltweit beispiellosen Ordnungsfimmel drangsalieren lässt. Kein totalitärer Uniformzwang könnte strenger sein als die deutschen Abfallverordnungen. Während überall die Devise »Das passt schon« eingezogen ist, lässt man sich beim Nebensächlichsten, der Müllentsorgung, zu einem stalinistischen »Du tust genau, was wir sagen« verdonnern. Eierschalen und Babywindeln, Yoghurtbecher und Erbsengläser werden zur nationalen Gewissenssache. Rattenfreundliche Mülltüten zieren unsere Straßen. Die Welt lacht. Mir bleibt das Lachen im Hals stecken.

Ähnlich geht es mir mit jenem Schlamper-Epos von homerischen Dimensionen, das an Komik wie an volkswirtschaftlichem Schaden kaum zu überbieten ist. Ich spreche vom deutschen Versuch, den Güterverkehr dank Hochtechnologie mit exakten Steuern zu belegen. Als hätte man geahnt, was kommen würde, nannte man es »Toll Collect«. Für die Medien glich es schon bald einem »Tollhaus«. Die über Jahre sich hinziehende Technologiekatastrophe, eine endlose Perlenkette von Pannen und Rechenfehlern, hatte mit klarer Berechnung begonnen. Zwei Tage vor der Bundestagswahl 2002 war Bundesverkehrsminister Kurt Bodewig zusammen mit Klaus Mangold, Oberaufseher des Firmenkonsortiums aus Deutscher Telekom und DaimlerChrysler und gleichzeitig Vorsitzender des Ostausschusses der deutschen Wirtschaft, vor die Öffentlichkeit getreten, um ihr die frohe Botschaft des Toll Collect zu verkünden. Ab 1. August 2003 würden die Gebührenuhren in Deutschland anders gehen. Es klang wie eine Revolution in der Mauterfassung, ein Spitzenprodukt deutscher Innovationstechnik. Und war doch bloß ein Wahlkampfgag.

Nachdem Rot-Grün die Wahl gewonnen und Kurt Bodewig seine Schuldigkeit getan hatte, erwies sich das Vorzeigeprojekt, der Exportschlager, die revolutionäre Satellitentechnik als Gurke. Man konnte in der *Tagesschau* verfolgen, wie die hochgelobten »OBUs«, die »On Board Units« der Lastwagen, verrückt spielten und die Trucker vor Verlegenheit nicht weiter wussten. Bald tauchten ausländische Anbieter auf, die auf funktionierende Mautsysteme verweisen konnten und mitleidig ihre Hilfe anboten. Fast täglich konnte man Bodewigs Nachfolger Manfred Stolpe dabei zuhören, wie er ebenso hilflos wie entschlossen das Chaos schönredete. Offenbar hatten die Erfinder mehrere Kardinalfehler zugleich begangen, man könnte auch sagen, sie hatten mehrere Sekundärtugenden vermissen lassen.

Zuallererst hatte man mehr versprochen, als man halten konnte. Zwar leuchtet die Idee einer Kombination moderner GPS-Satellitenortung mit ebenso moderner Mobilfunktechnik ein, doch von der Idee zur Verwirklichung ist ein weiter Weg. Man tat aber so, als ob es ein Kinderspiel wäre. Gleichzeitig wollte man mit der vorschnellen Vertragsunterzeichnung Fakten schaffen und sich die Konkurrenz vom Hals halten. Zur Unaufrichtigkeit bei der Vorstellung kam also die mangelnde Fairness bei der Vergabe. Als das Debakel dann nicht mehr zu übersehen war, verlegte man sich auf Ausreden und Hinhaltetaktik. Auch Ehrlichkeit ist eine Tugend. Hätte man sie frühzeitig aufgebracht, wäre den Deutschen manches erspart geblieben.

So aber triumphierte auch hier, im Herzen der deutschen Wirtschaftselite, die Schlamperei, nicht anders als in unseren Klassenzimmern oder am Kabinettstisch. Besonders wundere ich mich über das Gebaren des Mannes, dem die Aufsicht über das Projekt anvertraut war. In höchsten Tönen hatte Klaus Mangold diese Innovation gepriesen, aber sich dann anscheinend nicht mehr darum gekümmert. Es hätte gar nicht zu diesem langsamen Dahinsiechen von Toll Collect kommen müssen, wenn ordentlich Zeit in die Aufsicht investiert worden wäre. Aber Mangolds Zeit wurde durch Wirtschaftskontakte, Pressetermine und Ostreisen des Kanzlers beansprucht. Mangold produzierte sich auf dem Berliner Parkett, anstatt die sich anbahnende Katastrophe abzuwenden.

Ich sprach eingangs von Verantwortung. Ganz offensichtlich ist dieser Vertraute der Mächtigen seiner Verantwortung für unser Land nicht gerecht geworden. Diese Nachlässigkeit hat auch auf sein Unternehmen durchgeschlagen. Ein leitender Angestellter der Toll Collect GmbH beklagte sich in einem Brief über die unmöglichen Zustände. »Ohne hier auf Details eingehen zu wollen«, so schrieb er mir, »möchte ich ganz einfach zum Ausdruck bringen, dass ich noch nie in meinem bisherigen Berufsleben politische und unternehmerische Rahmenbedingungen vorgefunden habe, die durch ein derartiges Maß an Verantwortungslosigkeit gekennzeichnet sind.«

Die Geschichte ist damit noch nicht vorbei. Ich habe den Verdacht, dass der entscheidende Webfehler von Toll Collect durch den voreiligen Bekanntgabetermin entstand. Aus Wahlkampfgründen nähte man »mit der heißen Nadel« und merkte nicht, dass man sich die Finger dabei verbrannte. Selbst der Vertrag, der damals vom Bund unterschrieben wurde, ist dilettantisch formuliert und zwingt seit Monaten zu immer neuen, von der Presse belächelten Nachkorrekturen, meistens zu nächtlicher Stunde.

Ich frage mich, warum das zu nachtschlafender Zeit »durchgezogen« werden muss, und nicht morgens, wenn man frisch ist? Nahm man sich etwa die berühmten Tarifverhandlungen zum Vorbild, die immer gegen vier Uhr früh den »Durchbruch« inszenieren? Einen ähnlichen Fall konnte man Ende 2003 erleben, als Regierung und Opposition im Vermittlungsausschuss über die vorgezogene Steuerreform berieten. Man traf sich spät, die Kameraleute schliefen vor dem Sitzungssaal. Am Morgen präsentierte man übernächtigt, aber stolz die Einigung und verabschiedete sich in die Weihnachtsferien, die der eigentliche Grund für die Nachtsitzung waren. Leider stellte sich heraus, dass man zwar um Millionen gefeilscht, sich aber um genau 1,2 Milliarden verrechnet hatte. Die gewählten Vertreter blamierten sich vor ihrem Volk mit einem »Rechenfehler«, ließen sich dadurch die Ferien aber nicht verderben. Das passt schon. Auch bei Toll Collect hatte man sich gründlich verrechnet. Ich fürchte, man war wegen der Wahl so unter Zeitdruck, dass man nicht einmal die Zeit fand, einen Blick auf die Zahlen zu werfen. Später hat man in einem »Wahllügenausschuss« darüber gestritten, ob Schröder und Eichel sich vor der Wahl in die eigene Tasche gelogen haben. Über Toll Collect sprach man nicht. Dabei stellt für mich die pompöse Ankündigung am Vorabend der Bundestagswahl eine klassische Wahllüge dar, mit der man Stimmen fangen wollte. Denn was versprochen wurde, konnte voraussehbar nicht eingehalten werden. Dass ein führender Wirtschaftsvertreter seinem »Buddy«, dem wahlkämpfenden Bundeskanzler, dabei zu Lasten der Allgemeinheit die Steigbügel gehalten hat, ist für mich unverzeihlich.

Offenbar hat Gerhard Schröder aber doch etwas gehalten, was er versprochen hatte. Mangold wurde zwar als Toll-Collect-Aufseher abgelöst, doch er blieb Vertreter des Ostausschusses der deutschen Wirtschaft. Nicht nur das. Wie zur Belohnung hat der Bundeskanzler ihn zusätzlich mit einer neuen, quasi hoheitlichen Aufgabe betraut: Seit längerem beauftragt die Bundesregierung angesehene Wirtschaftsvertreter damit, im Ausland für den Standort Deutschland zu werben. Nachdem sich der Exchef der Deutschen Bank, Hilmar Kopper, eine Zeitlang um die Belebung der Auslandsinvestitionen gekümmert hatte, wurden drei Nachfolger nominiert, die diese Aufgabe nach Regionen übernehmen sollten. Siemens-Mann Heinrich von Pierer, seit langem Leiter des Asien-Pazifik-Ausschusses der deutschen Wirtschaft, wurde für Asien ausgesucht, der langjährige Lufthansachef Jürgen Weber für die USA. Und für Europa, unseren wichtigsten Markt, Klaus Mangold. Aber, nicht wahr, »das passt schon«.

Ist eine noch größere Schlamperei als Toll Collect überhaupt vorstellbar? In Deutschland ja. Sie heißt »Bundesagentur für

Arbeit« und ist der Bock, der im Irrgarten der deutschen Arbeitslosigkeit den Gärtner spielt. Um gleich ein großes Missverständnis auszuräumen, das sich viele Deutsche von den Politikern suggerieren lassen: Man glaubt, dass diese Behörde, wenn sie nur richtig organisiert ist, das Problem der Arbeitslosigkeit lösen kann. Aber das kann sie sowenig wie ein Immobilienmakler die Wohnungsnot beheben kann. Er baut keine Häuser, sondern vermittelt nur den Wohnraum, der von anderen geschaffen wird. Genauso kann die Bundesagentur Arbeitslose nur auf Stellen vermitteln, die von anderen angeboten werden. Wenn es keine Arbeitsplätze gibt, weil die Politik die Voraussetzungen nicht bietet, dann kann die BA nur noch die Arbeitslosigkeit verwalten. Und damit ist sie seit Jahren vollauf beschäftigt. So gibt es in Berlin rund 300 000 Arbeitslose, denen ganze 9000 freie Stellen gegenüberstehen. Und alles konzentriert sich auf die Vermittlung, als ließe sich damit das Problem der fehlenden Arbeitsplätze aus der Welt schaffen.

Auch Gerhard Schröder glaubte, er könnte durch Umorganisation das Problem des Arbeitslosenheeres beseitigen. Die ganze Hartz-Orgie, die unser Land monatelang in Atem hielt, hat sich heute praktisch in Luft aufgelöst. Mit vielversprechenden Schlagworten weckte man Hoffnungen, die allesamt zerplatzten. Ob Mini-Jobs, Ich-AGs, Job-Floater oder Personalserviceagenturen, sie änderten nichts an der Arbeitslosenquote, die sogar weiter steigt. Dass Hartz selbst nicht an seine Modelle glaubte, wurde mir spätestens klar, als er den angebotenen Posten des Arbeitsministers ablehnte. Dann hätte er nämlich das Scheitern seines Programms vom Kabinettstisch aus miterleben müssen.

Und das Debakel seiner Prognosen. So hatte Peter Hartz von seinen Personalserviceagenturen, die Arbeitslose an Firmen verleihen, rund eine halbe Million Jobvermittlungen erwartet. Statt dessen waren es bis zum Frühjahr 2004 nur 6300. Dafür kam es zu »Mitnahmeeffekten«, bei denen die Agenturen Geld für Vermittlungen einstrichen, die nur wenige Tage dauerten. Und es kam zu einer Absenkung der Arbeitslosenzahl, weil man bei den

Aufnahmebedingungen in die Statistik trickste. Alles brachte wenig und kostete viel.

Sehr viel Geld wird das »Hartz IV« genannte Zauberkunststück der Zusammenlegung von Arbeitslosen- und Sozialhilfe kosten. Dieses Kernstück der rot-grünen Arbeitsmarktreform könnte sich zu einem »administrativen Super-GAU« entwikkeln. Statt, wie versprochen, Milliarden einzusparen, dürfte Hartz IV zusätzliche Milliarden kosten, die von den betroffenen Kommunen nicht aufgebracht werden können. Ende März 2004 scheiterten deshalb die Verhandlungen zwischen Regierung und Opposition, Ministerpräsident Koch warf der rot-grünen Koalition vor, die Kommunen zu »Befehlsempfängern der BA zu degradieren«. Von der Agentur, die bereits Anzeichen von Panik erkennen lässt, wurde bereits ein Zusatzbedarf von 40 000 Beamten angemeldet. So kann man der Arbeitslosigkeit natürlich auch beikommen. Und wie zu befürchten war, bereitet die für die Fusion entwickelte Verwaltungssoftware, immerhin 60 Millionen Euro teuer, Probleme. Womit der nächste Skandal programmiert sein dürfte.

Die Fortsetzungsgeschichte der Nürnberger Skandale begann im Frühjahr 2002, als die Agentur noch »Bundesanstalt für Arbeit« hieß. Damals kam heraus, dass die Bürger jahrelang über die wirklichen Leistungen des 90 000köpfigen Monstrums getäuscht worden waren, in dem sich allein 10 000 Mitarbeiter mit der eigenen Personalverwaltung beschäftigten. Die Behörde kostete viel und leistete wenig, und das hatte man geschickt kaschiert. Als Konsequenz wurde der damalige Chef Bernhard Jagoda, der Vermittlungen verkündet hatte, die es gar nicht gab, in Pension geschickt. Der verantwortliche Arbeitsminister Walter Riester blieb. Es blieben auch die verantwortlichen Oberaufseher, Ursula Engelen-Kefer vom DGB und Christoph Kannegießer von der Bundesvereinigung der Deutschen Arbeitgeberverbände (BDA). Wozu sie zur Verantwortung ziehen, wenn morgen kein Hahn mehr danach kräht?

Die Behörde erhielt einen neuen Chef, Florian Gerster. Dynamisch, rührig, nach meiner Beobachtung auch mutig, versuchte er, den Laden auf den Kopf zu stellen. Dabei muss ihm aufgefallen sein, dass zu Lasten der Beitrags- und Steuerzahler immense Summen für eine seltsame Branche ausgegeben wurden, die es nur in Deutschland gibt. Eine Branche, die nicht von der Arbeit, sondern von der Arbeitslosigkeit lebt. Um die BA hat sich nämlich ein ganzes Netz von »Unterlieferanten« gebildet, wie man das in der Automobilbranche nennen würde, das sich auf Umschulungen, ABM-Maßnahmen und ähnliche Einsatzformen für Arbeitslose spezialisiert hat. Mit solchen Maßnahmen lassen sich, auf fremde Kosten, die dafür verantwortlichen Organisationen vergrößern und zugleich die Arbeitslosenzahlen optisch verkleinern.

Die Organisationen, die dieses Netz betreiben, sind niemand anders als die Gewerkschaften und die Arbeitgeberverbände. Beiden scheint Florian Gerster auf die Füße getreten zu sein. Unter anderem hat er viele unsinnige Leistungen in Frage gestellt, die nur dem Zweck dienten, die Statistik für kurze Zeit zu schönen, bevor die verschwundenen Karteileichen in einer anderen wieder auferstehen. Dass er dafür die Expertise von Unternehmensberatern einholte, erscheint mir als legitimes Mittel bei der Umstrukturierung einer solchen Monsterorganisation. Ein Mann ist dafür einfach zu wenig. Gerster jedoch wurde die Hinzuziehung externer Berater schließlich zum Verhängnis. Man glaubte ihn dabei ertappt zu haben, bei einigen Verträgen die Ansprüche des öffentlichen Vergaberechts vernachlässigt zu haben. Und schon waren die Vertreter der Gewerkschaften und der Arbeitgeber, die ich das »Tarifkartell« nenne, den unbequemen Mann los.

Kaum war Gerster gegangen, wurde bekannt, dass von den Dutzenden beanstandeter Verträge ein einziger übrigblieb, der diesen Mangel aufwies. Aber wer fragte noch danach? Für mich ist dieser Mann, der Verantwortung übernehmen wollte, an einem Komplott derer gescheitert, die vom alten Schlendrian profitieren. In der neueren deutschen Wirtschaftsgeschichte erinnere ich mich an kaum einen Vorgang, bei dem mit ähnlicher Zielstrebigkeit ein Mann demontiert wurde, der eigentlich nur seine Pflicht erfüllen wollte. Am Ende übertrafen sich Behördenaufseher und Medien mit Enthüllungen über die »Eitelkeit« des Herrn Gerster. Als wäre dies ein Kriterium beim Umbau eines solchen Wasserkopfes. Übrigens habe ich ihn als einen ausgesprochen bescheidenen, umgänglichen und sympathischen Mann kennengelernt, der schon als Minister bei Kollegen und Untergebenen sehr beliebt gewesen war. Plötzlich jedoch entdeckte man in ihm einen arroganten, selbstgefälligen und sozial blinden Wichtigtuer. Er hatte den Fehler begangen, die Deutschen auf ihre Schlampereien hinzuweisen.

Als man sich auf die Suche nach einem Nachfolger machte, rief ich Minister Clement an, um ihm dringend Erwin Staudt zu empfehlen. Der heutige Präsident des VfB Stuttgart war mein Nachfolger als IBM-Chef gewesen, und ich wusste, wie gut er ein großes Unternehmen führen, die Mitarbeiter motivieren, ja mitreißen konnte. In Sachen der für die BA so entscheidenden Informationstechnik machte ihm keiner etwas vor. Dass er zudem die erfolgreiche D-21-Initiative leitete und im Kanzleramt geschätzt war, konnte auch nicht schaden. Kurz, er schien mir der richtige Mann, und außerdem war er SPD-Mitglied. Clement schien begeistert, doch die Clique, die seit Jahren den Aufsichtsrat der Bundesagentur beherrscht, wusste genau, wen sie nicht wollte.

Schon bald dämmerte der nächste Skandal über der Bundesagentur herauf. Es stellte sich heraus, dass eine explosionsartige, das Budget sprengende Kostensteigerung bei der Entwicklung des »virtuellen Arbeitsmarkts« entstanden und einfach verschwiegen worden war. Und zwar von leitenden Mitarbeitern, die im Gegensatz zu Gerster noch auf ihren Stühlen saßen. Vermutlich hatten sie aus Angst den Mund gehalten und lieber hingenommen, dass die Behörde Schaden nimmt als sie selbst. Auch Gersters einstiger Stellvertreter und jetziger Nachfolger Frank-Jürgen Weise geriet ins Fadenkreuz, denn der Vorgang war weit gravierender als Gersters Formfehler. Und um viel mehr Geld ging es auch. Außerdem wies das teure Ding erhebliche Macken auf. Aber der Verwaltungsrat hängte den

Vorgang niedrig, die Presse, die sich an Gerster ausgetobt hatte, zog sich zurück. So ließ man Weise und die Vorstände auf ihren geliebten Stühlen. Man konnte sicher sein, dass diese sich für die erwiesene Nachsicht gefällig zeigen würden.

Das Desaster mit der computergestützten Stellenvermittlung wurde auf der Cebit 2004 zum Thema. Die Computerzeitschrift *Chip* verlieh der Arbeitsagentur für ihre dilettantisch gestaltete Website die Negativauszeichnung der »Bremse des Jahres«, die normalerweise für Unternehmen reserviert ist, die den Fortschritt in der digitalen Welt blockieren. Was die Nürnberger da zusammengebastelt hatten, sei ein »Paradebeispiel für behördliche Misswirtschaft, deren Kosten jeden Rahmen sprengen«.

Zwischen den Skandalen von BA und Toll Collect sehe ich deutliche Parallelen. In beiden Fällen hat die Oberaufsicht versagt. Es fehlte an Organisation, Kontrolle, Qualitätsbewusstsein. Kurz, an Verantwortungsgefühl. Nichts stimmte. Ursula Engelen-Kefer, die seit über fünfundzwanzig Jahren Aufsicht führt, hätte dies bemerken müssen. Ein Unternehmen kann nur dann gedeihen, wenn die Mitarbeiter dazu motiviert sind, mögliche Schwächen und Gefahren schnell nach oben zu melden. Herrschen dagegen Angst und Unsicherheit, dann fürchtet jeder, die schlechte Nachricht zu überbringen. Zum eigenen Schutz belügt man seine Vorgesetzten. Und hofft, wenn die Sache »hochgeht«, nicht von den Trümmern getroffen zu werden.

Meiner Überzeugung nach gehört es zur Pflicht jedes Vorgesetzten, eine Atmosphäre zu schaffen, in der Widerspruch nicht nur geduldet, sondern geradezu herausgefordert wird. Ich bin sicher, dass es diese Einstellung im Topmanagement von Toll Collect und BA nicht gegeben hat. So wurde auf allen Ebenen versagt. Und Deutschland hat versagt, weil es dies hinnahm, ohne die richtigen Konsequenzen zu ziehen.

* * *

Wie das Beispiel Frauenkirche zeigt, geht es auch anders. Es kommt nur darauf an, dass man bereit ist, die Verantwortung zu übernehmen, im kleinen wie im großen. Das Versagen der Gesellschaft hängt genau damit zusammen, dass keiner die Verantwortung übernehmen will. Keiner wagt zu führen, aber zugleich verhindert jeder, dass der andere führt.

Weil die Politiker sehr wohl spüren, dass Unordnung ausgebrochen ist, glauben sie, Ordnung auf dem Zwangsweg einführen zu können. Die eigene Unsicherheit wird mit einer Flut von Gesetzen und Verordnungen überspielt. Allein in der Legislaturperiode von 1998 bis 2002 wurden 864 neue Gesetze vorgelegt, fast eines pro Arbeitstag. 548 davon traten in Kraft. Diese Massenproduktion, mit der man die Kontrolle zurückgewinnen will, bewirkt das genaue Gegenteil.

Je mehr Gesetze man erlässt, desto mehr beschneidet man die Möglichkeit der Bürger, selbst auf die Unordnung zu reagieren. Jedes Gesetz birgt, abgesehen von dem geplanten Effekt, Nebenwirkungen, vor denen keiner warnt. Vor allem hat jedes Gesetz die Nebenwirkung, dass es die Freiheit raubt, die es eigentlich schützen soll. Der gegängelte Mensch, der sich »strikt ans Gesetz« hält, ist absolut unfähig, auf unvorhersehbare Situationen zu reagieren. Statt den Bürger zu schützen, schnüren die Gesetze ihn ein. Diese Schraube muss zurückgedreht werden.

Mir erscheint es fast rührend, wie Minister Clement sich bemüht, durch Entbürokratisierung ein paar Zwänge wegzunehmen und ein paar Freiheiten hinzuzugewinnen. Man lässt ihn nämlich nicht. Für jedes Gesetz, das er abschafft, erfinden seine Kabinettskollegen zwei neue. Führend in der Bevormundung der Bürger sind die Grünen, die am liebsten auf jede ökologische Warnmeldung mit einer Verordnung reagieren würden. Aber auch andere Gegner stellen sich Clement entgegen. Beim Versuch, die Handwerksordnung ein wenig liberaler zu gestalten, leisteten ihm sowohl der Handwerksverband und die CDU/CSU als auch FDP-Mann Rainer Brüderle Widerstand, als hätten sie nie etwas von freier Marktwirtschaft gehört. Dabei sind sich Fachleute einig, dass dieses strenge, aus dem Mittelalter stammende Regelwerk dringend gelockert werden muss. Es ist weltweit einmalig, dass sich ein Schuhmacher einem Prüfungskanon unterwerfen muss, bevor er Sohlen reparieren darf, oder dass ein Bäcker erst dann eine Brezel formen darf, wenn er entsprechende Qualifikationen erworben hat. Bei einem Minister ist das nicht erforderlich.

Beeindruckt von Clements Initiative, stellte ich mich öffentlich hinter ihn und machte mich prompt beim Zentralverband des deutschen Handwerks unbeliebt. Dieser Verband hatte für das alte Zunftsystem mit dem Hinweis geworben, viele Berufe brächten für die Bürger Gefahren mit sich, vor denen sie nur durch die Handwerksordnung geschützt würden. Entsprechend teil-liberalisierte Clement nur solche Bereiche, von denen keine Gefährdung ausgehen konnte. Während dieser Debatte erhielt ich von einem Fahrstuhlbauer einen Brief, wonach man in Deutschland ohne jede Ausbildung oder Zunftprüfung Fahrstühle bauen darf. Aber Brötchen backen darf man nur mit der entsprechenden handwerklichen Zulassung.

Die Liberalität auf dem Fahrstuhlmarkt hat sich offensichtlich bewährt. Mir ist kein Vorgang erinnerlich, bei dem es zu einem schweren Unfall gekommen wäre. Auch scheint die Restaurantkultur in Deutschland ohne epidemische Magenverstimmungen auszukommen, obwohl die Eröffnung von Speiselokalen nicht an bestimmte Prüfungen geknüpft ist. Für Handwerker aus anderen Ländern gelten sie ohnehin nicht. Kraft europäischen Rechts kann jeder Dachdecker aus Italien, jeder Ziergärtner aus Frankreich oder Elektroinstallateur aus Holland seinem Gewerbe in Deutschland nachgehen, ohne über die künstlichen Hürden springen zu müssen, die sich ihren deutschen Kollegen in den Weg stellen.

Die Geschwindigkeit, mit der heute immer neue Gesetze auf die alten Paragraphenhalden getürmt werden, legt den Verdacht nahe, dass die Politiker darin so etwas wie einen Leistungsnachweis erblicken. »Ich habe soundsoviele Spuren im Gesetzbuch hinterlassen«, kann ein Minister dann seinen Enkeln erzählen. Allerdings sind es nur selten Spuren, auf die er stolz sein kann. Die rot-grüne Regierung wird in die Geschichte eingehen als die

Verantwortliche für eine Flut handwerklich miserabler Gesetze und Vorschriften. Es wäre besser, es gäbe sie nicht. Es sind Schlamper-Gesetze für eine Schlamper-Republik. Ich erinnere nur an die Kapriolen bei der Pendlerpauschale und der Eigenheimzulage oder an das neue Mietrecht, das 2001 präsentiert wurde. Als sich herausstellte, dass es nicht mit dem Schuldrechtsreformgesetz zusammenpasste, musste das Bürgerliche Gesetzbuch wieder geändert werden. So kehrt das Chaos, das durch die Gesetze behoben werden soll, in die Gesetzgebung selbst ein. Wer in den letzten Jahren eine Putzhilfe korrekt anstellen wollte oder beim Steuerberater Hilfe suchte, wird wissen, wovon ich spreche.

Es gibt auch moralische Schlamperei. Selbst wenn der Ausdruck ungewohnt klingt, scheint er mir doch zuzutreffen. Denn auch mit der Moral, in der die Ordnung zwischen den Menschen festgelegt ist, lässt sich unordentlich umgehen. Auch die Würde des Menschen, die »unantastbar« ist, kann durch Verantwortungslosigkeit sehr wohl angetastet werden. Im Gegensatz zum offenen Bruch mit der Moral, wie er sich etwa im Angriff auf eine andere Rasse oder einen anderen Glauben zeigt, hält sich die moralische Schlamperei eher im Verborgenen. Sie verstößt nicht gegen das Grundgesetz und verletzt doch die Menschenwürde.

Das Jahr 2003 war in meiner Sicht von drei eklatanten Fällen moralischer Schlamperei geprägt. In allen drei Fällen ging es um Antisemitismus, und zwar nicht in der direkten Form, über deren Unmoral man nicht diskutieren muss, weil hier die Verletzung der Menschenwürde so offen zutage liegt. Nein, es ging in allen drei Fällen um die Unterstellung von Antisemitismus. Das heißt, weil jemand, der angeblich Antisemit ist, dies nicht offen bekennt, hilft man nach und unterstellt ihm, er sei es insgeheim. Es ist wohl unbezweifelbar, dass dies eine verantwortungslose Art ist, mit Menschen umzugehen. Im Mittelalter etwa war es üblich, gewisse Frauen, die sich nicht offen zu ihrem »Hexentum« bekannten, so lange zu quälen, bis sie es zugaben. Man hatte es ihnen unterstellt, und dafür verbrannte man sie.

Die drei Fälle, die das deutsche Politikjahr 2003 prägten, trugen die Namen Möllemann, Friedman und Hohmann. In jedem von ihnen wurde Antisemitismus unterstellt, und die Medien, die Politiker, viele Mitbürger beteiligten sich daran. Nicht zur Debatte stand die Fragwürdigkeit des Unterstellens. In den USA gab es zur Zeit der McCarthy-Ära, als man Kommunisten jagte, den Begriff der »character assassination«, also des Charaktermords. Dieser Ausdruck trifft exakt den Tatbestand der Unterstellung des Antisemitismus. Man tötet zwar nicht den Menschen, von dem man sagt, dass er bestimmte Mitmenschen hasse. Aber man stellt seinen Charakter an den Pranger. Und das überlebt keiner.

Gerade, als ich dies schreibe, lese ich über Thomas Manns jüngsten Sohn Golo Mann. Ich schätze ihn als Autor der *Deutschen Geschichte des 19. und 20. Jahrhunderts* und der großartigen Wallenstein-Biographie. Er gilt als führender Historiker seiner Zeit. Warum dieser erklärte Hitler-Gegner, Demokrat und Bestsellerautor den Geschichtslehrstuhl der Frankfurter Universität nicht annehmen durfte, erfährt man erst jetzt, zehn Jahre nach seinem Tod: Keine Geringeren als die berühmten Frankfurter Soziologen Theodor W. Adorno und Max Horkheimer, bis heute Galionsfiguren der deutschen Linken, hatten seine Berufung erfolgreich hintertrieben. Weil ihnen die historische Richtung Golo Manns nicht passte, outeten sie ihn als Homosexuellen und ließen zudem durchblicken, er sei »heimlicher Antisemit«.

Der FDP-Politiker Möllemann, um den ersten Fall des Jahres 2002/3 heranzuziehen, hatte sich mit Michel Friedman, einem Fernsehjournalisten, angelegt, der auch Vizepräsident des Zentralrats der Juden in Deutschland war. Er hatte öffentlich behauptet, Friedmans »intolerante und gehässige Art sei mitverantwortlich für den Zuwachs an Antisemitismus«. Das war ungewohnt taktlos und derb. Aber eine solche Meinungsäußerung muss eine Demokratie aushalten können. Ich will damit nicht behaupten, dass Möllemann ganz »unschuldig« war. Zweifellos hat er versucht, mit seinem Flugblatt und anderen

Äußerungen den latenten Antisemitismus für den Wahlkampf zu benutzen.

Erwartungsgemäß wurde er von Medien und Öffentlichkeit als Antisemit angeprangert, selbst wenn er es, wie ich glaube, gar nicht war. Monate später hat sich Jürgen Möllemann umgebracht. Dabei spielte wohl auch ein bevorstehendes Parteispendenverfahren eine Rolle. Aber mit Sicherheit hat er die Ausgrenzung, die er von der Öffentlichkeit und seiner eigenen Partei erfuhr, nicht ertragen.

Dem CDU-Mann Hohmann ist ähnliches widerfahren. Auch er bekam einen Abgeordnetensitz außerhalb der Gemeinschaft zugewiesen. Nicht etwa, weil man ihn des Antisemitismus überführt, sondern weil man ihm diesen unterstellt hatte. Er hatte nicht diskriminiert, sondern wurde selbst diskriminiert, und da er noch lebt, wird er es noch heute.

Bei diesen Vorgängen, die unsere ganze Nation aufregten, hat keiner so genau hingesehen. Nach dem Motto »Wer Antisemit ist, bestimmen wir« hat man Schlamperei mit der Menschenwürde betrieben. Man hat es, ein drittes Mal, mit einem Berliner Staatsanwalt versucht, der mit der Aufklärung eines Kriminalfalls befasst war. Wie es der Natur der Unterstellung entspricht, wurde der Beschuldigte selbst nicht befragt. Man behauptete es einfach. Dieser Staatsanwalt hatte die heikle Aufgabe, sich mit Verfehlungen von Michel Friedman zu beschäftigen.

Überraschend wurde dem Staatsanwalt Antisemitismus unterstellt. Staunend las ich damals die Äußerung eines bekannten Berliner Filmproduzenten, bei den Strafverfolgern handle es sich um »braun gefärbte Juristen«. Friedmans Anwalt sprach bereits von der »öffentlichen Hinrichtung« – nicht der Staatsvertreter, sondern seines Mandanten. Schnell kochte der alte Vorwurf hoch. Es schien förmlich auf der Hand zu liegen, dass der Staat hier, wieder einmal, Juden verfolgte. Entsprechend die Medien. In der *Süddeutschen Zeitung* nannte Heribert Prantl die Anwälte »verfolgungsgeil«. Hans Leyendecker beklagte im selben Blatt die öffentliche »Lust am Dreck«. Jens Jessen in der *Zeit* befürchtete bereits für Michel Friedman, dass »hier ein Mann des öffentlichen Lebens in Verzweiflung und Obdachlosigkeit getrieben wird«. Und *Zeit*-Herausgeber Michael Naumann nannte den Beamten, der mit der Aufklärung der Straftat befasst war, einen »durchgeknallten Staatsanwalt«.

Das Thema war offenbar nicht Friedman, sondern ein Vertreter des Rechtsstaats, dem Unmoral unterstellt wurde. So lenkte man vom eigentlichen Thema ab, und das war nun einmal: Ein promovierter Rechtsanwalt hatte sich eines Rechtsbruchs schuldig gemacht. Ein siebenundvierzigjähriger Mann war mit seinem Ansehen, auch dem als zweithöchster Repräsentant der deutschen Juden, verantwortungslos umgegangen. Seiner moralischen Schlamperei, ukrainische Mädchen zum Schäferstündchen in ein Luxushotel zu bitten, entsprach die Sorglosigkeit, sie unter einem lächerlichen Decknamen bei einem ukrainisch-polnischen Mädchenhändlerring zu ordern. Von den Koksspuren, die in seiner Anwaltskanzlei gefunden wurden, nicht zu reden. Während des Prozesses gegen den ukrainischen Chef des Callgirlrings, der zu vier Jahren und neun Monaten Gefängnis verurteilt wurde, sagten laut *Welt* vom 14. Mai 2004 mehrere Frauen aus, sie hätten »zum Teil unter Todesdrohungen arbeiten müssen«.

Michel Friedman hat nicht nur sich selbst, sondern auch seine Ämter beschädigt. Der Zentralrat der Juden hat richtig reagiert, als er ihn die Vizepräsidentschaft freiwillig niederlegen ließ. Nur Michel Friedman selbst scheint das moralische Debakel entgangen zu sein. Er sprach von seinem »Fehlverhalten«, als ginge es nicht um Moral, sondern um Verhaltensforschung. Einige Zeit später präsentierte er sogar die Erklärung, was er getan habe, sei das typische Verhalten eines bedrohten Individuums gewesen. »Neonazis, Rassisten, das war mein Alltag«, so sagte er in der *Kerner*-Talkshow. »Und da möchte man auch ab und zu Streicheleinheiten haben.«

Für den »durchgeknallten Staatsanwalt« musste *Zeit*-Chef Naumann 9000 Euro Strafe zahlen. Dr. jur. Michel Friedman kam mit 17 400 Euro davon. Seit Frühjahr 2004 kann man ihn wieder im Fernsehen bewundern, als Rechtsgelehrten. Die Sendung heißt *Im Zweifel für ...*

Persönlich fällt mir zu Michel Friedman folgende Marginalie ein. Da ich häufig in Talkshows eingeladen bin, kenne ich die Gastgeber und ihre Methoden ganz gut. Michel Friedman nahm hier eine Sonderstellung ein. Schon in seiner Sendung *Vorsicht Friedman* im Hessischen Fernsehen fiel mir auf, wie er durch seine physische Präsenz den Abstand zu den Gästen aufhob. Als wollte er die höfliche Floskel »Ich möchte Ihnen nicht zu nahe treten« in ihr Gegenteil verkehren. Er ging gleich »ran«, und daran musste ich mich erst gewöhnen. Er fasste einen auch an, was mich, ehrlich gesagt, vor laufenden Kameras etwas seltsam »berührte«. Ich nehme meine Frau und Kinder in den Arm oder einen Freund, der trauert. Kurz, ich möchte gern selbst entscheiden, wer mich auf diese Weise vereinnahmt. Friedman nahm sich diese Freiheit auch nicht aus überschäumender Sympathie. Es war einfach, wie sich schnell herausstellte, Mangel an Respekt. Ich meine damit nicht Respekt vor einem Amt oder einer gesellschaftlichen Position. Ich meine Respekt vor dem anderen Menschen.

Ich war zwei-, dreimal in dieser Sendung. Das Urteil der *Zeit*, Friedman sei ein »fabelhafter Journalist«, erstaunt mich. Ich empfand ihn als scharfen Sparringspartner, der versuchte, einen auf dem falschen Fuß zu erwischen. Aber darüber beklage ich mich nicht. Dass er sich inquisitorisch, ja verletzend benahm, auch das gehört wohl zum Reiz der Talkshow. Wer dorthin geht, muss das aushalten.

Etwas anderes störte mich, und ich hoffe nicht, dass ihn gerade dies zum »fabelhaften Journalisten« qualifiziert. Der Vorfall, den ich meine, ist fünf Jahre her, die Entschädigung der Zwangsarbeiter war in die heiße Phase getreten. Meine Aufgabe als BDI-Chef bestand im Zusammentragen des Geldes und im Niedrighalten der Wogen, die von der Presse bereits gewaltig aufgetürmt wurden. Im Februar 1999 lud mich Friedman in seine Talkshow ein. Bei der Vorbesprechung gefragt, ob wir auch über die Milliardenentschädigung durch die deutsche Industrie sprechen könnten, antwortete ich, dass dies unmöglich sei. Die Sache stünde Spitz auf Knopf, und jede öffentliche Äußerung zu diesem Zeitpunkt könne dem Projekt Schaden zufügen. Friedman sagte verständnisvoll: »Dann reden wir eben nicht darüber.«

Während der Talkshow schien Friedman sich an unsere Abmachung zu halten, spielte mir sogar wohlwollend einige Bälle zu. Bis er blitzschnell die Gangart änderte und das Thema Zwangsarbeiterentschädigung auf den Tisch brachte, einem Richter ähnlich, der endlich sein vernichtendes Urteil sprechen darf. »Die deutsche Industrie«, so wandte er sich an mich, »hat ja nun in den letzten Jahrzehnten und auch in den letzten Monaten eher alle Gründe gesagt, warum sie nichts tun soll. Wie steht der Präsident des BDI dazu?«

KAPITEL SIEBEN

Das Elend der Schlagzeilen-Politik

Meine Dachterrasse bietet einen guten Überblick über unsere Hauptstadt. Man sieht den mächtigen Dom, von Kaiser Wilhelm II. erbaut, und die große Synagoge mit dem orientalischen Golddach. Dahinter ragt der Ostberliner Fernsehturm empor, das Prestigeobjekt der einstigen DDR, nahebei das backsteinerne Rote Rathaus, auch der Französische Dom, der an die Hugenotten erinnert. Auf der anderen Seite erhebt sich die kristallene Kuppel des Reichstags, in der man die Besucher ameisenhaft auf und ab gehen sieht. Daneben steht wie eine futuristische Opernbühne das Kanzleramt, flaggenumweht. Beugt man sich über die Brüstung, rauscht unter einem der Verkehr dahin, die klingelnden Straßenbahnen wie zu Kaisers Zeiten. Einige graue Mauern in Hinterhöfen tragen geduldig die Spuren von Granateinschlägen der Roten Armee. Es ist alles noch da. Schließt man die Augen, hört man das Leben der Stadt, wie es dahinbraust, untermalt vom Wind, der in Schilf und Bambus saust.

In unmittelbarer Nähe liegt der Berliner Amtssitz der Ministerin für Bildung und Forschung. Von ihrem Büro aus kann sie zu meiner Terrasse hochsehen. Wenn ich an ihrer Behörde vorbeigehe, bemerke ich ab und zu große Plakate, auf denen die erfolgreiche Politik Edelgard Bulmahns angepriesen wird. Einmal präsentierte ihr Ministerium den Sänger Gildo Horn überlebensgroß, um für ein höheres Bildungsniveau zu werben. Sein aktuelles Lied hieß »Gildo hat euch lieb«.

2003 hat die Bundesregierung für Plakatwerbung 80 Millionen Euro ausgegeben, 2004 gar 95 Millionen. Offenbar, damit wir sie lieb haben. Wenn ich an Bushaltestellen oder Litfaßsäulen vorbeigehe, stoße ich immer häufiger auf Plakate, mit denen die Leistungen der Bundesregierung angepriesen werden. Zweifellos ist die Regierung inzwischen zu einem der größten Kunden der deutschen Plakatwerbung geworden. Die großformatigen Flächen sollen mich wohl darüber aufklären, warum mein Steuergeld bei dieser Regierung am besten angelegt ist.

Frau Bulmahn warb nicht nur mit dem komischen Sänger. Verunsichert durch das PISA-Debakel, wollte sie den Wählern im Herbst 2002 die Vorzüge der Ganztagsschulen vor Augen führen. Und das, obwohl renommierte Bildungswissenschaftler festgestellt hatten, dass es keinen bewiesenen Zusammenhang zwischen der Einführung von Ganztagsschulen und der Verbesserung von schulischen Leistungen gibt. Aber um Punkte zu sammeln für die Bundestagswahl, hörte sie nicht auf die Wissenschaftler, sondern auf die Werbefachleute.

Beim Spazierengehen entdeckte ich das Resultat. Ein Riesenplakat zeigte ein kleines Mädchen vor einer Tafel, auf der zu lesen stand: »Man kann die Welt nicht an einem halben Tag erklären. Deshalb Ganztagsschulen.« Man nennt das einen Kalauer. Glaubte die Ministerin allen Ernstes, mit einer solchen Seifenblase von Nonsens die Bildungsbeflissenheit der Deutschen erhöhen zu können? Damals habe ich auf meiner Terrasse ein paar Buchsbäume gepflanzt, als Sichtschutz.

Beim absurden Theater will auch Ministerin Renate Künast nicht zu kurz kommen. Flächendeckend klärte sie das deutsche Volk über die neuen Richtwerte der Mindestabmessungen von Hühnerkäfigen auf, nicht ohne darauf hinzuweisen, dass diese Verbesserung der Lebensbedingungen unserer eierlegenden Freunde ihr persönlich zu verdanken sei. Und das hängt an deutschen Plakatwänden und kostet deutsches Steuergeld. Da lachen die Hühner.

Wie gut, frage ich mich, kann eine Politik sein, die sich so billig verkauft? Wie gut kann überhaupt eine Politik sein, die sich verkaufen muss, statt ihre Erfolge sprechen zu lassen? Einen Menschen beurteilt man nach dem, was er tut, und gewiss nicht nach dem, was er über sich sagt. Denn Taten sprechen für sich.

Eigenlob aber stinkt. Ich wüsste nicht, warum das bei der forschen Frau Künast anders sein sollte.

Angeberei gehört zu den schlechten Eigenschaften, die schnell zur Gewohnheit werden. Zuerst prahlt man mit seinen Leistungen, dann prahlt man statt seiner Leistungen. Die Regierung, die gerade noch mit ihren Reformen Schlagzeilen gemacht hat, verabschiedet sich nun von den Reformen, um nur noch Schlagzeilen zu machen. Das geht, weil die Presse davon lebt. Und weil es den Medien im Grunde gleich ist, ob eine prahlerische Ankündigung irgendwann realisiert wird oder statt dessen die nächste Ankündigung folgt. Gerhard Schröder ist seit dem vorzeitigen Ende seiner Reformpolitik zu dieser Taktik übergegangen. Er ist Ankündiger seiner selbst geworden. Er regiert nicht mehr, sondern macht Schlagzeilen über das Regieren, an dem er von Opposition, Koalition und Gewerkschaften abwechselnd gehindert wird.

Um aus der Not eine Tugend zu machen, beschloss der Kanzler, mit dem ewigen Reformieren aufzuhören und ein neues Thema anzuschlagen. Er nannte es »Innovation«. Das Wort hatte er auch früher schon gern gebraucht und bei den verschiedensten »Innovationsinitiativen« eingesetzt. Was aus ihnen geworden ist, wer fragt schon danach? Doch nun stellte er die Innovation in den Mittelpunkt. Wo Reform gewesen war, gab es jetzt Innovation, denn wer von Innovation spricht, wird nach Reformen nicht mehr gefragt. Außerdem ist das Wort schlagzeilenträchtig. Es lässt sich in jedem Zusammenhang positiv verwenden. Und es gibt den Deutschen, denen die verunglückten Reformen längst auf die Nerven gehen, das vage Gefühl, es könnte doch noch etwas werden mit ihrer Zukunft.

Das Problem liegt darin, dass diesem Wort keine Wirklichkeit entspricht. Es ist nur ein affirmativer Werbeträger. Das zugehörige Produkt gibt es leider nicht. Es erinnert mich, wieder einmal, an die DDR-Zeiten, in denen es auch eine Menge raumfüllender Plakate und Parolen gab. Damals wurden die Menschen mit Schlagworten wie »Frieden« und »Völkerfreundschaft« abgespeist, während es an real existierenden Waren fehlte. Innovation ist ein Wort ohne Inhalt, ein Muster ohne Wert. Innovation, das sind des Kaisers neue Kleider.

Natürlich hat das Wort auch einen Sinn, aber nicht im politischen Zusammenhang, in dem Schröder es verwendet. Es kommt aus der Wirtschaft, man kann sogar sagen, es gehört zu ihrem innersten Wesen. Deshalb braucht man es ihr auch nicht eigens zu empfehlen, wie der Kanzler zu glauben scheint. Sein »Nun innoviert mal schön« ist so absurd wie die Plakatwerbung seiner Minister. Er könnte sich genausogut auf den Bahnhof stellen und pfeifen, wenn der Zug abfährt.

Jedes Unternehmen lebt von der Innovation seiner Produkte. Ohne Verbesserung verschwindet jede Ware vom Markt. Dieser enorme Druck, der zur ständigen Fortentwicklung führt, kommt aber nicht vom fidelen Pfiff eines Oberaufsehers, sondern vom Wettbewerb. Innovation folgt zwangsläufig, wenn ein Wettbewerber mit gleichwertigen Produkten auftaucht. Würde Mercedes immer die gleichen Typen bauen, gäbe es auch keine neuen, höher entwickelten BMW-Modelle, sondern nur Trabbis in unterschiedlichen Farben. Offenbar war dies dem Kanzler nicht klar, als er plötzlich zur großen Innovationsinitiative 2004 pfiff. Denn den Wettbewerb scheut er, weil derlei in der rot-grünen Koalition nicht konsensfähig ist.

Um die Innovationsinitiative, die sich nach einiger Zeit abnutzte, selbst zu innovieren, entdeckte Schröder das Wort von der deutschen »Elite-Universität«. Nicht nur dem Bildungs- und Forschungsministerium war aufgefallen, dass immer mehr deutsche Spitzenforscher an ausländischen Elite-Universitäten unterkamen. Sie gingen vor allem deshalb weg, weil ihr eigenes Land Vergleichbares nicht zu bieten hatte. Schröders Forderung stieg sofort zur Schlagzeile der Woche auf. Er sprach so überzeugend davon, als gäbe es die deutsche Elite-Universität bereits oder stünde zumindest unmittelbar vor ihrer Gründung.

Anfangs war auch ich von der Idee angetan. Doch bald schon folgte das gewohnte deutsche Trauerspiel. Schröders Erfinderstolz wurde durch die eigene Partei gebremst, die am Wort »Elite« Anstoß nahm. Elite war nämlich politisch nicht korrekt.

Also schlug man die Sprachregelung »Spitzenuniversität« vor. Auch hier kamen ernste Bedenken, da ja eine Spitzenuniversität die anderen Hochschulen zu Durchschnittsuniversitäten degradierte. Nach einigem Überlegen kam man zum salomonischen Beschluss, in Zukunft möglichst viele deutsche Universitäten zu Spitzenuniversitäten zu erheben. Man träumte von einem geistigen Himalaya, der ja auch nicht nur einen, sondern eine ganze Menge von Gipfeln aufzuweisen hat. Und übersah, dass sich viele deutsche Universitäten bestenfalls mit dem Hunsrück vergleichen lassen.

Wieder einmal berauschte man sich an einem Wort, ohne nach seinem Sinn zu fragen. Elite-Universitäten entstehen nicht nach Ansage, sondern nach Wettbewerb. Sie entstehen auch nicht in einer Saison wie ein Auto, das dank neuer Einspritzung den anderen davonfährt, bis es beim nächsten Autosalon vom Konkurrenten überholt wird, sondern im Lauf von Jahrzehnten, oft Jahrhunderten. Sie entstehen, weil sie mit Ebenbürtigen eine Konkurrenz bilden, wie es sich, symbolisch, beim berühmten Wettrudern zwischen Oxford und Cambridge zeigt. Oder beim sportlichen Kräftemessen der Football-Teams von Yale, Harvard, Princeton oder Stanford. Die Wettkämpfe demonstrieren, dass ohne äußerste Kraftanstrengung, die über lange Zeiträume aufrechterhalten wird, nichts zu erreichen ist. Und ohne dieses Kräftemessen gibt es auch keinen Sieger.

Wie ich in *Die Ethik des Erfolgs* beschrieben habe, gibt es in Deutschland schon deshalb keine Elite-Universitäten, weil Wettbewerb verboten ist. Die zentrale Vergabe von Studienplätzen steht symbolisch für diese Nivellierungstendenz. Sie bewirkt das Gegenteil dessen, was amerikanische, englische oder französische Hochschulen bieten. Zentrale Vergabe heißt, dass es egal ist, wo man studiert. Überall gibt es Einheitskost, und wenn man sich ein wenig Mühe gibt, kann man das staatlich geförderte Studium so herrlich lang hinauszögern wie nirgendwo sonst auf der Welt. Weil Studieren vom Steuerzahler ermöglicht wird. Den Durchschnittsuniversitäten entsprechen die Durchschnittsabsolventen, allerdings nur im deutschen Vergleich. Denn gegenüber dem Ausland sind wir, was Eliten betrifft, unterdurchschnittlich. Dafür finden unsere Elitestudenten und -forscher schnell den Weg ins Ausland, wo die Hochschulen ihren speziellen Fähigkeiten entsprechen. Und nicht den Richtlinien einer Kultusministerkonferenz.

Seit einigen Jahren versucht man mühsam und gegen rot-grünen Widerstand, diese Situation zu ändern. Dem Kanzler gelang das scheinbar auf einen Schlag. Mit einem einzigen kühnen Wort riss er den Horizont auf und wies die Richtung. Aber, wie das buddhistische Sprichwort sagt, der Finger, der auf den Mond zeigt, ist noch nicht der Mond. Und die Schlagzeile von der Elite-Universität, mit der er sich ins rechte Licht setzte, hat nicht das geringste mit deren Wirklichkeit zu tun.

Man kann natürlich jede Hochschule als Elite-Universität bezeichnen, wie sich eine Hamburgerbude auch Restaurant nennen darf. Aber wenn man sie wirklich wollte, ginge es nur über den Wettbewerb. Um wenige Spitzenhochschulen zu ermöglichen, müsste man die Mittel auf sie konzentrieren und sogar ein Absinken einiger anderer in Kauf nehmen. Denn wie in der freien Marktwirtschaft wird das Hauptergebnis durch die Spitzenprodukte gebracht. Mit Durchschnittsware ist es nicht zu erzielen. Durch die Elite-Universitäten käme ein Niveau in unser Land zurück, das nicht nur den schwächeren Universitäten, sondern dem ganzen Bildungssystem zugute käme. Und damit kehrte auch der Wohlstand zurück. Das dauert aber länger, als ein Schlagzeilen-Schmied sich träumen lässt.

Und es dauert bis zum Sankt-Nimmerleins-Tag, wenn man nicht bereit ist, den Worten Taten folgen zu lassen. Kaum hatte Schröder sein Feuerwerk abgebrannt, verlor er das Interesse. Was seitdem in Sachen Universitäts-»Innovation« getan wurde, ist mehr als kümmerlich. Weder wurde den Hochschulen die nötige Autonomie gewährt, noch dürfen sie ihre Studenten selbst aussuchen. Per Bundestagsbeschluss war zuvor schon das größte Hemmnis aufgetürmt worden: An deutschen Universitäten dürfen per Gesetz keine Studiengebühren erhoben werden. Damit wurde der Wettbewerb zwischen den Hochschulen, wie er in fast allen anderen Ländern üblich ist, unmöglich gemacht. Kaum ein Experte für Bildungswesen stellt dies noch in Abrede.

Um zumindest die Fiktion aufrechtzuerhalten, man bemühe sich um eine Elite-Universität, stellte Edelgard Bulmahn ihr Innovationskonzept »Brain up!« vor. Einmal im Jahr sollen die fünf besten Universitäten mit 250 Millionen Euro belohnt werden. Das heißt, nach dem Vorbild von *Deutschland sucht den Superstar* soll eine »Jury« darüber entscheiden, wer sich im »Beauty Contest« durchsetzt. Offenbar glaubt man, dass Wettbewerb darin bestünde, Preise auszuloben. Aber hier liegt ein Denkfehler vor. Bei einem Schönheitswettbewerb werden zwar die schönsten Frauen prämiert, doch das heißt nicht, dass ihre Schönheit durch den Wettbewerb erzeugt wird. Keine Frau ist je durch eine Misswahl schöner geworden, und darin besteht das Missverständnis Edelgard Bulmahns.

Wie die Frauen nicht durch Schönheitswettbewerbe schöner werden, so gewinnen unsere Universitäten nicht dadurch an Qualität, dass man ihnen einen Scheck überreicht. Zur Bestätigung, dass es sich hier um eine Nonsensveranstaltung handelt, wurden kurz nach Bekanntgabe bereits Namen gehandelt, der Sieger quasi schon vorweggenommen. Als wäre vom Ministerium eine Parole ausgegeben worden, entdeckten die Politiker plötzlich die Berliner Humboldt-Universität. Natürlich genießt sie, zusammen mit den anderen beiden Berliner Hochschulen, einen hervorragenden Ruf, der in den letzten Jahren, gewiss auch dank des Wettbewerbs mit der Freien und der Technischen Universität, sogar noch zugenommen hat. Und dies trotz oder vermutlich sogar wegen der rigorosen Sparmaßnahmen des Senats. Auch Trotz macht erfinderisch.

Gerade als die Humboldt-Universität als heißeste Kandidatin für die akademische »Miss Germany« ins Spiel gebracht wurde, publizierte ein chinesisches Institut ein neues internationales Hochschulranking. Eine Liste also, an der sich der Rang der 500 weltweit führenden Universitäten ablesen lässt. Allgemein halte ich nicht sonderlich viel von solchen Listen, da die Qualität der Fakultäten sehr unterschiedlich sein kann. Ein Vergleich von

Fachrichtungen und Instituten wäre viel aussagekräftiger. In diesem Fall aber rückte die Hitparade die Proportionen zurecht. Unter den ersten hundert Hochschulen weltweit tauchen nur sechs deutsche auf. Das einstige Land der Dichter und Denker, der Forscher und Erfinder ist zu einer Marginalie verkommen. Wenn man bedenkt, dass es noch im 19. und beginnenden 20. Jahrhundert für jeden Ausländer eine Auszeichnung war, an einer deutschen Universität ein Diplom zu erwerben, kann man dieses Ergebnis nur als deprimierend empfinden.

Besonders wenn man die Liste genauer ansieht und die erste deutsche Uni auf Platz 48 entdeckt. Dagegen findet sich der Liebling unserer Politiker, Berlins Humboldt-Universität, über hundert Plätze tiefer. Die FU wiederum, die Freie Universität Berlins, liegt weit vor der Humboldt-Universität. Soviel zum internationalen Ansehen unserer »Elite-Unis«. Aber vielleicht wird sich dies ja dank Bulmahnscher Innovationsinitiative schlagartig ändern.

Bleibt nur die Frage, woher die 250 Millionen an Preisgeldern kommen sollen. Angeblich nicht aus dem Forschungshaushalt, denn sonst wäre das Ganze eine üble Täuschung. Wenn aber, wie versprochen, der Bundeshaushalt das Geld bereitstellen soll, frage ich mich, woher? Gibt es Reserven, von denen niemand weiß? Greift man nach dem Goldschatz der Bundesbank? Und warum wird verschwiegen, dass gleichzeitig mit der Auslobung der Sonderprämie der Hochschulbau um mehr als diese Summe gekürzt wurde? Derlei Nebensächlichkeiten werden die Regierung nicht daran hindern, im Wahljahr die Kür der Besten als fernsehgerechtes Spektakel aufzubereiten, bei dem Frau Bulmahn mit den Worten »And the winner is …« einen Briefumschlag öffnet und der Kanzler den Scheck auf Deutschlands Zukunft überreicht.

* * *

Dass man Wahlen nicht durch inhaltliche Aussagen, sondern durch Werbeslogans gewinnt, wird in Deutschland gewöhnlich den »amerikanischen Verhältnissen« zugerechnet. Kein US-Wahlkampf mit Konfetti und Luftballons, der nicht entsprechend mokante Kommentare in unseren Medien hervorriefe. Dort gibt es nur Show, so liest man, während bei uns ehrliche Politik für die Bürger gemacht wird. Um die verwerfliche Form der Wählerbeeinflussung zu charakterisieren, wird neben den amerikanischen Präsidentschaftskampagnen gern auch die Strategie von Joseph Goebbels herangezogen. Ihr Name war, übrigens vom Nazi-Minister offen zugegeben, »Propaganda«. Das Wort, das eigentlich »Ausbreitung« bedeutet, wurde einst für das katholische Missionswesen verwendet. An weltweiter Ausbreitung war auch den kommunistischen Regimen gelegen, weshalb sie diese psychologische Beeinflussung der Massen zu einem Hauptmittel ihres Kampfes weiterentwickelten. Hämmerte Goebbels' Propaganda den Menschen ein: »Der Jude ist an allem schuld«, so wurde von den Kommunisten der »Kapitalismus« für alles Übel in der Welt verantwortlich gemacht. Die einen verfolgten eine Rasse, die anderen eine Klasse.

Mit Wahrheit hat Propaganda selbstverständlich nichts zu tun. Im Witz wurde Goebbels der Satz in den Mund gelegt: »Churchill soll ja nicht glauben, dass er uns mit seinen lächerlichen, durchsichtigen und unverschämten Lügen beeindruckt – auch wir können Propaganda machen!« Das Ziel der Propaganda besteht nicht in Aufklärung, sondern in Manipulation. Die Menschen sollen etwas glauben, tun oder auch wählen, was sie andernfalls nicht bereit wären zu glauben, zu tun oder zu wählen. Propaganda nimmt den Menschen die Freiheit, über sich selbst zu bestimmen. In einer Demokratie hat sie eigentlich nichts verloren.

Damit eine Partei oder weltanschauliche Gruppe mit Propaganda erfolgreich sein kann, muss sie ihr eigentliches politisches Anliegen strikt von ihrer Botschaft trennen. Während die Parteiführung Programme entwirft, die sie dann als Regierung in die Wirklichkeit umzusetzen sucht, kümmert sich die Propagandaführung darum, die Menschen für die Zustimmung zu gewinnen, gleichgültig mit welchen Mitteln. So konnte etwa, während

Goebbels von Frieden und Völkerverständigung sprach, Hitler Angriffskriege planen. So konnte die DDR die »internationale Völkerfreundschaft« beschwören und gleichzeitig 1968 in die Tschechoslowakei einmarschieren. Propaganda handelt nicht von der Wirklichkeit, sondern lenkt von ihr ab, hin zu einer anderen, virtuellen Wirklichkeit, die nur in den Medien, auf Bannern und Großplakaten stattfindet. Und im Luftraum über den Kinderbetten.

Die Schlagzeilenpolitik Gerhard Schröders hat nicht erst mit seinen Innovationsinitiativen 2004 begonnen. Bereits im Wahlkampf 1998 setzte die SPD-Führung auf strikte Trennung von Partei und Werbung. Abseits der Parteibürokratie installierte Franz Müntefering ein Kampagnenzentrum, das völlig unabhängig Slogans erfinden und Trends setzen konnte. Man nannte es »Kampa«. Hätte die SPD damals gesagt, man könne den Sozialstaat nur dann erhalten, wenn man die Steuern erhöhte und den allgemeinen Wohlstand zurückschraubte, wäre Kohl Kanzler geblieben. Aber die Kampa, geführt von Müntefering, erfand Slogans, die mit der Wirklichkeit nicht viel zu tun hatten. Dafür aber die Zustimmung zu Gerhard Schröder enorm erleichterten.

Der berühmteste Slogan hieß »Die neue Mitte«. Das wollte besagen, die alte Mitte wurde bisher von den bürgerlichen Parteien CDU/CSU und FDP eingenommen. Die neue Mitte stellen wir. Den goldenen Mittelweg sozusagen. Worin er bestand, wurde gleich mitgeliefert: »Innovation und Gerechtigkeit.« Das klang gut, stellte aber die Quadratur des Kreises dar. Wer Innovation will, muss auch mal auf Gleichheit verzichten können und umgekehrt. Denn Erneuerung bedeutet, dass Altes überwunden wird und damit sein Existenzrecht verliert. Es kam aber nicht auf die Logik an, sondern darauf, mit Begriffen Wähler zu gewinnen. Mit »Innovation« ließen sich die jungen Leute gewinnen, die Reformen wollten, mit »Gerechtigkeit« die klassische SPD-Klientel und die Neulinken. Wurden diese durch Oskar Lafontaine vertreten, erhielt die »Innovation« ihr Gesicht durch einen Jungunternehmer namens Jost Stollmann. Der verschwand bald wieder, hatte er doch nur eine Funktion in der

Kampagne zu erfüllen gehabt: Zielgruppen ansprechen und gewinnen.

Wie eine Werbeagentur lieferte die Kampa die Sprüche, die den biederen Sozialdemokraten auf die Regierungsbank verhalfen. Sie gab die Parole aus: »Angriffswahlkampf mit Witz.« Themen wurden nicht nach Vernunft, sondern nach »Kampagnenfähigkeit« ausgesucht. Glaubten die Wähler, ein neues Thema werde ihnen präsentiert, flog ihnen in Wahrheit eine neue Kampagne um die Ohren. Kampagne heißt wörtlich: Feldzug. Ein kriegerisches Unternehmen also, bei dem mit geballter Kraft der Feind niedergerungen wird. Müntefering liebt die martialischen Vokabeln. Da werden die »Helme festgeschnallt«, da ist die »Schonfrist abgelaufen«. Im März 2004 forderte Müntefering seine Genossen gar zum »Unterhaken« auf, was für einen 68er bedeutete, dass vor dem Sturm auf eine Polizeikette eine geschlossene Phalanx gebildet wurde. Um ein Haar, und der »Klassenfeind«, das Lieblingsthema der Linken, wäre wieder aus der Mottenkiste erstanden.

Vordenker der Kampa war Matthias Machnig, ein begabter Werbefachmann, der sich für die Ideen der Linken begeistert hatte. Er war Juso-Mitglied gewesen, und zwar mit Präferenz für die Stamokap-Theorie. Sicher wäre es nicht wert, auch nur einen Gedanken auf ihn zu verschwenden, wenn nicht im Frühjahr 2004 zwei weitere Ex-Stamokap-Jusos in die Parteispitze der SPD aufgerückt wären: Karl-Josef Wasserhövel, engster Mitarbeiter Münteferings, wurde neuer Bundesgeschäftsführer, Klaus Uwe Benneter übernahm das Amt des SPD-Generalsekretärs. Sie alle hatten nicht wie Walter Jens mit neunzehn, sondern als Erwachsene für eine Ideologie optiert, die nur um Nuancen von der marxistisch-leninistischen Doktrin der DDR entfernt war. »Es ist kein Zufall, dass Müntefering diese Leute schätzt«, erklärte Peter Glotz, selbst einmal Bundesgeschäftsführer der SPD. »Diese Leute sind nicht ideologisch, aber habituell harte Knochen geblieben.«

Und worin unterschied sich die Theorie des »Staatsmonopolistischen Kapitalismus«, kurz: Stamokap, von der gewöhnlicher Marxisten? Sie war moderner. Sie ging davon aus, dass kapitalistische Unternehmen, des Wettbewerbs müde, einfach Monopole bilden, die stark genug sind, den Staat für sich zu benutzen. Politiker wären danach nur noch die Erfüllungsgehilfen des Monopolkapitals. Jusos wie Benneter wollten den Spieß einfach umdrehen. Man schafft das Großkapital nicht ab, sondern unterwirft es dem Zugriff des Staates. Man schafft auch die Demokratie nicht ab, sondern formt sie zu einer Art Honecker-Demokratie, in der Opposition unerwünscht ist. Zu Politikern eignen sich also nur noch »harte Knochen«, die Kontrolle über die Wirtschaft ausüben und sie unbemerkt zum Instrument des Staates umfunktionieren.

Das Wort, das der dreißigjährige Klaus Uwe Benneter 1977 dafür verwendete, hieß »staatsinterventionistischer Monopolkapitalismus«. Das Mitbestimmungsmodell wäre dahingehend abzuwandeln, dass »Kapitalisten im vergesellschafteten Bereich nicht mehr mitbestimmen«. Zu diesem Bereich, so las man damals im *Spiegel*, gehörten für ihn die »Schlüsselindustrien«. Nicht minder wichtig sei aber auch »die Verstaatlichung der Banken«. Geblieben vom Stamokap, so Peter Glotz, sei der sogenannte »Etatismus«, die Staatsgläubigkeit, und »da kommen Ausbildungsplatzabgabe und Erbschaftssteuererhöhungen raus«.

Stamokap, das hieß auf einen Slogan gebracht: Schluss mit Demokratie, der allmächtige Staat wird's schon richten. Tatsächlich ist heute von den inhaltlichen Forderungen so gut wie nichts geblieben. Dafür hat schon das traurige Schicksal des Ostblocks gesorgt. Anstelle der »Vergesellschaftung der Produktionsmittel« hat sich dagegen etwas anders in den Köpfen festgesetzt, das mir mindestens ebenso gefährlich erscheint: der zynische Umgang mit der Macht und der Wahrheit. Und hier gibt es doch eine Verbindung zwischen dem einstigen Juso-Marxismus und dem modernen Kampa-Denken. Man will die Macht erhalten, auf Teufel komm raus. Und der kommt, im Bild gesprochen, tatsächlich raus, als gesellschaftlicher Niedergang, der mit immer neuen Slogans schöngeredet wird.

Benneter-Freund Gerhard Schröder ist unerreichter Virtuose der Eigenpropaganda. Schon deshalb fiel es dem Wahlkämpfer Edmund Stoiber 2002 so schwer, sich zu profilieren. Konzentriert auf reale Probleme, für die er realisierbare Lösungen vorschlug, bot er neben dem Selbstdarsteller Schröder eine schwache Figur. Gegenüber einer selbstbewussten Persönlichkeit, die spricht wie gedruckt, wirken mühsam vorgetragene Sachthemen immer blass. Stoiber, auf die Wirklichkeit fixiert, verfügte weder über eine Kampa mit jahrzehntelanger ideologischer Unterfütterung noch über die entsprechende Brutalität. Er glaubte, man müsse Politik erklären, während sein Gegenspieler die Themen nach Verkäuflichkeit ordnete und Schaufensterdekoration betrieb.

Schröder vermarktete ein Produkt, sich selbst nämlich, während Stoiber sich um Aufklärung unbequemer Zusammenhänge bemühte. Dafür erteilte die Presse dem Bayern schlechte Haltungsnoten. Der *Stern* höhnte gar über seine Verlegenheits-Ähs, die bei Außenminister Fischer viel öfter vorkommen, aber bei ihm als Ausdruck von Nachdenklichkeit und Tiefsinn gelten. So hatte eine Politik, die sich auf Schlagworte verlegte, eine Presse gefunden, die sich bei Äußerlichkeiten aufhielt. Symptomatisch erschien mir die Bemerkung in einer Talkshow, man brauche Schröder gar nicht zuzuhören, sondern sehe es ihm förmlich an, wie vertrauenswürdig er sei. Das sagte keine Schwärmerin, sondern die angesehene Chefredakteurin einer großen deutschen Frauenzeitschrift. Das Wahlergebnis war danach. Am Ende hatte nicht Politik, sondern Propaganda den Ausschlag gegeben.

Ich kann mich gut an die Wahlnacht im September 2002 erinnern. Damals noch Vizepräsident des BDI, verbrachte ich sie zusammen mit Michael Rogowski und anderen im Adlon-Hotel, wo wir das Geschehen am Fernseher verfolgten. Stoiber war schon gefährlich früh vor die Presse getreten, um sich angesichts erster Hochrechnungen tendenziell zum Sieger zu erklären. Als dann am Ende 6000 Stimmen die Wahl zugunsten Schröders entschieden, hatte Stoiber zum Schaden noch den Spott.

Zu Unrecht, wie mir schnell klar wurde. Denn der CDU/CSU-Kandidat war der eigentliche Sieger. Zwar hatte er nicht die erhoffte Chance erhalten, sein Programm in die Wirklichkeit umzusetzen. Doch dafür sah sich die vermeintlich erfolgreichere Gegenseite nun gezwungen, die Suppe auszulöffeln, die sie sich eingebrockt hatte. Mit anderen Worten: Sie musste von Propaganda auf Tatkraft umschalten. Fragte sich nur, wie? Denn Propaganda dient zum Machterhalt. Was man mit der Macht anfangen sollte, das wusste die SPD nicht. Das wusste nicht einmal der Mann, der sich mit Victory-Zeichen und Siegerlächeln den Deutschen präsentierte. Er weiß es bis heute nicht.

Welches Pech für ihn, die Wahl gewonnen zu haben. Man stelle sich vor, Stoiber wäre Kanzler geworden und hätte exakt das an Reformen und Veränderungen in die Wege geleitet, was Schröder, meist entgegen seinen eigenen Versprechungen, nach der Wahl durchgesetzt hat. Ich wage zu behaupten, dass der unterlegene Schröder sich sofort an die Spitze einer Bewegung gegen derlei »unverschämte soziale Einschnitte« gestellt hätte. Der SPD wären keine Mitglieder weggelaufen, Schröder hätte seinen Parteivorsitz nicht abgeben müssen, niemand hätte Oskar Lafontaine zu Talkshows eingeladen, da kein Zusatzbedarf an »linkem Gewissen« existierte. Kein Zwergenaufstand der Linken wäre entstanden, die Rebellen vom Dienst, Ottmar Schreiner, Michael Müller und Andrea Nahles, wären in der verdienten Versenkung geblieben. In den Umfragen hätte Schröder alle Sympathierekorde gebrochen, die SPD die absolute Mehrheit erreicht. Und die Wahlen 2006 mit links gewonnen.

Doch Schröder hatte die Wahl 2002 gewonnen, und alle erwarteten, dass er seinen Worten auch Taten folgen ließ. Es kam anders. Sämtliche Schlagworte über Reformen, Hartz-Modelle, ausgeglichenen Haushalt, Einhalten der Brüsseler Stabilitätskriterien, Rentensicherheit und neue Arbeitsplätze erwiesen sich rückblickend als geplatzte Seifenblasen aus der Kampa-Fabrik. Sie taugten allenfalls zu Schlagzeilen, die den wiedergewählten Kanzler von einer Woche zur nächsten retteten. Mir erscheint es wie die ausgleichende Gerechtigkeit der Geschichte, dass Schröder die Versprechen, die er aus PR-Gründen geleistet hat, mittlerweile hat brechen müssen. Was seine Partei seitdem zu stemmen suchte, ist ihr regelmäßig auf die Füße gefallen. Vielleicht hätte sie sich weniger fragen sollen, *wie* man ankommt, als *wo* man ankommt. Schröders Triumphwagen von 2002 ist heute endgültig an die Wand gefahren. Die SPD musste so zum eigentlichen Wahlverlierer werden.

Bereits das Jahr 2003 brachte die Wahrheit an den Tag. Schröder hatte ja nicht einfach versprochen, gute Politik zu machen, sondern das Land zu reformieren. Reform war einmal ein großes Wort. Seit Luthers »Reformation« und der »Währungsreform« bedeutete es soviel wie »Rundumerneuerung«, nur ohne Umsturz der politischen Verhältnisse. Da Versprechen nichts kosten, schien er alle Hosentaschen voller Reformen zu haben. Vielleicht glaubte er selbst an all die prächtigen Schlagworte, die ihm von seinen Propagandisten ins Konzept geschrieben wurden.

2003 wollte Schröder ein paar Reformen, die er versprochen hatte, realisieren. Und musste bemerken, dass seiner Partei das bloße Versprechen bereits genügt hatte. Sie fühlte keine Eile mit dem Einlösen. Zudem sorgte sie dafür, dass dort, wo Reform draufstand, keine Reform drin war. Indem Schröder Reparaturarbeiten an verschlampten Strukturen für Reformen ausgab, desavouierte er den Begriff. Die Bürger können das Wort schon nicht mehr hören, weil sie damit nur Gezerre, Murks und Kostenerhöhungen verbinden. Kaum hatte er die Agenda 2010 verkündet, was ja den Anspruch implizierte, dann noch zu regieren, stoppte ihn die SPD, es sei nun genug mit den Reformen. Und dabei hatte es noch keine einzige echte gegeben.

Ein Beispiel für den unverantwortlichen Umgang mit dem Wort bietet die vorgezogene Steuerreform von 2004. Es handelte sich um nichts weiter als das Vorziehen einer kleinen Steuerentlastung, die für 2005 geplant war, vermindert um die Hälfte des Betrags. Sie hinterließ denn auch keinerlei Spuren in der Volkswirtschaft. Sie war eine Seifenblase. Dennoch wiederholten alle Medien, was ihnen von den Politikern vorgegeben wurde: Wir haben eine Steuerreform. Womit stillschweigend ausgedrückt wird, dass damit das Thema abgehakt sei: Was wollt ihr, wir haben doch eine. Ebenso gilt die Sprachregelung, dass ein Jahr ohne Rentenerhöhung und die Wiedereinführung der vorher abgeschafften »demographischen Komponente« als »Rentenreform« verkauft wird. Das suggeriert, »es tut sich was«, während sich doch gar nichts tut. Nächstens verkauft man uns den Frühling als gelungene Naturreform.

Zu den Schlagzeilen gehören natürlich auch die passenden Worte. Man muss, wie es heißt, dem Kind einen Namen geben. Die rot-grüne Regierung erweist sich als hochkreativ darin, mit Worten Sachverhalte nicht auszudrücken, sondern zu verschleiern. Als Müntefering die Idee einer Ausbildungsplatzabgabe wieder aufwärmte, muss seinen Schlagwortlieferanten aufgefallen sein, dass eine Abgabe negativ besetzt ist. Abgabe, das klingt fast schon wie Steuer. Also verwandelten sie das Wort in »Ausbildungsplatzumlage«. Das bringt genauso viel, klingt aber erheblich ziviler. Ein Teil der Medien fiel sogar darauf herein.

Im Negativen funktioniert die Umbenennung fast noch besser. Was immer die Opposition an Alternativen zur Regierungspolitik bietet, wird sogleich mit einem Wortetikett abgewertet. Als die Ministerpräsidenten Peer Steinbrück und Roland Koch in einem parteiübergreifenden Vorschlag eine gerechte, gleichmäßige Kürzung aller Subventionen vorschlugen, wurde dies als »Rasenmäherprinzip« diskreditiert. Ein mutiger Ansatz der CDU/CSU, den Arbeitsmarkt auch durch Lockerung des Kündigungsschutzes zu entkrampfen, erhielt von den Medien den Stempel »Angriff auf die Arbeitnehmerrechte«. Vor diesem Wort schreckte dann sogar die CDU/CSU selbst zurück. Als Bayerns Innenminister Günther Beckstein angesichts der Bombenanschläge von Madrid forderte, im Terrorfall die Bundeswehr einsetzen zu können, hieß es in den Nachrichten, er wolle die Armee zum »Hilfspolizisten« degradieren. Mit dem Wort wurde auch dieser Vorschlag kassiert.

Was mich vor allem wundert, ist die Unbedenklichkeit, mit der viele Journalisten, die doch eigentlich kritische Beobachter sein sollten, solchen tendenziösen Wortschöpfungen auf den Leim gehen. Das fällt ihnen um so leichter, als der eigentlich zutreffende Begriff meistens unhandlicher ist als seine parteipolitische Verzerrung. Wer Propaganda macht, kommt immer dem Bedürfnis der Medien nach dem Holzschnittartigen entgegen. Nur ist die Wahrheit selten ein Holzschnitt.

Zur Nazizeit kursierte über ideologische Wortwillkür folgender Witz: Bei einer Zirkusvorstellung bricht ein Löwe aus dem Käfig aus und springt in die Zuschauerreihen. Große Panik. Ein junger Mann fasst sich ein Herz und setzt das wütende Tier mit einem Schlag seines Regenschirms außer Gefecht. Großer Beifall. Ein anwesender Reporter fragt den Helden, wie er bitte schön heiße? Moses Rosenzweig. Am nächsten Tag verkündet die Boulevardpresse in großen Lettern: »Judenbengel misshandelt König der Tiere!«

Der Witz war nicht einmal übertrieben. Als im Krieg nur noch Niederlagen zu vermelden waren, wurde die Wahrheit von den Goebbels-Medien durch Sprachakrobatik in ihr Gegenteil verkehrt. So gab es grundsätzlich keinen Rückzug deutscher Truppen. Statt dessen prahlte man mit »erfolgreicher Frontbegradigung«.

Manche Journalisten sehen es nicht gern, wenn man sie auf die Seifenblasen aufmerksam macht, denen sie durch ihre vermeintlich objektive Berichterstattung Glaubwürdigkeit verleihen. Statt die Worte und Slogans zu hinterfragen, wiederholt man sie, um keinen Trend zu verpassen. Als Kanzler Schröder Anfang 2004 unter großem Medieninteresse zu seiner neuesten »Innovationsrunde« geladen hatte und alle, alle kamen, erlaubte ich mir die Bemerkung, es handle sich um eine »reine Showveranstaltung«.

Ich behauptete dies aus langer, ich kann sagen: leidvoller Erfahrung. Schon Helmut Kohl hatte sich einen hochkarätig besetzten »Innovationsbeirat« gehalten, zu dem auch der sogenannte Zukunftsminister Jürgen Rüttgers gehörte. Dabei herausgekommen ist nichts. Pure Zeitverschwendung. Dann kam Schröder und berief seine zähen Innovationsrunden ein. Der

Trick besteht darin, dass sich niemand der Einladung des Bundeskanzlers entziehen kann. Man empfindet es als Ehre, und anfangs habe ich genauso reagiert. Hätte er mich nicht eingeladen, wäre mir dies als Affront gegen meine Organisation erschienen. Dann ging mir langsam auf, dass diese Treffen reiner Selbstzweck waren. Der Sinn der Runde war die Runde. Das heißt, soundso viele prominente Leute tauchten im Blitzlichtgewitter beim Kanzler auf. Sie gaben sich die Ehre, und er gab sich die Ehre. Schröder weiß genau: Wer sich an seinen Tisch setzt, muss mitmachen. Und damit ist man, selbst bei entgegengesetzter Ansicht, von ihm vereinnahmt.

Heute ärgert mich, dass meine Kollegen von der Wirtschaft immer wieder auf Schröders Trick hereinfallen. Auch nach dieser Innovationsrunde setzten sie freundliche Mienen auf und äußerten ihre positive Einstellung, obwohl sie die Faust in der Tasche ballten. Das Drehbuch will es so. So stärkten sie unfreiwillig die Position des Kanzlers, der sie benutzt hatte, »just for show«. Das akzeptierten sie um so lieber, als sie selbst von der Kanzlernähe profitieren. Noch bevor die getürkten Schlagzeilen über das Treffen erschienen, war dieses selbst getürkt.

Richtiges Leben kommt in die Runde erst, wenn Schröder mit den dynamischen, raumgreifenden Schritten, die ihm ein Medienberater beigebracht haben dürfte, seine Gäste vor die wartenden Objektive führt und ihnen mit routinierter Handbewegung den Platz anweist. Geradezu versessen auf Publicity, spricht er in jedes ihm vorgehaltene Mikrofon, zeigt immer ein Herz für Fotografen. Ich erinnere mich an ein G-8-Treffen in Kanada, wo der Gastgeber die zum Gruppenfoto angetretenen Regierungschefs gerade auf das wunderbare Gebirgspanorama im Hintergrund aufmerksam machte. Alle drehten sich höflich um und wandten der Presse den Rücken zu. Nur einer grinste frontal in die Kameras: unser Kanzler.

Am besten wirkt er natürlich umgeben von anderen Potentaten. Wenn Chirac zum Bussi anreist, liegt der Sinn der Veranstaltung in den scheinbar marginalen Fototerminen. Stößt auch noch Tony Blair dazu, versammelt sich die Weltpresse zum

Selbst auf dem internationalen G-8-Gipfel lässt sich unser Medienkanzler von niemandem übertreffen.

»Gipfeltreffen« und erwartet entsprechende »Gipfelschlagzeilen«. Übrigens gehört die Anhäufung von Stars zu den beliebtesten Mitteln der Show-PR. Ob Schauspieler, Fußballhelden oder Popmusiker, man bringt sie zum gegenseitigen Nutzen zusammen und nennt es »Synergieeffekt«. Manchmal sind sie aus Werbegründen sogar eine Zeitlang miteinander verheiratet. Neuerdings heben die deutschen Talkmaster ihren Marktwert, indem sie sich gegenseitig in ihre Shows einladen. Das sind dann die Innovationsrunden des Mitternachtsfernsehens.

Die Krone der Eitelkeit jedoch gebührt nicht unserem Kanzler, sondern seinem italienischen Kollegen Silvio Berlusconi. Finanzminister Theo Waigel hat mich seinerzeit bei einer Konferenz darauf aufmerksam gemacht, dass der italienische Ministerpräsident als einziger in der Runde geschminkt war. Seine Kollegen erheiterte es regelmäßig, wenn er die Sitzung verließ, um seinen Puder auffrischen zu lassen. Insofern war ich nicht überrascht, als die Presse kürzlich herausfand, dass er sein Gesicht hatte liften lassen.

Bei Berlusconi lässt sich ein noch intensiverer Medienbezug feststellen als bei Schröder. Ist Schröder eine anbiedernde Symbiose mit den Fernsehanstalten eingegangen, so will sich der Italiener nicht auf das Wohlwollen der Redaktionen verlassen: Er hat sie einfach gekauft, nicht anders als die SPD die *Frankfurter Rundschau*. So kann Berlusconi davon ausgehen, dass das Fernsehen nur Gutes über ihn zu berichten weiß. Dieser Politiker wirbt nicht um die Sympathie der Presse, er kauft sie sich. Auch diese Stufe der Medienvereinnahmung kann noch übertroffen werden. Wladimir Putin hat vorgemacht, wie man eine freie Presse gängelt, unliebsame Journalisten zum Schweigen bringt und TV-Stationen in kontrolliertes Staatsfernsehen verwandelt. Putin findet, dass Opposition Mist ist. Dank politischer und polizeilicher Maßnahmen braucht er sich noch nicht einmal wie Berlusconi in Unkosten zu stürzen oder wie Schröder lächelnd nach den Objektiven zu schielen.

Zurück zur neuen Innovationsrunde. Ich war zu dem Treffen befragt worden und hatte meine Meinung gesagt. Wirklich stand sie am nächsten Morgen in den Online-Diensten von *Spiegel* und anderen Zeitschriften zu lesen, sie wurde sogar in den Morgennachrichten des Rundfunks verlesen. Das heißt, bis gegen 8 Uhr. Dann verschwand meine Einschätzung wie auf Absprache. Sie blieb verschwunden, als hätte ich mich nie geäußert. Statt dessen wurde in hochseriösem Ton über die bedeutende Initiative des Bundeskanzlers berichtet. Und dort, wo gerade noch im Internet zu lesen war: »Henkel: Reine Showveranstaltung!«, prangte jetzt die Zeile »Kanzler: Packen wir's an!« Der Hinweis erübrigt sich, dass sich meine Bewertung inzwischen bestätigt hat.

Die Willfährigkeit vieler Medien, vorgegebene Parolen zu multiplizieren, hängt gewiss auch damit zusammen, dass sich ihre Chefredakteure als Parteigenossen bekennen. »Teile von ARD und ZDF« bezeichnet der *Spiegel* geradezu als »Groß-Bastionen« der SPD »im täglichen Kampf um die Meinungshoheit«. Im großen Essener WAZ-Konzern gebietet Schröders ehemaliger Kanzleramtsminister Bodo Hombach als Zeitungsmanager über Millionenauflagen. Seit Frühjahr 2004 ist die *Frankfurter Rundschau* fest in Parteihand, anteilig hält die SPD auch *Hannoversche Allgemeine* und *Neue Presse, Leipziger Volkszeitung, Sächsische Zeitung, Neue Westfälische* und selbst den Bayreuther *Nordbayerischen Kurier* oder die *Cuxhavener Nachrichten* in ihrem Portfolio. Der Jahresüberschuss, den die Blätter zusammen mit Verlagen wie *Öko-Test, Szene Hamburg* oder *Vorwärts* erwirtschaften, fließt der Finanzierung der Partei zu. Allein 2002 waren das mehr als fünf Millionen Euro. Über den doppelten Nutzen für Propaganda und Parteifinanzierung wird Stillschweigen bewahrt.

Zu den propagandistischen Taschenspielertricks gehört auch die Umdeutung von Niederlagen in Siege. Als Gerhard Schröder von seiner Partei gezwungen wurde, die Führung an Franz Müntefering abzugeben, wertete man dies parteiintern als Erfolg für alle Beteiligten. Viele Journalisten ließen sich schnell dazu überreden, den Amtsverlust als menschlichen Gewinn für Schröder auszugeben. Ein Mann, im Vollgefühl der Macht, teilt diese mit seinem Kameraden. Donnerwetter! – Welch ausgemachter Nonsens! Beim Sonderparteitag im März 2004 wurde der Öffentlichkeit ein Theater vorgeführt, bei dem die »Übergabe des Staffelstabs« als hochemotionales Rührstück gegeben wurde. So stand es im Konzept, und so zog man es durch. Die Kanzlergattin weinte in die Kameras, weil ihr Mann seine Macht teilen musste. Die Presse sprach von »bitteren Tränen«. Aber alle Beteiligten trugen wieder rote Krawatten.

Überwältigt von so viel gelungener Regie, beging der neue Parteivorsitzende dann doch einen Fauxpas. Der Mann mit dem roten Schal und der Freude an »harten Knochen« hob für einen Moment den Vorhang und gab den Blick in die Kulissen frei. Er sagte nämlich: »Opposition ist Mist.« Das war es, auf derb Münteferingsch ausgedrückt, was Joschka Fischer mit »struktureller Mehrheitsfähigkeit der Linken« gemeint hatte. Das mag für das Politikverständnis von Kampa-Kämpen zutreffen. Einem Demokraten sollte derlei nicht über die Lippen kommen. Opposition gehört nämlich nicht zu den Risiken und Nebenwirkungen der Demokratie. Sie ist ihr wesentlicher Bestandteil. Wer Opposition Mist findet, findet auch Demokratie Mist.

KAPITEL ACHT

Wieder von Amerika lernen

Ich hatte nicht geplant, noch einmal auf Amerika zurückzukommen. Aber über dieses Land werden ständig neue Missverständnisse, auch gezielte Missverständnisse verbreitet, die ich nicht ignorieren kann. Man tut so, als stünde das gute, friedliebende Europa auf der einen Seite, die übermächtigen, kriegslüsternen USA auf der anderen. Aber Amerika steht nicht wie ein monströser Monolith der Welt gegenüber. Vielmehr ist es die Welt in konzentrierter Form. Ich behaupte, es gibt nichts auf diesem Globus, was sich nicht in Amerika wiederfände, vermehrt um ein entscheidendes Ingrediens: die Freiheit. Und was Amerika von außen aufnimmt, strahlt es auf den Globus zurück, zusammen mit der Botschaft der Freiheit. Kein Land hat sich um die weltweite Ausbreitung von Demokratie und Wohlstand mehr verdient gemacht. Und nach meiner festen, statistisch belegten Überzeugung hängen Demokratie und Wohlstand untrennbar mit den Menschenrechten zusammen.

Natürlich kann man für die Schattenseiten dieser »Welt in der Welt« nicht blind sein. Aber es empört mich, wenn allein der Schatten zum Maßstab der Beschreibung wird und das Licht, das in gewisser Weise die ganze Welt beleuchtet und erwärmt, bewusst verdunkelt wird. Das Licht Amerikas überstrahlt nun einmal das der anderen Nationen. Und die USA geben reichlich davon ab. Woran die Amerikaner sich erfreuen, das erfreut bald die ganze Welt. Ob es sich um einen neuen Film, ein neues Patent, einen neuen Softdrink oder einen »neugeborenen Star« handelt, das Amerikanische wird mit der Lichtgeschwindigkeit der Telekommunikation zum internationalen Besitz. Ideen aus dem Silicon Valley oder vom Broadway, aus Harvard oder Berkeley werden von der ganzen Welt begierig aufgenommen. Kein anderes Land teilt seine Schätze so bereitwillig und großzügig.

Wenn ich nun auf Amerika zurückkomme, dann aus gegebenem Anlass. Seit Gutenbergs Zeiten bildet die Leipziger Buchmesse so etwas wie das Schaufenster des deutschen Geistes. Von hier nahm Luthers Reformation ihren publizistischen Ausgang, hier veröffentlichten Goethe und Schiller ihre Werke, und seit der Wende lässt sich hier die atmosphärische Befindlichkeit unseres Landes ablesen. Für mich zeigen die Programme unserer großen Verlage ein getreues Bild dessen, was in den Köpfen unserer Geisteselite vorgeht und was anschließend die »öffentliche Meinung« bilden wird.

Im Frühjahr 2004 stand die deutsche Bücherschau im Zeichen des Antiamerikanismus. An der Spitze der Bestsellerlisten findet sich Peter Scholl-Latours *Weltmacht im Treibsand,* in dem er seine ätzend amerikakritische Sicht des Irakkriegs darstellt. Auch auf die Listenplätze unterhalb von Scholl-Latour drängen Bücher, in denen Amerika der Marsch geblasen wird. Kaum ein größerer Verlag, der nicht mit einem grellen Michael-Moore-Verschnitt um Käufergunst wirbt. Die meisten dieser Machwerke sind für viel Geld in Amerika eingekauft und hastig übersetzt worden. Meist gibt man sich nicht einmal die Mühe, die Antipathie sachlich zu verbrämen, und prangert den »Kriegstreiber-« und »Ausbeuterstaat« offen an.

Ein *Schwarzbuch USA,* verfasst von einem Österreicher, wird bundesweit mit der Ankündigung beworben, es biete »erstmals das komplette Sündenregister der USA«. In anderen Büchern wird vom »Schurkenstaat« Amerika gesprochen oder der »Zensor USA« attackiert, der »die amerikanische Presse zum Schweigen bringt«. Man entlarvt die »Vorherrschaft der USA« als »Seifenblase«, und verfasst, wohl etwas voreilig, einen »Nachruf auf die Weltmacht USA«. Unter dem Titel »Bush-Feuer« demaskiert man die »Gier der Superreichen« Amerikas, die sich von der Gier normaler Erdenbürger zu unterscheiden scheint, und schlägt angesichts der »Sünden der US-Politik« die Hände über dem Kopf zusammen. *New-York-Times*-Autor Paul Krugman gibt den »Großen Ausverkauf« Amerikas bekannt, unter den wohl auch sein eigenes Machwerk fällt. Zum Höhepunkt der Leipziger Messe wird Michael Moore für seinen Bestseller *Stupid White Men* der Deutsche Bücherpreis 2004 verliehen. Fragt sich nur, wer hier die »Dummen« sind.

Ich bin mir der Zwänge des Buchmarkts wohl bewusst. Aber sollte das schnelle Geschäft nicht dort seine Grenze finden, wo Antipathien gepredigt und eine Nation verunglimpft wird? Und wie absurd ist es, dass ein alteingesessener deutscher Buchverlag wie Bertelsmann erst seinen guten Namen in »Random House« amerikanisiert, um dann in seinem Taschenbuchprogramm »Die Lügen des George W. Bush« anzuprangern?

Häufig hört man von deutschen Politikern die Beschwichtigung, derlei »muss unter Freunden möglich sein«. Wenn das so ist, dann braucht Amerika wahrlich keine Feinde mehr. Als wir uns mit Sowjetrussland und dem Warschauer Pakt im Kalten Krieg befanden, haben wir uns in Sachen öffentlicher Meinung größere Zurückhaltung auferlegt. Höflich sahen wir darüber hinweg, dass Millionen Menschen hinter Stacheldraht lebten. Gerade die Linke hat sich jahrzehntelang bemüht, die kommunistische Unterdrückung schönzureden. Man war sogar bereit, den Status quo anzuerkennen, und das hieß, die Teilung Europas in freie und unfreie Länder auf ewig hinzunehmen. Man hielt die Anführungsstriche, mit denen Axel Springer die DDR versah, für lächerlich. Wer sich damals die Buchprogramme unserer Publikumsverlage ansah, wird schwerlich Titel wie »Die Lügen Erich Honeckers« oder »Schurkenstaat Polen« gefunden haben. Man hätte auch einem Buch mit dem Titel »Dumme russische Männer« nicht den Deutschen Bücherpreis verliehen.

Ich habe in *Die Macht der Freiheit* beschrieben, welch starken Eindruck dieses große Land zwischen Atlantik und Pazifik von Anfang an bei mir hinterließ. Schon nach kurzem Aufenthalt schrieb ich meiner Mutter 1964 aus New York: »Ich glaube, dass ich von diesen sieben Monaten hier mein Leben lang profitieren kann. Ich könnte es jetzt schon, wenn man mich wegholte.« Amerika schien so viel natürlicher, lockerer, auch sympathischer als Deutschland. Und es hatte, wie ich begeistert registrierte, unendlich mehr zu bieten. Nicht nur im materiellen Sinn, dem Freizeitangebot, dem Überfluss an Waren, der Fernsehunterhaltung auf zahlreichen Kanälen. Ich fand dort auch einen ausgeprägten Sinn für Freiheit und soziale Verantwortung. Und auch Geschmack an der Kunst.

In Amerika ist Kunst keine Angelegenheit staatlicher Verwaltung und Subventionierung wie bei uns. Dort kümmern sich die Kunstfreunde selbst um die Museen und spenden freiwillig die Gelder, die in Deutschland aus dem Steuertopf abgezweigt werden. Viele Amerikaner sind auf Kunst versessen. »Im Künstlerviertel Greenwich Village«, so schrieb ich meiner Mutter 1964 aus New York, »ist mehr los als in allen ›Künstlerzentren‹ Europas zusammen.« Auf mich wirkte diese Lebensfreude ansteckend. Man musiziert, tanzt, stellt Bilder aus. In den USA findet man in jeder mittleren Stadt ein Museum, in dem sich die Schätze der europäischen Malerei bewundern lassen. Und überall finden sich diskrete Hinweise darauf, dass es die Bürger selbst waren, die den Bau der Museen und den Erwerb der Exponate ermöglicht haben.

Ende der siebziger Jahre, als ich im IBM-Hauptquartier Armonk arbeitete, wohnte ich mit meiner Familie in Connecticut, eine Autostunde von New York entfernt. Unser Wohnort hatte zwar allen Luxus einer Privatsiedlung aufzuweisen, war von Golfplätzen umgeben und von Sheriffs bewacht. Aber es war auch langweilig. So oft wie möglich flüchteten wir in den »Big Apple« New York. Im Metropolitan Museum of Art konnte ich sogar einmal die Kostbarkeiten des Grünen Gewölbes bewundern, in der Frick Collection die schönsten Werke Vermeers oder Bellinis. Das Schneckengehäuse des Guggenheim-Museums hatte mich schon 1964 fasziniert. »Alle Berühmtheiten sind hier versammelt«, notierte ich damals. Am liebsten besuchte ich aber die Jazz-Lokale, ob in Harlem oder am Times Square. Seit der Nachkriegszeit war diese Musik ja meine große Leidenschaft geblieben, und New York war eine der Jazz-Metropolen der Welt.

Mehrmals gingen wir auch in das Musical *The Fantasticks*, das in Greenwich Village lief, genauer, im Sullivan's Playhouse in der Bleeker Street. *The Fantasticks* wurde als das »longest running musical in the world«, als das am längsten laufende Musical der Welt beworben, was mir durchaus glaubhaft erschien, denn als ich 1978 meine Frau dorthin führte, erwachten in mir Erinnerungen an die Zeit vor vierzehn Jahren, als ich dort mit meiner Freundin Sheila gesessen war. Es lief, soviel ich weiß, dreißig Jahre lang, obwohl es eigentlich eine recht alberne Geschichte ist, bei der irgendwann Indianer auftauchen. Aber wie bei amerikanischen Musicals üblich, gibt es eine Melodie, eine einzige, und die »macht den Unterschied«. Die lässt zwei Stunden Langeweile vergessen. Die Worte dazu heißen »Try to remember«, und wer sie kennt, wird sie ewig erinnern: »Try to remember the kind of September, when life was slow and oh, so mellow.«

Bei meinen New-York-Besuchen zog es mich fast jedesmal zum Museum of Modern Art in der West Fifty-third Street, wo sich mir, inmitten von Taxischwärmen, Straßenpredigern und Kastanienröstern, eine Insel der Stille bot. Das MoMA, das Museum of Modern Art, war von Mäzenen wie John D. Rockefeller gegründet worden, und zwar mit dem typisch amerikanischen Anspruch, »das weltweit größte Museum für moderne Kunst« zu werden. Soweit ich das beurteilen kann, wurde der Anspruch eingelöst. So fern von Europa, konnte ich Europa doch kaum näher sein: Ob im großen Monet-Saal mit den wandfüllenden Wasserlilien oder im Garten mit den kubistischen Skulpturen und Rodins Balzac-Statue, ob vor den tanzenden Nackten von Matisse oder Dalís schmelzenden Uhren, immer fühlte ich mich in der Moderne, im Jetzt angekommen. Diese gewaltige Sammlung erschien mir wie die künstlerische Entsprechung zu meinem Job bei IBM. Die Computerfirma bildete damals die wissenschaftliche Avantgarde und nahm eine fast konkurrenzlose Spitzenstellung ein. Vom Hass auf die Zukunftstechnologie, der in Deutschland von der Linken geschürt wurde und sich in Morden und Bombenanschlägen entlud, war in Amerika nie etwas zu spüren.

Mein Liebling im MoMA war der Maler Edward Hopper. Lange bevor er mit seinen »Nachtvögeln« an der Diner-Theke eine der beliebtesten Postervorlagen lieferte, stand ich vor seinen seltsam kühlen Gemälden und rätselte. Dieser New Yorker aus dem 19. Jahrhundert, der noch die Hippie-Zeit erlebte und erst 1967 starb, zeigt den amerikanischen Alltag, aber erfroren zum Stilleben. Was er in kräftigen Farben malt, Häuser, Kneipen, Hotelzimmer, scheint auf den ersten Blick immer banal und ist doch, genauer besehen, monumental. Das entsprach meiner Erfahrung von Amerika. Alles wirkt größer, greller, auch unbegreiflicher als woanders. Unbegreiflich und rätselhaft. Kurz: unwiderstehlich anziehend.

Tatsächlich geben Hoppers Bilder keine Antworten, sondern stellen Fragen. Das »Haus am Bahndamm« etwa, das mich so oft in seinen Bann gezogen hat: Was bedeutet dieses Bild? Vorne läuft ein rostiger Bahndamm, dahinter das verschnör-

Wie von Alfred Hitchcock gemalt: Edward Hoppers »Haus am Bahndamm«.

300

kelte Haus wie eine Filmkulisse, die Rollos herabgelassen gegen die Sonne, die einen Teil des Hauses in tiefen Schatten senkt. Auf dem Dach leuchten rote Kamine. Ich fragte mich immer, ob es bewohnt ist oder leersteht. Ob es der Ort eines Verbrechens ist, vielleicht gar ein Spukhaus? Hätte Alfred Hitchcock malen können, wäre das »Haus am Bahndamm« herausgekommen.

Fast magisch ist die Szene an der Tankstelle. Drei rote Zapfsäulen, darüber das Markenschild »Mobilgas« und ein Mann in Weste, der sich an einer der Säulen zu schaffen macht. Kein Auto weit und breit, auch die Straße liegt verlassen und der Wald dahinter steht schwarz und schweigt. Was geschieht hier eigentlich? Ist der Mann mit leerem Tank im Wald stehengeblieben und füllt jetzt einen Kanister auf? Die lastende Stille erinnerte mich an einen Traum. Als stünde die Zeit still.

Oder die Frau im Plüschkino, blond und hochgewachsen, eine Lauren Bacall, die ihren Kopf mit der Hand stützt und nachdenkt, während hinter der Säule ein Film läuft. Warum hat sie die Vorstellung verlassen? Oder ist sie die Platzanweiserin? Bedeutet die rote Litze an ihrer Hose, dass sie als Pausenhostess Süßigkeiten anbietet? Sie steht da unter dem Wandleuchter, ganz in sich versunken, halb sehnsüchtig, halb melancholisch. Ich stand ebenfalls da, im Bann dieser großen Blonden mit den offenen Stöckelschuhen. Für mich war sie der amerikanische Traum.

Zur selben Zeit, als bei der Leipziger Buchmesse die neuesten Amerikaverrisse zu bewundern sind, stehe ich wieder vor Hoppers Bildern. Mitten in Berlin, im Frühjahr 2004, spüre ich die Einsamkeit dieses Malers, die Farbfunken sprüht. Weil das MoMA-Gebäude in Manhattan umgebaut wird, sind die bedeutendsten Schätze bis September in der Neuen Nationalgalerie zu sehen. Nicht in London, Paris oder Rom, sondern in Berlin. Im Katalog lese ich, welches »Glück es für Berlin ist, zugleich ein ehrendes Zeichen des Vertrauens, dass das MoMA seine Schätze für sieben Monate diesem Haus anvertraut«. Man ist »stolz und dankbar«, dass New Yorks Kostbarkeiten gerade bei uns zu sehen sind.

Möglich gemacht hat dies auch die Firma Coca-Cola. Für die deutsche Intelligenz ist Coca-Cola der Inbegriff amerikanischer Kulturlosigkeit, für normale Menschen ein erfreulicher Teil ihrer Welt, auf den sie nicht verzichten wollen. Die Getränkemarke, zu deren internationalem Beirat ich gehöre, kam 1929 nach Deutschland – im selben Jahr, in dem das MoMA in New York gegründet wurde. 1934 wurden von diesem »typisch amerikanischen« Getränk bei uns schon 25 Millionen Flaschen abgefüllt. Das 1940 von deutschen Coca-Cola-Mitarbeitern erfundene Fanta belegt heute weltweit Platz 3 der Softdrink-Hitliste. Auch Coca-Cola gehört zu den großen Sponsoren der Kunst.

Am Vorabend der Eröffnung nahm ich die Möglichkeit wahr, beim »Pre-Opening«-Empfang von Coca-Cola durch die Ausstellung zu gehen und meine »Lieblinge« zu begrüßen. Und alle waren sie gekommen, die Picasso und Mondrian, Max Ernst und Paul Klee, auch, wie ein Gruß aus fernen New Yorker Tagen, drei Edward-Hopper-Gemälde. Natürlich wirkten sie anders in ihrer neuen Umgebung, aber der alte Zauber kehrte nach wenigen Minuten zurück. Die Zeit auf dem Bild schien stillzustehen und fing mich ein.

Beim abendlichen Gang durch die Galerie fiel mir auf, dass das 20. Jahrhundert in der bildenden Kunst zweigeteilt ist. Während die erste Hälfte von europäischen Künstlern geprägt wurde, haben seit den fünfziger Jahren die amerikanischen Maler das Übergewicht. Es waren Ausstellungen im MoMA gewesen, die erst Jackson Pollock und Willem de Kooning, im Jahrzehnt darauf Richard Lindner und Claes Oldenburg, Jasper Johns und Robert Rauschenberg, Frank Stella und Tom Wesselmann bekannt machten. Pop-Art wurde zu einem Weltphänomen, das über die Museen in die Wirklichkeit hinausdrang, ja die Wirklichkeit prägte.

Keck vergrößerte Roy Lichtenstein Sprechblasencomics zu gerasterten Hieroglyphen der Moderne. Andy Warhol präsentierte sich selbst als lebendes Kunstwerk, das per Siebdruck und Polaroidkamera Kunstwerke am laufenden Band produzierte. Allerdings kamen mir bei diesen beiden gelegentlich Zweifel über Tiefe und Seriosität ihres Anliegens. Diese Zweifel rührten unter anderem von Erlebnissen wie dem folgenden her: Zu Gast bei einem Verlegerehepaar am Bodensee, fand ich die junge Ehefrau des älteren Gatten auf einem Warhol-Porträt an der Wand wieder. Es war, wie bei diesem Künstler üblich, ein Foto, mit einer Farbe unterlegt. Auf diese bunte Weise hatte Warhol Berühmtheiten wie Mao, Elvis und Marilyn verewigt, warum nicht auch die Verlegergattin vom Bodensee? Komischerweise entdeckte ich bald auch an anderen deutschen Wohnzimmerwänden die Konterfeis des Hausherrn oder seiner Angetrauten. Es gehörte offenbar zum guten Ton, einen Warhol von sich selbst zu besitzen. Womit der Künstler, der die Eitelkeit seiner Kunden bediente, wohl weniger ästhetisches als geschäftsmännisches Raffinement bewiesen hätte. So sehe ich es jedenfalls, auch wenn mich Kunstkenner hinfort einen Banausen nennen.

Der Rundgang durch die MoMA-Kollektion führte mir erneut vor Augen, dass Amerika im letzten Jahrhundert mehr für die Kultur getan hat als jedes andere Land der Welt. Es waren die Museen, die Künstler entdeckten und förderten, es waren die Künstlerkolonien an der Ost- und Westküste, die der Weltkunst neue Impulse verliehen, und es war der gewaltige US-Kunstmarkt, der die kreative Szene am Leben und in Blüte hielt. Auch die Künstler anderer Länder profitierten davon.

In der Berliner Ausstellung habe ich auch Gerhard Richters RAF-Bilder entdeckt, die er dem MoMA 1995 für drei Millionen Mark verkauft hat. Natürlich habe ich zu den Gemälden mit dem Titel »18. Oktober 1977«, dem Tag des Schleyer-Mordes, eine emotionale, fast traumatische Beziehung, die sich von der des Künstlers unterscheidet. Im Begleitheft lese ich, dass Richter »Trauerarbeit leisten will«. Wohl für die Mörder von der RAF. Auch ich leiste, beim Betrachten der Gemälde, Trauerarbeit. Für ihre Opfer. Für Alfred Herrhausen, der Deutschland fehlt.

Gerhard Richter war mit einigen Werken auch in unserer IBM-Sammlung vertreten. Die amerikanische Freude an Kunstförderung setzt sich nämlich bis in die Unternehmen fort, die eigene Kollektionen aufbauen und dadurch nicht nur Kunst in ihre Betriebe bringen, sondern auch die Künstler unterstützen. Die IBM-USA präsentierte ihre Schätze regelmäßig der Öffentlichkeit, meist in einem Gebäude an der New Yorker Madison Avenue, Ecke Fifty-eighth Street. Als ich Chef der IBM-Deutschland wurde, fand ich bereits eine wunderbare Kunstsammlung vor. Sie war nach amerikanischem Vorbild von meinen Vorgängern aufgebaut worden. Es waren kurioserweise die Finanzchefs gewesen, die sich dem Aufbau unserer Galerie gewidmet hatten, und dies, wie sich später zeigte, mit großem Erfolg. Kein Investment erfuhr während meiner Zeit eine ähnliche Wertsteigerung wie die IBM-Kunst.

Im Wendejahr 1989 ließ ich einen Katalog über unsere Sammlung drucken, mit Schwergewicht auf Deutschland. Die zeitgenössischen Künstler beider deutscher Staaten hatten uns immer besonders interessiert, auch deshalb, weil wir uns als eigenständiges deutsches Unternehmen verstanden. Die wertvollen Werke hingen bewusst nicht, wie in vielen Firmen üblich, in den Räumen der Geschäftsführung. Ich fand es immer schon anstößig, wenn Chefs ihre Büros exklusiv mit Bildern von Georg Baselitz oder Emil Nolde schmückten, die mit dem Geld der Aktionäre erworben waren. Wenn Kunst nicht nur zum Privatvergnügen oder zur Angeberei dienen, sondern die Mitarbeiter anregen soll, dann muss sie ihnen auch zugänglich gemacht werden. Bei IBM legten wir großen Wert darauf, dass unsere Kunstwerke auf Fluren, in Schulungsräumen oder vor der Kantine einen Teil der Arbeitswelt bildeten. Für mich gehörte die Gegenwartskunst zu unserer »Corporate Identity«, auch wenn ich mich, als Nichtfachmann, beim Einkauf meist zurückhielt.

Mit einer Ausnahme. Beim Blättern im *Handelsblatt* fiel mir unter der Rubrik »Das Kunstobjekt der Woche« ein Gemälde auf, dessen Schöpfer, Oskar Kokoschka, ich schon immer sehr gemocht hatte. Das Objekt gefiel mir so gut, dass ich es gleich kaufen ließ. Wie sich später herausstellte, sehr günstig, denn der Wert hat sich seitdem vervielfacht. Auf dem Gemälde ist meine Heimatstadt Hamburg zu sehen, und zwar die Binnenalster, wie sie sich aus Richtung eines heutigen Leibniz-Instituts zeigt. Man kann darauf nicht nur den berühmten Alsterpavillon in seiner Vorkriegsform sehen, sondern auch das Geschäftshaus, in dem

Hinter dem Pavillon lag Vaters Büro. Oskar Kokoschka: »Hamburg, Binnenalster und Jungfernstieg.«

mein Vater sein Büro hatte und meine Mutter nach dem Krieg die Firma Hans Henkel führte. In rotem Sandstein errichtet, war der wuchtige Hamburger Hof erst Edelhotel, dann Sitz des innerstädtischen Postamts. Heute ist darin eine Einkaufspassage untergebracht. Wenn ich mich mit meinem Bruder auf einen Cappuccino verabrede, dann meistens dort.

Als 1993 die IBM mit Lou Gerstner einen neuen Chef bekam, geriet unsere Kunstsammlung in Gefahr. Da er möglichst alles verändern wollte, was bisher das Profil der Firma ausgemacht hatte, fielen Bereiche, die nicht unbedingt zum Kerngeschäft gehörten, dem Rotstift zum Opfer. Nach dem Motto »Was soll der Quatsch?« hatte er bereits die amerikanische IBM-Sammlung verscherbelt, und nun waren wir an der Reihe. Um diese, wie mir schien, unwürdige Aktion zu verhindern, wandte ich

Eines meiner Lieblingsbilder: Dirk Skrebers Matterhorn in meinem Berliner Wohnzimmer.

alle möglichen Tricks an. So verteilte ich die wertvollen Originale auf verschiedene, von besuchenden Amerikanern selten betretene Standorte und ersetzte sie durch billige Siebdrucke. Als nichts mehr half und der Verkauf unausweichlich schien, weigerte ich mich einfach. Immerhin, mein Nein wurde akzeptiert. Die Sammlung der IBM-Deutschland gibt es heute noch.

Eines meiner Lieblingsgemälde hing in der Lobby des Kölner BDI-Gebäudes. Fast täglich ging ich als Verbandschef auf dem Weg zum Fahrstuhl daran vorbei. Es ist ein Bild des 1961 in Lübeck geborenen Malers Dirk Skreber, der im Jahr 2000 mit dem Preis der Nationalgalerie für junge Kunst ausgezeichnet werden sollte. Das Gemälde zeigt, fast fotorealistisch, eine Alpenlandschaft mit weißleuchtendem Matterhorn, vor dem eine moderne Lokomotive ins Bild fährt. Berg und Maschine gehen in dieser eisigen Einöde eine beunruhigende Konstellation ein. Ich weiß nicht warum, aber das rätselhafte Bild löste in mir ähnliche Gefühle aus wie Edward Hopper. Während ich als BDI-Chef von Termin zu Termin hastete, schien die Zeit auf dem Gemälde stillzustehen.

Heute kann ich es in aller Ruhe betrachten. Irgendwann muss ich gegenüber Arend Oetker, dem Vizepräsidenten des BDI, meine Bewunderung über Skrebers Alpenbild geäußert haben, denn Jahre später, als ich längst in Berlin lebte, schenkte er es mir zum 60. Geburtstag. Obwohl ich nur um Spenden für Amnesty International gebeten hatte, bestand er darauf, mir das Bild zu schenken. Er hatte es, was ich nicht wusste, dem BDI als Leihgabe zur Verfügung gestellt. Heute hängt es in meinem Wohnzimmer in Berlin, und während ich diese Zeilen in den Computer eingebe, schaut das Matterhorn auf mich herab, und die Lokomotive fährt auf mich zu.

* * *

Ich habe während meines gesamten vierunddreißigjährigen Berufslebens für eine amerikanische Firma gearbeitet, habe 1964 ein knappes Jahr und zwischen 1978 und 1980 drei Jahre in den

10 Juli 64

Liebe Familie!   New York,10.Juli 1964

Jetzt ist es mal wieder Zeit,dass ich schreibe.Inzwischen bin ich wieder
zweimal auf Fire Island gewesen.Das Gipsbein bin ich seit über einer
Woche wieder los, aber der große Zeh ist noch nicht ganz in Ordnung.
Kann noch nicht schnell laufen und das Treppensteigen ist mit Leder-
schuhe n noch etwas mühsam.Letzte Woche war viel zu tun.Ich habe z.B.
am Mittwoch von morgens 8 bis nachts um 1 Uhr gearbeitet.Die Nacht davor
auch bis um 1. Es war IBM-Tag auf der Weltausstellung.Eisenhower kam,
habe einen Film auch von ihm gedreht, wie er mit der IBM-Prominenz die
Mauer hinauffährt.Er hat zu den IBMern gesprochen; es waren über 17.000
IBMer auf der Ausstellung an diesem Tag.
Der blöde Goldwater ist ja wohl nicht mehr aufzuhalten.Aber ich möchte
ihn auch ganz gern zum Kandidaten haben, weil ich dann mal weiß, wieviel
Amerikaner für diesen Mann sind.Johnson ist ja sowieso nicht zu schlagen.
Hier wird eine Riesenreklame um die Kennedy-Gedächtnis-Bücherei gemacht,
die in Boston gebaut werden soll.Der Robert spricht im Fernsehen und die
Jaqueline auch. Der alte Kennedy ist jedenfalls hier auch unvergessen.
Ich habe gestern im Fernsehen eine Sendung gesehen über die Berliner, als
er nach Berlin letztes Jahr kam.So einen Film habe ich ja noch nie gesehen.
Komisch, hier sind nur die unsympathischen Menschen gegen den Mann gewesen.
Auf Fire Island war es wieder prima. Haben uns auf dem offenen Feuer
die Riesensteaks gebraten und Kartoffeln in Silberpapier eingewickelt
und auch ins Feuer geworfen. Das schmeckt toll. Die Atlantikwellen waren
wieder riesig. Mankannsich so schön, kurz bevor sie brechen,hineinlegen
und wird dann ganz weit in den Strand gespült. Dieser Sport ist nich
ungefährlich, und wenn manx nicht genau aufpasst kann man sich die
Knochen brechen. Nächstes Wochenende will ich Wellenreiten üben. Das wird
mit so einem langen Brett zelebriert.Man schwimmt raus und wartet auf
eine hohe Welle. Dann legt man sich auf das Brett und paddelt mit den
Armen auf die brechende Krone.Nun bleibt das Brett,wenn man gut
ist, auf der Krone bis zum Strand.Man kann sich auf draufsetzen.Künstler
stehen sogar drauf. Das rast mit ganz schöner Geschwindigkeit.Wenn man
was falsch macht, lässt man das Brett los, denn man kann das in einer
brechenden Welle nie halten.Son Brett kostet immerhin um 50Dollar.
Das wird Karin und Horst interessieren: Ich war in einer Bar auf der
Weltausstellung. Da hat Gene Krupa gespielt, ganz hinreissend. Und dann
habe ich noch den Charlie Ventura gehört. Der dürfte Euch vielleicht noch
von der "Lady be Good"(?)-Platte ein Begriff sein.Tenorsaxophon.War auch
enorm.Louis Armstrong hat kostenlos eine Stunde lang auf der Ausstellung
gesungen, ich konnte nicht, weil ich arbeiten mußte. Soll auch gut
gewesen sein. Er hat viermal "Hello Dolly" gesungen.
In der l tzten Zeit war es nicht mehr so furchtbar heiß. Aber morgen und
übermorgen soll es wieder heiß werden. Ich hatte einige Tage über 40 Gr.
im Schatten (Celsius!!) erd lden müssen und 90 % Luftfeuchtigkeit.
Das ist das allerletzte.Unsere Airconditioning-Anlage kann da schon gar
nicht mehr gegenan.
Kommt Tapsi denn nun? Übrigens IST DIE SCHWESTER VON DEM FRANZ (MIT DEM
ICH WOHNE) UND IHREM MANN AUCH GEKOMMEN! Die haben einen Hin-und Rückflug
für 750 Mark bekommen (Rückflug nach drei Wochen).Für zwei Personen
zusammen 1500 Mark. Mensch, das müßtet Ihr doch nun erst recht können.
FLASCHEN.

»Nächstes Wochenende will ich Wellenreiten üben.« Hier nimmt meine Begeisterung für Amerika ihren Anfang.

USA gelebt. Unzählige Male war ich geschäftlich und privat in den Staaten zu Besuch. Schon bei meinem ersten Aufenthalt, als ich am IBM-Stand auf der Weltausstellung in New York arbeitete, war ich so angetan von diesem Land, dass ich beschloss, in meiner freien Zeit möglichst viele Staaten kennenzulernen.

Zusammen mit meinem Freund Franz Diemer, ebenfalls »Host« auf dem IBM-Pavillon, hatte ich mir zu Anfang unseres Amerikaaufenthalts ein Auto für 99 Dollar im Monat gemietet. Der Preis, und darin lag für uns die Sensation, war an keine Kilometerbeschränkung gebunden. Den nagelneuen Plymouth Valiant nutzten wir an jedem freien Wochenende zu Rundreisen durch die New-England-Staaten, auch Washington und das Weiße Haus besuchten wir. Beeindruckend fand ich, dass jeder Bürger dieses Herzstück der amerikanischen Demokratie auch betreten konnte. Den Aufenthalt in der Hauptstadt verbanden wir mit einer Rundreise durch die anliegenden Staaten, um sicherzugehen, einmal dort gewesen zu sein. Wir trieben diesen Ehrgeiz auf die Spitze, indem wir irgendwann beschlossen, nicht eher nach Deutschland zurückzufliegen, als bis wir sämtliche achtundvierzig US-Landstaaten besucht hatten. Alaska und Hawaii sollten später folgen.

Am Ende der Weltausstellung hatten wir dreizehn geschafft. Als es an die Planung des Roundtrips durch die restlichen Staaten ging, besorgten wir uns eine riesige Straßenkarte der USA, über der wir nächtelang meditierten. Es ging darum, die kürzesten Verbindungen zwischen den verbliebenen fünfunddreißig Staaten herauszufinden. Kompliziert wurde der Zickzackkurs durch einige »Musts«, die wir uns unabhängig von unserem hohen Ziel vorgenommen hatten. So wollten wir etwa unbedingt den Yellowstone Park, den Grand Canyon, das Death Valley oder den Glacier National Park besichtigen. Uns standen dafür bis zum Rückflug gerade einmal drei Wochen zur Verfügung.

Als erstes wollten wir den legendären Trans Canadian Highway sehen, wozu wir in den hohen Norden fahren mussten. Unverzichtbar schien mir auch Calgary, weil ich dort meinen alten Schulfreund Manfred Schölermann besuchen wollte, der 1952 ausgewandert war. Auch Vancouver musste »abgehakt« werden, die westliche Hafenstadt oberhalb von Seattle. Obwohl es den Rahmen der Rundreise sprengte, wollten wir möglichst auch Mexiko City sehen. Wir bemerkten bald, dass ungeheure Entfernungen zu überwinden waren.

New York, 13. September 1964

Liebe Mutti!

Herzlichen Glückwunsch zu Deinem 18. Geburtstag. Es ist ja schade, dass ich nun schon zum 3. Male nicht Deinen Geburtstag feiern kann. Ich werde aber natürlich an diesem Tage an Dich denken und versuchen, wenigstens in Gedanken bei Euch zu sein. Ich glaube, dass Du so ähnlich lautende Briefe auch vor ungefähr zwanzig Jahren bekommen hast. Damals aber war das "in Gedanken bei Euch sein" wirklich eine traurige Vetröstung, denn Pappi wollte bestimmt nicht nur in Gedanken bei Euch sein.

Meine Abwesenheit ist ja nun eine von mir gewollte und ich freue mich täglich, hier zu sein. Bestimmt ist nachmittags die ganze Familie bei Euch zu Hause?Oder sollte etwa Papsi immer noch im Krankenhaus sein? Dann werdet Ihr ja wohl zu ihm fahren. Das wäre wirklich sehr schade. In diesem Falle richte ihm die besten Wünsche aus. Bestell ihm, dass ich mich über die Plattensendung SEHR gefreut hab und mir zum Frühstuck immer seine Lieder anhöre.

Kurz bevor ich nach USA flog, hast Du mir mal auf dem Jungfernstieg gesagt (vor dem Laden Jugend Koch), dass Dir Dein Sohn mal ein Kleid schenken soll. Das hätte Du Dir immer schon gewünscht. Zu der Zeit habe ich es nicht gekonnt,und ich habe es mir da aber vorgenommen.

Ich kann Dir natürlich kein Kleid aussuchen, ohne dass Du dabei bist. Auch kann ich Dir kein Bargeld schicken. Deshalb schicke ich Dir einen Scheck, den Du zur Bank bringen mußt. Die werden dann das Geld transferieren.

DU MUSST DIR ABER AUCH WIRKLICH FÜR DAS GELD EIN KLEID KAUFEN. DAS MUSST DU MIR VERSPRECHEN.

Scherzhafter Geburtstagsgruß aus New York. Meine Mutter war zu Tränen gerührt.

Leider gab es damals noch kein Computerprogramm zur Routenoptimierung. Zum ersten Mal hörte ich 1987 von dieser Möglichkeit durch den Mathematikprofessor Bernhard Korte, der sich das Vergnügen gemacht hatte, die Wahlkampfreiseroute des Kanzlerkandidaten Johannes Rau in einen Computer einzugeben und ihm zu demonstrieren, dass er mit der so errechneten Alternativroute hunderte Kilometer und viel Zeit hätte sparen können. Ob er auf diese Weise Helmut Kohl besiegt hätte, steht auf einem anderen Blatt.

Da es 1964 noch keine PCs und herunterladbare Reiserouten gab, mussten wir Entfernungstabellen benutzen, mit Linealen nachmessen und gewaltige Zahlenreihen addieren. Schließlich glaubten wir, die Ideallinie gefunden zu haben. Und fuhren los. Man stellt sich nicht vor, wie unendlich weit Amerika sich dehnt, wenn man nicht selbst auf seinen Highways gefahren ist. Viele sind gerade wie eine gespannte Schnur, und das über Dutzende von Meilen hinweg. Oft ist die Landschaft zum Einschlafen eintönig, weil Weizenfeld sich an Weizenfeld reiht, mit Silos dazwischen, die wie riesige Roll-on-Deostifte aussehen. Dann

Mein »Plymouth« für 99 Dollar im Monat. In Amerika wird man zu allem fähig.

ändert sich die Szenerie schlagartig und man glaubt sich in einen Wildwestfilm versetzt oder auf einen unbewohnten Planeten mit bizarren Felskratern.

Wir absolvierten die strapaziöse Angelegenheit mit viel Sportsgeist und Durchhaltevermögen. Auf den oft elend langen Strecken, die wir am Stück fuhren, kam uns der Umstand entgegen, dass unser Plymouth statt der zwei Vordersitze eine durchgehende Bank hatte. Um nicht durch Zwischenstops wertvolle Zeit zu verlieren, entwickelten wir die Kunst des fliegenden Wechsels. Erst übernahm der Beifahrer vom Fahrer Lenkrad und Gaspedal, worauf dieser seinen Sitz freimachte, indem er eine elegante Rolle rückwärts absolvierte. Vom Rücksitz kletterte er dann auf die rechte Seite der Bank, und das Manöver war abgeschlossen. Ich glaube allerdings nicht, dass die Bank zu diesem Zweck eingebaut war, sondern, wie ich vor der Reise mit meiner New Yorker Freundin Sheila feststellen konnte, zum Knutschen.

Im Autokino etwa setzte die bequeme Bank Annäherungsversuchen keinerlei Hindernisse entgegen. Ehe man es sich's versah, saß man Seite an Seite und lauschte dem Filmton aus dem Lautsprecher, der einem zu Beginn ins Auto gereicht wurde. Einmal waren wir beide so aufgewühlt, dass wir bei der eiligen Abfahrt vom Schauplatz den Lautsprecher vergaßen und ihn erst zu Hause wiederentdeckten, mit einem langen, am Ende abgerissenen Kabel. Ich habe die Box am anderen Morgen kleinlaut zurückgebracht.

Nachdem Franz und ich dank unzähliger fliegender Wechsel einen Großteil der Staaten absolviert hatten, erreichten wir eines Abends das berühmte »Four Corners Monument«, das Vier-Ecken-Denkmal. Stolz bezeichnet es die Stelle, an der sich Utah, Colorado, Arizona und New Mexico jeweils in einem rechten Winkel berühren. Vom Rekordfieber gepackt, umkreisten wir das Monument fünfzigmal mit unserem Plymouth und schrieben unseren Lieben zu Hause, dass wir an diesem Tag zweihundert Grenzübertritte absolviert hatten. Wir waren damals Mitte zwanzig und noch jugendlich umflort. So frei wie damals habe ich mich nie wieder gefühlt.

Das »Four Corners Monument«: Nachdem wir es fünfzigmal mit dem Auto umkreist hatten, konnten wir stolz 200 Grenzüberschreitungen nach Hause berichten.

Der Abschied aus den USA fiel mir 1964 sehr schwer. Schon im Flugzeug schrieb ich an Mutter über meine Gefühle: »Als die Maschine auf dem wirklich gigantischen Kennedy-Flugplatz (vormals Idlewild) zum Start rollte und die Düsen wieder anfingen zu heulen, da hätte ich am liebsten mit den Düsen geheult! Amerika ist unfassbar herrlich, und es ist mir nie über geworden. Nicht einmal seine bekannten Nachteile. Mir ist gerade, als wäre das Land für mich geschaffen worden. Jedenfalls kann ich mir nicht mehr vorstellen, dass mir Deutschland oder jedes andere Land noch gefallen kann. Amerika ist mir *der* Platz zum Leben!«

Seit genau vierzig Jahren kenne ich dieses Land jetzt. Es ist so frei wie kein anderes. Zugegeben, es liebt die Extreme, und deshalb lässt sich auch jede mögliche Aussage über Amerika beweisen. Jede Aussage – und ebensogut ihr Gegenteil. Das Land kann so brutal sein: fünfunddreißig Staaten praktizieren

313

die Todesstrafe. Und es kann so milde und generös sein, wenn ich allein an die »Adoption« unseres Landes oder an die Hilfsprogramme für die Dritte Welt denke. Das Amerika unter Bush führt Krieg, man unterstellt ihm Hegemonialstreben. Zugleich legt dieselbe Regierung ein Multi-Milliarden-Dollar-Programm zur Bekämpfung von Aids in Afrika vor und schenkt dem kommunistischen Nordkorea, das sich nicht selbst ernähren kann, zigtausende Tonnen Lebensmittel.

Schon bei meinem ersten Aufenthalt war mir diese Widersprüchlichkeit aufgefallen. »Gestern regte sich das Fernsehen darüber auf«, schrieb ich meiner Mutter 1964 aus New York, »dass Präsident Johnson einen Hund bei den Ohren gezogen hat. Die holen einen Tierarzt und interviewten ihn, damit er bestätigt, dass man Hunde nicht an den Ohren zieht. Buchstäblich dreißig Sekunden später kommt ein Bericht über Demonstrationen von Negern« – damals war das heute politisch inkorrekte Wort noch üblich –, »bei denen ein Polizist jähzornig auf einen Neger am Boden einschlägt. Diesmal wird kein Arzt interviewt, der sagt, dass das nicht gut ist. So ist Amerika.« Ich habe damals die Diskriminierung der Schwarzen sehr bewusst erlebt, wo in manchen Staaten selbst an Tankstellen die Toiletten nach Hautfarbe getrennt waren. Und schon ein paar Jahre später setzten sich die Amerikaner leidenschaftlich für die Abschaffung der Apartheid in Südafrika ein. Heute hat Amerika die schärfsten Gleichstellungs- und Antidiskriminierungsgesetze der Welt.

Das hält die Kritiker nicht davon ab, sich über die »soziale Ungerechtigkeit« aufzuregen, weil sie einfach nicht begreifen können, dass dies, aber auch das Gegenteil wahr ist. Wenn »ungerecht« bedeutet, dass jeder nach seiner Leistung *für* die Gemeinschaft und nicht nach seinen Ansprüchen *an* die Gemeinschaft beurteilt und honoriert wird, dann ist Amerika ungerecht. Wenn »sozial« gemeinschaftlich bedeutet, dann sind die USA das sozialste Land der Welt. Diese Nation bildet eine große, selbstbewusste und stolze Gemeinschaft, die frei sein will. Und darin liegt der Unterschied der Amerikaner zu allen anderen Nationen, die ich kenne: Zwischen den Extremen

Gleichheit und Freiheit hat sich Amerika leidenschaftlich für die Freiheit entschieden. Eine Freiheit, die der Gleichheit nicht widersprechen muss. Auch wenn es für unsere Ohren ungewohnt klingt: Vor dem Sternenbanner fühlen sich alle gleich.

Das gilt für geborene Amerikaner wie für eingewanderte Neubürger. Die überlegene Moral Amerikas zeigt sich auch an der Art, wie sie mit Zuwanderern, also Fremden, umgeht. Man war für das Neue, das sie mitbrachten, immer aufgeschlossen, hat sich um sie bemüht, ihnen Arbeitsmöglichkeiten geboten und auf die naheliegende Diskriminierung verzichtet. Jeder Eingewanderte konnte sich fast vom ersten Augenblick an als Amerikaner empfinden. Das hat sich selbst unter einem rechtsgerichteten und populistischen Präsidenten wie George W. Bush nicht geändert, im Gegenteil. Ende 2003 hat er einen dramatischen Vorstoß zur Legalisierung von Millionen illegaler Zuwanderer unternommen. Das brachte ihm kaum Proteste der Gewerkschaften und die Zustimmung der überwältigenden Mehrheit der Bevölkerung ein. Zur gleichen Zeit quälten sich unsere Politiker mit einem kleinkarierten Zuwanderungsgesetz ab, aus dem mehr die Sorge um Wählerschichten als um die Zukunft unseres Landes spricht.

Als ich 1962 bei IBM zu arbeiten begann, war ich vor allem durch die menschliche Atmosphäre beeindruckt. Die vernünftige Art, wie man miteinander umging, kam mir wie der Inbegriff der Modernität vor. Und das war amerikanischer Standard. Begeistert schrieb ich damals aus Sindelfingen nach Hause, dass die bei IBM »maßgebende Familie, die aber auch nur 2 bis 3 Prozent des Aktienkapitals besitzt, presbyterianisch ist. Sie trägt diesen Geist der Anständigkeit und Ehrlichkeit und Aufrichtigkeit bis zur niedrigsten Arbeitskraft an allen Ende der Welt.« Für mich war das der Kern von Demokratie und Freiheit.

Diese Freiheit wiederum setzte sich um in Freude an der Arbeit. Es gab zwar eine Hierarchie, aber der Umgang miteinander war so kollegial, wie das in deutschen Firmen kaum vorstellbar schien. Jeder spürte, dass er nicht als Rädchen im Getriebe, sondern als Individuum zählte. Alle IBM-Mitarbeiter, so berichtete ich meiner Mutter von der Weltausstellung in New York, »benehmen sich natürlich. Das liegt auch an der Gelöstheit der ›Untergebenen‹. In Deutschland unterwirft sich jeder sofort, wenn der Unternehmenschef kommt. Hier rede ich den Manager des Pavillons mit ›Ed‹ an. Allein die Anrede mit dem Vornamen ist schon bezeichnend.«

Tatsächlich war »the respect for the individual«, der Respekt für den einzelnen, Grundlage unserer Personalpolitik. Auch in Deutschland wurde jeder Mitarbeiter ermuntert, sich frei zu äußern. »Speak up«, frei heraus, war bei uns Programm. Wenn alles auf den Tisch kam, konnte heimliche Angst, dieses Gift für die Kreativität, gar nicht entstehen. Und deshalb galt auch das »Open Door«-Angebot, wonach sich jeder Mitarbeiter mit seiner Beschwerde an jede, auch die höchste Führungskraft wenden konnte, ohne negative Konsequenzen befürchten zu müssen. Mitarbeiterbefragungen, heute in vielen Betrieben selbstverständlich, wurden in Deutschland zuerst von der IBM eingeführt.

Dieses, ich möchte fast sagen: demokratische Modell war Standard für alle IBM-Niederlassungen und diente dank seiner Effektivität auch in anderen Ländern als Vorbild für moderne Unternehmenskultur. Die bei uns ausgebildeten Spitzenkräfte traten in die Führung anderer Firmen ein und verbreiteten unsere Standards. Auch auf diesem, von der Öffentlichkeit unbemerkten Weg hat der »American Way of Work« zur Verbesserung der Arbeitsbedingungen in Deutschland beigetragen.

Ich behaupte, dass auch das freiheitliche Menschenbild, an das wir heute glauben, weniger von der Französischen Revolution herrührt als von der zeitlich früheren Amerikanischen Revolution. Danach ist jeder Mensch von Natur frei und für sich selbst verantwortlich. Jeder ist »seines Glückes Schmied«. Bevormundung wird prinzipiell abgelehnt. Anleitung zur Selbsthilfe ist dagegen erwünscht. Und weil man in Amerika auf Selbstbestimmung setzt, gibt es keine Chance für die »Mitbestimmung«. Da jeder für sich selbst einstehen will, spielen mitbestimmende Vormünder hier eine untergeordnete Rolle.

Gewiss war es im 19. und beginnenden 20. Jahrhundert auch in Amerika richtig, gegen das übermächtige Kapital eine Gegenkraft zu bilden, damit das eine Kartell durch das andere kontrolliert wurde. Doch dann wuchs die Macht dieser »Unions«, der Gewerkschaften, zu schnell, lähmte die Wirtschaft und stieß letztendlich auf wachsende Ablehnung in der Bevölkerung. Die großen Union-Bosse benahmen sich wie »Paten«, degradierten ihre Gewerkschaften zu Selbstbedienungsläden, vererbten ihre Posten. Die Ähnlichkeit zu Mafia-Organisationen wurde bald unübersehbar. Einer der berühmtesten Bosse des »Mob«, James Hoffa, wurde 1975 offenbar von Konkurrenten umgebracht, seine Leiche nie aufgefunden. Vermutlich endete er, einen Betonklotz am Fuß, am Grund des Michigan-Sees. Das hinderte seinen Sohn nicht, die Macht zu übernehmen und die Gewerkschaft weiterzuführen.

Streiks wurden in den USA zur Gewohnheit. Allein 1970 gingen 52 Millionen Arbeitstage durch Ausstände verloren. Um sich aus dem Würgegriff dieser Mafia zu befreien, bedurfte es eines elementaren Erlebnisses. Wie Margaret Thatcher England modernisierte, indem sie sich erfolgreich mit den Bossen der Bergarbeiter- und Kanalfährengewerkschaften anlegte, schaffte Präsident Reagan den Durchbruch, als er zu Beginn seiner Amtszeit einer landesweiten gewerkschaftlichen Erpressung widerstand. 1981 drohte ein Fluglotsenstreik das öffentliche Leben lahmzulegen. Um kräftige Gehaltsverbesserungen durchzusetzen, nahmen 13 000 Fluglotsen das ganze Land in Geiselhaft. Damals war Amerika ohnehin wirtschaftlich am Boden, international hatte man das Land abgeschrieben. Die deutsche Wirtschaft schaute mitleidig lächelnd auf den ehemals »großen Bruder« herab. Hätte Reagan nachgegeben, wäre auf diese Gehaltserhöhung ein ganzer »Geleitzug« weiterer Anhebungen in anderen Branchen gefolgt, wodurch die Arbeitskosten ins Unbezahlbare gestiegen wären. Deshalb wollte und konnte Reagan nicht klein beigeben, wie es bis dahin unter Politikern üblich gewesen war.

Kurz entschlossen setzte er die Fluglotsen an die Luft. Die

Massenkündigung, von den Demokraten wütend kritisiert, blieb ohne nachteilige Folgen, da der Präsident vorübergehend die amerikanische Luftwaffe mit den Lotsenaufgaben betraute und neue Fachkräfte einstellte. Es gab, wie sich zeigte, genügend Bewerber. Die erfolgreich durchgeführte Kündigung wirkte auf die gesamte Gewerkschaftsbewegung wie ein Signal. Fortan gab man sich moderat und verantwortungsvoll. Zugleich verhalf Reagans mutiger Schritt der amerikanischen Industrie zur überraschenden Regenerierung. Hohe Inflation und Arbeitslosigkeit, die Reagan von dem glücklosen Jimmy Carter geerbt hatte, gingen zurück. Neue Arbeitsplätze entstanden, der Konsum stieg an. Reagans Befreiungsschlag, auf den drastische Steuersenkungen folgten, ermöglichte den Amerikanern einen Neubeginn, von dem diese weltgrößte Volkswirtschaft heute noch profitiert. Wie übrigens auch unser Land heute noch von Reagans mutigem Appell profitiert: »Mister Gorbatschow, tear down this wall!« – Herr Gorbatschow, reißen Sie diese Mauer ein!

An diesen unterschätzten Präsidenten der achtziger Jahre erinnert der Begriff »Reaganomics«, der bei uns meist abwertend gebraucht wird. Zu Unrecht, denn die dahinterstehenden Prinzipien könnten auch unserer gelähmten Wirtschaft auf die Sprünge helfen. Es geht dabei im wesentlichen um eine drastische Senkung der Steuern, hinter der sich ein eminent politisches Anliegen verbirgt: Der Staat, der auch in Amerika zur unkontrollierten Selbstausdehnung neigt, soll auf ein vernünftiges Maß zurückgestutzt werden. Das wollte Reagan, und die Steuersenkung sowie die Vereinfachung des Steuerrechts waren seine Mittel, um dieses Ziel zu erreichen. An ökonomischen Konsequenzen ergab sich daraus, dass die Wirtschaft, die nun weniger an den Staat abzuführen hatte, das freie Geld wieder in Arbeitsplätze investierte. Und die Bürger kurbelten mit ihren unversteuerten Dollars den Konsum an und bezahlten Mehrwertsteuer. Die dadurch erzielte Dynamik des Wirtschaftswachstums glich die durch Steuersenkungen eingetretenen Verluste des Staates mehr als aus. Das Modell finanzierte sich selbst. Und die gesamte Gesellschaft befand sich im Aufwind.

Es war Reagan nicht darum gegangen, die Steuern zu senken, um den Staat seiner Ressourcen zu berauben. Der Staat sollte kriegen, was er brauchte. Aber nicht auf Kosten der Wirtschaft und des Wohlstands der Bürger. Es ging also nicht um niedrige Steuern, sondern um niedrige Steuersätze. Diese Unterscheidung wird in Deutschland meist übersehen. Man kann mit hohen Steuersätzen, wie sich bei uns zeigt, immer weniger Steuern einnehmen. Und man kann, das beweist das Beispiel Amerika, mit niedrigen Steuersätzen sehr hohe Steuereinnahmen generieren. Vergleicht man die Gesellschaft mit einer Kuh, die der Staat melken möchte, so nimmt das deutsche Modell dem Tier vor dem Melken Futter weg, während das amerikanische Modell ihm zusätzlich Futter zuführt. Man muss kein Viehhalter sein, um vorauszusagen, welche Kuh mehr Milch gibt.

Ein weiterer Vorteil der »Reaganomics« lag darin, dass Unternehmer und Handwerker, die in die Schattenwirtschaft abgeglitten waren, zurückkehrten und Steuern zahlten. Es lohnte sich wieder, Arbeitsplätze zu schaffen, weil auch die Lohnnebenkosten deutlich gesunken waren. Der große Markt niedriger Lohngruppen, der heute in Deutschland unter dem Begriff »Working Poor« Abscheu und Empörung auslöst, trug erheblich zum Wirtschaftsboom bei. Immerhin hatten diese »Working Poor« Arbeit und trugen in bescheidenem Umfang zum Steueraufkommen und zur Entlastung der sozialen Sicherungssysteme bei. Dadurch konnten wiederum die Beiträge gesenkt werden. Und die Kaufkraft stieg.

Reagans Schnitt durch den Gordischen Knoten, anfangs durchaus nicht populär, befreite Amerika von einer ökonomischen Selbstblockade und zeigte Langzeitwirkung. Zum eigentlichen politischen Nutznießer wurde der Demokrat Bill Clinton. Er erntete die Früchte, die Reagan gesät hatte. Daraus lässt sich unschwer ablesen, dass gute Politik nicht auf den Augenblicksnutzen angelegt sein darf, sondern in Jahrzehnten denkt. Wer einen Baum pflanzt, muss geduldig warten, bis Früchte wachsen. Dieselbe Abfolge ergab sich übrigens in England: Erst in

Tony Blairs Regierungszeit reifte, was Maggie Thatcher im Jahrzehnt zuvor gepflanzt hatte.

Die amerikanische Ökonomie geht von der Erkenntnis aus, dass ein Staat, der zum Wohle aller funktionieren will, zuerst fähige Unternehmer braucht, die Arbeitsplätze bereitstellen und den Markt mit Produkten versorgen. Leider wird die unternehmerische Freiheit auch missbraucht. Insidergeschäfte, Börsenbetrug, Kartellbildung, Korruption – diese Auswüchse sind ebenfalls typisch für Amerika. Wo Freiheit ist, neigen Menschen dazu, sie auszunutzen. Die Frage ist nur, ob die Öffentlichkeit die Kraft hat, die Übertreter zur Rechenschaft zu ziehen. Zum Glück hat Amerika diese Kraft. Und wenn sich die Politik einer Offenlegung verweigert, tritt die Justiz in Aktion, und versagt diese bei der Verfolgung, gibt es eine mächtige, enthüllungsgierige Presse, der absolut nichts entgeht. Wer ertappt wird, den kann man in Handschellen vor dem Untersuchungsricher sehen, gleichgültig ob es sich um einen Politiker, einen Showstar oder eine Ikone der Wirtschaft handelt. Amerika ist ein Land ohne Geheimnisse, alles »goes public«, tritt, freiwillig oder nicht, an die Öffentlichkeit. Während in vielen Ländern der Welt über alles Entscheidende Schweigen herrscht, trägt Amerika sein Herz auf der Zunge.

Apropos Herz. Amerika ist das Land der »volunteers«, der Bürger, die sich freiwillig dem Gemeinwohl zur Verfügung stellen. Wo bei uns nach dem Staat gerufen wird, krempeln die Amerikaner ihre Ärmel hoch. Städter »adoptieren« ihre Straße und kümmern sich in Eigenregie um die Rasenflächen, Blumenrabatten oder den Baumschnitt. Andere räumen regelmäßig Straßenmüll weg, stellen sich als Verkehrslotsen zur Verfügung, kümmern sich um die Alten. Während unsere Kirchen ihr Geld wie eine staatliche Steuer einziehen lassen, spendet in Amerika jeder Gläubige freiwillig für seine Gemeinde. Wer gerne Klassiksendungen im Radio oder Kultursendungen im Fernsehen empfängt, die nicht wie bei uns »öffentlich-rechtlich« subventioniert werden, der veranstaltet »fund raisings«, bei denen so lange getrommelt wird, bis die zum Unterhalt des Senders nötige Summe zusammenkommt. Dasselbe gilt für Kunstsammlungen oder Orchester, die nicht nur vom Verkauf der Eintrittskarten, sondern von der Großzügigkeit der Bürger leben. In Deutschland ist die Kommune das, wovon man Geld bezieht, das anderen abgenommen wurde. In Amerika ist die »Community« das, wo man mitmacht.

Wenn bei uns im öffentlichen Leben etwas nicht funktioniert, dann meckert man oder bildet eine »Bürgerinitiative«, die lautstark protestiert. In Amerika protestiert man nicht, sondern schafft Abhilfe. Das heißt, man übernimmt Verantwortung, indem man handelt. Für sich selbst und für die Nachbarn oder die Gemeinde. Uns Deutschen kommt so etwas schon deshalb nicht in den Sinn, weil wir gewohnt sind, dass der Staat sich um alles kümmert, von der Wiege bis zur Bahre, von der Traufhöhe bis zur Abfalltonne. In Amerika wird der Staat in Anspruch genommen, wenn man sich nicht weiterhelfen kann. Bei uns ist es umgekehrt: Generationen von Politikern haben uns beigebracht, dass der Staat uns in allem weiterhilft, auch wenn wir seine Hilfe gar nicht benötigen. Er gleicht dem Laufstall eines Kleinkinds, der auch dann nicht abgebaut wird, wenn das Kind selbständig gehen kann. Statt dessen wächst der Laufstall mit. Man könnte ja irgendwann hinfallen. Wie sehr damit die Bewegungsfreiheit jedes einzelnen behindert wird, fällt kaum einem auf.

Dass der einzelne Amerikaner sich selbst zu helfen weiß, führt nicht dazu, dass er die Verantwortung für die anderen ablehnt. Eigenverantwortung führt nicht automatisch zu Egoismus. Wer für sich Verantwortung übernimmt, der kann dies auch für andere. Deshalb habe ich vor allem unter Amerikanern einen »Esprit de corps« gefunden, der bei uns »Gemeinschaftsgeist« heißt, aber selten anzutreffen ist. Teamgeist ist in Amerika unter anderem gefordert, weil Teile des Landes regelmäßig von Naturkatastrophen wie Hurrikans, Blizzards, Tornados, Erdbeben oder Waldbränden heimgesucht werden. Die Schäden sind oft furchtbar. Aber jeder Betroffene weiß, dass er sich selbst helfen kann, weil Nachbarn und Freiwilligenorganisationen ihm dabei helfen werden. In Amerika ist das selbstverständlich.

Die »Volunteers«, die Freiwilligen, sind nicht nur effizienter, sondern auch menschlicher als Behörden, die von Berufs wegen Unterstützung leisten. Bei uns wird der Geschädigte zum Bittsteller vor Behördenschaltern. In Amerika kommen die Leute zu ihm, um Hilfe anzubieten. Wenn ich amerikanische Katastrophenbilder mit denen einer deutschen Flut vergleiche, fällt der Unterschied sofort ins Auge. Bei uns herrschen Wehleidigkeit und Resignation, verbunden mit dem Anspruch, der Staat solle alles wiedergutmachen. Sieht man dagegen die Fernsehbilder nach einem Tornado im Mittleren Westen, dann nehmen es die Menschen vor ihren zertrümmerten Häusern gelassen und planen bereits den Wiederaufbau. Sie haben den Stolz, stärker zu sein als die Natur.

Dieser Stolz Amerikas wurde durch eine Katastrophe schwer getroffen, die nicht von der Natur, sondern von Menschen ausgelöst worden war. Seit dem 11. September 2001 hat sich Amerika verändert, ich möchte fast sagen, sich selbst entfremdet. Die Freiheit, die mir immer vorbildlich erschien, wurde eingeschränkt, nicht nur gegenüber Fremden, sondern auch gegenüber der eigenen Bevölkerung. Das Urvertrauen in die Welt, die man an den Segnungen des eigenen Wohlstands und der Demokratie teilhaben lässt, ist in Misstrauen umgeschlagen. Präsident Bush erweckt den Eindruck, Amerika befinde sich seitdem in einem andauernden Kriegszustand. Das bekommt keiner Nation, sowenig wie einem Menschen, der sich ständig bedroht fühlt. Ich habe Verständnis dafür, dass Bush seine Bürger vor weiteren Terroranschlägen schützen will. Aber ich kann nicht akzeptieren, wie er Angst und innere Verunsicherung zu schüren sucht, um seine Wiederwahl zu sichern.

Diese Phase wird, davon bin ich fest überzeugt, schnell vorübergehen. Amerika ist das Land, das sich immer aus eigener Kraft regeneriert hat. Es ist die zur Nation gewordene Innovation. Auch auf die Herausforderung des islamistischen Terrorismus wird dem Land die passende Antwort einfallen. Präsident Bush wird seinen Kurs korrigieren, oder es wird auf diesen Präsidenten ein anderer folgen, der, wie ich hoffe, der Größe seines Landes besser gerecht zu werden weiß.

KAPITEL NEUN

Wie man den
»Standort Deutschland« verbessert

Deutschland stand für mich immer an der Spitze der Agenda. Was mit Deutschland geschah, politisch, wirtschaftlich, intellektuell, interessierte mich, denn es betraf mich. Ich war, nach dem modernen Ausdruck, »von Deutschland betroffen«. Ob in Sri Lanka, Indien oder den USA, auf meinen weltweiten Dienstreisen oder während meiner Jahre in Frankreich, ich beschäftigte mich mit meinem Land, fühlte mich irgendwie auch verantwortlich dafür. Deutscher war ich nicht nur nach dem Pass, sondern nach Gefühl und Überzeugung. Ich repräsentierte eine amerikanische Firma mit ganzem Herzen und blieb Deutscher, auch dies mit ganzem Herzen. Und fühlte mich zugleich als Weltbürger. Beides schließt sich meiner Meinung nach nicht aus.

Während meines ersten USA-Aufenthalts 1964 las ich regelmäßig den *Spiegel.* Die Lektüre, so schrieb ich meiner Mutter, »hält mich dann wenigstens etwas auf dem laufenden. Dass ich aber ausgerechnet aus der *Frankfurter Allgemeinen* (die zufällig ein Deutscher mitbrachte) erfahren muss, dass der HSV vor einigen Tagen in New York Fußball (hier: soccer) gespielt hat, ist eine Schande.« Mit der Heimat Kontakt zu halten fiel nicht immer so leicht. Als ich 1966 in Kalkutta auf einem Großcomputer einen sogenannten Stücklistenprozessor zu installieren hatte, bemerkte ich schnell, dass Deutschland auf der indischen Landkarte so gut wie nicht vorkam. Es gab keine deutschen Zeitungen, und ich vermisste sehr das *Hamburger Abendblatt,* das ich in Sindelfingen dank Muttis Arrangement allabendlich »gierig« gelesen hatte. Zum Glück empfing ich deutschsprachige Kurzwellensender wie die Deutsche Welle, die mich auf dem laufenden hielten.

Während der Fußballweltmeisterschaft in England saß ich des öfteren, wie zwölf Jahre zuvor im »Rauhen Haus«, am Radio und lauschte der aufgeregten Stimme des Reporters. Gerade am Tag des Endspiels, als Deutschland im Wembleystadion auf die Gastgebernation traf, musste ich an einer Party im Swiss Club in Kalkutta teilnehmen. Zu dem Treffen mit »vornehmen Persönlichkeiten« hatte ich mir aus Spaß bei einem Schneider eigens ein Brokat-Jackett anfertigen lassen. Ich muss ausgesehen haben wie Liberace. Da ich keinesfalls das Spiel versäumen wollte, verließ ich unbemerkt die Firmenfeier und schlich mich auf den Parkplatz vor dem Club.

Dort verfolgte ich am Autoradio meines schwarzen VW-Cabrios das Spiel, höchst aufgeregt auch deshalb, weil mein Hamburger Jugendidol Uwe Seeler mitspielte, den ich so oft im alten HSV-Stadion an der Rothenbaumchaussee bewundert hatte. Zwischendurch eilte ich wieder zum Empfang, trank einen Schluck Gin Tonic und kehrte sogleich wieder zum Spiel zurück. Bodenlose Enttäuschung, als das 2:1 fiel. Neue Hoffnung, als wir ausglichen. Irgendwann war ich derart gefesselt vom Geschehen, dass ich beschloss, bis zum Ende des Spiels im Cabrio zu bleiben. Es kam zur Nachspielzeit, und so erlebte ich das für Deutschland so verhängnisvolle »Wembleytor« mit, über dessen Gültigkeit bis heute gestritten wird. Nach einem weiteren englischen Treffer verließ ich den Kampfplatz und widmete mich dem Bufett des Swiss Club von Kalkutta. Dass mir zum Weinen war, scheint nicht einmal meiner Frau aufgefallen zu sein.

Immer interessiert an Neuigkeiten aus der Heimat, sprach ich einmal am Swimmingpool einen Deutschen an, der sich als DDR-Bürger zu erkennen gab. Er war Schiffsarzt und lud mich freundlich auf sein Frachtschiff im Hafen ein. Der sympathische Mann, er hieß Dr. Olaf May, hatte zwar keine Zeitungen, die meine Neugier wecken konnten, aber dafür schenkte er mir zum Abschied echtes deutsches Roggenschwarzbrot, das der Schiffsbäcker gerade aus dem Ofen gezogen hatte. Als ich, einen dicken Brotlaib unter jedem Arm, die Gangway hinabschritt, kam ich mir vor wie ein Nachkriegsflüchtling, der milde Gaben nach Hause trägt.

In Colombo, wo ich die erste IBM-Niederlassung Sri Lankas aufbaute, war ich weit besser über die Heimat informiert. Zwar gab es auch hier keine deutschen Zeitungen zu kaufen, doch gehörte Ceylon, wie es damals noch hieß, zu den beliebtesten deutschen Fernreisezielen, und an Touristen herrschte in Colombo kein Mangel. Gern überließen sie mir ihre *Spiegel, Stern, Welt* oder *FAZ,* die sie aus dem Flugzeug mitgebracht hatten. Um an die neuesten Ausgaben zu kommen, musste ich nur ein wenig spazierengehen.

In den Siebzigern lebte ich in der Pariser Rue de Rivoli, direkt neben den Tuilerien und nahe der Place de la Concorde. Deutschland lag nicht nur geographisch ganz nahe. Es war die Zeit des Terrors, und Frankreich, selbst mit ausreichend Revolutionären und Straßenkämpfern gesegnet, nahm lebhaften Anteil. Zu meinem Büro, das sich in der »Cité de Retiro« befand, ging ich täglich zu Fuß. Das IBM-Hauptquartier war an der Rue du Faubourg-St.-Honoré in einem alten Gebäudekomplex untergebracht, der einen Innenhof umsäumte. Es ging das Gerücht, dass hier während der deutschen Besatzung ein Soldatenpuff betrieben wurde. Inzwischen ist die IBM-Europa von dem historisch interessanten Ort ins moderne Büroviertel La Défense umgezogen.

Auf meinem Fußweg ins Büro kaufte ich mir an einem Kiosk Ecke Rue Royale, Faubourg-St.-Honoré die *Süddeutsche,* damals mein Lieblingsblatt. Später ärgerte ich mich über ihre Einseitigkeit und stieg auf die *FAZ* um. Jeden Morgen las ich in einem Bistro, was sich am Vortag in Deutschland ereignet hatte, während ich einen großen Café Crème und eine Tartine frühstückte. Ich hatte mir angewöhnt, die gebutterte Weißbrotscheibe auf französische Art einzutunken, was bei uns bekanntlich verschmäht wird. Zu Unrecht, wie ich finde. Neben der *Süddeutschen* studierte ich die *International Herald Tribune* und den *Figaro.* Als leidenschaftlicher Zeitungsleser habe ich damals ein plastisches, sozusagen dreidimensionales Bild von Deutschland bekommen. Die linksliberale Einstellung des Münchner Blatts wurde ergänzt durch die konservative Sicht des *Figaro*, und beide erfuhren durch die ideologiefreien Darstellungen der *Tribune* eine nüchterne Korrektur.

Ich erinnere mich an die diversen Schocks, von denen unser Land in den Siebzigern heimgesucht wurde. Erst kam der »Ölschock« von 1973, dann der Schock wegen Willy Brandt, der 1974 einem Stasi-Spion und seiner eigenen Nachlässigkeit zum Opfer fiel. Dazu die Attentate der RAF, die Deutschland fast allwöchentlich schockierten. Ab 1974 hielt der Hamburger Helmut Schmidt das Ruder in der Hand. Dank seines unaufgeregten Wesens, das schnell zur Sache kam, genoss er größeren Respekt in der Welt als irgendein Kanzler nach ihm. Diesen Respekt teilte er sich mit der Bundesrepublik, die als Europas Lokomotive galt. Bei internationalen Treffen von IBM-Führungskräften schnitt die IBM-Deutschland, zu der ich damals noch nicht gehörte, immer besonders gut ab. Die Ergebnisse waren vorbildlich, die Deutsche Mark bot im Vergleich zu anderen europäischen Währungen große Stabilität. Unter den möglichen Standorten für Fabriken oder Labors rangierte das Land an erster Stelle. Deutschen Mitarbeitern wurden wichtige Posten bei der IBM-Europa angeboten. Walter Trux, der mich 1961 zur IBM geholt hatte, war zum Marketingdirektor für ganz Europa aufgestiegen, sein Chef wurde der deutsche Vize-Chef von Europa, Manfred Wahl.

Fast war es mir peinlich, wie deutlich Deutschland sich von den anderen abhob. Das ging gelegentlich so weit, dass unser Kanzler, im Vollgefühl nationaler Überlegenheit, dem Rest der Welt Lektionen erteilte und sogar die Amerikaner über die Prinzipien der Nationalökonomie belehrte. Manchmal fand ich es etwas unpassend, obwohl es durchaus berechtigt war. Immerhin hatten wir die niedrigste Arbeitslosigkeit in Europa, und unsere Wirtschaft legte vielbeachtete Zuwachsraten vor. Die beiden »kranken Männer« Europas, Holland und England, blickten neidvoll zu uns herüber. Während Großbritannien, wo überstarke Gewerkschaften herrschten, die meisten Streiktage aufwies, hatte Deutschland die wenigsten. Noch war der Begriff vom »Wirtschaftswunderland« nicht verblasst, und die einzige Gefahr drohte vom Terror der Linken.

Das wurde bald anders. Während unser Land auf dem Sofa seiner Überlegenheit ausruhte, begannen die anderen sich zu rühren. Holländer und Engländer lösten sich langsam aus dem Griff der Gewerkschaften, denen die konfliktscheuen Deutschen immer neue Zugeständnisse machten.

Im März 1978 wurde ich ins IBM-Hauptquartier nach Armonk versetzt, wo ich als Direktor für internationale Personal- und Gewerkschaftsfragen zuständig war. Eine meiner Auslandsreisen führte mich nach Brasilien, wo von Demokratie noch keine Rede sein konnte. Ehemalige Generäle lösten sich, nur scheinbar frei gewählt, im Regieren ab. Bei meinen Gesprächen mit dem dortigen IBM-Management tauchte immer wieder ein Name auf, der bedenkliche Mienen auslöste: Lula. Dieser militante Gewerkschaftsführer, so hörte ich, wollte eine Revolution anzetteln, um das alte System abzulösen. Ich hatte im Prinzip nichts dagegen. Wenn auf diese Weise Demokratie und vernünftige Gewerkschaften nach Brasilien kamen, sollte es mir recht sein. Die Demokratie wurde dann auch ohne Revolution eingeführt, und heute ist Lula, mit vollem Namen Luiz Ignácio da Silva, Staatspräsident. Und hat, aus Erfahrung klug geworden, von seinen sozialistischen Parolen Abstand genommen, um sich der Sanierung der Staatsfinanzen und dem Ausbau der Marktwirtschaft zu widmen.

Als IBM-Verantwortlicher für internationale Personalfragen konnte ich natürlich auch Erfahrungen mit den amerikanischen Unions sammeln. Ende der siebziger Jahre, vor Ronald Reagans Befreiungsschlag also, übten sie enormen Einfluss auf die amerikanische Wirtschaft aus, wodurch sie zu deren Niedergang wesentlich beitrugen. Auch IBM war betroffen. Regelmäßig versuchten die Gewerkschaften, die keinen automatischen Zugang zu den Unternehmen haben, Fabriken und Standorte unserer Firma zu »knacken«. Das System, dem sie dabei folgten, war sehr simpel. Vorab rechneten sie aus, wieviel Geld sie in eine

Werbekampagne investieren mussten, um den Fuß in eine Firma zu bekommen. Konnten sie genügend Mitarbeiter als Mitglieder werben, mussten sie im Unternehmen als Gewerkschaft anerkannt werden, die an den Gehaltsverhandlungen als Partner teilnahm. Lohnend war es für die Gewerkschaft allerdings nur, wenn die zu erwartenden Mitgliederbeiträge das Investment in die Werbekampagne übertrafen. Wenn nicht, ließen sie die Finger von der Firma.

Das war das Geschäftsmodell amerikanischer Gewerkschaften. Eine höhere Moral dahinter zu vermuten wäre naiv. Es handelte sich schlicht um Organisationen, die Leistungen gegen Mitgliedsbeiträge erbrachten, welche sie bei den Tarifrunden für die Beitragszahler wieder herausholten. Das Problem bestand nur darin, dass diese Art von Unternehmertum der eigenen Volkswirtschaft schadete, weil sie ihre Substanz angriff. Je besser dieses Profitsystem funktionierte, um so schlechter ging es den Unternehmen, die davon betroffen waren. »Ausbeutung« scheint mir noch das schonendste Wort dafür.

Jahre später, zu meiner Zeit als BDI-Präsident, erhielt ich Besuch vom Gouverneur des US-Bundesstaats North Carolina, der fast sein ganzes Kabinett mitgebracht hatte. Zu meinem Erstaunen hatte er sämtliche Ressorts mit ehemaligen Wirtschaftsfachleuten besetzt. Der Gouverneur war gekommen, um in Deutschland für Firmengründungen in seinem Staat zu werben. Den Vortrag über die Attraktivität des Wirtschaftsstandorts North Carolina begann er mit dem Satz: »We are union free.« – »Wir sind frei von Gewerkschaften.« Er wusste, wie man Investoren gewinnt.

In Armonk wurde ich damals mit einem Problemfall in Schottland konfrontiert. Wir unterhielten ein großes Computerwerk in Greenock, das von einer »labour union« wegen angeblicher Diskriminierung verklagt wurde. Die Regierung ordnete daraufhin eine Mitgliederbefragung unter den zwei- bis dreitausend Beschäftigten an, ob sie die Gewerkschaft im Betrieb haben wollten. Da der Minderheitenschutz so ausgeprägt war, dass überall »der Schwanz mit dem Hund wackeln« konnte, hätten wir die Gewerkschaft schon bei einer Zustimmung von 20 Prozent anerkennen müssen. Die Funktionäre boten ihre ganze Überredungskunst auf, unser schottisches Management hielt dagegen. In Armonk erwarteten wir den Ausgang mit atemloser Spannung, da wir uns vorab über eines verständigt hatten: Bevor wir uns die gute Arbeitsatmosphäre ruinieren und die Höhe der einzelnen Gehälter vorschreiben ließen, würden wir das Werk schließen. Das durften wir allerdings nicht laut sagen. Als das Ergebnis bekanntgegeben wurde, waren wir selbst überrascht: Mehr als 95 Prozent der Mitarbeiter hatten sich für unser Unternehmen und gegen die Gewerkschaft ausgesprochen. Das IBM-Werk in Greenock besteht heute noch.

Die meiste Zeit in Armonk hatte ich mich mit deutscher Wirtschaftsideologie herumzuschlagen. Konkret handelte es sich um ein 1976 verabschiedetes Gesetz der sozialliberalen Koalition, das die paritätische Mitbestimmung in deutschen Aufsichtsräten einführte. Für die Amerikaner war dies nicht nachvollziehbar. Dass ein Unternehmen nicht nur von den Besitzern, sondern zur Hälfte durch Angestellte und Gewerkschaftler kontrolliert werden sollte, erschien ihnen als glatte Enteignung. Schließlich gehört einem etwas nur dann, wenn man Kontrolle darüber ausübt. Muss man diese mit anderen teilen, gehört es einem nicht mehr. Dann ist man allenfalls selbst »beteiligt«.

In den USA war es selbstverständlich gewesen, dass das Management eines Unternehmens die Interessen der Besitzer vertritt, aber natürlich auch die Interessen der Mitarbeiter und der Kunden. Durch die Einführung der Mitbestimmung nicht nur in den Betrieben, sondern auch in den Aufsichtsräten verschoben sich die Besitzverhältnisse dramatisch. Und mit ihnen die Verantwortung. IBM war immer stolz darauf gewesen, dass durch gutes Betriebsklima und motivierte Angestellte Gewerkschaften überflüssig waren. Nun sollten sie uns per Regierungserlass verordnet werden.

Rückblickend glaube ich, dass dies der Augenblick war, in dem es mit der deutschen Wirtschaft bergab ging. Die Mitbestimmung in deutschen Aufsichtsräten war zwar nicht die

Ursache, wohl aber das Symptom dafür, dass Deutschland, verblendet durch seine Erfolge, einen entscheidenden Schritt zu weit gegangen war. Wie der berühmte Esel, der aufs Eis zum Tanzen geht. Kein Land ist uns seitdem aufs Eis gefolgt.

Als ich das paritätische Mitbestimmungsgesetz für Aufsichtsräte meinen amerikanischen Kollegen in Armonk vorstellen musste, schüttelten sie fassungslos den Kopf. Dasselbe erlebte ich, als ich ein Vierteljahrhundert später im internationalen Beirat von Coca-Cola das Trittinsche Dosenpfand zu erklären versuchte. »Ist das wirklich Ihr Ernst?« fragten mich 2003 die Beiräte, die aus allen Teilen der Welt zusammengekommen waren. Sie konnten nicht glauben, dass derlei absurder Kleinkram ein großes Land in Unruhe versetzen konnte, vom Schaden für die Wirtschaft ganz zu schweigen. Während mir im Fall Dosenpfand keine mildernden Umstände für unseren Gesetzgeber einfielen, gelang es mir in Armonk, die Langzeitfolgen des Mitbestimmungsgesetzes vor dem IBM-Management herunterzuspielen. IBM war weiterhin bereit, in Deutschland zu investieren. Wir bauten fünf Fabriken, dazu ein großes Labor und mehrere internationale Unterstützungszentren. Langfristig gesehen eine Fehlentscheidung.

Vor ein paar Jahren sprach ich einen der damaligen Verantwortlichen auf die Folgen des Mitbestimmungsgesetzes an. Obwohl selbst Gegner einer Ausweitung der Mitbestimmung, hatte Otto Graf Lambsdorff als FDP-Wirtschaftsminister das Gesetz mitgetragen. Auf meine Frage raunte er mir zu: »Herr Henkel, das war wohl mein größter Fehler.«

* * *

Als ich 1980 zur IBM nach Paris zurückkehrte, erwartete mich ein neuer Verantwortungsbereich. Ich hatte fünfundachtzig Länder von Portugal über Kenia bis Pakistan zu betreuen, darunter auch Europas »kranken Mann«, Holland. 1982 begann sich in diesem hochverschuldeten Sozialstaat mit seiner erdrückenden Gewerkschaftsmacht etwas zu bewegen. Regierung,

Gewerkschaften und Unternehmer setzten sich zusammen, um ihr Land wieder stark zu machen. Im »Akkord von Vassenaar« einigte man sich auf Grundsätze zukünftiger Tarifpolitik. So verzichteten die Gewerkschaften auf Arbeitszeitverkürzungen, an denen ihren deutschen Kollegen so viel gelegen war, und stimmten einem Lohnstop zu. Zugunsten der Arbeitslosen beschränkte man sich darauf, über viele Jahre weniger als den Zuwachs an Arbeitsproduktivität an die Beschäftigten zu verteilen. Das Signal wirkte, der kranke Mann begann zu genesen. Bald gehörte das Land zu den Aktivposten der Europäischen Gemeinschaft. Und es hatte, trotz verschieden gelagerter Interessen, ein funktionierendes »Bündnis für Arbeit« geschaffen, das sich auch in der Zukunft bewährte. Das deutsche Modell dagegen, von Kohl begonnen und im Jahr 2003 unter Schröder sanft entschlafen, war immer nur eine Showveranstaltung.

Anfang der neunziger Jahre lernte ich in Berlin den holländischen Gewerkschaftchef kennen. Damals lief in Deutschland eine massive Gewerkschaftskampagne zur Einführung der Fünfunddreißigstundenwoche. Zwar arbeitete der Rest der Welt deutlich länger, aber in der Propaganda klang es, als wäre jede Minute über fünfunddreißig Stunden hinaus die reine Sklaverei. Bei einer Podiumsdiskussion fragte ich den Holländer, was er von der Einführung der Fünfunddreißigstundenwoche halte. Seine Antwort bestand aus einem einzigen Wort: »Nichts.«

In England, dem anderen Fußkranken der EU, versuchte man Ende der siebziger Jahre das Problem der ständigen Streiks durch Entgegenkommen zu lösen. Die Labour-Regierung von James Callahan hatte eine Kommission unter dem Hitler-Biographen Alan Bullock zusammengestellt, die eine Eignung des deutschen Mitbestimmungsmodells für Großbritannien prüfen sollte. Da Deutschland kaum Probleme mit Streiks hatte, glaubte man, die Gewerkschaften dadurch zur Vernunft zu bringen, dass man ihnen ebensoviel Macht einräumte wie den deutschen.

Das Experiment, zu dem es nie kam, hätte schon deshalb nicht gelingen können, weil die englischen Gewerkschaften scharf ideologisiert waren. Jeder Kompromiss mit dem Klassenfeind war für sie ein fauler Kompromiss. In mancher Hinsicht ähnelten sie unserer IG Metall. Bevor es zu einer Umsetzung der Bullock-Vorschläge kommen konnte, wurde Margaret Thatcher 1979 Premierministerin. Sie wusste sehr gut, dass eine weitere Anbiederung, etwa durch paritätische Mitbestimmung, in ihrem Land zur Katastrophe führen musste.

Statt dessen schlug sie den entgegengesetzten Weg ein. Mit bewundernswertem Mut nahm sie die Herausforderung der Gewerkschaften an und bereitete ihnen beim großen Bergarbeiterstreik 1984/85 eine Niederlage, von der sie sich nicht erholten. Unter anderem schloss sie unrentable Zechen, gegen deren Stillegung gestreikt worden war. Damit fällte sie unpopuläre Entscheidungen, vor denen deutsche Politiker sich bis heute drücken. Während in England kein Kilogramm Kohle mehr gefördert wird, wird die deutsche Kohleförderung alljährlich mit Milliarden an Steuergeld subventioniert.

Der »Thatcherismus«, die englische Parallele zu den »Reaganomics«, befreite das Land auch von der Übermacht des Staates. Die konservative Premierministerin privatisierte Staatsunternehmen, beendete den defizitären, schuldengespeisten Wohlfahrtsstaat und beschnitt die Rolle der Gewerkschaften durch eine umfassende Gesetzgebung. Natürlich konnten die Arbeiter sich weiterhin durch Gewerkschaften vertreten lassen. Aber das Monopol, das die »labour unions« ausgeübt hatten, war ihnen entzogen worden und damit auch die Möglichkeit, für ihre Forderungen die Gesellschaft als Geisel zu nehmen. Betriebe konnten nun ihre Lohnabschlüsse frei aushandeln. In Deutschland staunte man. Als die »eiserne Lady« dann auch noch Post und Wasserversorgung privatisierte, trauten die deutschen Politiker ihren Augen nicht. Konnte das denn gutgehen? Es ging gut.

Und es geht gut. Die wahre Leistung, die Margaret Thatcher für ihr Land erbracht hat, wird den Briten erst heute klar. Gerade die Erfolge der jetzigen Labour-Regierung basieren auf der von Thatcher durchgesetzten Befreiung der Marktwirtschaft, der vernünftigen Beschränkung der Gewerkschaftsrechte, der Privatisierung der Staatsunternehmen, der Schließung antiquierter Produktionsbereiche. Auch Tony Blair, mit dem ich über seine Vorgängerin gesprochen habe, weiß dies sehr genau. Nur die Deutschen wollen es nicht wahrhaben. Wie die »Reaganomics« gilt ihnen auch der »Thatcherismus« als etwas Verächtliches, moralisch Minderwertiges. Dabei könnten wir uns glücklich schätzen, hätten auch wir eine »eiserne Lady« oder einen Ronald Reagan gehabt.

An die einstige Übermacht der Gewerkschaften in Amerika und England wurde ich lebhaft erinnert, als der DGB am 1. Mai 2004 zum Großangriff auf die Regierung blies. Schröder wurde gar nicht erst eingeladen, der nordrhein-westfälische Ministerpräsident Peer Steinbrück wurde niedergebrüllt, bis er das Mikrophon verließ. »Wir haben es nicht nötig, uns vorschreiben zu lassen, wen wir reden lassen wollen«, erklärte dazu DGB-Landesvorsitzender Walter Haas. Das lässt allerdings ein gespaltenes Vehältnis zur Demokratie vermuten. IG-Metall-Chef Jürgen Peters setzte noch eins drauf und kündigte indirekt eine Neuauflage der APO an, um die Straße gegen das Parlament zu mobilisieren. Aber wozu braucht man überhaupt ein Parlament und gewählte Volksvertreter, wenn die Gewerkschaft doch am besten weiß, was das Volk braucht? Laut Norbert Hansen, Chef der Gewerkschaft Transnet, braucht es vor allem klare Feindbilder: »Unternehmen wie Siemens«, verkündete er in Bremen, »gehören an den gesellschaftlichen Pranger.« Was dabei erstaunt, ist nicht nur der unverblümte, demokratisch nicht legitimierte Machtanspruch einer rabiaten Minderheit, sondern auch eine Presse, die dies als selbstverständlich hinstellt.

Nach Deutschland kehrte ich 1985 fast widerwillig zurück. Ich fühlte mich in Paris wohl, mein Fünfundachtzig-Staaten-Reich prosperierte, und Deutschland, das einstige Flaggschiff, hatte bereits an Fahrt verloren. Von mir erwartete man sich Wunder. Aber selbst der motivierteste, erfahrenste Topmanager kann nichts bewirken, wenn das Koordinatensystem nicht stimmt. Und in Deutschland stimmte vieles nicht. Ich zog also von Paris nach Böblingen um, wo ich Chef unserer Firma wurde.

Eigentlich fuhr die IBM-Deutschland nach wie vor gute Ergebnisse ein. Aber Länder wie Holland, England oder Italien waren in ihrer »Performance« an Deutschland vorbeigezogen. Der Umsatz schrumpfte, wie der *Spiegel* schadenfroh meldete, »um 9 Prozent auf 12 Milliarden Mark«. Die Hitparade, auf der wir immer in allen Kategorien an erster Stelle gestanden hatten, wies nun andere Favoriten auf. Wir saßen im Parterre fest. Nicht weil wir schlechter geworden wären. Sondern weil andere dank besserer Rahmenbedingungen besser geworden waren. Es kam mir wie ein Wettlauf vor, bei dem nur wir einen schweren Rucksack mitzuschleppen hatten. Dieser Rucksack war unser Standort.

Schon damals spürten wir bei IBM, was der Öffentlichkeit erst ein Jahrzehnt später ins Bewusstsein trat. Deutschland war auf die abschüssige Bahn geraten. Während wir einen immer intensiveren Konkurrenzkampf auf dem Computermarkt zu bestehen hatten, wurden unsere Wettbewerbsbedingungen laufend schwieriger. Im internen Kostenvergleich der IBM schnitten unsere fünf Fabriken deshalb immer schlechter ab. Obwohl die Mitarbeiter dank hervorragender Arbeit die Fertigungskosten Jahr für Jahr senkten, stiegen sie im Verhältnis zu ausländischen Werken. Wir konnten uns anstrengen, soviel wir wollten, der Rucksack der Standortnachteile wog zu schwer.

Eine Eigenart amerikanischer Firmenphilosophie besteht darin, sinkende Erträge nicht auf Standortbedingungen, sondern auf Schwächen des Managements zurückzuführen. Entsprechend glaubt man, alle Probleme durch Austausch der Spitzenleute lösen zu können. Das wird noch heute so gehandhabt. Im Jahr 2002 fiel mir auf, dass praktisch alle deutschen Töchter amerikanischer Konzerne, sei es AOL, Microsoft, Hewlett Packard, Kodak oder IBM, ihre Topmanager feuerten. Offenbar fehlte den Amerikanern die Geduld, sich mit den Ursachen der sinkenden Ergebnisse zu beschäftigen. Und den deutschen Chefs fehlte der Mut, den amerikanischen Mutterfirmen reinen Wein einzuschenken. Das Dilemma der Manager bestand darin, dass sie die Amerikaner nicht über die Standortnachteile aufklären konnten, ohne deren Investitionen zu verlieren. Wer wusste, was in Deutschland lief, legte sein Geld lieber woanders an. Deshalb riet ich allen Firmenchefs, mit denen ich damals sprach, von Anfang an Klartext mit den Muttergesellschaften zu sprechen, um keine falschen Hoffnungen zu wecken.

Bereits mein Vorgänger bei IBM-Deutschland war nicht etwa an eigenen Versäumnissen gescheitert, sondern an den Rahmenbedingungen verzweifelt. Die Firma dagegen glaubte, er mache seinen Job nicht gut genug, und schickte mich. Aber dadurch wurden die Bedingungen nicht besser. Mir war das klar, und ich hatte nicht vor, mit dem Kopf gegen die Wand zu rennen. Mit IBM ließ sich nur etwas ändern, wenn man die Arbeitsgrundlage änderte. Und das konnte nur heißen, ich musste mich bei denen bemerkbar machen, die dafür verantwortlich waren.

Zum Beispiel ärgerte ich mich über eine deutsche Spezialität: die Gewerbesteuer. Sie war nichts anderes als eine Strafsteuer auf Arbeitsplätze. Nirgendwo auf der Welt gab es Vergleichbares. Und obwohl erhebliche Summen an die Kommunen flossen, tauchten diese in den veröffentlichten Statistiken über die Gesamtbelastung der deutschen Unternehmen selten auf. Man erwähnte die Körperschaftsteuer, sozusagen die Einkommensteuer für Firmen, aber die Gewerbesteuer blieb ungenannt. Auch in den internationalen Statistiken, die die Steuerbelastung der einzelnen Unternehmen im Vergleich zeigte, tauchte sie oft nicht auf. So hatte Eurostat, die Statistikbehörde der EU, in ihren vergleichenden Erhebungen ausdrücklich nur die Körperschaftsteuer berücksichtigt. Von der Zusatzbelastung war nie die Rede.

Zudem sah ich eine verfassungsmäßige Ungereimtheit darin, dass die Gewerbesteuer nur von produzierenden Firmen erhoben wurde, während freie Berufe, etwa Ärzte oder Rechtsanwälte, davon ausgenommen waren. Die Gemeinden hatten es sich zur Gewohnheit werden lassen, auftretende Haushaltslöcher zu stopfen, indem sie den Hebesatz der Gewerbesteuer nach Belieben anzogen. So konnte man den Wählern prächtige Parks und Sportanlagen hinstellen, die von den Gewerbetreibenden zu bezahlen waren. Der Stadtkämmerer von Böblingen etwa sicherte sich die nötigen Wählerstimmen, indem er auf unsere Kosten ein luxuriöses Thermalschwimmbad mit allen Schikanen errichtete. Es macht heute noch Verluste. Sindelfingen ging es dank der Gewerbegelder von IBM und Mercedes so gut, dass es sich Zebrastreifen aus Carrara-Marmor leistete. Als ich diese Verschwendung öffentlich anprangerte, wies man darauf hin, sie seien schließlich wartungsfrei.

Bald bot sich Gelegenheit, das Thema außerhalb unserer Firma aufzugreifen. Auf Einladung der Steuerberaterkammer Baden-Württembergs sollte ich 1986 in Karlsruhe einen Vortrag halten. Es war mein erster öffentlicher Vortrag, und entsprechend sorgfältig bereitete ich mich darauf vor. Lange suchte ich nach einem griffigen Titel. Ich wusste, dass die Gastgeber von mir etwas mit Ausrufungszeichen erwarteten, etwa: »Runter mit den Steuern!« Statt dessen entschied ich mich für »Standort Deutschland«. Woher er mir zugeflogen war, weiß ich nicht mehr. Aber er gefiel mir, weil er alle meine Probleme in zwei Worten zusammenfasste.

Während meiner Rede begann ich an der Akzeptanz meiner Thesen zu zweifeln. Ich sprach nicht von der betrieblichen Belastung durch Steuern, sondern darüber, wie unser Standort, ja die ganze Gesellschaft durch überhöhte Abgaben beschädigt wurden. Und ich setzte mich, was mein Publikum zusätzlich befremden mochte, für eine drastische Vereinfachung des gesamten Steuerrechts ein. Ich war mir nicht sicher, wie diese Gedanken ankamen, glaubte ich doch, dass viele Steuerberater durch ein schlankes Steuersystem ihre Jobs verlieren würden. Profitierten sie nicht von den hohen Steuersätzen und dem Labyrinth der Vorschriften? Schließlich kam ich in meiner Rede zur Gewerbesteuer, und laut Manuskript wollte ich energisch für eine Reform plädieren. So stand es auf meinem Blatt. Aber da ich mich schon so weit vorgewagt hatte, wich ich vom Text ab und sagte: »Im übrigen gehört die Gewerbesteuer abgeschafft!«

Tosender Applaus. Das Eis war gebrochen, die Steuerberater klatschten im Stehen. Nach meiner Rede wurde ich zu meinem

Mut beglückwünscht, Dinge angesprochen zu haben, die sonst unter der Decke blieben. Da zu meiner Überraschung sämtliche Thesen lebhafte Zustimmung fanden, wurde mir klar, dass ich einen entscheidenden Punkt getroffen hatte. Rückblickend wäre der treffendere Ausdruck: Ich hatte in ein Wespennest gestochen.

Der Begriff »Standort Deutschland« wurde damals populär, und die Presse verband ihn, nicht nur wohlwollend, mit meinem Namen. »Standort Deutschland« fasste in der Nussschale eines Begriffs zusammen, was sich schon seit Jahren an Bedenken im Land angestaut hatte. Wer sich mit Deutschland nicht abstrakt und ideologisch, sondern konkret, und das heißt: im internationalen Vergleich, beschäftigte, der musste die gravierenden Standortnachteile sehen. Der konnte auch den Niedergang voraussagen, der kommen würde. »Standort Deutschland« war Diagnose und Prophezeiung in einem. Das wurde mir sehr übel genommen. Ich redete, so hieß es schon damals, Deutschland schlecht.

Irgendwann wurde auch der *Spiegel* aufmerksam und bat mich Anfang 1988 um ein Interview. Es war übrigens mein erstes, und ich merkte schnell, dass sich die beiden Journalisten, darunter der spätere Chefredakteur des *Manager Magazins*, Wolfgang Kaden, nicht damit abfinden wollten, dass ich den Standort Deutschland zu kritisieren wagte.

Gleich zu Anfang warfen sie mir vor, ich klagte über »verschlechterte Bedingungen am Produktionsstandort Deutschland«. Warum ich nicht gleich »ein paar tausend Arbeitsplätze abbaue« und ins Ausland verlagere? Das war provokativ gemeint, da sich die Redakteure einfach nicht vorstellen konnten, dass meine Warnungen berechtigt waren. In einer Frage unterstellten sie sogar, das »Schlechtreden« gehöre zu einer »konzertierten Aktion des Spitzenmanagements«. Mit anderen Worten, die bösen Manager pokerten, um Vorteile für sich herauszuschinden.

Denn mit Deutschland, darauf wiesen die *Spiegel*-Leute hin, stünde ja alles zum besten. »Für die These von der schrumpfenden Konkurrenzfähigkeit Deutschlands spricht doch wenig«, hielten sie mir entgegen. »Im vorigen Jahr schafften die Deutschen einen neuen Rekordüberschuss im Außenhandel. Die Bundesrepublik ist die exportstärkste Nation.« Meine Antwort lautete: »Wie jeder Seefahrer muss auch ein Wirtschaftler schon bei Sonnenschein die Sturmwarnsignale ernstnehmen und sein Schiff auf das Unwetter einrichten.« Man wollte mir nicht glauben. Als ich die sinkenden Auslandsinvestitionen als erstes Sturmsignal anführte, konterte man: »Das können Sie so nicht sagen. Natürlich wird nach wie vor hier investiert, nur nicht mehr in dem Ausmaß wie vor einigen Jahren.« Eben.

Mit Hinweis auf den EG-Binnenmarkt, der 1992 eröffnet werden würde, wies ich auf den dann drohenden »Wettbewerb der Standortbedingungen« hin. »Wir können doch nicht erwarten«, sagte ich, »dass die anderen Länder jetzt aus lauter Harmoniebedürfnis etwa bei sich die Gewerbesteuer einführen. Wir müssen diese Steuer abschaffen.« Der *Spiegel,* staatstragend: »Das wird einen Aufschrei der Bürgermeister geben.« Und fast schon aggressiv: »Sollen die Bürger jetzt die Steuern der Unternehmen übernehmen?« Man ging dann endgültig zum Angriff über, wollte mir meine Einschätzung der sinkenden Wettbewerbsfähigkeit nicht abnehmen. Besonders skeptisch, sagten die *Spiegel*-Leute, hätte sie die Warnung vieler Unternehmer vor der »Verkürzung der Vierzigstundenwoche« gemacht. Denn »die deutsche Industrie ist bisher nicht untergegangen«. Was sollte ich darauf antworten? Dass es manchmal etwas länger dauert, bis ein Schiff untergeht? Ich sagte nur: »Irgendwann läuft das Fass mal über.« So lautete dann auch der Titel des Interviews.

Am Schluss versuchten die Herren mich aufs Glatteis zu führen beziehungsweise, wie es im Journalistenjargon heißt, mich auf die Seife zu schieben. Überraschend stellten sie mir die Frage: »Hätten Sie eigentlich gern einen anderen Bundeskanzler, zum Beispiel Maggie Thatcher?« Ich weiß noch, wie ich blitzschnell die Alternativen überschlug. Wenn ich verneinte, konnte das so verstanden werden, als wäre ich doch mit dem

Standort Deutschland zufrieden. Bejahte ich, dann würde ich dem Bundeskanzler auf den Schlips treten. Und darauf hatten die Herren es abgesehen. Also sagte ich: »Angesichts der in Großbritannien erreichten Standortvorteile glaube ich kaum, dass die Briten Frau Thatcher hergeben würden.«

Das Interview schlug hohe Wellen. Viele empfanden es als dreist, was ich dem Wirtschaftswunderland ins Stammbuch geschrieben hatte. Der damalige Chef von McKinsey Deutschland, Professor Herbert A. Henzler, schien sich persönlich angegriffen zu fühlen. In einem Interview, das er bald darauf dem *Spiegel* gab, rammte er meine pessimistischen Prognosen sozusagen ungespitzt in den Boden: Ich übertriebe maßlos, alles sei ganz anders, uns gehe es bestens, es gebe keinen Grund, den Standort »schlechtzureden«. Mich wunderte schon, dass dieser angesehene Unternehmensberater, der von Berufs wegen Einblick in die deutschen Großunternehmen hatte, derlei Gute-Laune-Stimmung verbreiten konnte. Zumal er als McKinsey-Mann genau wusste, wieviel besser es der ausländischen Konkurrenz ging. Vermutlich, so dachte ich damals, sprach er auch für seine Klientel, die sich durch meine Offenheit brüskiert fühlen mochte. Manche meinten gar, ich redete die Krise wie eine »self fulfilling prophecy« herbei.

Wer in Deutschland die Wahrheit sagt, das lernte ich, muss die Konsequenzen tragen. Nein, man wollte einfach nicht akzeptieren, dass die Lage schlechter war, als die Statistiken auswiesen. Obwohl Mittelständler meine Thesen begrüßten, gab es an vielen Stellen offene und versteckte Kritik. Oft kam mein Vertriebschef mit besorgter Miene zu mir, der eine oder andere Kunde hätte sich über meine Äußerungen beschwert, man sei ganz anderer Ansicht. Viele meinten, meine Deutschlandkritik sei arrogant. Dass ich mir Sorgen um mein Vaterland machte, konnte sich keiner vorstellen. Sorgen um Deutschland? Ach was.

Mir war klar, dass ich allein nichts ausrichten konnte. Die Rahmenbedingungen würden sich erst dann ändern lassen, wenn ich Verbündete fand. Wie oft sagten Leute nach einer

Rede oder einem Artikel zu mir: »Das habe ich auch immer gedacht. Aber ich habe darauf gewartet, dass das mal einer sagt.« Mehr oder weniger bewusst legte ich mir eine Strategie zurecht. Der erste Schritt bestand im Aufklären und Aufrütteln. Die Wahrheit musste einfach heraus, dachte ich, dann würden sich schon genügend Menschen finden, die sie weitersagten. Hörte man nicht auf eine einzelne Stimme, so doch auf einen Chor. Das war der zweite Schritt. Schließlich musste in einem dritten auf die Bundesregierung eingewirkt werden. Nur durch direkte Einflussnahme war eine Änderung der Steuergesetzgebung möglich. Und dies musste möglichst massiv geschehen.

Den Anfang machte ich mit einem absurden Gesetz, das sich als weiterer Bremsklotz für die Wirtschaft erwiesen hatte. Es handelte sich um die Doppelbesteuerung, der deutsche Töchter von amerikanischen Konzernen unterworfen waren. Sie zahlten hier und noch einmal jenseits des Atlantik. Ich trommelte für eine Abschaffung, sammelte eine Art Gewerkschaft der betroffenen Firmen um mich und hatte das Glück, bei einer Jahrestagung des Kieler Instituts für Weltwirtschaft den zuständigen Minister Stoltenberg zu treffen. Ich sprach ihn öffentlich auf das Problem an und trug ihm unsere Alternative vor. Das Gesetz wurde geändert.

Es war mein erstes Erfolgserlebnis in der Politik. Klagen allein genügte nicht. Man musste aufrütteln, Verbündete finden, Änderungen laut einfordern. Der Beweis, dass es funktionierte, war erbracht. Damals entstanden überall Gesprächskreise. Und überall kreisten die Diskussionen um das eine Thema: Deutschland muss wieder wettbewerbsfähig werden. Auch Baden-Württembergs Ministerpräsident Lothar Späth erkannte die Zeichen der Zeit und setzte sich für eine Verbesserung des Standorts Deutschland ein. Regelmäßig lud er europäische Spitzenmanager zu »Weltwirtschaftsgipfeln«, die an Wochenenden im Stuttgarter Schloss stattfanden. Hier traf ich Unternehmenschefs, die sich wie IBM im internationalen Wettbewerb behaupten mussten. Allen war klar, dass Deutschland sich zwar noch auf hohem Niveau befand, aber bereits spürbar abzugleiten begann, während unsere Konkurrenten sich in entgegengesetzter Richtung aufmachten.

Späth hatte diese Initiative auch deshalb ergriffen, weil sich die Regierung Kohl einfach nicht mit dem Problem befassen wollte. Sie verweigerte sich, glaubte gar, es durch Wegsehen zum Verschwinden zu bringen. Überzeugt, wir seien nun einmal »die Besten«, ließ Kohl sich nicht von seinem sturen Kurs abbringen. Späth dagegen erkannte die Notwendigkeit der Veränderung und zugleich die Chance, sich dadurch in seiner Partei zu profilieren. Damals bot der Schwabe, dem als einzigem deutschen Politiker das Attribut »clever« beigelegt wurde, eine ernstzunehmende Alternative zu Helmut Kohl.

Beim Stuttgarter Managertreffen 1988, von der Presse als »Gipfele« bespöttelt, begann nicht nur die allzu kurze Freundschaft mit Alfred Herrhausen, sondern auch meine Freundschaft mit Romano Prodi, die heute noch andauert. Der Universitätsprofessor aus Bologna war damals Chef des großen italienischen Staatskonzerns IRI und diskutierte mit uns über europäische Wirtschaftsfragen. Auf Einladung einer meiner Vorgänger, Kaspar V. Cassani, saß Prodi außerdem gemeinsam mit mir im Beirat der IBM-Europa. Als er Jahre später den Sitz niederlegte, sagte er: »Jetzt gehe ich in die Politik, Olaf«, und wurde 1996, als Kandidat eines linken Wahlbündnisses, Italiens Ministerpräsident. Da er aufgrund einer Illoyalität seiner Partei zwei Jahre später das Amt niederlegen musste, schlug ich ihm vor, sich um das Amt des EU-Kommissionspräsidenten zu bewerben. Auf diese Idee wäre er selbst nie gekommen, meinte er. Gerhard Schröder hatte gerade den EU-Ratsvorsitz inne und suchte dringend einen Mann für den vakanten Präsidentenposten. Bei einem Telefonat schlug ich ihm Prodi vor, mit dem ich ihn auf einer BDI-Jahrestagung bekanntgemacht hatte. Ob meine Empfehlung zu seiner Ernennung beigetragen hat, entzieht sich allerdings meiner Kenntnis.

* * *

Bei dem Versuch, die wirtschaftlichen Rahmenbedingungen meiner Firma zu verbessern, kämpfte ich an immer neuen Fronten. Nach der Gewerbesteuer trat als nächstes Hindernis die Verkürzung der Arbeitszeit auf, es folgten die steigenden Lohnzusatzkosten, die ausufernde Mitbestimmung. Als BDI-Präsident fiel mir zudem noch die Misere an den deutschen Hochschulen mit ihren weltweit längsten Studienzeiten auf. Wie konnte ein Land, das den Wettbewerb scheut und zugleich die ältesten Studenten hat, seinen Bildungsstandard halten? Keiner schien sich diese Frage zu stellen. Und nicht eines der Probleme wurde gelöst. Man versuchte es nicht einmal. Die Selbstzufriedenheit, ja Selbstgefälligkeit der Regierung Kohl ging nahtlos auf die Regierung Schröder über.

Meine Frustration wuchs im selben Maß, wie die Situation sich verschlimmerte. Dank der deutschen Vorliebe für Nabelschau übersah man, wie die Nachbarn uns in fast allen Bereichen überholten. Man übersah vor allem, dass Nachbarn zugleich Konkurrenten waren. Auch in der EU herrscht, trotz aller Freundschaftsbekundungen, ein scharfer Wettbewerb, der dazu führt, dass der Unterliegende das Nachsehen hat. Dass wir diejenigen waren, die das Nachsehen hatten, wurde allerdings mit Nachsicht aufgenommen. Einer muss ja die rote Laterne tragen.

Zwei Gründe scheinen mir für diesen Niedergang verantwortlich: Einmal mangelt es in Deutschland an Aufklärung. Die Deutschen lassen sich von ihren Politikern gern etwas vormachen. Statt sich zu informieren, glauben sie vorfabrizierten Schlagworten, zumal wenn sie ihnen in den Kram passen. Der Erfolg der Grünen basiert großenteils auf ideologischem Blendwerk, dessen wohl irreparabler Schaden für die Volkswirtschaft durch witzig-populäre PR-Aufbereitung überspielt wird. Mit dieser heißen Luft macht man in Deutschland Energiepolitik.

Auch die Arbeitspolitik wird nicht durch Sachkunde, sondern durch Stimmungsmache bestimmt. Als man etwa die Aufhebung des Kündigungsschutzes für Neueingestellte über Fünfzig anregte, tönte es auf allen Kanälen, das sei unsozial und diskriminierend. Und die Mehrheit glaubte es auch noch. Warum begriff man nicht, dass dies der einzige Weg war, Leute in Arbeit zu bringen, die sonst nie wieder eingestellt würden? Man wollte es nicht begreifen. Das erinnert mich an einen Satz Joschka Fischers, der dem französischen Außenminister zum Thema genveränderter Nahrungsmittel einmal sagte: »Ob sie gesund sind oder nicht, das ist nicht die Frage. Wir wollen sie nicht.«

Die andere Ursache für unseren Niedergang liegt im System. Der Wahnsinn hat sozusagen Methode. Und diese hängt mit unserer politischen Entscheidungsfindung zusammen, die den Status quo ebenso liebt, wie sie Reformen fürchtet. Schon vor vielen Jahren regte ich deshalb eine »Reform unserer Reformfähigkeit« an. Während ein Unternehmen nur überleben kann, wenn es einen beständigen Erneuerungsprozess in Gang hält, sich an den Mitbewerbern misst und diese durch bessere Lösungen überflügelt, setzt unsere Politik auf das gewohnte Immergleiche. Dass in einer lebendigen Welt Stillstand zugleich Niedergang bedeutet, will keiner akzeptieren. Statt dessen beschränkt man sich darauf, die jeweils auffälligsten Schäden zu reparieren, und nennt das »Reformen«.

Wie in der *Ethik des Erfolgs* beschrieben, brauchen wir ein politisches Modell, das ständige Selbsterneuerung nicht nur ermöglicht, sondern fordert. Dies schien mir am besten mit dem technischen Begriff des »Political Re-Engineering« ausgedrückt. Er bedeutet, dass die Politik wie jedes Produkt einer permanenten Selbstkorrektur unterworfen sein muss, für die das Feedback der Kunden beziehungsweise der Bürger sorgt. Politik muss mit den Erwartungen der Gesellschaft und auch den Herausforderungen der Globalisierung wachsen. Sonst wird sie zum Zwangskorsett und Ladenhüter. Natürlich setzt dies eine veränderte Geisteshaltung voraus: Bereitschaft zur Selbstkritik, Disziplin zur geduldigen Weiterentwicklung.

Angeregt durch den Europäischen Konvent, der von Valéry Giscard d'Estaing in Brüssel zusammengerufen wurde, entwarf ich zusammen mit Roland Berger das Modell eines Deutschen Konvents. Er sollte, wie sein Vorbild auf europäischer Ebene, den Deutschen ein überarbeitetes Grundgesetz anbieten und unser Land, gleichzeitig mit der EU, auf eine neue »Arbeits-grundlage« stellen. Das letzte Kapitel meiner *Ethik des Erfolgs* hieß deshalb »Ausblick – Ein Konvent für Deutschland«.

Nach Fertigstellung des Buchs im Sommer 2002 traf ich den CDU/CSU-Kanzlerkandidaten Edmund Stoiber in der Bayeri-schen Landesvertretung in Berlin, um ihm meine Konvent-Idee vorzutragen. Besonders interessierte ihn der Aspekt einer Wie-dererstarkung des Föderalismus, ja er elektrisierte ihn geradezu. Eine Rede, die Stoiber bald darauf vor dem BDI hielt, beendete er mit dem Hinweis, dass die Einberufung eines solchen Kon-vents ins Parteiprogramm der Union aufgenommen sei. Man wollte, so skizzierte er den Plan, rund dreißig »Weise« einladen, die der Regierung Vorschläge unterbreiten sollten. Die The-men reichten von einer Erneuerung des Föderalismus über die Verstärkung der plebiszitären Elemente bis zur Änderung der Finanzverfassung.

Mit dem Ausgang der Bundestagswahl im September 2002 schien sich die Konvent-Idee für Stoiber zunächst einmal er-ledigt zu haben. Nicht jedoch für mich und Roland Berger. Für die Einberufung unseres Konvents gewannen wir eine Reihe von Mitstreitern aus allen politischen Lagern, denen die Notwendig-keit einer neuen Verfassung ebenso einleuchtete wie uns. Mit Peter Glotz stieß ein ehemaliger Bundesgeschäftsführer der SPD zu uns, dessen Arbeit als Gründungsrektor der Uni Erfurt und heutiger Professor für Medien- und Kommunikationsmanage-ment in St. Gallen ich nicht minder bewundere als seine poli-tische »Bekehrung«. Ich kann mich noch gut erinnern, wie er 1986 eine Diskussion zwischen mir und Oskar Lafontaine mo-derierte, wobei er naturgemäß eher die ideologischen Positionen des letzteren zu vertreten schien. Während ich die entscheidende Bedeutung der Computer für die Zukunft hervorhob, wider-sprach der Saarländer entschieden. Ihm erschienen PCs wie das reinste Teufelszeug, und 1300 Betriebsräte im Publikum ap-plaudierten begeistert. Kürzlich besuchte ich Professor Glotz in St. Gallen, wo er Studenten seiner »Business School« in die Ge-heimnisse der Marktwirtschaft und des Kapitalismus einweiht.

Saarbrücken 1988. Eine meiner ersten Begegnungen mit Oskar Lafontaine, dem späteren Hauptkassenwart der Nation.

Von CDU-Seite kam der Staats- und Verwaltungsrechtler Professor Rupert Scholz zu uns, Ex-Verteidigungsminister im Kabinett Kohl. Auch der einstige FDP-Wirtschaftsminister Otto Graf Lambsdorff, der als Vorsitzender der Friedrich-Naumann-Stiftung ein glühender Befürworter des Föderalismus ist, wollte sich für den Konvent engagieren. Er sieht im Föderalismus die große Chance, dass Bundesländer untereinander in Wettbewerb treten und dadurch ein stärkeres Ganzes bilden können.

Später folgten der mutige Ex-Grünen-Abgeordnete Oswald Metzger, Hamburgs ehemalige Bürgermeister Klaus von Dohnanyi als stellvertretender Vorsitzender des Kreises und Henning Voscherau, die Präsidentin des Goethe-Instituts Jutta Limbach, die ehemalige ÖTV-Chefin und EU-Kommissarin Monika Wulf-Mathies, der Historiker Professor Manfred Pohl und der Industrielle Manfred Schneider. Als ich der Unionsvorsitzenden Angela Merkel die Konvent-Idee vortrug, signalisierte sie Zustimmung. Mir wurde allerdings klar, dass sie von der Oppositionsbank aus wenig bewirken konnte. Dazu musste sie schon regieren.

Eine Woche bevor Gerhard Schröder die lange angekündigte »Agenda 2010«-Rede vor dem Bundestag hielt, besuchte ich im März 2003 seinen Kanzleramtsminister Frank-Walter Steinmeier, um ihm die Konvent-Idee auch im Hinblick auf die bevorstehende Rede nahezubringen. Da ich schon damals nicht gerade als Freund der Schröder-Regierung galt, fand ich es beeindruckend, dass er mich überhaupt anhörte. Gerade meine Kommentare auf Seite 2 der *Bild*-Zeitung sollen, wie man mir hinterbracht hatte, den Kanzler »bis aufs Blut gereizt« haben. Woraus sich ableiten lässt, wie ernst Schröder, übrigens nicht anders als sein Amtsvorgänger, diese Zeitung nimmt. Das führte im Frühjahr 2004, als Schröder sich nicht gut genug behandelt fühlte, zu einem Kanzler-Feldzug gegen *Bild*, der in einem grotesken Interviewboykott gipfelte.

Bei unserem Gespräch versuchte ich Steinmeier klarzumachen, warum alle Reformthemen, die der Kanzler anschneiden würde, in der jetzigen Situation einfach nicht mehr genügten. Man musste unsere Reformfähigkeit selbst reformieren. Worauf Deutschland wartete, war ein langfristiges Ziel, auf das es sich einstellen konnte und für das es auch Opfer bringen würde. Reformen brachten doch nur Reparaturen. Um wirklich etwas zu ändern, brauchte man eine Vision. Haben Sie ein Angebot? fragte Steinmeier. Aber gewiss, antwortete ich. Die Einberufung eines Verfassungskonvents. Fast alle Demokratien, so erklärte ich, haben sich bereits der Mühe einer solchen Reform unterzogen. Warum kann es einen Konvent für Österreich geben, nicht aber einen für Deutschland? Und welche Überraschung böte der Kanzler all jenen, die bei ihm eine langfristige Strategie vermissen, wenn er in seiner Rede die Einberufung einer solchen Versammlung ankündigte.

Nachdenklich geworden, wandte Steinmeier ein, die Opposition könnte daraus den Vorwurf ableiten, der Kanzler wolle nur von den drängenden Problemen des Tages ablenken. Das könne sie schon deshalb nicht, entgegnete ich, weil Stoiber genau dies in seinem Wahlprogramm angekündigt hatte. Anscheinend war das dem Kanzleramtsminister entgangen, was mich insofern nicht wunderte, als Stoiber diesen Punkt in seinen Wahlkampfreden nur selten hervorgehoben hatte. Steinmeier schien beeindruckt. Herr Henkel, sagte er, da haben Sie eigentlich recht. Aber ich weiß nicht, wie Schröder das »rüberbringen« soll. Was halten Sie davon, sagte ich, wenn ich es Ihnen aufschreibe? Steinmeier fand es gut, und schon auf dem Nachhauseweg begann ich mit dem Formulieren.

Es war Montag oder Dienstag, die Rede sollte am Freitag stattfinden. Mir blieb also genügend Zeit. Ich setzte mich an meinen PC, hielt auf eineinhalb Seiten die Ergänzung zur Rede fest, die Gerhard Schröder halten sollte, und faxte sie an Steinmeier. Als der Kanzler am 14. März 2003 die »Agenda 2010« ankündigte, war vom Konvent mit keinem einzigen Wort die Rede.

Im Sommer startete ich noch einmal einen Versuch im Kanzleramt. Gerhard Schröder hörte zwar zu, signalisierte mir aber mittels Körpersprache, dass er auf meine Einlassungen keinen Wert legte. Offenbar war er nicht bereit, über die »Majestätsbeleidigungen« hinwegzusehen, die er in meinen Kommentaren zu erblicken glaubte. Mir war im Lauf der Zeit klargeworden, dass Schröder die Welt grundsätzlich nach dem Freund-Feind-Schema einteilte. Wo ich für ihn stand, gab er mir deutlich zu verstehen. Dass es bei meinem Konvent-Vorschlag weder um mich noch um ihn, sondern allein um Deutschland ging, schien ihm entgangen zu sein.

Zwei Tage nach diesem unerfreulichen Treffen kündigte Franz Müntefering im Bundestag die Einsetzung eines Föderalismus-Konvents an. Diese »Bundesstaats-Kommission«, paritätisch zusammengesetzt aus je sechzehn Vertretern von Bundestag und Bundesrat, erarbeitet seit November 2003 eine »Modernisierung der bundesstaatlichen Ordnung« und wird bis Ende 2004 »Vorschläge für eine grundlegende Revision des

Bund-Länder-Verhältnisses« vorlegen. Wie es scheint, sind meine Vorsprachen im Kanzleramt doch nicht ganz folgenlos geblieben. Aber fast. Ganz abgesehen davon, dass wichtige Bereiche ausgeblendet wurden, lässt mich die bisherige Arbeit der Kommission daran zweifeln, dass es zu einer klaren Entflechtung der Steuerhoheit zwischen Bund, Ländern und Kommunen kommen wird. Ohne sie aber ist eine wirkliche Reform unseres Landes nicht möglich.

Im August 2003 fuhr ich von meinem Urlaubsort Konstanz nach Jagsthausen zur Burg Götz von Berlichingens. Dort hatte ich eine Verabredung mit einer Persönlichkeit, die ich seit vielen Jahren verehre, unter anderem, weil sie der deutschen Politik mehr Anstöße gegeben hat als irgendein anderer Politiker unserer Zeit. Ich spreche von Roman Herzog, dem ehemaligen Präsidenten des Bundesverfassungsgerichts und Bundespräsidenten, der den Deutschen die Notwendigkeit von Veränderungen aufs Gewissen gelegt hat. »Wir brauchen«, sagte er in seiner berühmten Rede vom 26. April 1997, »einen neuen Gesellschaftsvertrag zugunsten der Zukunft.« Er hatte mir damit aus der Seele gesprochen. Auch er wusste, dass dies von einer Veränderung der inneren Einstellung, der »mentalen und der intellektuellen Verfassung des Standorts Deutschland« abhing. Unser Land brauchte einen Ruck, ein Aufbäumen gegen die Krise. Dieser Mann schien mir ideal für unser Projekt, und deshalb wollte ich ihn bitten, die Leitung des Konvents zu übernehmen.

Professor Herzog lebt auf der Götzenburg, seit er 2001 nach dem Tod seiner ersten Frau die Baronin Alexandra von Berlichingen, die Witwe eines Freundes, geheiratet hat. Der Wohnsitz, den er gegen Schloss Bellevue eintauschte, könnte beeindruckender nicht sein. Die gewaltige, von einem Park umgebene Anlage, errichtet über einem alten Römerkastell, wirkt mit ihren massiven Ecktürmen, den Treppengiebeln und dem schattigen Innenhof wie das Urbild einer Ritterburg, an dem die letzten Jahrhunderte spurlos vorübergegangen zu sein scheinen. Im Sommer werden hier die Burgfestspiele abgehalten, und so fand ich mich, kaum angekommen, inmitten einer lärmenden

Schulklasse wieder, die zu einer Theateraufführung von Goethes *Götz von Berlichingen* angereist war.

Da es nicht leicht ist, sich in den labyrinthischen Burggängen zurechtzufinden, suchte ich eine Weile nach den Privaträumen meines Gesprächspartners, der sich vom Bundespräsidenten in den Nachfolger des Ritters mit der eisernen Hand verwandelt hat. Dann stand ich Roman Herzog gegenüber, drückte seine gar nicht eiserne Hand und trug ihm mein Anliegen vor. Im Auftrag meiner Konventskollegen sagte ich ihm, er habe so viel für sein Land getan, als Universitätslehrer, Landesminister, Präsident des Bundesverfassungsgerichts, endlich als Bundespräsident, dass es fast unbillig erscheint, ihm ein weiteres Amt zuzumuten. Trotzdem: »Sie müssen noch einmal etwas für Ihr Vaterland tun.«

Nach zweistündigem Gespräch und gemeinsamem Mittagessen stimmte Roman Herzog zu. Am Nationalfeiertag, dem 3. Oktober 2003, wurde im Berliner Adlon-Hotel, wo Roman Herzog seine berühmte »Ruck«-Rede gehalten hat, der Konvent für Deutschland unter seiner Leitung aus der Taufe gehoben.

KAPITEL ZEHN

Die Kraft des Neubeginns

W enn das vielfach geteilte Deutschland sich zwischen dem 17. und dem 20. Jahrhundert einen Vorsprung gegenüber anderen Ländern erarbeitet hatte, dann im Bereich der Bildung. Deutschland galt, nicht nur bei den eigenen Bürgern, als Land der Dichter und Denker, und es war stolz darauf. Man eroberte die Welt nicht, wie die Kolonialmächte, mit Kanonen und Paragraphen, sondern mit Literatur und Wissenschaft. Deutsche Gelehrsamkeit galt als führend in der Welt, und die entscheidenden Erfindungen, die die Moderne prägen, stammten auch von deutschen Forschern und Technikern.

Diese Tradition muss heute als abgerissen gelten. Die wissenschaftliche Leidenschaft und Entdeckerfreude, die uns einst auszeichnete, ist auf andere Nationen übergegangen. Kulturelle Höchstleistungen, ob in Literatur, Musik oder bildender Kunst, in Film und Fotografie, kommen selten aus Deutschland. Nobelpreise sind nur noch spärlich gesät. Dafür gelten heute die typischen Begleiterscheinungen des kolonialen Imperialismus, wie Kadavergehorsam, Militärgeist, Brutalität und nationaler Größenwahn, als Merkmale der deutschen Geschichte. Im verzweifelten Bemühen, diese teils selbstverschuldeten Charakteristika wieder abzustreifen, hat Deutschland das Kind mit dem Bade ausgeschüttet und auch seine guten Wesenszüge als »Sekundärtugenden« über Bord geworfen. Man bewundert uns nur noch für unsere Autos. Kultiviertheit, Forschergeist und Bildung sucht man heute anderswo, zum Beispiel in Amerika.

In kaum einer Rede unserer Politiker und Funktionäre fehlt der Hinweis, dass unser Land den Mangel an Bodenschätzen und natürlichen Ressourcen durch den »Rohstoff« Geist ausgleichen muss. Im Intellekt und seiner Ausbildung liegt unser

Kapital. Das heißt aber auch, dass uns nachlässige Bildung und geistige Trägheit langfristig in die Armut führen. Die PISA-Ergebnisse (»Program for International Student Assessment«, also »Programm zum internationalen Leistungsvergleich von Schülern«), die für die Zukunft das Schlimmste befürchten lassen, liegen uns seit Dezember 2001 vor. Ich rief damals die Redaktion von *Sabine Christiansen* an, um dringend dieses Thema zu empfehlen. Zunächst war meinem Gesprächspartner nicht einmal klar, was PISA bedeutete. Unserem die Toscana liebenden Bundeskanzler war es ähnlich ergangen, als er in einer Rede behauptete, diese Studie sei »nach einer norditalienischen Stadt« benannt.

Nach einiger Zeit hat PISA dann doch gewaltige Wellen geschlagen. Nur leider die falschen. Während von staatlich finanzierten Bildungsinstituten wie dem Leibniz-Institut für die Pädagogik der Naturwissenschaften in Kiel oder dem Rheinisch-Westfälischen Institut für Wirtschaftsforschung in Essen wissenschaftlich abgesicherte Vorschläge erarbeitet wurden, wie sich unser PISA-Problem lösen ließe, griffen Schröder und Bulmahn zur Hauruckmethode: 10 000 Ganztagsschulen mussten her. Und das, obwohl kein namhafter Wissenschaftler dies für das geeignete Rezept hielt. Ganz abgesehen vom verfehlten Weg, der damit eingeschlagen wurde, ist es doch erstaunlich, wie leichtfertig hier mit den Vorschlägen unserer Fachwissenschaftler umgegangen wird. Man stelle sich vor: Da arbeiten Hunderte von Forschern aufgrund empirischer Erhebungen an der Entwicklung neuer Schulformen und besserer didaktischer Methoden, und unsere kühnen Bildungspolitiker verschreiben statt dessen einen Schluck aus ihrer Zaubertrunkflasche. Aber es ließ sich eben wunderbar in den Wahlkampf 2002 einbauen.

In Wahrheit ging es ihnen gar nicht um eine Hebung des Bildungsstandards. Man nutzte PISA zunächst nur, um die eigenen Wahlchancen zu verbessern und eine fixe Idee des sozialistischen Menschenbilds durchzusetzen. Vater Staat beansprucht nämlich nicht nur die Lufthoheit über den Kinderbetten, sondern auch über den Schulklassen. Prinzipiell bin ich auch für Ganztagsschulen oder nachmittägliche Betreuung der Schüler. Vorausgesetzt, dass sie dabei mehr lernen und bessere Ergebnisse erzielen. So, wie es gehandhabt wird, führt es allerdings nur zu einer gigantischen Täuschung der Bürger, denen man auf die Nase bindet, ihre Kinder bekämen jetzt eine bessere Ausbildung. Denn die meisten Gemeinden, die das Angebot des Bundes annahmen, bieten den Kindern keinen zusätzlichen Unterricht, sondern Suppenküche am Mittag und Betreuung für den Nachmittag. Die Eltern werden staunen, wenn die nächste PISA-Studie kommt.

Ein Grundfehler, der durch Ganztagsschulen eher noch verstärkt wird, liegt in der gleichmäßigen Förderung aller Schüler. Dass die einen mehr, die anderen weniger begabt sind, wird ausgeblendet. Dass sich die einen für dieses, die anderen für jenes Feld eignen, wird als Nebensache behandelt. »Hauptsache Gleichbehandlung« ist die Devise, und diese Tendenz wird durch die Ganztagsschule noch verstärkt. Gerade Hochbegabte, die nachmittags in bildungsnahen Familien gefördert wurden, müssen sich jetzt ganztägig der Geschwindigkeit der Klasse anpassen.

Ein zweiter Fehler liegt darin, den Eltern die Verantwortung für ihre Kinder immer mehr abzunehmen, auch solchen, die sich nachmittags um sie kümmern wollen. Die ideologische Absicht liegt auf der Hand, doch der Preis für die Staatskontrolle ist hoch: Kein Lehrer kann sich jemals persönlich für ein Kind verantwortlich fühlen, wie dies bei Eltern selbstverständlich ist. Ich bin sicher, dass die meisten Eltern ihre Kinder als Geschenk empfinden, das zu erziehen und zu fördern sich lohnt. So werden mit diesem Modell die eigentlichen Erziehungsberechtigten entmachtet, ohne dass das Vakuum, das bei den Kindern entsteht, gefüllt würde. Der Staat maßt sich die Funktion an, einen Familienersatz zu bieten, ja sogar etwas Besseres als die Familie zu bieten: das vernünftige Kollektiv. Es fällt nicht schwer, dahinter den alten 68er-Mythos von der Befreiung aus der »repressiven Kleinfamilie« zu erblicken. Unter dem Vorwand, die Kinder zu betreuen, wird nur die »falsche Autorität« von Vater und Mutter durch die »richtige« von »Vater Staat« ausgetauscht.

Dabei kommt den Eltern bei der Bildung ihrer Kinder eine mindestens ebenso wichtige Rolle zu wie dem Staat. Denn das Lernen beginnt nicht erst mit dem Schulalter. So empfiehlt etwa Professor Dieter Lenzen, Präsident der Freien Universität Berlin, die Lernfreude der Kinder so früh wie möglich herauszufordern. Mir leuchtet das ein. Meine Schwester Karin wurde mit vier Jahren ans Klavier gesetzt, und das ging nicht ohne einen gewissen Zwang ab. Unser Vater, selbst ein begabter Musiker, weckte den nötigen Ehrgeiz in ihr und ermunterte sie sogar in Briefen aus Ungarn, fleißig zu üben. »In der Erinnerung sehe ich Dich noch in Deinem Zimmer im II. Stock in unserem früheren Haus beim Klavierüben«, schrieb er ihr am 16. April 1944. »Wie fleißig Deine kleinen Händchen über die Tasten glitten. Denkst Du noch daran? Die Sonatinen von Clementi.« Karin, die eine gute Pianistin wurde, blieb Vater zeitlebens dankbar dafür. Meine eigenen Kinder lernten in unglaublich kurzer Zeit Englisch und Französisch, nicht weil es ihnen eingebleut worden wäre, sondern weil sie als Kleinkinder in diesem Sprachraum aufwuchsen.

Die Bedeutung der Eltern bei der Erziehung kann gar nicht hoch genug eingeschätzt werden. Nur sie können ihre Kinder schon früh ans Lesen heranführen, diesen Königsweg zur Bildung. Es gibt einen nachgewiesenen Zusammenhang zwischen der Lesefähigkeit, dem Begreifen komplexer Zusammenhänge und dem Abschneiden in der Schule. Bildung entsteht durch Lesen. Ich fürchte, diese simple Erkenntnis ist uns verlorengegangen. Nach einer Rede, die ich bei der Leipziger Buchmesse 2004 vor achthundert Bibliothekaren gehalten habe, sprach ich mit dem Sprecher der Deutschen Bibliotheksverbände, Georg Ruppelt, nebenbei auch Chef der »Stiftung Lesen«. Halb im Scherz sagte ich, seit dem PISA-Schock müsse doch ein wahrer Ansturm auf die Büchereien stattgefunden haben. Zu meiner Freude bestätigte er dies. Seine »Stiftung Lesen«, die früher zu den netten, aber nicht für besonders effektiv gehaltenen Stif-

Mittwoch d. 22. Nov. 1944
20 km. vor Budapest.

Meine liebe kleine Karin!

Über Deinen lieben Brief habe ich mich sehr gefreut. Du lernst also sogar schon Englisch. Sei man schön fleißig. Wie ist es denn nun mit dem Unterricht in Klavierspielen? Nachdem ihr jetzt den Flügel wieder bei Euch habt, wäre es doch schön wenn Du wieder Unterricht nehmen würdest. Besprich doch mal die Sache mit Mutti. Hast Du denn auch schon eine gute Schulfreundin in Lüneburg? Sei auch immer so schön artig wie in letzter Zeit. Mutti hat mir geschrieben, daß Du ihr vor allem in Amelinghausen so gut geholfen hast. Ich habe mich ja so sehr darüber gefreut. Wie geht es denn meinem lieben Schnuckel und dem kleinen Joachim? Schreibe mir doch bald einmal darüber was die kleinen Buschen machen. Und kann Schnuckel mir einmal wieder einen "Brief" schreiben. Du weißt, wie damals. Sobald ich Gelegenheit habe will ich Dir auch etwas Schönes nach Haus senden. Jetzt kann ich noch

»Wie ist es denn nun mit dem Unterricht im Klavierspielen?« Mein Vater schreibt aus Budapest an seine Tochter.

357

tungen zählte, hat durch PISA enorm an Bedeutung gewonnen. Lesen ist heute wieder »in«, und das liegt, hoffentlich, nicht nur an *Harry Potter*.

Meinen Kindern habe ich schon früh geraten, möglichst viele Bücher und jeden Tag auch die Zeitung zu lesen. Ich selbst verdanke einen Großteil meines Wissens weder der Schule, in der ich leider etwas untermotiviert war, noch dem Studium an der Hamburger Hochschule für Wirtschaft und Politik noch auch der Lektüre von Büchern, sondern den Medien. Mein Wissen habe ich schon in den Fünfzigern durch ausgiebiges Radiohören, anschließend durch intensives Zeitungsstudium angereichert, von den Wochen- und Monatsjournalen ganz zu schweigen. Bildung heißt Information, und da diese mit einem kurzfristigen Verfallsdatum versehen ist, muss man sich »auf dem laufenden« halten, und zwar täglich. Ich kann nur immer über unsere Ideologen staunen, die ihre Weisheit aus Sachbüchern des 19. Jahrhunderts schöpfen und damit die Probleme des 21. Jahrhunderts lösen wollen.

Um meine Kinder und die meiner Verwandten und Freunde zum Lesen zu animieren, habe ich in unserer Wohnung im Engadin Bücher liegen. Dagegen habe ich auf einen Fernseher bewusst verzichtet. Das führt regelmäßig dazu, dass neu eingetroffene Gäste erst diskret, dann immer verzweifelter nach dem Fernseher suchen. Da ich niemanden vorwarne, ist die Betroffenheit groß. Als mein Segelfreund Robi Hallmann kürzlich zum Skiurlaub anreiste, öffnete er eine Stunde lang sämtliche Schränke und tastete die Wände ab, um den, wie er meinte, elegant versteckten Fernseher aufzuspüren. Entnervt rief er mich an, worauf ich ihm die Lektüre der Bücher empfahl, die ich in der Wohnung zurückgelassen hatte. Auch mein jüngster Sohn Oliver greift dort immer zu einem Buch und liest es bis zum Ende des Urlaubs durch.

Was Deutschlands heutigen Bildungsstand anbelangt, scheint mir eine düstere Prognose unvermeidlich. Wenn es denn stimmt, woran ich nicht zweifle, dass Wohlstand und Wettbewerbsfähigkeit einer Gesellschaft von der Bildung ihrer Bürger abhängen, dann scheint unser nationaler Abstieg vorprogrammiert. In der genannten PISA-Studie rangierten unsere Schüler unter den beteiligten Industrieländern der OECD an einundzwanzigster Stelle. Das heißt, zwanzig moderne Staaten haben ihre Kinder besser auf das Leben vorbereitet als wir und sich damit selbst eine solidere Zukunftsgarantie geschaffen. Wenn unsere PISA-Prüflinge in diesen Jahren die Schulen verlassen, um in die Wirtschaft, die Wissenschaft, die Medien oder die Politik zu gehen, haben sie wesentlich schlechtere Chancen, den globalisierten Wettbewerb mit ihren ausländischen Alterskameraden zu bestehen. Und das heißt eben, dass unsere Gesellschaft schlechtere Chancen hat. Der Luxus einer verfehlten Bildungspolitik fordert Jahrzehnte später seinen Preis, nämlich den Verlust von Luxus.

Selbst wenn wir in der Lage wären, das Bildungsruder um 180 Grad herumzudrehen, müssten wir für lange Zeit damit rechnen, dass deutsche Geschäftsleute, Wissenschaftler oder Politiker ihren Konkurrenten unterlegen sein werden. Sie merken es vielleicht nicht, aber am Ergebnis des Wettbewerbs wird es sich ablesen lassen. Ich behaupte, es lässt sich bereits jetzt ablesen. Ganzen Schülergenerationen, die man mit Zensuren verschont hat, werden diese im globalen Wettbewerb der Erwachsenen nachgereicht. Statt schlechter Noten gibt es hier schlechte Ergebnisse. Benachteiligt sind wir, weil wir auf die Vorteile der traditionellen Erziehung verzichtet haben. Kaum etwas deprimiert mich mehr als diese Aussicht. Kein Wunder, dass sie offiziell unter dem Deckel gehalten wird. Man spricht nicht darüber, in der kindischen Hoffnung, dass sich das Problem von selbst löst. Aber solange Probleme nicht begriffen werden, lassen sie sich auch nicht lösen.

Was muss jetzt geschehen? Zum einen muss das Steuerrad herumgeworfen werden. Die Gleichmacherei an deutschen Schulen hat nur dazu geführt, dass alle gleich und das heißt mittelmäßig geworden sind. Spitzenleistungen lassen sich nur durch individuelle Förderung erzielen. Man hat versucht, den »Druck« aus dem Bildungssystem herauszunehmen, als handle es sich dabei um eine Freizeitveranstaltung. Dabei ist Druck nur ein negatives Wort für die notwendige Spannung, die durch Wettbewerb und Kräftemessen entsteht. Der verpönte Ehrgeiz ist die gesunde Droge, die Kinder einfallsreich und schöpferisch macht. Die »Kreativität«, dieses Schlüsselwort der autoritätslosen Erziehung, ist völlig missverstanden worden. Man glaubte, Kinder würden von selbst kreativ, wenn man sie nur spielen lässt. Aber dann bleiben sie ewig in der Kuschelecke und versagen vor der Wirklichkeit. Kreativität entsteht, wenn man Vorbildern nacheifert, wenn man besser sein will als andere, wenn man »die letzten Reserven mobilisiert«. Aus dem Stand gibt es nichts, höchstens Stillstand.

Mehr Wettbewerb, echte Leistungsanreize und anspruchsvolle Standards sind die Säulen, auf denen ein funktionierendes Bildungssystem steht. Begabungen müssen nicht nivelliert, sondern geradezu provoziert werden. Wenn man aber nicht länger auf das »Kollektiv«, sondern auf das Individuum setzt, dann darf auch Bildung nicht länger zentralistisch verwaltet werden. Ich plädiere für eine radikale Entflechtung. Die Verantwortung muss in die Hoheit der Länder gelegt werden, wobei den einzelnen Schulen möglichst große Autonomie beim Erreichen ihrer Ziele eingeräumt wird. Freiheit bietet auch hier den Schlüssel zum Erfolg.

Natürlich schließt dies weder eine regelmäßige Qualitätskontrolle noch die Schaffung nationaler Standards aus. Allerdings haben diese nur dann eine Berechtigung, wenn sie sich an internationalen Maßstäben orientieren, denn über kurz oder lang müssen sich auch die Schüler daran messen lassen. Über kurz oder lang wird eine Nation, die in ihrer Schulbildung versagt, von der globalen Welt selbst in die Lehre genommen werden. Und das könnte für uns eine bittere Lektion werden.

In Deutschland gibt es eine Organisation, die sich »Allianz« nennt und nicht das Geringste mit dem gleichnamigen Versicherungskonzern zu tun hat. Es handelt sich um einen losen Verbund der Präsidenten der führenden Forschungs- und Bildungsorganisationen Deutschlands, darunter der Wissenschaftsrat, die Max-Planck-Gesellschaft, die Helmholtz-Gemeinschaft, die Fraunhofer-Gesellschaft, die Deutsche Forschungsgemeinschaft, die Hochschulrektorenkonferenz und die Leibniz-Gemeinschaft. Auch Edelgard Bulmahns »Elite-Universität« wurde in der Allianz besprochen, wobei bemerkt wurde, dass entscheidende Elemente von der Bundesministerin vergessen worden waren. Nach langer Diskussion einigten wir uns auf ein Kompromisspapier, das ungefähr die Mitte darstellt zwischen den teilweise naiven Vorstellungen der Ministerin und dem ausdrücklichen Wunsch der einzelnen Länder, nicht ohne »Elite-Universität« dazustehen. Das heißt, dass Deutschland am Ende sechzehn solcher Spitzeninstitute aufweisen soll. Ein schöner Traum.

Wir diskutierten auch über die von Frau Bulmahn ausgelobten fünfmal 50 Millionen Euro, aus denen dann zehnmal 25 Millionen Euro wurden. Nach welchen Kriterien, so fragte sich die Allianz, sollen sie an welche Universität vergeben werden? So lobenswert der Betrag als Leistungsanreiz ist, scheint er mir doch mit dem Finanzrahmen ausländischer Elite-Universitäten nicht kompatibel. Gemessen an den Milliarden, über die amerikanische Hochschulen wie Harvard oder Yale verfügen, handelt es sich um eine lächerliche Summe. Was mich wieder an die PR-Initiative mit den Ganztagsschulen erinnert, bei der ebenfalls der Berg kreißte und eine Maus gebar. Auch die Allianz kreißt und kreißt, doch es kommt wenig dabei heraus. Sie besteht aus vielen Einzelstimmen, aber sie hat keinen Sprecher. Genau den bräuchte sie, wenn sie wirklich eine Allianz für die deutsche Bildung sein wollte.

Jedem Professor dürfte heute klar sein, dass Universitäten erst dann zur Spitzenform auflaufen, wenn sie ihr Schicksal in die eigene Hand nehmen dürfen. Das heißt, sie müssen möglichst weitgehende Autonomie erhalten, sie müssen ihre Studenten selbst auswählen, Studiengebühren erheben und miteinander in Wettbewerb treten können. Nicht anders, als es in allen Staaten mit Elite-Hochschulen üblich ist. Aber auch hier blieb die Allianz hinter ihren Möglichkeiten zurück. Statt in der Frage der Autonomie klar Position zu beziehen, brachte sie diese Forderung in ihrem Papier zum Thema Elite-Universität nicht zum Ausdruck. Kurz vor Veröffentlichung erhielt ich den Anruf des Wissenschaftsministers eines deutschen Bundeslandes. »Wie ist es möglich«, fragte er mich, »dass die Allianz ein Dokument veröffentlicht, in dem das Wichtigste fehlt, was an deutschen Hochschulen zu geschehen hat: die Befreiung von der staatlichen Bevormundung?« – »Ganz einfach«, antwortete ich, »weil auch in diesem hochmögenden Gremium Personen sitzen, die zuviel Respekt vor Politikern haben und kuschen, weil sie ihre Zuwendungsgeber sind.«

Es liegt aber nicht nur am fehlenden Mut, sondern auch an der Zersplitterung der Kräfte. Die Vielstimmigkeit des Chors der Wissenschaftler führt nicht nur dazu, dass die einzelnen Stimmen gar nicht gehört werden, sondern dass alles in einer kaum erträglichen Kakophonie untergeht. Meine Versuche, die Allianz mit Hilfe einer kleinen Satzung und der demokratischen Wahl eines Sprechers oder Präsidenten zu einer schlagkräftigen Organisation zu machen, sind bisher an der Eitelkeit und den Machtansprüchen einiger ihrer Mitglieder gescheitert. Auch an Eingriffen von seiten der Forschungspolitik. Aber ich werde nicht aufgeben.

* * *

Wenn eine Gesellschaft ihren Wohlstand der Bildung ihrer Bürger verdankt, so auch deshalb, weil sich Bildung von selbst in Forschung niederschlägt: Wer etwas weiß, will mehr wissen. Wer in seinem Studium auf ein Problem oder ein Rätsel stößt, will es lösen. Und wem das Glück einer Entdeckung oder gar Erfindung zuteil wird, der wird danach streben, sie allen zugänglich zu machen, sei es durch eine bahnbrechende Veröffentlichung oder durch ein neues Produkt, das den Weltmarkt erobert. Das Bildungsniveau einer Gesellschaft lässt sich vermutlich auch daran ablesen, wieviel sie bereit ist, für Wissenschaft und Forschung auszugeben.

Seit Sommer 2001 setze ich mich als Präsident der Wissenschaftsgemeinschaft Gottfried Wilhelm Leibniz dafür ein, dass Wissenschaft und Forschung in unserem Land den Platz einnehmen, der ihnen in den USA, Japan, der Schweiz oder den nordischen Ländern geboten wird. Die Leibniz-Gemeinschaft besteht aus achtzig außeruniversitären Forschungsinstituten, die relativ unabhängig von zentralen Vorgaben arbeiten können. Das Spektrum der Gemeinschaft mit ihren 12 500 Beschäftigten und einem Gesamtetat von 950 Millionen Euro reicht von den Raum- und Wirtschaftswissenschaften bis in die Natur-, Ingenieur- und Umweltwissenschaften, es umfasst Bibliotheken, Sprachinstitute und führende deutsche Museen mit Forschungsabteilungen. Zur Leibniz-Gemeinschaft gehören das Institut für Deutsche Sprache in Mannheim ebenso wie das Münchner ifo-Institut für Wirtschaftsforschung, das Forschungsinstitut für Molekulare Pharmakologie in Berlin wie das Institut für Niedertemperatur-Plasmaphysik in Greifswald, das Bergbau-Museum in Bochum ebenso wie das Germanische Nationalmuseum in Nürnberg. Die Finanzierung teilen sich Bund und Länder.

In den letzten Jahren habe ich mich systematisch mit der Materie der Institute bekannt gemacht und inzwischen siebzig von ihnen, teilweise mehrmals, besucht. Die Anlässe waren unterschiedlich. Kürzlich hatte ich ein Grußwort bei der Grundsteinlegung eines »Wolkenlabors« zu sprechen, was manchem Leser wie eine poetische Umschreibung des Bildungsministeriums klingen mag. Aber es wird dieses Labor wirklich geben, im Institut für Troposphärenforschung in Leipzig. Wie mir demonstriert wurde, werden in diesem Labor künstliche Wolken erzeugt, um die Prozesse in der untersten Schicht der Atmosphäre besser verstehen zu können, wovon nicht nur die Wettervorhersagen, sondern auch der Umweltschutz profitieren. Ein ähnlich unwahrscheinlich klingendes »Institut für Kristallzüchtung« haben wir übrigens auch, und ich konnte dort mit eigenen Augen die Kristalle wachsen sehen.

Mit dem Bildungsnotstand in unserem Land beschäftigt sich das Deutsche Institut für Erwachsenenbildung in Bonn. Bildung ist kein Privileg der Jugend, und eine Gesellschaft muss darauf achten, diesen Prozess der Wissensaktualisierung niemals abbrechen zu lassen. In unserem Bonner Institut werden Konzepte entwickelt, wie auch bei Erwachsenen die Lust am Lernen wieder geweckt werden kann. Längst weiß man, dass Erwachsene ganz anders und jedenfalls langsamer lernen als Kinder. Entsprechend müssen die Programme ausgelegt sein. Computergestützte Lernsysteme bieten hier unendliche Möglichkeiten, zumal man die Lerngeschwindigkeit nicht, wie beim Frontalunterricht in der Klasse, vorgegeben bekommt, sondern sie sich individuell einstellen kann. Eigentlich müsste man aus PISA die Konsequenz ziehen, dass die jungen Leute, die durch schlechte Schulerziehung geschädigt wurden, ihre Wissenslücken später ausgleichen und ihr versäumtes Pensum nachholen sollten. Für Schule ist es nie zu spät, vorausgesetzt, Wirtschaft und Politik stellen die Mittel dafür bereit und die Erwachsenengesellschaft nimmt das Angebot an.

Dringend nötig wäre es. In den Diskussionen um die Ausbildungsplatzabgabe wurde kaum berücksichtigt, dass zwischen 15 und 20 Prozent der Bewerber nicht richtig lesen, schreiben oder rechnen können. In der Wirtschaft lässt PISA schon lange grüßen. Das führte dazu, dass immer mehr Arbeitgeber den Mut verloren haben, an Erziehung nachzuholen, was die Schule versäumt hat. Dass das alberne Gesetz für eine Ausbildungsplatzabgabe durch Minister Clement und die Wirtschaft vorerst zu Fall gebracht worden ist, darf nicht darüber hinwegtäuschen, dass es aufgrund der ideologischen Verbohrtheit von Herrn Müntefering und Frau Bulmahn vom Bundestag zunächst verabschiedet wurde.

Dieses Gesetz, das nach wie vor droht, trägt Unsicherheit in die Unternehmen hinein. So beschrieb mir der langjährige Lufthansa-Chef und jetzige Aufsichtsratsvorsitzende Jürgen Weber, welche haarsträubenden Folgen es für seine Fluggesellschaft haben kann. Da Berufsbilder wie »Pilot« oder »Stewardess« im dualen System nicht auftauchen, müsste er eigentlich, zur Vermeidung der »Umlage«, Lehrlinge in die Kabinen setzen. Auf der anderen Seite gibt die Lufthansa viele Millionen für die Erst-

und Weiterbildung ihres Personals aus, ohne dass dies zu einer Ausnahmeregelung im Gesetzesvorhaben geführt hätte. Schilda lässt grüßen.

Der nun abgeschlossene »Pakt« mit der Wirtschaft ist auch nicht viel besser. Ignorieren die »Vertrags«-Partner doch den simplen Umstand, dass auch in einer sozialen Marktwirtschaft kein Verband eine verbindliche Zusage über die Schaffung von Ausbildungsplätzen geben kann. Das geht ganz einfach deshalb nicht, weil sich die Geschäftsentwicklung nicht voraussagen lässt. Ebensogut könnte man eine Zwangsabgabe für Firmen einführen, die nicht genügend Arbeitsplätze schaffen. Mit dem Geld ließe sich dann wunderbar eine Staatswirtschaft wie einst im Ostblock aufbauen. Ein Horrorszenario? Ausländischen Beobachtern unseres Landes fällt schon seit längerem auf, dass die rot-grüne Regierung auf Wirtschaftsrezepte setzt, die fatal an DDR-Zeiten erinnern.

Natürlich lässt sich das Problem der fehlenden Lehrstellen nicht wegdiskutieren. Wo über 40 000 Unternehmen im Jahr und mit ihnen täglich 1000 Arbeitsplätze untergehen, gehen auch Ausbildungsplätze mit unter. Dennoch könnte, bei gutem Willen aller Beteiligten, vieles verbessert werden. Für mein Gefühl fehlt es an Bereitschaft auf beiden Seiten: Zu viele junge Leute lassen sich hängen, zu wenige Firmen finden die Zeit, sie auf die eigenen Füße zu stellen. Aber wenn sie nicht lernen zu gehen, sprich: eine qualifizierte Funktion zu übernehmen, wird das Problem irgendwann an der Gesellschaft hängenbleiben.

Große Firmen wie Siemens, IBM oder DaimlerChrysler stellt die Weiterbildung ihrer Mitarbeiter vor weniger Schwierigkeiten, da sie sich entsprechende Institutionen leisten können. Der klassische Kfz-Mechaniker etwa gleicht immer mehr einem Informationstechniker, der ebenso perfekt mit dem Schraubenschlüssel wie mit Computerprogrammen umgehen muss, bei denen die Elektronik im Auto mit einem Großrechner in der Firmenzentrale verknüpft wird. Diese Fertigkeiten setzen eine Weiterbildung voraus, wie große Unternehmen sie selbstverständlich anbieten. Weit schwerer fällt dies dem traditionellen

Herzstück der deutschen Wirtschaft, dem Mittelstand. Die wenigsten Firmen können sich eigene Abteilungen für Weiterbildung leisten. Um so wichtiger scheint mir, dass sie und ihre Mitarbeiter die bestehenden Angebote ausnutzen, etwa die gute alte Volkshochschule. Damit diese zu einer guten neuen Volkshochschule wird, muss sie natürlich den Bedürfnissen auch des Mittelstands entgegenkommen, dessen Überleben davon abhängt, etwa in der Computertechnik auf dem neuesten Stand zu sein.

Gerade wegen der dramatischen Entwicklung in der Informationstechnik müssen wir unsere eigenen Techniken, uns zu informieren, ständig anpassen. Bildung ist kein Besitzstand, sondern ein Wachstumsprozess, der nie endet. Deshalb sollte die Erwachsenenbildung gleichrangig neben Schule und Universität stehen. Wir brauchen mehr Bildung während der Berufsphase. Da wir aber ein Land sind, das sich ohnehin die kürzesten Arbeitszeiten gönnt, kann die Bildung nicht auch noch von der Berufszeit abgeknapst werden. Wir müssen jetzt die finanziellen Räume schaffen, um uns die notwendige Weiterbildung auch leisten zu können. Dabei hilft die Verlängerung der Lebensarbeitszeit, aber noch wichtiger ist es, die Investitionen in die Anfangsbildungszeit zu erhöhen und das Bewusstsein dafür zu schärfen, dass Bildung eine Holschuld jedes einzelnen ist. Man kann zwar Menschen für diese oder jene Fertigkeit ausbilden. Bilden aber muss jeder sich selbst.

Dass unsere Gesellschaft immer älter wird, bedeutet nicht automatisch, dass sie auch immer weniger lernfähig ist. Gerontologen teilen die über Sechzigjährigen in drei Gruppen ein: Die eine kann sich nicht mehr auf der Höhe der eigenen Geistesfähigkeiten halten. Die zweite bewahrt ihren Standard, die dritte lernt sogar noch hinzu. Zu welchem Drittel man gehört, hängt vom Beurteilenden ab. Fragte ich meine Kinder, wo sie mich einordnen würden, kämen sie sicher zu einem anderen Ergebnis als ich selbst.

Insgesamt bleibt das Gehirn heute länger aufnahmefähig als früher, was auch mit dem Dauerbombardement der Medien zusammenhängt. Ein Sechzigjähriger ist heute geistig so fit wie vor zwanzig Jahren ein Fünfzigjähriger. Eine kluge Gesellschaft könnte sich dies zunutze machen. Amerika hat es längst begriffen: Dort darf niemand vor dem siebzigsten Lebensjahr wegen seines Alters gekündigt werden. Eine vom Arbeitgeber durchsetzbare Pensionsgrenze wurde abgeschafft. Heute ist jeder fünfte Amerikaner über fünfundsechzig noch in Arbeit. Bei uns dagegen arbeitet nicht einmal 1 Prozent dieser Altersgruppe.

Das Vorbild Amerika zeigt außerdem, dass jeder, der nicht mehr im Arbeitsprozess steht, freiwillig Aufgaben übernehmen kann. Da einem der Staat die Sorgen für Unterhalt und Gesundheit abnimmt, lässt sich die freie Zeit für ehrenamtliche Arbeiten nutzen. Oft werde ich gefragt: »Herr Henkel, warum tun Sie sich das mit den ehrenamtlichen Jobs an? Erst sind Sie für den BDI von morgens bis abends herumgerast, jetzt rackern Sie sich für die Leibniz-Gemeinschaft ab. Warum widmen Sie sich nicht Ihrem Hobby?« Meine Antwort lautet: »Das ist mein Hobby. Ich habe mich dafür entschieden, und in jeder Minute, die ich im Flieger oder im Zug sitze, um den nächsten Termin zu erreichen, kann ich mir sagen: Genau so hast du's gewollt.«

Eine ehrenamtliche Tätigkeit leistet nicht nur Dienst an der Gemeinschaft, sondern auch an einem selbst. Es gibt so viele Möglichkeiten, sich Aufgaben zu suchen, die den eigenen Fähigkeiten entsprechen, statt, wie bei uns üblich, darauf zu warten, dass Vater Staat sie einem zuteilt. Jeder kann, wenn er will. Und wenn er es tut, wird er schnell sehen, dass sich die Optimierung der eigenen Lebensfreude, auch des eigenen Nutzens, durchaus mit dem Nutzen der Allgemeinheit verträgt. Denn Eigennutz bedeutet nicht, wie heute wieder suggeriert wird, Egoismus. Wird er in die richtigen Bahnen gelenkt, ist er mit dem Gemeinnutz identisch. Von jeder Tätigkeit, die man aus freiem Willen leistet, profitieren beide Seiten.

Wie oft klagen ältere Menschen darüber, dass sie »isoliert« sind. Ich kann ihnen nur empfehlen, sich selbst nicht vom Leben auszuschließen. Wenige sind so schwach, dass sie nicht noch Schwächeren helfen könnten. Sobald Verantwortung, Konzentration und Einsatz gefordert sind, das beweist die Altersforschung, steigt die Leistungsfähigkeit automatisch an. Ich behaupte sogar: Wer etwas für die Jüngeren tut, bleibt dabei selbst jung. Wer sich für andere einsetzt, hat seinen Platz in der Gesellschaft schon gefunden.

Eine besonders effektive Art, allen Altersgruppen Bildung zu vermitteln, wird von den Museen angeboten. Was man in Büchern liest, wird einem hier anschaulich vor Augen geführt und in einen plastischen Zusammenhang gestellt. Wer als junger Mensch etwa eine archäologische Ausstellung besucht, wird leicht den Wunsch entwickeln, selbst zum Altertumsforscher zu werden. Wer ins Deutsche Museum in München geht, das ebenfalls der Leibniz-Gemeinschaft angehört, wird vielleicht Naturwissenschaftler oder Ingenieur werden wollen.

Um der Bevölkerung die Bedeutung wissenschaftlicher Forschung nahezubringen, haben wir zusammen mit anderen Forschungsorganisationen die Initiative »Wissenschaft im Dialog« gestartet. In Berlin veranstalteten wir die »Nacht der Wissenschaft«, bei der alle Institute der Stadt an einem Samstag bis zwei Uhr morgens ihre Tore für jedermann geöffnet hielten. Und die Berliner kamen, verblüffenderweise, in Massen. Sie ließen sich im Weierstraß-Institut für Angewandte Analysis und Stochastik die Bedeutung der Mathematik für die Zukunft der Menschheit erklären und warum sich die Investition in Mathematik lohnt. Am Ferdinand-Braun-Institut wurden sie in die Grundlagen der Höchstfrequenztechnik eingewiesen, im Paul-Drude-Institut in die Geheimnisse der Festkörperelektronik.

Auch ich bin mitten in der Nacht losgegangen, um »meine« Institute als normaler Besucher kennenzulernen. Dabei konnte ich eine interessante Beobachtung machen: Die jungen Wissenschaftler, alle hochspezialisiert und leibniz- oder gar nobelpreisverdächtig, standen plötzlich vor Publikum und mussten, notgedrungen, die komplexen Sachverhalte ihrer Disziplin aus dem Fachchinesisch in die Umgangssprache übersetzen. Zu meiner Überraschung gelang es. Die Faszination der Forschung, sonst nur ganz wenigen vorbehalten, sprang spürbar auf die Besucher über. In diesem Augenblick wurde mir noch einmal klar, dass der deutschen Wissenschaft ein Anwalt fehlt, der sich in der Öffentlichkeit für sie einsetzt, der für sie wirbt und überzeugend darstellt, warum es sich lohnt, in Bildung zu investieren. Er würde als Anwalt der nachfolgenden Generationen sprechen.

Leider gibt es einen solchen, der Öffentlichkeit bekannten Anwalt nicht. Leider gibt es niemanden, der aufschreit, wenn der Bundestag immer neue Gesetze gegen die Freiheit der Forschung erlässt. Stichworte sind hier Gentechnik, Kerntechnik, Stammzellenforschung. Offenbar ist die Faszination des Wissens und der Wissenschaft nicht auf unsere Politiker übergesprungen. Aufgrund ideologischer Scheuklappen sehen sie nicht einmal, dass eine Nation, die ihrer Wissenschaft die ideologische Kandare anlegt, sich ihrer eigenen Zukunftsfähigkeit beraubt. Zwar hat Kanzler Schröder in seine Agenda 2010 das Versprechen aufgenommen, dass in sechs Jahren mindestens 3 Prozent unseres Bruttoinlandsprodukts für Forschung und Entwicklung ausgegeben werden sollen. Doch beim Versprechen ist es geblieben. Im vermeintlichen »Jahr der Innovation« 2004 sind die Mittel für den Forschungs- und Bildungsetat um knapp 240 Millionen Euro heruntergefahren worden. Damit ist eine Einlösung der Zusage in sechs Jahren unmöglich geworden.

Der unverantwortliche Umgang mit unserer Zukunft geht auch auf ein Missverständnis zurück. Man setzt staatliche Investitionen in die Forschung mit Subventionen gleich. Und da heute der radikale Abbau von Subventionen gefordert wird, für den auch ich mich einsetze, meint man, auch die Wissenschaft könne »auf eigenen Füßen stehen«. Aber dem liegt ein Denkfehler zugrunde: Unter Subventionen versteht man staatliches Eingreifen in wirtschaftliche Zusammenhänge, die ihre Fortexistenz nicht mehr durch Eigenleistung garantieren können. Die Wissenschaft ist aber weder ein wirtschaftlicher Zusammenhang, noch braucht sie Eingriffe von außen. Es ist auch gar nicht ihre Aufgabe, die eigene Existenzgrundlage zu erwirtschaften. Die Gesellschaft muss ihr diese zur Verfügung stellen, weil die Leistung, die von der Wissenschaft erbracht wird, im Gegenzug der Gesellschaft zur Verfügung gestellt wird.

Wissenschaft braucht Vorfinanzierung, und zwar unabhängig von jeweils regierenden Parteien und der Wirtschaftskonjunktur. Genau in diesem Punkt zeigt die Marktwirtschaft gegenüber einem planwirtschaftlichen System ihre große Schwäche: Die Verantwortlichen denken zu kurzfristig. Kaum ein »Stratege«, und welcher Wirtschaftsführer hält sich nicht dafür, denkt weiter als in der Spanne einiger Jahre. Neuerdings könnte man meinen, sie dächten eher in einem Neunzig-Tage-Horizont. Aber selbst diejenigen, die in Zeiträumen von Jahren denken und planen, greifen immer noch zu kurz, wenn es um die Interessen der nachfolgenden Generationen geht. Deshalb ist es richtig, dass der Staat zur langfristigen Gundlagenforschung Steuern kassiert, auch von Unternehmen. Es ist interessant, dass die Nationen, welche staatliche Grundlagenforschung betreiben und mehr als wir in Forschung und Entwicklung investieren, oft die gleichen sind, die Arbeitsplätze schaffen, ihre Verschuldung im Griff haben und höhere Pro-Kopf-Einkommen erzielen als Deutschland. Und gerade diese Nationen wie die USA, Kanada oder Japan verzichten darauf, ihre Bürger mit Steuern und Abgaben allzusehr zu belasten.

Jede Wissenschaft lebt von der geduldigen Arbeit, die nicht ständig auf die Uhr und auf die Rentabilität schauen muss. In vielen Forschungsrichtungen, wie etwa der Astrophysik oder den Geisteswissenschaften, ist eine wirtschaftliche Umsetzung kaum möglich. Dennoch brauchen wir diese Erkenntnisse, und sie müssen finanziert werden. Viele Forschungsprojekte sind marktwirtschaftlich nicht lohnend, obwohl sie für die Gesellschaft unverzichtbar sind. Kein Pharmakonzern kann es sich leisten, vielleicht über Jahrzehnte hinweg nach Mitteln gegen Aids, Krebs oder andere Menschheitsgeißeln zu suchen.

Die Gesellschaft dagegen erwartet Erkenntnisse, die vordergründig nicht von ökonomischem, sehr wohl aber von gesellschaftlichem Interesse sind. Und dafür muss der Staat einstehen, darin liegt eine seiner vornehmsten Aufgaben. International ist es üblich, dass er ein Drittel dieser Kosten übernimmt, zwei Drittel die Wirtschaft. Auch wenn Franz Müntefering es abstreitet, ist in Deutschland der Wirtschaftsanteil in den letzten Jahren sogar gestiegen. Augenblicklich erreicht er fast 70 Prozent. Vor lauter »sozialer Gerechtigkeit« hat unser Staat die eigene Zukunft aus den Augen verloren. Für das einstige Land der Dichter und Denker ist das beschämend.

Bei meinen Besuchen in den Leibniz-Instituten habe ich auch das Römisch-Germanische Zentralmuseum in Mainz kennengelernt, ein Musterbeispiel für allgemeinverständlich aufbereitete Wissenschaft. Anlässlich einer Präsidiumssitzung wurden mir auch die verschiedensten Forschungsbereiche des Museums vorgeführt. Eine Doktorarbeit etwa ist der Geschichte der Gürtelschnalle gewidmet, die schon lange vor Christus ihre heutige Form fand und keiner Weiterentwicklung bedurfte.

Auf Schautafeln sah ich die Ausbreitungphasen des Römischen Reiches dargestellt, das sich fast die gesamte damalige Welt einverleibt hatte und seinem modern geführten Militär- und Verwaltungssystem unterwarf. Überall standen die Römer, errichteten von England bis Nordafrika ihre monumentalen Tempel, Arenen, Amphitheater. Sie bauten für die Ewigkeit. Dann schrumpfte ihr Reich wieder, viel schneller, als es sich einst ausgedehnt hatte, um schließlich ganz zu verschwinden. Ich fühlte mich an die internationalen Wirtschaftsstatistiken erinnert, auf denen die Bundesrepublik vor dreißig Jahren noch die glanzvollen Spitzenplätze einnahm. Zehn Jahre später hatte der Abstieg bereits begonnen und ist bis heute, wo wir auf den unteren Plätzen angekommen sind, nicht gestoppt.

»Gestatten Sie einem Nichthistoriker eine Frage«, wandte ich mich an den Museumsführer. »Woran ist dieses fabelhafte Weltreich zugrunde gegangen?«

»Nicht an Seuchen«, antwortete er, »auch nicht an Kriegen, Hungersnöten oder Naturkatastrophen. Es ging an seiner eigenen Selbstzufriedenheit zugrunde.«

Ich musste lachen. Das allmächtige Rom war, bevor es unterging, zur Schlamper-Republik verkommen.

* * *

Nirgendwo auf der Welt sind die Parteien so mächtig wie bei uns. Wenn ich dies in meinen Vorträgen sage, bekomme ich immer Beifall. Selbst von Parteipolitikern. Sie fühlen sich so sicher, dass sie Kritik nicht fürchten. Heerscharen von Wissenschaftlern haben die Übermacht der Parteien kritisiert. Die Karawane der Amtsträger ist unbeeindruckt weitergezogen. Man hat sich damit abgefunden, dass wir keine normale Demokratie sind, sondern eine Parteiendemokratie. Protest wird erst laut, wenn ich auf die Folgen dieses Systems zu sprechen komme und meinen Zuhörern erkläre, dass in keiner Demokratie der Welt die Bürger so wenig zu bestimmen haben wie bei uns. Ist das denn möglich?

Es ist möglich. Ich gehe sogar noch weiter: In unserem Staat wird seit langem die Entmündigung der Bürger betrieben. Da das Volk nun einmal aus Verfassungsgründen die Macht an die Parteien abgegeben hat, sehen diese gar nicht mehr ein, warum sie irgendeine Entscheidung aus der Hand geben sollen. Wenn Demokratie aber die Herrschaft, ja Machtausübung des Volkes bedeutet, dann sind entweder unsere Parteien das Volk oder das Volk identifiziert sich so weit mit ihnen, dass es ihnen alle Entscheidungen überlässt, nicht anders als ein Kind seinen Eltern. Und das nenne ich Unmündigkeit. Diese Entmachtung der Bürger, die aus Parteiensicht nur noch »Wähler« sind, bleibt vollständig unbemerkt. Keiner sagt es, und keinem scheint es aufzufallen. Und wenn man es sagt, wird man angeschaut wie ein Spielverderber.

Ich sagte, dass in keiner anderen Demokratie die Bürger so wenig zu sagen haben wie bei uns. Ja, sie dürfen nicht einmal ihren höchsten Repräsentanten wählen. Das ist fast einmalig. Der Präsident, mit dem sich das Volk identifizieren soll, wird nicht vom Volk, sondern von einem kunstvoll zusammengesetzten Gremium gewählt, das »Volk spielt«. Aber nicht Volk ist. Zweifellos haben die Väter des Grundgesetzes damit verhindern wollen, dass die Deutschen sich wieder in ihrem Repräsentanten vergreifen. Aber nun leben die Enkel dieser Väter und fragen gar nicht mehr danach, warum ihnen dieses, wie ich finde, höchste Recht der Demokratie vorenthalten wird.

Genau hier setzt die Macht der Parteien ein. Schon immer gehörte es zum parlamentarischen Brauch, den jeweiligen Bundespräsidenten nicht nach den Wünschen des Volkes, sondern nach den Interessen von Parteien und Koalitionen zu bestimmen. Statt demokratischer Überzeugungsarbeit findet Kungelei statt. Um das oberste Staatsamt wird gefeilscht, als läge in dieser Tätigkeit der eigentliche Sinn eines Staatswesens. Man schämt sich nicht, um persönlicher oder parteilicher Vorteile willen das höchste Amt zu Markte zu tragen. Wobei offenbar nicht derjenige Präsident wird, in dem sich das Volk wiedererkennt, sondern derjenige, mit dem die Parteien, die ihn durchsetzen, ihre Macht erweitern.

Im Jahr 2004 dürfte keinem Deutschen entgangen sein, wie diese Präsidentensuche zur Farce geriet, das Amt selbst sich als Machtinstrument der Parteien entpuppte. Vielleicht fragten sich manche, wozu man es überhaupt noch braucht, wenn es ohnehin nur die Fortsetzung der Parteipolitik mit anderen Mitteln ist. Mir selbst sind die Begleitumstände der Kandidatensuche unter die Haut gegangen. Es tat mir förmlich weh, mit anzusehen, wie das höchste Amt unseres Staates in den Nachrichtensendungen zum Daueraufreger degradiert wurde.

Man könnte es auch eine Lachnummer nennen. So jedenfalls zeigte es sich auf unserem täglichen Medientheater. Ich selbst fand mich in der privilegierten Position, hinter die Kulissen blicken zu können. Wie andere Bürger auch, hatte ich eine klare Vorstellung, wer als Kandidat geeignet war und wer nicht. Vor allem musste er stark genug sein, den Ansprüchen der Parteien entgegentreten und die Interessen der Gesellschaft vertreten zu können. Am besten sollte er dort anknüpfen, wo Roman Herzog aufgehört hatte. Die Geschichte wird erweisen, dass dieser Präsident sehr viel bewegt und angeregt hat, und das, ohne die Zustimmung der Parteien zu erwarten. Während diese den Status quo lieben, weil er ihre Macht sichert, führte Herzog den Bürgern vor Augen, dass es so nicht weitergehen kann. Er löste tatsächlich einen Ruck aus. Bis die Parteien wieder zum Alltagsgeschäft übergingen und anstelle des großen

Reformers einen Sozialprediger ins höchste Amt hoben. Zu seinem siebzigsten Geburtstag schrieb ich Roman Herzog, er habe eine Fackel entzündet, von der wir alle unser Feuer geholt haben.

Roman Herzog als Schulmeister der Nation. Neben Oskar Lafontaine, Theo Waigel und Norbert Blüm bin auch ich auf der Karikatur verewigt.

Nach Herzogs Abgang ist fünf Jahre lang zum Thema Aufklärung nichts geschehen. Rau stellt für mich ein Vakuum dar, das der Regierung freie Hand zur Untätigkeit ließ. Er predigte »Versöhnen statt Spalten«, wobei mir heute noch nicht klar ist, wen er mit wem versöhnen wollte. Auch versäumte er es, Rot-Grün in der Reformbereitschaft zu unterstützen. Statt die Gesellschaft aufzurütteln, schläferte er sie mit Fastenpredigten ein. Wenn Schröder den Rückhalt seiner eigenen Wählerschaft verloren hat, dann auch, weil sein SPD-Präsident ihn mit den Reformen im Regen stehen ließ.

Der einzige Politiker, der nach meiner Überzeugung Roman Herzogs Fackel wieder aufnehmen konnte, war Wolfgang Schäuble. Und die Voraussetzungen für ihn schienen optimal. Da CDU/CSU und FDP über eine Mehrheit in der Bundesversammlung verfügten, stand einer erfolgversprechenden Kandidatur nichts im Weg. So meinte ich jedenfalls. Aber die Entscheidungsträger, die dem Volk die Mühe des Entscheidens abnehmen, hielten sich bedeckt. Sie sagten nicht ja und nicht nein. Offenbar gab es Vorbehalte gegen Schäuble, die aber niemand so richtig artikulieren wollte. So tappte die Gesellschaft im dunkeln, während das Feilschen begann.

Da ich Wolfgang Schäuble für den idealen Kandidaten hielt, suchte ich das Gespräch mit Politikern. Was ging hinter den Kulissen vor? Als erstes wurde mir signalisiert, dass Helmut Kohl sehr viel telefoniert hatte. Offensichtlich gönnte er seinem einstigen Stellvertreter diesen Job nicht. Das zeichnete sich bereits ab, als Kohl um die Jahreswende 2003/2004 überraschend vorschlug, seine Partei solle einen FDP-Kandidaten unterstützen. Überraschend war dieser Vorstoß auch deshalb, weil zu der Zeit die CDU/CSU auf einem absoluten Umfragehoch von über 50 Prozent stand, während die FDP es gerade mal auf ein Zehntel davon brachte.

Als nächstes trat Brigitte Baumeister in Aktion. Die ehemalige Schatzmeisterin der Union, eine Intimfeindin Schäubles, hatte zwar durch ihre Privatgeschichten und Widersprüche alle Glaubwürdigkeit eingebüßt, fand aber für ihr autobiographisches Buch genügend Interesse in den Medien. Der übliche Rummel wurde inszeniert. Man erwartete sich »Enthüllungen« über Schäuble. Zwar gab es die nicht, aber da die Neugier nun einmal geweckt war, blieb am Kandidaten der Verdacht hängen, es könnte vielleicht doch noch etwas zutage kommen. Schäuble wurde zum potentiellen Risiko. Auch wenn ihrem Buch nur mäßiger Erfolg beschieden war, konnte Frau Baumeister zufrieden sein. Von Unionsseite verlautete, man hätte geschwiegen, um zuerst das Baumeister-Buch abzuwarten. Das war nachvollziehbar, denn wer wusste schon, was die Dame im

Köcher hatte. Aber nun war es heraus, dass ihr Köcher leer war. Einer Nominierung Schäubles schien nichts mehr im Weg zu stehen.

Allerdings hatte sich das Kandidatenkarussell schon weitergedreht, und auf den Sitzen fanden sich die verschiedensten Persönlichkeiten wieder, von Siemens-Chef Heinrich von Pierer über FDP-Mann Wolfgang Gerhard bis zur Goethe-Instituts-Präsidentin Jutta Limbach. Mit der Besetzung beschäftigten sich Parteien und Medien gleichermaßen, es artete regelrecht zum Sport aus. Der Unernst dieses heiteren Personenrates, an dem sich auch Kanzler Schröder mit mehreren Tips beteiligte, war unserer Demokratie nicht würdig – oder vielleicht doch gerade angemessen, wie man leider hinzufügen muss.

Kurz vor Weihnachten fand auch ich mich »ins Spiel gebracht«. Ein Zeitungsredakteur warnte mich vor, dass die nächste Ausgabe einer Sonntagszeitung einen weiteren Präsidentschaftskandidaten präsentieren würde, als den ich mich selbst vorgeschlagen hätte. Angeblich sei ich deshalb bereits bei den Ministerpräsidenten Wulff und Koch vorstellig geworden. Und eine Recherche im Büro von Frau Merkel hätte ergeben, dass dies alles der Wahrheit entspräche.

Etwas Absurderes konnte ich mir nicht vorstellen. Weder hatte ich den Ehrgeiz, nach diesem Amt zu streben, noch entsprach es meinem Wesen, andere Leute mit derlei Wünschen zu belästigen, noch bestand die geringste Chance, in der Bundesversammlung gewählt zu werden. Aber offenbar hatte man die Absicht, mir mit Unterstellungen zu schaden, deren Lächerlichkeit auf mich abfärben sollte. Sofort ließ ich mich mit dem Chefredakteur verbinden, der erst Rücksprache mit dem zuständigen Redakteur nahm, bevor er mir Rede und Antwort stand. Er gab offen zu, dass diese Meldung nicht auf Fakten, sondern auf Gerüchten beruhte. Was ihn offenbar nicht daran gehindert hatte, sie in die Welt hinauszuposaunen. Da ich deutlich mit ihm sprach, stoppte er den Druck der Zeitung und nahm den Text heraus. Allerdings räumte er ein, dass einige Lokalausgaben mit dem Artikel bereits ausgeliefert würden.

Für mich war die Sache damit nicht erledigt. Am nächsten Tag rief ich Christian Wulff an, der mir gleich sagte, er hätte den Artikel in der Hannover-Ausgabe der Zeitung gelesen, und zwar mit Erstaunen, da wir niemals über dieses Thema gesprochen haben. Er hätte auch nicht, wie der betreffende Journalist behauptete, persönlich mit dem Redakteur geredet. Vielmehr sei dieser auf seinen Pressesprecher zugegangen, um ihn mit dem »Gerücht« zu konfrontieren. Angeblich sei es sogar von ihm, Christian Wulff, selbst ausgegangen, nachdem ich ihn wegen meiner Kandidatur angesprochen hätte. Und dergleichen Unsinn mehr. Da nichts davon stimmte, kamen wir zu dem Schluss, dass hier ein Gerücht konstruiert worden war, um anschließend darüber berichten zu können. Wenn manchen Journalisten die Nachrichten ausgehen, so scheint es, dann schaffen sie sich selber welche.

Ich schickte Telegramme an Angela Merkel und Ministerpräsident Koch, in denen ich sie bat, ihre Presseabteilungen entsprechend zu instruieren, wobei ich darauf hinwies, dass mir Wolfgang Schäuble als idealer Kandidat erschien, eine Meinung, die nicht nur von der Wirtschaft geteilt würde. Einige Zeit später bin ich zu Angela Merkel gegangen. Ich habe ihr nochmals ans Herz gelegt, Wolfgang Schäuble zu unterstützen, der durch sein überzeugendes Wesen auch unpopulären Reformen Akzeptanz verschaffen könne. Sie sagte, sie sähe das genauso. Aber der Kandidat, den sie vorschlage, müsse von der Bundesversammlung auch gewählt werden. Ich konnte den Einwand gut verstehen. Würde sie sich mit einem Namen vorwagen, der keine Mehrheit fand, konnte sie ihre eigenen Kanzlerambitionen begraben. Auch wenn eine Frau zur Präsidentin gewählt würde, so stand zu lesen, wäre dies abträglich für Merkels Kanzlerschaft, da man sich kaum zwei Frauen gleichzeitig in den höchsten Ämtern vorstellen könne. Warum eigentlich nicht? fragte ich mich. Bisher waren es ja auch gleichzeitig zwei Männer gewesen.

Angela Merkel also versicherte mir mit ihrem treuherzigen Augenaufschlag, dass sie Schäuble unterstützen werde. Aber sie hätte eben auch erfahren, dass es Vorbehalte in der FDP gäbe. Man höre von gewissen FDP-Abgeordneten, die gegen Schäuble stimmen könnten. Das wunderte mich. Aus der Zeit meiner BDI-Präsidentschaft war mir sehr gut in Erinnerung, wie reibungslos, ja harmonisch die Zusammenarbeit zwischen ihm und dem damaligen FDP-Fraktionsvorsitzenden Hermann Otto Solms funktioniert hatte. Es gab meines Wissens absolut nichts, worüber sich die Liberalen hätten beschweren können. Da ich mir Klarheit verschaffen wollte, ging ich zu Guido Westerwelle. Er sagte mir, nein, nein, er persönlich hielte Schäuble für einen phantastischen Kandidaten. An der FDP werde es jedenfalls nicht liegen. Dagegen mache er sich große Sorgen über gewisse CDU-Abgeordnete, die gegen Schäuble stimmen könnten.

Das Spiel war offensichtlich. Als dann bei der Hamburg-Wahl die CDU triumphierte, während die FDP nicht einmal mehr in die Bürgerschaft kam, gab es für die Liberalen keinen Grund mehr, mit einem eigenen Kandidaten zu liebäugeln. Nun musste Guido Westerwelle zu seinem Wort stehen. Gelegenheit dafür bot ein privates Stelldichein Anfang März 2004, zu dem sich Angela Merkel und Edmund Stoiber mit dem Liberalenchef in dessen Berliner Wohnung trafen. Es war der große Showdown, ein konspiratives Treffen als bundesweites Medienereignis.

Da ich ein ungutes Gefühl hatte, versuchte ich mit Guido Westerwelle vorher noch einmal Kontakt aufzunehmen. Ich rief an, er war nicht zu sprechen, man versprach zurückzurufen. Obwohl er sonst immer zurückrief, kam keine Antwort. Eilig setzte ich ein Fax auf, das auch von mehreren bekannten Förderern seiner Partei unterschrieben wurde. »Lieber Herr Westerwelle«, so stand darin, »jetzt kann die FDP durch schnelles Handeln mithelfen, dass Deutschland zur Bewältigung der vor uns liegenden Aufgaben mit Wolfgang Schäuble ein klar denkendes, reformbereites und mutiges Staatsoberhaupt bekommt.« Guido Westerwelle hat nicht zurückgerufen. Er wusste vermutlich, was er von mir zu hören bekommen hätte.

Ich war nicht der einzige, der sich über sein Verhalten empörte. Eine ganze Gruppe von einflussreichen Persönlichkeiten, die der FDP immer wohlgesinnt waren, wandte sich daraufhin von ihr ab. Zwar hat diese Partei nach meiner Überzeugung immer noch das zukunftsfähigste Programm. Aber ihr fehlt eine Führungsriege, die es überzeugend vermitteln könnte. Der Rücktritt des baden-württembergischen FDP-Chefs Wolfgang Döring macht das nun für jeden sichtbar. Außerdem fällt mir immer wieder auf, dass es kaum einen führenden FDP-Politiker gibt, der unter vier Augen gute Worte für einen anderen führenden FDP-Politiker übrig hätte. Nach den letzten Erfahrungen habe ich meine Mitarbeit in der Programmkommission der Liberalen eingestellt.

Die Art, wie man mit dem besten Kandidaten umging, den Deutschland zu bieten hatte, erscheint mir noch heute wie ein Lehrstück. Ein Lehrstück über unsere Demokratie, die ihr höchstes Amt als Spielball von Parteienkalkül und Profilneurosen missbrauchen lässt. Es erscheint mir nachgerade lächerlich, wie sich unser Land in Fragen seiner Identität einer solchen Fremdbestimmung ausliefert. Bei der Entscheidung für Johannes Rau war es übrigens nicht anders. »Du machst den Platz des Ministerpräsidenten für Wolfgang Clement frei«, wurde ihm wohl gesagt, »dann kriegst du dafür das Präsidialamt.« Und die Grünen haben es, wenn auch zähneknirschend, abgenickt. Wo aber nicht die Gemeinschaft nach ihrem wohlverstandenen Interesse entscheiden kann, da ist es auch mit der Demokratie nicht weit her.

Deshalb meine Forderung: Wir müssen den Präsidenten des Volkes vom Volk wählen lassen. Das wäre mehr als nur ein symbolischer Akt. Es wäre ein Schritt zur Angleichung an andere Länder, die mit ihrer Freiheit besser umzugehen gelernt haben als wir. Außer der Schweiz und den konstitutionellen Monarchien sind wir Europas einziges Volk, das sein Oberhaupt nicht selbst wählen darf. Auch in Italien hat eine bikamerale Kommission vorgeschlagen, die Direktwahl des Präsidenten einzuführen.

Doch bei uns wird dieser wichtige Schritt in die Zukunft von den parteiamtlichen Bedenkenträgern abgelehnt. So höre ich etwa, dass dann der Präsident mit mehr Macht ausgestattet werden müsste. Warum nicht? Weil sich 1933 wiederholen könnte. Wie denn das? Hitler ist eben gerade *nicht* durch Volksabstimmung zu seinem Amt gekommen, sondern durch Kungelei von Parteien. Und die gewaltige Machtfülle, die seine Untaten erst ermöglichte, wurde ihm nicht vom Souverän übergeben, sondern die verschaffte er sich selbst, indem er den Souverän ausschaltete. Seine Ermächtigungsgesetze bedeuteten eine Entmachtung des Volkes. Die Direktwahl des Bundespräsidenten aber würde genau das Gegenteil bewirken. Und was, so höre ich von manchen Politikern, wenn die Deutschen einen Dieter Bohlen zum Präsidenten wählen? Da kann ich nur antworten: Wer die Menschen für so dumm hält, der findet vermutlich auch nichts dabei, sie für dumm zu verkaufen.

Wenn man unser Volk immer so behandelt, als könne es nichts, als dürfe es nichts, als bräuchte es Vormünder wie die Wahlmänner und -frauen, die den Präsidenten wählen, dann muss man sich nicht wundern, wenn es die Lust an der Demokratie überhaupt verliert. Die sogenannte Parteienverdrossenheit ist nämlich eine Verdrossenheit an der Demokratie, in der nur Parteien souverän sein dürfen.

Nehmen wir an, unser Land besinnt sich und führt die Direktwahl des Bundespräsidenten ein. Dann bietet sich als nächster Schritt in die Zukunft an, ihn mit Rechten auszustatten, wie er sie in den meisten westlichen Demokratien bereits besitzt. Vielleicht sogar mit der Möglichkeit, den Bundeskanzler zu ernennen. Und zu feuern. Aus dem schwachen Amt von heute, das zur entmündigten Gesellschaft passt, die es repäsentiert, würde dann ein starker Bundespräsident, wie er, unter anderen Titeln, in unseren Nachbarländern üblich ist. Aus unserer Parteiendemokratie würde eine Präsidialdemokratie. Und das Volk wäre viel näher an die Macht herangerückt, die man ihm heute noch nicht zutraut. Mit welchem Recht eigentlich?

Als dritter Schritt würden dann auch die Ministerpräsidenten der Länder direkt gewählt. Man könnte auch mit diesem Schritt beginnen. So würden Befähigte die Gelegenheit bekommen, in die Politik »quer« einzusteigen. Auch dies ist in Deutschland kaum möglich. Als Folge finden sich in den Führungsgremien nicht Fachleute, sondern Parteifunktionäre. An Schröders Regierungstisch sitzt kein einziger, der in der Wirtschaft gearbeitet hat, außer vielleicht Clement, der Journalist war. Alle anderen sind Parteikader, die ihre Erfahrungen selten im Arbeitsleben gewonnen und sich auch nicht durch besondere Leistungen im außerpolitischen Geschäft ausgezeichnet haben. Statt dessen verdanken sie ihren Status den Aufstiegsmöglichkeiten eines ideologischen Interessenverbands, in dessen engmaschigen Netzen bekanntlich die Fische hängenbleiben und die Aale durchschlüpfen.

Diese Parteikader entscheiden über den Wirtschaftsstandort Deutschland. Plastisch ausgedrückt: Wenn der Kanzler Zahnschmerzen hat, geht er zum Zahnarzt. Wenn sein Auto kaputt ist, zur Werkstatt. Aber wenn es um die weit komplexeren Fragen der Wirtschaft geht, weiß er selbst am besten Bescheid. Und wenn es in Joschka Fischers Auswärtigem Amt um Europapolitik geht, dürfen ehemalige Politspinner die Richtlinien ausarbeiten. Und wenn es um die Probleme der Wissenschaft geht, darf Edelgard Bulmahn sich telegen den Kameras präsentieren. Warum eigentlich? Warum wird nicht ein erfahrener Wissenschaftsmanager für dieses Amt berufen? Was verleiht, anders gefragt, den Parteien solche Attraktivität, dass wir ihnen unser Wohl anvertrauen, was macht sie so gebildet, dass wir ihnen unsere Volkswirtschaft und Forschung anvertrauen?

Die Antwort ist: nichts. Die Macht der Parteien besteht in ihrer Anmaßung und der unergründlichen Bescheidenheit der Bürger, die dieses Spiel mitspielen. Würde man die Ministerpräsidenten direkt vom Volk wählen lassen, könnte der glückliche Fall eintreten, dass ein Fachmann sich um die wirtschaftlichen Belange kümmert, die über unsere Zukunft entscheiden. Wenn die Menschen die Wahl bekämen zwischen einem typischen Vertreter der politischen Kaste und einem Mann aus der Wirtschaft, der etwas von der Welt versteht, würde ihnen die Entscheidung nicht schwerfallen. Stünde ein Fachmann an der

Spitze, sähe auch sein Kabinett nicht länger aus wie ein Club sprachbegabter Partei- und Gewerkschaftsbonzen, sondern wie ein Gremium aus Spezialisten, die ihre Entscheidungen nicht ideologisch, sondern aus Erfahrung treffen.

In vielen Kommunen ist dies bereits Wirklichkeit geworden, die Süddeutschen haben hier ein Beispiel gegeben. Weil dort Gemeindeverfassungen eine Persönlichkeitswahl ermöglichen, kommen auch Parteilose an die Spitze, die allerdings von den Parteien angesehen werden, als wären sie »Gewissenlose« oder »Vaterlandslose«. Es sind aber nur Bürger, die sich dafür qualifiziert haben, für ihre Mitbürger Verantwortung zu übernehmen. Um nichts anderes geht es in der Demokratie.

Es ist überfällig, die Direktwahl des Bundespräsidenten und der Ministerpräsidenten einzuführen. Dazu müssen nur die Bundesverfassung und die Verfassungen der Bundesländer geändert werden. Von den Parteien. Die werden allerdings einen Teufel tun.

* * *

Im Frühjahr 1990 sah ich in Konstanz auf dem Weg zu meinem Segelboot einen Ausflugsdampfer, aus Meersburg oder Friedrichshafen kommend, am Kai anlegen. Das Schiff war mit einer Reisegruppe von Ossis besetzt, die offenbar zum ersten Mal den Bodensee besuchten und nun in vergnügter Laune über einen Steg an Land gingen. Für mich wiederum war es das erste Mal, dass ich Ostdeutsche in Konstanz sah und in der vertrauten Umgebung ihre sächsische Aussprache hörte. Irgend etwas drängte mich, mit ihnen zu reden, sie kennenzulernen. Ich verschob den Besuch auf meinem Boot und fragte gleich die erste Gruppe, woher sie kämen, wie ihnen unser Land gefiel. Sie antworteten humorvoll, ja herzlich, und gingen nach kurzer Unterhaltung weiter. Es folgte ein Ehepaar, das einen kleinen, etwa fünfjährigen Jungen in einem Rollstuhl schob. Seit der Nachkriegszeit hatte ich kein solches Gefährt mehr gesehen: er bestand aus zwei Fahrradrädern, zwischen die ein einfacher Brettersitz montiert war. Und darauf saß der Junge und schaute mit großen Augen in die Welt.

Unsicher, ob ich die Leute ansprechen sollte, ging ich ein Stück Wegs hinter ihnen her, bis sie vor einer italienischen Eisdiele hielten, in der schon Mitreisende Platz genommen hatten und Bestellungen aufgaben. Mitten im Touristengewühl hörte ich die Stimme des kleinen Jungen, der seine Eltern höflich fragte, ob er nicht auch ein Eis bekommen könnte. »Nee, das Geld ham wir nich«, erwiderte der Vater. »Wir müssen ja auch wieder nach Hause.« Der Junge schwieg, den Blick fest auf die Auslage mit den verlockenden Eissorten gerichtet. Ich wollte etwas tun, nur was? In meiner Verlegenheit zog ich aus meiner Hemdtasche einen zusammengefalteten Geldschein und drückte ihn, unbemerkt von den Eltern, dem Kleinen in die Hand. »Du«, sagte ich, »kauf deinen Eltern ein Eis davon«, und ging schnell weg, unsicher, ob ich das Richtige oder Falsche getan hatte.

Ich weiß es bis heute nicht. Ich hatte auch keine Wahl. Woher aber diese Unsicherheit? Es war wie vor ein paar Monaten, als ich im Kino *Das Wunder von Bern* sah, bei dem ich die Tränen kaum zurückhalten konnte. Ich war gerührt, ja erschüttert, und wusste doch nicht genau, was mich da packte. Vielleicht ein tiefes Gefühl des Mitleidens, vielleicht auch die Gewissheit, dass nun ein langes Leiden sein Ende gefunden hatte. Damals in Konstanz hatte der Rollstuhl Erinnerungen wachgerufen. Der Kleine und seine Eltern waren gerade erst dem Gefängnis eines Staates entkommen, der seine Bevölkerung mit Mauer, Stacheldraht und Minen eingesperrt hatte. Wenn Helmut Kohl von der »Gnade der späten Geburt« sprach, könnte man ebensogut von der Gnade des richtigen Geburtsorts sprechen. Was hätte ich durchmachen müssen, wenn ich nicht in Hamburg, sondern in Rostock aufgewachsen wäre? Was konnten jene Menschen dafür, dass sie in der sowjetisch dominierten Zone leben mussten und keinen Anteil hatten an Wirtschaftswunder und Freiheit des Westens? War es ihre Schuld, dass ihr Leben aus Mangelwirtschaft, politischer Bevormundung und Bespitzelung bestanden hatte, ohne Hoffnung, jemals die freie Welt besuchen zu können? Der Junge im Rollstuhlprovisorium ... Wie sehr wünschte ich mir damals, er würde bald gesund werden und auf eigenen Beinen stehen können.

Meine Beziehung zu den neuen Bundesländern war von Anfang an emotional geprägt, ohne dass ich genau beschreiben könnte, worin diese Emotionen bestanden. Sicher gehörte dazu das Gefühl der Gerechtigkeit, die wir jenen Menschen schuldig waren. Und nicht minder das Gefühl, dass diese Menschen nicht nur Mitbürger, sondern Mit-Deutsche waren, das heißt, zu uns gehörten. Als ich mich ehrenamtlich der Treuhand zur Verfügung stellte, hoffte ich auf die Kraft des Neubeginns, die das Land beflügeln würde, auf eigenen Beinen zu gehen. Alfred Herrhausen wirkte bis zu seinem Tod als großer Anreger und Antreiber. Viele Westdeutsche fühlten ähnlich, opferten ihre Zeit, setzten ihre Erfahrung ein. Manche, wie Detlev Karsten Rohwedder, opferten sogar ihr Leben. Auch Carl Hahn, der ehemalige Volkswagenchef, engagierte sich sehr früh. Ich erinnere mich, wie wir gemeinsam beim Wahlkampf 1990 in Leipzig live im Fernsehen aufgetreten sind, um die demokratischen Parteien zu unterstützen und die Wähler vor der neuformierten PDS zu warnen.

Der SPD-Politiker Klaus von Dohnanyi gehört ebenfalls zu jenen, die sich durch die Wiedervereinigung emotional getroffen fühlten. Von Anfang an arbeitete er mit Hingabe und stellte sich den verschiedensten Aufgaben, die mit dem Aufbau Ost verbunden waren. Im April 2004 wurde sein Engagement bundesweit bekannt, als sein Bericht »Für eine Kurskorrektur des Aufbau Ost« wie eine Bombe einschlug. Eigentlich bot sein Papier für Kenner der Materie nicht viel Neues. Dass es, jedenfalls für kurze Zeit, die Nation bewegte, lag daran, dass der *Spiegel* es zur Titelgeschichte erhoben hatte.

Das Papier war im Auftrag der Minister Clement und Stolpe angefertigt worden und bereitete der Bundesregierung erhebliches Kopfzerbrechen. Jedenfalls erinnerte mich deren Reaktion an die Art, in der Helmut Kohl auf Roman Herzogs Ruck-

Rede reagiert hatte. Wie ein Arzt nach gründlicher Untersuchung eine Krankheit diagnostiziert, so hatte Klaus von Dohnanyi die Schwachpunkte in der Förderung der neuen Bundesländer herausgearbeitet. Und wie ein Patient, der sich jahrelang über seine Krankheitssymptome hinweggetäuscht hat, zeigte die Regierung sich unwillig, die Diagnose zu akzeptieren. Andernfalls hätte man ja Fehler eingestehen und eine Therapie eingehen müssen.

Weder wollte man zugeben, dass man die Förderung ziellos gestreut und damit ihrer Wirkung beraubt hatte, noch glaubte man der düsteren Prognose, wonach der West-Ost-Transfer von jährlich über 150 Milliarden Euro immer weiter ansteigen und das Wirtschaftswachstum im Westen immer tiefer absinken würde. Während die Regierung betreten schwieg, erhob sich ein wahres Stimmengewirr neuer Vorschläge, von Lohnsubventionen über eine Sonderwirtschaftszone bis zur gezielten Förderung dieser oder jener Wirtschaftsbereiche. Zu jedem Einfall wurde ein Gegeneinfall gebracht, bis das Ganze schließlich in einer Staubwolke divergierender Meinungen verschwand. Wie schon zu Kohls Zeiten schien sich Aussitzen für die Regierung zu lohnen.

Das Problem aber blieb natürlich bestehen. Wenn man alljährlich 4 Prozent des erarbeiteten Sozialprodukts von einem Teil des Landes in einen anderen transferiert, wo der Großteil nicht investiert, sondern sogleich »verfrühstückt« wird, muss man sich nicht wundern, wenn das Ganze zunehmend Schaden nimmt. Daran gemessen ist es fast belanglos, ob wir nun ein Wirtschaftswachstum von 1,5 oder 2 Prozent erreichen. So schnell können wir im Westen gar nicht wachsen, wie wir im Osten schrumpfen. Wenn in einem Schiff an Steuerbord ein Leck auftritt, so geht nicht nur dieser Teil, sondern das ganze Schiff unter.

Das Leck, das sich nicht stopfen lässt, führt auch dazu, dass aus Ostdeutschland Arbeitsplätze abwandern. 1990 gab es in der dortigen Industrie drei Millionen Arbeitsplätze. Das waren sicher zu viele, aber die heutigen 600 000 sind eindeutig zuwenig. Es müssten doppelt so viele sein. Industrielle Forschung im Osten existiert nicht, Spitzentechnologie wird zur teuren Importware. Die Arbeitsplätze in den Computerfirmen, deren Angestellte man in Fernsehberichten mit Raumanzügen und Plastikhauben hantieren sieht, sind in Wahrheit höchst einfach. Kompliziert sind nur die Geräte.

Ende April 2004 besuchte ich zusammen mit Klaus von Dohnanyi die CDU-Vorsitzende Angela Merkel, um mit ihr über das Problem zu sprechen. Obwohl ich sie schon öfter in ihrem Berliner Büro besucht hatte, fiel mir erst jetzt das Ölbild über ihrem Schreibtisch auf. Es zeigt Altbundeskanzler Konrad Adenauer, gemalt von Oskar Kokoschka. Wir unterhielten uns über das Bild, das mir nicht als eines seiner gelungensten erschien. Die gefalteten Hände wirken überdimensional wie Pranken, und der Kopf ist, wie von Dohnanyi bemerkte, für den schmächtigen Körper zu groß. Angela Merkel meinte treffend, dies sei eben die Art, wie ein alter Mann einen alten Mann male. Tatsächlich war Kokoschka damals achtzig, Adenauer neunzig Jahre alt. Er starb im Jahr darauf. Für mich gehört Adenauer zu den wenigen Deutschen, die sich auf hohe Politik verstanden und die Kunst der internationalen Machtbalance beherrschten. Während unseres Gesprächs wanderten meine Blicke zwischen dem Alten und seiner Nachfolgerin als CDU-Chefin hin und her, die ihm vermutlich auch in ein höheres Amt nachfolgen wird.

Ich sage offen, dass ich mir dies wünsche. Sie hat »das Zeug dazu«. Außerdem hat sie, im Gegensatz zu den meisten Berufspolitikern, etwas »Ordentliches« gelernt: Angela Merkel ist promovierte Physikerin. Zu meiner BDI-Zeit, als sie Umweltministerin war, sind wir des öfteren zusammengetroffen. Da sie mehr Sinn fürs Vernünftige als für Ideologie besitzt, gestaltete sich der Kontakt mit ihr weit angenehmer und nützlicher als mit ihrem Vorgänger Klaus Töpfer, dem Erfinder des Dosenpfands.

Als es im Frühjahr 2000 um die Nachfolge Kohls im CDU-Parteivorsitz ging, hatte sich eine Gruppe von Ministerpräsidenten in Lübeck getroffen, offensichtlich auch, um Angela Merkel als Parteichefin zu verhindern. Von der Tagung verlautete, dass der Kohl-Nachfolger in jedem Fall ein Ministerpräsident sein sollte, wodurch Merkel aus dem Rennen geworfen zu sein schien. Als ich diese Nachricht per Handy in einem Möbelgeschäft erhielt, wo ich gerade mit meiner Lebensgefährtin einkaufte, war ich über das Vorgehen der Macho-Riege so empört, dass ich mich sofort mit Angela Merkel verbinden ließ. Sie nahm die Lübecker Neuigkeit gelassen, fast resigniert. Man wollte eben das »Mädel aus dem Osten« abschmettern. Als nächstes rief ich einen *Focus*-Redakteur an, um ihn über die Intrige ins Bild zu setzen. Der Mann bot mir gleich ein Kurzinterview an, in dem ich mich gegen die Männerverschwörung wandte und für Angela Merkel als Kohl-Nachfolgerin plädierte. Die Meldung, dass der BDI-Präsident sich zugunsten der Kandidatin ausgesprochen hatte, lief das ganze Wochenende über die Ticker.

Angela Merkel unterscheidet sich von den meisten Politikern dadurch, dass sie zuhören kann. Gelegentlich wurde ihr als Schwäche ausgelegt, dass sie nicht nach Art Helmut Kohls sofort das Kommando übernimmt. Auf mich dagegen wirkte es sehr sympathisch, wie sie sich während unseres Gesprächs sogar unterbrechen ließ und ohne Zeichen von Irritation dem Einwurf interessiert zuhörte. Obwohl ihr mit Klaus von Dohnanyi ein führender SPD-Mann gegenübersaß, stimmte Frau Merkel ihm fast in allem zu. Da sie aus dem Osten stammt, kennt sie die dortigen Probleme weit besser als andere. Tatsächlich herrschte zwischen uns große Einigkeit, und mir scheint sie geradezu prädestiniert, den nötigen Neubeginn im Osten zu initiieren.

Angela Merkel traue ich denselben Mut zu, den einst Maggie Thatcher in England bewiesen hat. Denn der wird nötig sein: Wir brauchen den Mut der Politiker, die sich über ein verkrustetes Staats- und Gewerkschaftssystem hinwegsetzen. Wir brauchen auch den Mut der Bürger, die sich aufrappeln und von vorne anfangen. Wenn ich heute in Leipzig durch die falsche Straße gehe, beschleicht mich ein Gefühl der Enttäuschung, ja Depression. Ich sehe eingeschlagene Fensterscheiben, unbewohnte Stockwerke, selbst restaurierte Häuser, die zwischendurch bewohnt waren und jetzt wieder leerstehen. Die Straßen weisen Schlaglöcher auf wie zu Honeckers Zeiten – oder sind es noch die alten? Die abblätternden Hausfassaden, die bis auf Kopfhöhe mit Grafitti besprüht sind. Wo sind die über 1000 Milliarden an Ostförderung hingegangen?

In Berlin ist es kaum anders. Wenn ich von meiner Wohnung zum Bahnhof Friedrichstraße gehe, komme ich vor lauter Baustellen, Mülltonnen und schadhaften Fußgängerwegen fast ins Stolpern. Passanten werden von Punks angebettelt und von ihren Schäferhunden angebellt. Viele Läden stehen leer. Nur Galerien gibt es überall. Als wäre eine neue Leidenschaft für bildende Kunst ausgebrochen, sieht man in immer mehr Geschäften, die früher Tabak oder Gemüse verkauft haben, abstrakte Gemälde oder afrikanische Fruchtbarkeitsidole. Vermutlich gibt es keine Weltstadt, in der sich mehr Galerien finden als hier. Ich habe mich immer gefragt, wer hier eigentlich einkauft. Reiche Leute gibt es wenige in Berlin, und die Touristen werden kaum einen Ölschinken oder Bronzebuddha mit auf die Heimreise nehmen.

Das Geheimnis dieser seltsamen Kunstblüte, so klärte mich ein Makler auf, liegt nicht in einer Marktlücke oder der Ware, die angeboten wird, sondern im Raum, den diese Ware füllt. Den kriegen die Galeristen nämlich fast umsonst. Eine Galerie erhöht die Attraktivität der Immobilie. Für ein Haus, dessen Erdgeschossladen leersteht und das langsam vergammelt, finden sich kaum Neumieter, die eine Wohnung im Obergeschoss oder eine Büroetage beziehen wollen. Wo dagegen Kunst angeboten wird, fühlt man sich gleich zu Hause. Diese Praxis hat sich zwischenzeitlich auf Edelboutiquen ausgeweitet, und wenn ich heute durch Berlin gehe, frage ich mich immer öfter, ob ein besonders auffälliges Geschäft eigentlich Miete zahlt oder nicht. Mit anderen Worten, ob es »echt« ist oder nur Köder für künftige Mieter. Der Begriff »Schaufensterdekoration« hat einen ganz neuen Sinn bekommen.

Unsere eigenartige Metropole besteht zum Teil aus Schaufensterdekoration, zum Teil aus Hinterhof. Die eine Hälfte ist im Aufbau begriffen, die andere bröckelt vor sich hin. Vieles erinnert an Paris oder London, anderes an die Dritte Welt. Und irgendwie passt es nicht zusammen. Acht Jahre in Folge, mit Ausnahme von 2000, ist das Bruttoinlandsprodukt Berlins gesunken, womit die wirtschaftliche Leistungsfähigkeit der Stadt wieder dort angekommen ist, wo sie Anfang der neunziger Jahre stand. Berlin verarmt zusehends. Einer der Gründe dafür, dass es abwärtsgeht, liegt an dem schlichten Umstand, dass man Berlin nur halbherzig zur Hauptstadt gemacht hat. Ein wichtiger Teil blieb in Bonn zurück.

Im denkwürdigen Berlin-Bonn-Gesetz wurde nämlich bestimmt, dass mehrere Ministerien in Bonn zu bleiben hatten. Bei jedem Besuch dort fällt mir auf, dass in Bonn emsige Bautätigkeit herrscht wie einst in Berlin. Entsprechend liegt die Arbeitslosenrate bei 7,3 Prozent, während sie in der Hauptstadt 18 Prozent erreicht. Die Mieten sind gestiegen, der Leerstand bei Wohnungen und Büroflächen ist gering. Die Gebäude, aus denen Botschaften und Organisationen nach Berlin umgezogen sind, haben längst neue Mieter gefunden. Während in Berlin riesige Wohn- und Büroflächen leerstehen, kommt Bonn mit dem Bauen nicht mehr nach.

Dass Berlin überhaupt zur Hauptstadt wurde, verdankt es wesentlich Wolfgang Schäuble, der in einer bewegenden Bundestagsrede für die nötige Stimmenmehrheit gesorgt hat. Im Gegenzug hat Helmut Kohl dafür gesorgt, dass seine alten Bonner Kumpels nicht zu kurz kamen. Um der Ex-Hauptstadt den Rangverlust zu versüßen und die »verheerenden Wirkungen« des Umzugs auszugleichen, wurden zahlreiche Kompensationen versprochen. So zwang man das bereits erwähnte Leibniz-Institut für Erwachsenenbildung, das traditionell in Frankfurt saß, unter hohen Kosten nach Bonn umzusiedeln. Die Hauptverwaltungen von Telekom und Deutscher Post AG, als deren Haupteigentümer immer noch das Finanzministerium zeichnet, wurden nach Bonn in Marsch gesetzt, obwohl der Standort sich für solche Weltunternehmen nicht gerade anbot. Dazu wurde ein 160 Meter hohes phallisches Machtsymbol namens »Post Tower« mitten in der beschaulichen Stadt errichtet. Unbemerkt von der Öffentlichkeit kam es zu zahlreichen solchen Absurditäten, für die der Steuerzahler aufzukommen hat.

Noch folgenreicher war die Entscheidung, dass mit den Ressorts für Verteidigung, Umwelt, Landwirtschaft, Gesundheit, Bildung und Forschung sowie Entwicklung und wirtschaftliche Zusammenarbeit sechs Bundesministerien in Bonn zurückbleiben mussten. Das führte de facto zu einer Zweiteilung der Ministerien, da sie natürlich mit ihren »Kopf- und Stabsstellen«, also mit den Ministern und ihrer Entourage, in Berlin und am Kabinettstisch vertreten sein müssen. Wenn ich montags oder freitags die Strecke Berlin–Köln fliege, beobachte ich eine wahre Massenwanderung von Bundesbeamten, die von ihrem Büro im Bonner Ministerium zum Berliner Minister oder umgekehrt unterwegs sind. Wie absurd! Und welche Verschwendung von Zeit, Geld und natürlich Raum, da jeder Migrant doppelte Bürofläche beansprucht.

Warum beendet man nicht endlich diesen Schildbürgerstreich? Warum lässt man die Ministerien nicht dorthin ziehen, wo sie nun einmal hingehören, an den Regierungssitz? Und warum sieht man nicht, dass Bonn aus allen Nähten platzt, während Berlin zunehmend leersteht? Unsere Hauptstadt braucht diesen Zuzug dringend. Doch dem Berliner Bürgermeister fehlt der Schneid, dies zu fordern, wohl weil seine Partei es sich nicht mit den Wählern in Nordrhein-Westfalen verderben möchte.

Beim Thema Osten fehlt es auch sonst an Ehrlichkeit. Man erfreut sich an blitzblanken Vorzeigebetrieben und ignoriert die graue Stagnation, die in weiten Teilen des Landes herrscht. Für mich klingen die flotten Erfolgsmeldungen wie das Pfeifen im Wald. Oft genug fallen die vermeintlichen Erfolge unter die Rubrik »Potemkinsche Dörfer«: Sooft der russische Zar durchs Land fuhr, wurden Kulissen mit gemalten Musterdörfern aufgestellt, die dem doppelten Zweck dienten, eine prosperierende Welt vorzutäuschen und die Misere dahinter zu verbergen.

Kein Wunder, dass diesem Land der Fassadenkosmetik die Leute weglaufen. Ende April 2004 sah ich in der Presse eine Deutschlandkarte mit der Bevölkerungsentwicklung bis 2020. Eine steigende Einwohnerzahl war durch blaue Einfärbung gekennzeichnet, eine sinkende durch rote und extreme Bevölkerungsabnahme durch lila Farbtöne. Mit Ausnahme des Berliner Umlands erschien Ostdeutschland in Tiefrot bis Dunkellila getaucht. Welche Zukunftsvision: die neuen Länder als Altersheim!

Zufällig begegnete ich auf dem Flug nach München, die aufgeschlagene Zeitung mit dieser Bevölkerungskarte in der Hand, dem bayerischen Ministerpräsidenten. Stoiber kommentierte schmunzelnd: »Da sehen Sie, wie attraktiv der Süden ist.« Tatsächlich schimmerten Bayern und Baden-Württemberg in erfreulichen Blautönen. »Aber ehrlich gesagt«, fügte er hinzu, »macht uns das keine Freude. Das Problem Ost ist leider auch ein Problem West und damit eine Herausforderung für uns alle.«

Wenn wir diese Herausforderung nicht annehmen, ist die Prognose klar: Mit dem Bevölkerungsschwund nimmt die Verarmung zu, mit dieser die Abhängigkeit vom Finanztransfer. Mit den andauernden Überweisungen von West nach Ost wiederum sinkt die Konkurrenzfähigkeit ganz Deutschlands, was sich zuerst in den neuen Ländern niederschlagen wird. So wird die Schraube immer weiter abwärts gedreht. Verstärkt wird diese Tendenz durch die neuen EU-Mitglieder, die erheblichen Leistungsdruck auf uns ausüben werden.

Ein Zurückdrehen dieser Schraube, ein Neubeginn in unserem Land wird erst dann möglich sein, wenn wir uns eingestehen, wie notwendig er ist. Ein Neubeginn wird erst möglich sein, wenn Mahner wie Klaus von Dohnanyi nicht länger als Schwarzmaler hingestellt werden, und das ausgerechnet von jenen Politikern, die selbst nur Schönfärberei betreiben. Kurz nach Veröffentlichung von Dohnanyis dramatischem Appell besuchte Kanzler Schröder, notorisches Lächeln im Gesicht, ausgewählte Betriebe der neuen Bundesländer, sozusagen die blühenden Landschaftsteile, während er die Steppe links liegen ließ. Als man ihn fragte, ob nicht eine Wende im Aufbau Ost nötig sei, antwortete er, dazu sehe er keinen Grund.

Dass er ihn nicht sieht, heißt nicht, dass es ihn nicht gibt. In Wahrheit haben wir Deutschen jeden Grund der Welt, dieses Problem ernstzunehmen, ernster als alle anderen. Es ist ein Problem von höchstem nationalem Interesse, mit dem verglichen unsere täglichen Aufmerksamkeitsschwerpunkte von Irak über Afghanistan bis zum neuesten Koalitionsstreit nur Ablenkungsmanöver sind. Deutschlands Osten ist unser aller vitales Problem.

Um dieses Problem zu lösen, müssen wir zuallererst erkennen, dass der Zustand der ostdeutschen Industrie immer noch Folge jener katastrophalen Verhältnisse ist, die wir 1990 im einstigen Arbeiter- und Bauern-Staat vorfanden. Dass sich nichts Wesentliches geändert hat, liegt, zweitens, an dem Kardinalfehler, das westdeutsche Wirtschafts-, Steuer-, Sozial- und Tarifsystem den neuen Ländern einfach überzustülpen. Deshalb wurde, drittens, trotz großartiger Einzelleistungen im Wiederaufbau das Entscheidende verfehlt: die Wettbewerbsfähigkeit im internationalen Vergleich. Daraus ergibt sich, viertens, der zwingende Schluss, dass wir genau dort noch einmal anfangen müssen, wo wir 1990 standen: am Nullpunkt.

Erkennen wir die Chancen, die sich aus einem solchen Nullpunkt ergeben! Wie 1945, als Deutschland sich aus einer weit schlimmeren Notlage emporarbeitete. Wenn ich an meine Mutter denke, wie sie ganz ohne Hilfe, aber eben auch ohne bürokratische Vorschriften, unser Schicksal in ihre Hände nahm. Nicht anders, als die Mehrzahl derer, die das Grauen überlebt hatten und das eigene Leben zu organisieren begannen, statt, wie heute üblich, sich nach Fördermitteln und Aufbauprogrammen umzusehen. »Organisation« bedeutete nicht staatliche Gängelung, sondern die Entschlossenheit, Ordnung und Nachhaltigkeit ins eigene Leben zu bringen. Aus eigener Kraft.

Den Geist des »Trotzdem«, der Deutschland damals beflügelte, habe ich erneut spüren können beim Wiederaufbau der Frauenkirche: Es waren nur Trümmer übrig, und bei nüchterner Betrachtung musste die Rekonstruktion dieses verlorenen Kunstwerks, sowohl was die technische als auch was die finanzielle Seite betraf, wie ein Luftschloss erscheinen. Aber es gibt eben eine Kraft, die auch das Unmögliche möglich macht. Vorausgesetzt, man findet den Mut anzufangen. Und startet dann durch.

Damit Deutschland politisch durchstarten kann, müssen die einzelnen Bundesländer die Freiheit erhalten, sich selbst die nötigen Rezepte zu verschreiben. Wenn Ministerpräsident Georg Milbradt in Sachsen das Tarifkartell nicht will, soll er es abschaffen dürfen. Wenn Bürgermeister Klaus Wowereit in Berlin die Läden auch am Sonntag öffnen will, dann muss das möglich sein. Und wenn jede Kommune selbst bestimmen will, welchen Zuschlag zur Einkommensteuer sie erhebt und ob sie lieber mit höheren Sätzen ein Erlebnisschwimmbad finanziert oder mit niedrigen Sätzen Unternehmen anlockt, dann soll sie auch dies tun können. Wettbewerb hat immer funktioniert. Das Beispiel Schweiz zeigt: Vor allem weil die Kantone miteinander konkurrierten, wurde die Schweiz zu einem reichen Land. Und Amerika dominiert die Weltwirtschaft auch deshalb, weil dort die Staaten und Städte über ihre Wettbewerbsfähigkeit selbst bestimmen können. Wenn also die neuen Bundesländer anders mit Tarifrecht, Bürokratie und Steuern umgehen wollen, dann muss dies möglich sein. Nur wer Freiheit hat, kann auch Verantwortung übernehmen.

Natürlich gilt dies ebenso für Westdeutschland. Der Neubeginn im Osten muss ein Neubeginn für ganz Deutschland werden. Denn längst hat sich gezeigt, dass jenes Wirtschafts-, Steuer-, Sozial- und Tarifsystem, das dem Osten trotz Milliardentransfers nicht aufhelfen konnte, auch den Westen bis zur Bewegungsunfähigkeit lähmt. Was vierzehn Jahre lang schlecht für die neuen Bundesländer war, erweist sich heute auch als schlecht für die alten. Dieses System ist nicht das Schiff, mit dem unsere Gesellschaft in die Zukunft fährt, sondern das Leck, das

Die Dresdner »Skyline« ist wieder wie zu Canalettos Zeiten:

die Frauenkirche mit aufgesetzter Turmhaube.

ihr den Untergang bringt. Die Politik, die sich nur noch mit Wasserschöpfen und der Musik der Bordkapelle beschäftigt, ist nicht Teil der Lösung, sondern Teil des Problems.

Sobald wir das erkannt haben, werden wir auch wieder die Kraft des Neubeginns finden.

NACHWORT

Ja, ich glaube an die Kraft des Neubeginns. Jetzt, in diesem geschichtlichen Augenblick. Den Anfang machte der damalige Bundespräsident Roman Herzog mit seiner Berliner Rede im Hotel Adlon. Die Geschichte unserer Republik wird diese »Ruckrede« als den Anfang des Umdenkens in Deutschland registrieren. Dass sich jetzt etwas in unserem Land bewegt, liegt seit der Wahl seines Nach-Nachfolgers auf der Hand. Und wie sich politische Entwicklungen oft in Persönlichkeiten verkörpern, erscheint mir Horst Köhler wie der aktuelle Ausdruck dieser Kraft. Er hat die düstere Seite unserer Geschichte erlebt, den Verlust der Heimat und die schweren Nachkriegsjahre ebenso wie den kometenhaften Aufstieg der Wirtschaftsmacht Bundesrepublik, auf den Jahre der Stagnation, der Selbstzweifel und Selbstblockade folgten. Horst Köhler kennt die »German disease«, die deutsche Krankheit. Und dennoch strahlt er, nach langen Lehrjahren im In- und Ausland, einen Zukunftsoptimismus aus, der ansteckt.

An jenem denkwürdigen Märzabend 2004, an dem Angela Merkel, Edmund Stoiber und Guido Westerwelle in dessen Berliner Wohnung beschlossen hatten, dem IWF-Chef Horst Köhler das Amt anzutragen, war ich tief enttäuscht über den Prozess der Kandidatenfindung und geradezu empört über die Art und Weise, wie mit Wolfgang Schäuble umgegangen worden war. Aber mein Ärger wich dann doch schnell einer neuen Hoffnung. Denn ihre Wahl, das musste ich den drei »Verschwörern« zugestehen, war – wenn es Wolfgang Schäuble schon nicht sein konnte – eine ganz ausgezeichnete Alternative.

Jahrelang habe ich mit Horst Köhler im Verwaltungsrat der Treuhandgesellschaft gesessen, wo wir aufgrund der alphabetischen Sitzordnung immer dann Tischnachbarn waren, wenn Roland Issen, der Chef der Deutschen Angestellten-Gewerkschaft, nicht erschien, was ab und zu vorkam. Da viele Entscheidungen des Verwaltungsrats nur unter dem Vorbehalt getroffen werden konnten, dass das Finanzministerium zustimmte, kam meinem Tischnachbarn als Vertreter des Ministeriums eine Schlüsselrolle zu. Dank der Eloquenz und Überzeugungskraft Horst Köhlers, der das Vertrauen von Finanzminister Theo Waigel genoss, gab es keinen einzigen Fall, in dem das Ministerium sich den Beschlüssen verweigert hätte.

Unsere Wege kreuzten sich bald wieder. Während ich als BDI-Präsident die Belange der deutschen Industrie vertrat, zeichnete Horst Köhler verantwortlich für den deutschen Sparkassenverband. Unsere kleine Bonner Außenstelle lag seinem riesigen Büro gegenüber, und so kam es des öfteren zu Begegnungen und gegenseitigen Besuchen. Ab und zu kreuzten wir auch die Klingen, wenn es um die Gewährträgerhaftung ging, also die Staatsgarantie, die für Sparkassen und Landesbanken einen Wettbewerbsvorteil gegenüber den Privatbanken bringt. Während ich in dieser Regelung einen Hauptwebfehler des Finanzstandorts Deutschlands sah, machte er sich als Chef des Sparkassenverbands für die Beibehaltung des Privilegs stark. Kanzler Kohl und Finanzminister Waigel wiederum vertraten seine Sichtweise in Brüssel und setzten sich damit gegen die Wettbewerbshüter der Kommission durch.

Einen Beweis seiner Flexibilität lieferte Horst Köhler in seiner nächsten Funktion. Da er als Präsident des IWF andere Prioritäten zu setzen hatte, vertrat er nun die Position, die ich gegenüber ihm eingenommen hatte, und forderte, wie die Brüsseler Kommission, die Abschaffung dieses deutschen Privilegs. Dass ihm die Leitung des Internationalen Währungsfonds übertragen wurde, verdankte er einem politischen Ränkespiel, das mich an jenes um die deutsche Präsidentschaft 2004 erinnert. Eigentlich hatte Kanzler Schröder Finanzstaatssekretär Kajo Koch-Weser für den Posten vorgeschlagen, was allerdings auf amerikanische Bedenken stieß. Da auch mir Koch-Weser als geeigneter Kandidat erschien, setzte ich mich im Ausland für seine Ernennung ein. Um Stimmen für ihn zu gewinnen, besuchte ich sogar den damaligen mexikanischen Staatspräsidenten Zedillo. Doch es zeigte sich, dass der Schröder-Vertraute Koch-Weser gegen den amerikanischen Präsidenten Bill Clinton nicht durchzusetzen war. Man einigte sich dann, wie bekannt, auf Horst Köhler.

Welche Ironie, dass ich mich zweimal für einen Kandidaten stark gemacht habe, durch dessen Scheitern der Weg für Horst Köhler geebnet wurde. Nachträglich kann ich feststellen, dass er sich auf dem IWF-Posten hervorragend bewährt hat. Ihm ist der Spagat gelungen, einerseits an den Prinzipien einer vernünftigen Finanzpolitik festzuhalten und andererseits das Vertrauen der armen Länder zu gewinnen, indem er ihre Anliegen, anders als seine Vorgänger, ernst nahm, sie als Partner behandelte, ihnen sogar entgegenkam. Am Ende war er von Gläubiger- wie Schuldnerländern gleichermaßen akzeptiert.

Natürlich prädestiniert ihn diese Fähigkeit, zwischen scheinbar unversöhnlichen Gegensätzen auszugleichen, für das Amt des deutschen Bundespräsidenten. Ein solcher Ausgleich ist heute wichtiger denn je. Die allgemeine Ratlosigkeit führt in unserem Land dazu, Gegensätze zu verstärken und dort, wo Verständigung nötig wäre, auf Polarisierung zu setzen. Ein positives Gegensignal wurde durch die Bundesstaatskommission gesetzt, in der alle Parteien, Bund und Länder gemeinsam versuchen, Zuständigkeiten zu entwirren und einvernehmlich zu einer staatlichen Neuordnung zu kommen. Bei einem Gespräch, das ich im Juli 2004 mit den Vorsitzenden dieser Kommission, Franz Müntefering und Edmund Stoiber, hatte, beeindruckte mich der konziliante Ton, in dem die beiden politischen Kombattanten miteinander umgingen. Man sprach nicht nur, sondern hörte auch zu. Interessanterweise verzichtete man sogar auf Polemik.

Allerdings wurde mir dabei auch klar, dass das eigentliche Ziel der Kommission, die ich mit angeregt hatte, nicht erreicht werden kann. Es wimmelt von Kompromissen und Ausklammerungen, die damit zusammenhängen, dass alle Beteiligten ihre jeweiligen Partei- oder Amtsinteressen vertreten, keiner also das Ganze im Blick hat. Der »Konvent für Deutschland« bietet hier die Alternative. Obwohl sich in ihm Angehörige sämtlicher demokratischer Parteien versammelt haben, sehen sie sich doch nicht als deren Vertreter. Sie alle haben das Handwerk der Politik gelernt, übten hohe Ämter aus. Sie kommen ohne den Ehrgeiz aus, noch etwas werden zu wollen. Sie verfolgen keine Eigeninteressen, sie hegen keine Postenspekulationen. Ihr Anliegen besteht einzig und allein darin, unserem Land ein neues, zeitgemäßes politisches Entscheidungssystem zu geben. Natürlich ist die Verfassung dabei besonders wichtig.

Schon bald nach seiner Kandidatur für die Bundespräsidentschaft habe ich Horst Köhler in dem kleinen Büro besucht, das Angela Merkel ihm im CDU-Hauptquartier zur Verfügung stellte. Wir hatten uns seit Jahren nicht mehr gesehen, und mir fiel auf, wie sehr er durch seine sechs Auslandsjahre gewonnen hatte. Er betrachtete Deutschland von einem erweiterten Horizont her – wie auch mir selbst durch meine siebzehn Jahre im Ausland, so glaube ich jedenfalls, eine objektivere Sicht unseres Landes ermöglicht wurde. In einem längeren Gespräch erörterte ich Horst Köhler die Konvent-Idee sowie unsere Überzeugung, dass Reformen solange nicht genügten, als man nicht auch die Reformfähigkeit unseres Landes selbst reformierte. Diese Fähigkeit würden wir aber erst dann erlangen, wenn zum einen die Deutschen über wirtschaftliche, soziale und politische Zusammenhänge aufgeklärt würden – denn im Vergleich zu unseren Nachbarn sind sie weitgehend ahnungslos – und wenn man zum anderen das politische Entscheidungssystem vereinfachte, so dass unser Land nicht länger nur blockiert, sondern auch regiert würde.

Horst Köhler schien sehr angetan. Auch mit meinem Vorschlag, den Graben zwischen unserer Wirtschaft und Gesellschaft nicht weiter aufzureißen, sondern möglichst einzuebnen, traf ich bei ihm auf offene Türen. Da er großes Interesse zeigte, mehr über unseren Konvent zu erfahren, kam es zehn Tage vor seinem Amtsantritt im Juli 2004 zu einem Treffen in Frankfurt, zu dem Alt-Bundespräsident Roman Herzog geladen hatte. Manches, was wir dabei diskutierten, wurde auch in Horst Köhlers Antrittsrede thematisiert.

Schon in den Vormonaten war das Thema Volksentscheid auf die Tagesordnung gerückt. Warum, so fragte sich die Mehrheit der Deutschen, wird ihr höchster Repräsentant nicht von ihnen selbst, sondern von einem Gremium bestimmt, auf das wir keinen Einfluss haben? Dieselbe Frage wurde in Hinblick auf die Europäische Verfassung gestellt: Warum dürfen unsere Nachbarn, die Engländer, die Franzosen und viele andere Nationen über diese Verfassung mitbestimmen, wir aber nicht? Von Kanzler Schröder und Außenminister Fischer wurde auf solche Fragen mahnend entgegnet, dass dies in unserer Verfassung nicht vorgesehen sei. Warum aber verschwiegen die beiden, dass sehr vieles, was in unserer Verfassung nicht vorgesehen war – und zwar schon deshalb, weil es nicht vorhersehbar war –, nachträglich eingefügt oder korrigiert wurde? Sie verschwiegen es, weil sie nicht nur ein negatives Ergebnis fürchten, sondern auch die Allmacht der Parteien bedroht sehen, die ihre Vormundschaft über die Bürger nicht aufgeben wollen. Sie befinden sich dabei in guter Gesellschaft. Auch Angela Merkel scheint mit mehr plebiszitären Elementen nichts am Hut zu haben.

Dass Europa einmal eine gemeinsame Verfassung haben würde, war 1949 beim besten Willen nicht vorherzusehen. Und bei der Verabschiedung des Grundgesetzes war seine Legitimation durch das Volk auf jene Zukunft verschoben worden, in der unser Land eines Tages seine Freiheit wiedergewonnen haben würde. »Dieses Grundgesetz«, so heißt es im Artikel 146, »das nach Vollendung der Einheit und Freiheit Deutschlands für das gesamte deutsche Volk gilt, verliert seine Gültigkeit an dem Tage, an dem eine Verfassung in Kraft tritt, die von dem deutschen Volke in freier Entscheidung beschlossen worden ist.«

Warum nutzen wir nicht die Gunst der Stunde zu einem Neubeginn? Wenn Ende 2004 deutlich wird, dass die Bundesstaatskommission keine Lösung gefunden hat, könnte Deutschland, das heißt die Bundesregierung, der Bundestag oder der Bundespräsident, dem Konvent den Auftrag erteilen, für unser Land eine neue, zeitgemäße Verfassung zu erarbeiten. Dieser Konvent für Deutschland, der keine Parteirücksichten zu nehmen hat, könnte ein Grundgesetz vorlegen, über das vom deutschen Volk abgestimmt würde. Dann fände endlich auch der Artikel 146 seine Erfüllung.

In freier Entscheidung soll das gesamte deutsche Volk den Rahmen bestimmen, in dem es zukünftig leben will. Wie es sich zuvor, so hoffe ich, in freier Wahl für die Europäische Verfassung entschieden hat.

Nachwort zur Taschenbuchausgabe

Da vor zweihundert Jahren der berühmteste dänische Dichter, der Märchenerzähler Hans Christian Andersen, geboren wurde, ließ man sich in Dänemark die Gelegenheit nicht entgehen, durch Ausrufung eines großen, festlich zu begehenden Andersen-Jahres weltweit für ihn und seine schöne Heimat zu werben. Dem Außenministerium in Kopenhagen kam dabei auch die Idee, nach dem Vorbild der UNICEF-Botschafter Prominente in allen Weltteilen zu »Hans-Christian-Andersen-Botschaftern« zu ernennen. So auch mich.

Überrascht öffnete ich eines Tages ein hochamtliches Schreiben des dänischen Botschafters, der mich im Namen seines Kronprinzen bat, dieses Ehrenamt anzunehmen, das weder mit Pflichten noch mit Privilegien ausgestattet sei. Warum hatte man mir diese Ehre zugedacht? fragte ich mich. Sah man mich etwa als deutschen »Märchenonkel« an? Oder hatte ich mir märchenhafte Verdienste um die deutsch-dänischen Beziehungen erworben? Meine Selbstbefragung endete erst, als ich erfuhr, dass auch die Sängerin Nina Hagen, der Hamburger Ballettintendant John Neumeier, die Choreographin Sasha Waltz, die Schauspielerin Katja Riemann und die TV-Moderatorin Sandra Maischberger in das Ehrenamt berufen worden waren.

Zu einem Empfang mit dem dänischen Kronprinzenpaar ins Rote Rathaus geladen, unterhielt ich mich lange mit der sympathischen Kronprinzessin Mary, die, wie sich herausstellte, vom anderen Ende der Welt stammte, von der abseits gelegenen Insel Tasmanien. Märchenhaft. Unvermeidlich wurde auch die Presse auf meinen neuen Status aufmerksam, und so fand ich mich mit Fragen konfrontiert, welche Beziehung ich denn zu dem gefeierten Poeten aufzuweisen hätte. Die Antwort fiel mir nicht schwer. Denn, so erklärte ich, Hans Christian Andersen war fester Bestandteil meiner Kindheit in Hamburg, und zwar dank meiner lieben Mutter, die uns Geschwistern seine Märchen in einem so eleganten Deutsch vorlas, dass ich überzeugt war, es handle sich bei Andersen um einen Deutschen und bei seinen Geschichten von der kleinen Seejungfrau über den standhaften Zinnsoldaten bis zum hässlichen Entlein um typisch deutsche Märchen. Über das arme Mädchen mit den Schwefelhölzern, das in der Silvesternacht erfriert, haben wir am Ende immer gemeinsam geweint.

Zu meinen Lieblingsmärchen gehörte von Anfang an »Des Kaisers neue Kleider«. Ich glaube sogar, dass ich mich damals mit der Rolle des wahrheitsliebenden Kindes identifiziert habe, das die befreienden Worte spricht: »Aber er hat ja gar nichts an!«, worauf auch die Jubelmenge der Erwachsenen den Bann der hypnotischen Selbsttäuschung durchbricht. Das beeindruckte mich sehr, so wollte ich auch sein: unbefangen, meinetwegen »frech«, die Wahrheit aussprechen, zu der den »Großen« der Mut fehlt, und die Menschen ermuntern, ihrem gesunden Menschenverstand zu vertrauen.

Bei vielen Reden, die ich in den letzten Monaten über den deprimierenden Zustand unseres Landes, seine historische Verkrampfung und die Schwächen seiner Verfassung gehalten habe, fiel mir die Unsicherheit des Publikums auf, wie es denn auf meine ungewohnten, politisch nicht eben korrekten Aussagen reagieren solle. Vielen schien der Atem zu stocken, andere sahen sich um, als wären sie im Zweifel, ob sie mir auch zustimmen dürfen. Nicht zuletzt durch den lang anhaltenden Beifall hinterher konnte ich mich davon überzeugen, dass alle tatsächlich zugestimmt hatten – wie Andersens Menschenmenge, die nach dem Ausruf des Kindes endlich ihren eigenen Augen zu trauen beginnt.

Auf die Frage eines Journalisten, was mich an »Des Kaisers neue Kleider« so fasziniere, erklärte ich denn auch, dass mir der Zustand der derzeit noch Regierenden in diesem Märchen – einem Märchen für Erwachsene – treffend beschrieben scheint. Denn Gerhard Schröder, der mit praktisch allem gescheitert ist, was er sich vorgenommen hatte, stellt seine nicht vorhandenen

Errungenschaften in den leuchtendsten Farben dar und ermahnt das staunende Volk, nur ja nicht die ungeheure Wichtigkeit seiner Kanzlerschaft zu unterschätzen. Die Dürftigkeit seiner Verdienste verhüllt er mit einem Mantel aus intellektueller Anmaßung und redseliger Selbstverliebtheit. Wer ihm zu widersprechen wagt, wird mit Verachtung gestraft, wer anders denkt, mit Hohn übergossen. Die letzten Tage dieser hybriden Selbstdarstellung, in denen er sein Scheitern zu einem Erfolg umzufälschen sucht, scheinen mir im letzten Satz von Andersens Märchen vorweggenommen: »Und so hielt er sich noch stolzer, und die Minister gingen und trugen die Schleppe, die gar nicht da war.«

Meine Ernennung zum Hans-Christian-Andersen-Botschafter wurde durch Überreichung einer liebevoll gemalten Urkunde und eines geschmackvollen Porzellantellers besiegelt. Die Einladung zu einem rauschenden Andersen-Fest mit Riesenfeuerwerk in dessen Geburtsstadt Odense, bei dem ich nicht nur dem charmanten Kronprinzenpaar wieder begegnet wäre, sondern auch andere Andersen-Botschafter wie Harry Belafonte oder Václav Havel getroffen hätte, musste ich leider ausschlagen. Schon zuvor war ich von Bundespräsident Horst Köhler eingeladen worden, an seiner Japanreise Anfang April 2005 teilzunehmen, und der Starttermin fiel genau mit dem dänischen Großereignis zusammen. Im Interessenkonflikt entschied ich mich gegen die Vergangenheit und zugunsten der Gegenwart.

Anlass zu dieser Reise bot die feierliche Eröffnung des Deutschlandjahres, »Deutschland in Japan 2005/6«, das gemeinsam von Bundesregierung und Wirtschaft schon vor Jahren in die Wege geleitet worden war – ein entsprechendes »Japan in Deutschland«-Jahr hatte es bereits gegeben. Als Gründer und langjähriger Vorsitzender der Japaninitiative der deutschen Wirtschaft habe ich das fernöstliche Land regelmäßig besucht und bei jedem Tokiobesuch darauf geachtet, den »Orden des heiligen Schatzes« anzulegen, den höchsten japanischen Orden, der vom Kaiser an einen Ausländer verliehen werden kann. Es ist übrigens der einzige Orden, den ich trage. Das Bundesverdienstkreuz Erster Klasse, das Bundespräsident Rau mir 2001 antrug, habe ich abgelehnt – einmal, weil ich mit seiner Amtsführung nicht einverstanden war, zum anderen, weil es unter Hanseaten nicht üblich ist, Orden anzunehmen. Im Fall der kaiserlichen Auszeichnung aus Japan unterdrückte ich diesen patriotischen Impuls.

Dreimal hatte ich bei meinen Japanbesuchen das außerordentliche Vergnügen, mit der kaiserlichen Familie zusammenzutreffen. Im Gegensatz zu den Mitgliedern des japanischen Kabinetts, die weder englisch sprechen noch die Welt kennengelernt haben, sondern ähnlich provinziell sind wie die meisten Mitglieder der deutschen politischen Klasse, zeigt sich die Kaiserfamilie hochgebildet, in Fremdsprachen versiert und über das Weltgeschehen bestens im Bilde. Wenige Japaner hinterließen bei mir einen ähnlich kosmopolitischen Eindruck. Mit Prinzessin Sayako konnte ich mich sogar auf Deutsch unterhalten, da sie in Österreich studiert hatte. Beide Prinzen hatte ich schon beim Staatsbesuch Roman Herzogs kennengelernt. Sie plauderten fließend auf Englisch. Mit Fumihito, dem jüngeren, von der Jugend als eine Art Popstar angehimmelt, habe ich mich über sein gelbes VW-Cabrio unterhalten, mit dem er ausschließlich auf kaiserlichem Gelände herumkutschiert – nicht weil ihm Tokios Straßennetz zu gewöhnlich wäre, sondern weil er keinen Führerschein besitzt.

Während der Reise habe ich den Bundespräsidenten beobachtet und mein Urteil, das ich in diesem Buch niedergelegt habe, bestätigt gesehen. Weder behindern ihn, wie seinen Vorgänger Rau, ideologische Scheuklappen, noch bemüht er sich, wie etwa Richard von Weizsäcker, in jedes Wort und jede Geste die ganze Würde seines hohen Amtes zu legen. Horst Köhler *gibt* sich nicht natürlich, er *ist* es. Er sagt, was er denkt, und er sagt es so, dass man ihn auch versteht. Er hört einem zu, schaut einem in die Augen. Vielleicht trifft kein Wort besser auf ihn zu als das: Er ist authentisch.

Ich fühlte mich in seiner Gegenwart wie in der seiner ebenso netten wie kompetent auftretenden Frau sehr wohl, wie übrigens alle in der Delegation. Einige, die schon mit Roman Herzog unterwegs gewesen waren und zwischenzeitlich das staatsmännisch-herablassende Rollenspiel von Gerhard Schröder erlebt hatten, fühlten sich angenehm an die Natürlichkeit der Herzog-Ära erinnert. Kein anderer deutscher Politiker verkörpert wie Horst Köhler die politisch-gesellschaftliche Wende, die wir in diesem Jahr 2005 erleben.

Und doch sollte auch über diese Reise der Schatten der »Schlamper-Republik« fallen. Zu den Ehrenämtern des Bundespräsidenten gehörte die Eröffnung des deutschen Pavillons auf der Weltausstellung in Aichi. Leider entsprach das, was sich »deutscher Pavillon« nannte, in keiner Weise dem, was man von der zweitgrößten Exportnation der Welt als Gast auf der Expo der zweitgrößten Volkswirtschaft der Welt erwartete. Selten habe ich mich für einen deutschen Auftritt im Ausland so geschämt. Um nur eine der zahllosen Peinlichkeiten herauszuheben, die man hier unter einem Dach versammelt fand: Als Hauptattraktion wurde dem Besucher eine holprige Achterbahn angeboten, mit der er langsam wie zu Großvaters Zeiten durch ein Areal befördert wurde, in dem ihn Filmausschnitte und großformatige Fotografien mit Motiven wie Otto Lilienthals Flugversuche oder ein urdeutsches Landschaftsidyll erwarteten. Im Vergleich dazu erschien mir die New Yorker Weltausstellung von 1966, die ich im Pavillon der IBM miterlebt hatte, wie eine Apotheose kühnsten High-tech-Raffinements.

Wenn die technologiebesessenen Japaner sich schon darüber wunderten, dass die Deutschen die Mechanik des frühen 20. Jahrhunderts als Visitenkarte für eine Weltausstellung des 21. präsentierten, schienen sie völlig ratlos gegenüber dem Umstand, dass die Deutschen auf einen eigenen Stand verzichtet hatten. Nein, das konnten sie nicht begreifen, und ich begriff es ebensowenig. Deutschland übte sich nämlich mit Frankreich zusammen in einem gemeinsamen Gebäude in europäischer Einigkeit, wobei mir ein Vertreter der deutschen Abteilung unter vier Augen gestand, dass diese Kohabitation für die Franzosen so viele Vorteile gebracht habe wie Nachteile für die

Deutschen. »Was die Benutzung der Räumlichkeiten betrifft«, sagte er, »haben sie uns einfach über den Tisch gezogen.« Sie waren auch klug genug, ihren Pavillon statt mit einer anachronistischen Geisterbahn mit einem geschmackvollen Design auszustatten. Geschickt haben sie die Gemeinsamkeit mit den Deutschen benutzt, um die Differenzen zu den Deutschen hervorzuheben. Was nebenbei bemerkt auch für die Achse Chirac–Schröder galt: ein gemeinsames Haus, finanziert von den Steuergeldern des deutschen Michel und ausgenutzt von den Bauern der Grande Nation.

Der lange Schatten der Schlamper-Republik verfolgte uns weiter. Seit einiger Zeit ist in Berlin eine Pest ausgebrochen (man kann es nicht anders bezeichnen), die typisch ist für das kulturelle Niveau unseres Landes, besser gesagt: für das Niveau derer, die für dieses Land Kulturpolitik im Schlamperstil betreiben. Ich spreche von den sogenannten Buddybären, die mehr oder weniger einfallsreich bemalt an jeder Straßenecke der Hauptstadt stehen und gar nichts weiter bedeuten als eben: dass hier Bären aus Plastik stehen und Buddybären heißen. Alles begann mit den Plastikkühen in Zürich, die auch überall im Weg standen, bis die Zürcher irgendwann die aufgeblähten Sichtbarrieren satt hatten und in den Plastikschlachthof abtransportierten. Was den Zürchern die Kuh, wurde den Berlinern der Bär. Da diese bunten, garantiert sinnfreien Monstren, mit denen verglichen Donald Duck oder Mickey Mouse wie geistreiche, selbstironische Kunstwerke erscheinen, bald überall in Berlin auftauchten – ohne den geringsten Überdruss in der Bevölkerung hervorzurufen –, erging es mir wie den Zürchern: Ich wollte mir keine Bären mehr aufbinden lassen.

Doch sie verfolgten mich. Kaum in Japan angekommen, erfuhr ich, dass die deutsche Delegation als Gastgeschenk für die große Kulturnation zweihundert Buddybären mit im Gepäck hatte, die Bundespräsident Köhler dem Premierminister Koizumi offiziell zu übergeben hatte. Gemeinsam eröffneten Köhler und Koizumi die Ausstellung, deren Exponate die Künstlersignatur des eigens für das Fest entworfenen »Deutschlandjahr-bären« trugen. Ich glaubte mich im falschen Film.

»Kein Grund, sich zu schämen«, erklärte mir ein dortiger Szenekenner, »die Japaner mögen das.«

»Ich weiß, ich weiß«, antwortete ich. »In Berlin zählen die Bären zu den bevorzugten Fotomotiven der japanischen Touristen. Aber müssen wir deshalb gleich eine ganze Kompanie davon nach Japan schaffen?«

Vermutlich waren die Bären irgendeinem Kulturdezernenten oder -referenten als symbolträchtiges Sinnbild für das einstige Land der Dichter und Denker erschienen, und keiner hatte gewagt, ihm wie in Andersens Märchen die Wahrheit entgegenzuhalten: »Es ist ja keine Kunst, sondern nur Plastikkitsch, der bestenfalls für Kinderspielplätze taugt.«

Noch ein drittes Mal habe ich mich für das deutsche Auftreten in Japan geschämt: Zum Besuch des Bundespräsidenten waren Mitglieder der Stuttgarter Staatsoper angereist, um in einer Open-Air-Arena einen festlichen Arienabend zu geben. Leider hatte die deutsche Botschaft – in der üblichen »Das passt schon«-Mentalität – übersehen, dass in Tokio der April, nicht anders als in Deutschland, kühl und nass sein kann. Kein Wunder, dass die Hälfte der Plätze unbesetzt blieb und die Unerschrockenen, die der deutschen Klassik die Reverenz erweisen wollten, der Aufführung mit hochgeschlagenen Mantelkrägen lauschen mussten. Die frierenden Geiger massierten in den Pausen ihre steifgefrorenen Finger. Ich bewunderte den Bundespräsidenten und seine Frau, die den arktischen Verhältnissen ihren heiteren Gleichmut entgegensetzten.

Nach der Rückkehr aus Japan fand ich in der Post eine Einladung der Lüneburger Universität. Da ich seit langem das Gut Schnellenberg in der Lüneburger Heide besuchen wollte, wo ich mit Mutter und Geschwistern am Kriegsende 1945 einige Monate verbracht hatte, nutzte ich den Termin, um einen Abstecher in die Vergangenheit zu unternehmen. Zusammen mit Schwester Karin, die aus Hamburg angereist war, betrat ich zum ersten Mal wieder den weiten Vorplatz, wo uns der heutige

Gutsherr, Maximilian von Schmeding, zur Führung erwartete. Das Gut schien mir so vertraut, als wären seitdem keine sechzig Jahre vergangen. Abgesehen von einigen baulichen Veränderungen war das Gutshaus mit seiner schweren Holztüre und den beiden Gebäudeflügeln erhalten geblieben. Verändert hatte sich nur das Karree des von Stallungen umgebenen Innenhofs. In meiner Erinnerung sah ich eine freie Fläche, doch nun war der Hof mit großen, schattigen Bäumen bestanden.

Zum ersten Mal erfuhr ich, dass die damaligen Mituntermieter des Gutes hauptsächlich adlige Frauen mit ihren Kindern waren – die Männer standen noch an der Front oder waren bereits gefallen –, die vor den Russen von ihren ostdeutschen Gütern hatten fliehen müssen. Karin, sechs Jahre älter als ich, saß jeden Abend mit Mutter vor dem Radio, um »Feindsender« zu hören, was strengstens verboten war. Das hielt Mutter indes nicht davon ab, die versammelten Baronessen und Gräfinnen am nächsten Morgen mit den neuesten Nachrichten über den Kriegsverlauf zu versorgen. Selbst als eine von ihnen, offenbar eine linientreue Parteigenossin, mit Anzeige und »schwersten Konsequenzen« drohte, ließ Mutter sich nicht beirren.

Karin konnte sich noch genau an die Zimmer erinnern, in denen wir untergebracht waren. Auch der wunderschöne, freistehende Kachelofen, der uns damals gewärmt hatte, stand noch an seiner Stelle und wies nach wie vor die Beschädigungen auf, die von dem Beschuss einer englischen Panzerkanone Anfang Mai 1945 herrührten. Bei dem Brand, den die Granaten in unserem Gebäudeflügel entzündeten, fing auch ein großer Steinway-Flügel Feuer, dessen verkohlter Torso später traurig auf einer Terrasse stand.

Bei der Führung durch unsere Vergangenheit kam Herr von Schmeding auch auf jene Episode zu sprechen, die sich zutrug, als die Engländer nach dem Brand ins Gutshaus eingedrungen waren. Er erzählte aus persönlicher Erinnerung, dass zwei Soldaten die Bewohner des Gutes in ein Zimmer eingeschlossen hätten, um in aller Seelenruhe sämtliche Wertgegenstände aus dem Haus zu entwenden. Leider gehörte auch Mutters geliebtes

Radio dazu. In ihrer resoluten Art, so berichtete sie uns später, war sie den Dieben auf dem Fahrrad nachgeeilt und hatte nicht geruht, als bis sie sich beim Befehlshaber persönlich, keinem Geringeren als General Montgomery, auf Englisch beschweren und ihr gutes Stück zurückfordern konnte – das ihr prompt am nächsten Tag per Jeep überbracht wurde. Das Radio sollte bald darauf mein Hamburger Zimmer mit Jazzklängen von BFN, dem »British Forces Network«, beschallen.

In meinem Buch *Die Macht der Freiheit* fügte ich der Wiedergabe von Mutters Husarenstück mit den Worten, »ob es nun wirklich der berühmte General war oder nicht ...« ein leises Fragezeichen an. Möglicherweise zu Unrecht. Es stellte sich nämlich heraus, dass der große »Monty« tatsächlich auf einem nahegelegenen Hügel bei Wendisch Evern sein Hauptquartier aufgeschlagen hatte, wo er mit deutschen Offizieren über eine Teilkapitulation der Wehrmacht verhandelte, die am 4. Mai 1945 unterzeichnet wurde. Noch heute findet man auf dem Timeloberg, den Monty in »Victory Hill« umbenannte, einen Gedenkstein, der an die Kapitulationsverhandlungen erinnert. Von Mutters erfolgreichen Verhandlungen steht allerdings nichts darauf.

* * *

Während ich dieses Nachwort schreibe, erhält das Äußere der Dresdener Frauenkirche seinen letzten Schliff. Seit Jahren freue ich mich auf ihre feierliche Einweihung am 30. Oktober 2005. Zum Weihegottesdienst wird das Geläut der Frauenkirchenglocken ertönen, wird einer der leidenschaftlichsten Förderer des Wiederaufbaus, Professor Ludwig Güttler, mit seinem Blechbläserensemble spielen – vor 1800 Ehrengästen im Innenraum und den vermutlich Zehntausenden Dresdener Bürgern, die den Gottesdienst via Großbildleinwand auf dem Neumarkt verfolgen.

Ein wenig getrübt wurde meine Vorfreude durch den Umstand, dass mein Schwiegervater am selben Tag seinen achtzigsten Geburtstag feiern wollte. Den Interessenkonflikt, über den ihn seine Tochter, meine Frau Bettina, informierte, löste er elegant, indem er den Termin um eine Woche verschob.

Wenn ich sage »meine Frau« bin ich der Zeit wieder einen Schritt voraus: Bettina Hannover und ich lieben uns seit fünfzehn Jahren. Kennengelernt haben wir uns im Mai 1990 bei einer Fernsehsendung, die anlässlich des fünfundzwanzigjährigen Bestehens von »Jugend forscht« ausgestrahlt wurde. Da meine damalige Firma IBM Hauptsponsor des Talentwettbewerbs war, erwartete man von mir als IBM-Chef eine staatstragende Rede.

Bei der Preisverleihung an die begabtesten Nachwuchstalente hatte neben Moderator Günther Jauch und Forschungsminister Riesenhuber auch eine junge Frau ihren Auftritt, die dem Moderator offenbar so jung erschien, dass er sie für eine Preisträgerin hielt. Auf charmante Weise musste er sich von ihr belehren lassen, dass sie als Wissenschaftlerin eingeladen worden sei, um über das von ihr erforschte Thema »Frauen und Technik«, insbesondere die auffällige Überzahl an Jungen bei »Jugend forscht« zu sprechen. Ich lauschte gespannt und mit einem eigenartigen Kribbeln in der Herzgegend.

Später traf ich die junge Frau Doktor. Was heißt, ich traf? »Es« traf mich wie der Blitz. Kaum war sie mir vorgestellt worden, hatte ich mich in sie verliebt. Die Zuneigung erwies sich schnell als gegenseitig, und nun leben wir seit vielen Jahren glücklich zusammen in Berlin, wo Bettina eine Professur an der Freien Universität innehat.

Anfang September 2005 werden wir heiraten – und damit, ein weiteres Mal, auf die unwiderstehliche »Kraft des Neubeginns« setzen.

Hans-Olaf Henkel
Berlin, im Juli 2005

BILDNACHWEIS

Vorsatz: Vorsatz © Steffen Giersch, Dresden 2 x

S. 20: Foto © Ulli Skoruppa / Bunte

S. 21,23,24,39: privat

S. 94 f.: aus: »The Splendor of Dresden«, George Braziller, New York, 1978

S. 98: privat

S. 99: S. 9, aus: Eberhard Burger/Jörg Schöner, »Die Frauenkirche zu Dresden, Stufen ihres Wiederaufbaus«, Verlagsges. mbH Michael Sandstein, Dresden, 2001

S. 106: Foto © Steffen Giersch, Dresden

S. 107: privat

S. 108: S. 25 links, aus: Eberhard Burger/Jörg Schöner, »Die Frauenkirche zu Dresden, Stufen ihres Wiederaufbaus«, Verlagsges. mbH Michael Sandstein, Dresden, 2001

S. 109: privat

S. 110: S. 21, aus: Eberhard Burger/Jörg Schöner, »Die Frauenkirche zu Dresden, Stufen ihres Wiederaufbaus«, Verlagsges. mbH Michael Sandstein, Dresden, 2001

S. 112, 113: Fotos © Steffen Giersch, Dresden

S. 120, 121: privat

S. 124: New York, Museum of Modern Art © 2004, Digital Image, The Museum of Modern Art, New York/Scala, Florenz

S. 134: Foto © dpa

S. 145: Foto © dpa-Bildarchiv/Norbert Försterling

S. 154: privat

S. 158: Konkret, Hamburg

S. 162: Foto © SV Bilderdienst/dpa

S. 206: Foto © Brigitte G. Paulus

S. 291: © dpa-Fotoreport/Tim Brakemeier

S. 300: New York, Museum of Modern Art © 2004, Digital